U0936249

司馬温公
資治通鑑

第十二部

玄武门

贞观之治

黄金时代

武曌夺权

柏杨 著

人民东方出版传媒
東方出版社

玄武门

导读

隋唐两大政权交替之际，改朝换代型的惨烈内战，长达十三年之久（六一六年至六二八年），而内战开始前的暴政和全国再统一后残余的暴行，为时更长。读者如对这时期的记载，掩卷深思，都会呜咽流涕。

唐王朝瓶颈时代的夺嫡斗争，跟隋王朝瓶颈时代的夺嫡斗争，其相似的程度，几乎是同一版本，全国刚开始安定时，突然爆发玄武门政变，李世民先生的演出，比杨广先生当年，更为狠毒暴烈，他一箭射死一母同胞的老哥，再派人诛杀一母同胞的老弟，并且把他们的妻妾收归己有，更把所有侄儿像猪羊一样屠灭，纵是怀抱中婴儿，也不留一个活口。无论当时世人，或读史读到这里的读者，都会悚然而叹："历史重演。"我们对独裁专制家庭中的互相残杀，毫不关心，而只关心这种狗咬狗一嘴毛的皇家内斗，对国家有什么影响！感谢上帝，夺权胜利的李世民的贡献是正面的，他成为中国有史以来最英明伟大的君王之一，使我们简直很感慨的想：幸亏有这场玄武门政变。

李世民的榜样，至少说明：不管你如何得到，必须使你的得到充实和高贵，才是成功。

柏杨　一九八八·二·一五

目录

唐王朝

- 短命帝王林士弘、辅公祏、高开道等，或投降、或逝世、或被杀。
- 玄武门事变，李世民诛杀亲兄亲弟。
- 东西突厥汗国都发生内乱。
- 中国名僧玄奘启程前往印度取经。

- 中国释放隋政府所俘高句骊人，高句骊也释放所俘中国人。
- 穆罕默德自麦加出奔麦地那，伊斯兰教遂以该年（六二二年）为伊斯兰历元年。
- 丹麦吞并瑞典。
- 东罗马帝国组“拜占庭十字军”，反攻波斯，波斯战败媾和，将所占土地及“真十字架”退还。

六二二年 壬午

唐　武德　五年
（楚帝林士弘太平七年）
（梁帝梁师都永隆六年）
（燕王高开道始兴五年）
（鲁王徐圆朗二年）
（汉东王刘黑闼天造元年）

1 春季，正月，变民首领刘黑闼（音tà〔踏〕），登极称汉东王，年号天造，定都洺州（河北省邯郸市永年区东南广府镇），重组中央政府，任命范愿当国务院左执行长（左仆射），董康买当国务院国防部长（兵部尚书），高雅贤当中央西翼禁军总监（右领军）；征召王琮当最高立法长（中书令），刘斌当副立法长（中书侍郎）。夏王窦建德时代文武百官，全都各复原职。

刘黑闼的司法和行政，完全效法窦建德，发动攻击时的勇猛和坚决，则超过窦建德。

2 正月四日，同安（安徽省潜山市）变民首领殷恭邃，献出舒州（同安郡改舒州），投降唐政府。

3 正月五日，唐王朝政府（首都长安〔陕西省西安市〕）济州（山东省聊城市在平区西南）总秘书长（别驾）刘伯通，逮捕州长窦务本，献出州城，投降变民首领、鲁王徐圆朗（首都兖州〔山东省济宁市兖州区〕）。

4 正月八日，唐政府东盐州（河北省海兴县）总务官（治中）王才艺，刺杀州长田华，献出州城，响应汉东王刘黑闼。

5 唐王朝秦王李世民攻击汉东王刘黑闼，率东征大军抵达获嘉（河南省获嘉县），刘黑闼放弃相州（河南省安阳市），退到洺州（河北省邯郸市永年区东南广府镇）坚守。

正月十四日，李世民收复相州（河南省安阳市），向肥乡（河北省邯郸市肥乡区）进发，在洺水（流经洺州城南）沿岸扎营，对洺州（河北省邯郸市永年区东南广府镇）施加压力。

6 梁帝萧铣战败，向唐政府投降时（参考去年〔六二一〕十月），溃散的军队大多数投靠楚帝林士弘（林士弘被萧铣部将苏胡儿击败，迁都馀干〔江西省余干县〕事，参考六一七年十二月），林士弘军事声威，重新振作。

7 正月二十七日，岭南俚（南岭以南俚民族部落）酋长杨世略，献出循州（广东省惠州市）、潮州（广东省潮州市），投降唐政府。

8 唐政府特使王义童，一连说降三州：泉州（福建省福州市）、睦州（浙江省淳安县）、建州（福建省建瓯市）。

9 唐政府幽州军区（总部设北京市）总司令（幽州总管）李艺（罗艺），率部队数万人，跟秦王李世民会师，攻击汉东王刘黑闼。刘黑闼接到报告，留一万人给国务院左执行长（左仆射）范愿保卫首都（洺州，河北省邯郸市永年区东南广府镇），而亲率大军攻击李艺（罗艺）。夜晚，刘黑闼住宿沙河（河北省沙河市北沙河城镇）。唐政府永宁（洺州州政府所在县）县长（空头官衔）程名振，携带战鼓六十个，在洺州（河北省邯郸市永年区东南广府镇）城西二华里河堤上，猛烈擂击，城中屋瓦震动。范愿惊骇恐惧，派人向刘黑闼报告情况紧急，刘黑闼立即回军，派他的老弟刘十善，跟中央特遣政府总监（行台）张君立，率军一万人，攻击已进抵鼓城（河北省晋州市）的李艺（罗艺）。

正月三十日，在徐河（今漕河，流经河北省保定市北，注入海河）会战，刘十善、张君立大败；逃走、被俘及受伤死亡的，共八千人。

洺水县（河北省曲周县）人李去惑，占领县城，向唐军投降。唐政府秦王李世民派彭公爵王君廓，率骑兵一千五百人增援，进入县城协防。

二月，汉东王刘黑闼率军于归程中攻击洺水（河北省曲周县）。

二月十一日，刘黑闼军抵达列人（河北省邯郸市肥乡区北）。李世民派将军秦叔宝拦腰攻击，大破刘黑闼军。

10 豫章郡（江西省南昌市）变民首领张善安，献出虔州（江西省赣州市)、吉州(江西省吉安市)等五州，投降唐政府，并被任命当洪州军区(豫章郡改洪州)总司令(洪州总管)。

11 二月十六日，鲁政府(首都兖州，鲁王徐圆朗)金乡(山东省金乡县)人阳孝诚叛变，献出城池，投降唐政府。

12 二月十七日，唐政府秦王李世民，夺回邢州(河北省邢台市)。

二月十九日，井州(河北省井陉县西北)变民首领冯伯让，献出城池，投降唐政府。

二月二十四日，唐政府幽州军区(总部设北京市)总司令(幽州总管)李艺(罗艺)，夺取汉东政府(首都洺州，汉东王刘黑闼)四州：定州(河北省定州市)、栾州(河北省赵县)、廉州(河北省石家庄藁城区)、赵州(河北省隆尧县)；生擒汉东政府国务院部长(尚书)刘希道；率军跟秦王李世民在洺州(河北省邯郸市永年区东南广府镇)城下会师。

汉东王刘黑闼攻击洺水(河北省曲周县)，争夺战十分猛烈。城垣四周的护城河，宽五十余步，刘黑闼在城东北挖掘两条地道，通向城里。李世民三度率军增援，都被刘黑闼阻止，不能前进。李世民恐怕守军王君廓无法支持，召集各将领征求意见，李世勣(徐世勣)说：“地道如果挖到城墙底下，城池一定陷落。”兵团总司令(行军总管)郯公爵(勇公)罗士信，请求接替王君廓。李世民遂登上城南一座高大坟丘，挥舞军旗，用旗语命王君廓撤退，王君廓率他的部属苦战，终于突围而出；罗士信率左右侍从二百人，乘机进城，代王君廓坚守。刘黑闼日夜不停的进攻，正巧大雪纷飞，唐政府援军无法前进，八天之久。

二月二十五日，洺水(河北省曲周县)城破。刘黑闼很早就听说罗士信勇敢，打算赦免他不死，罗士信言辞和态度，都不肯屈服，于是被杀，年仅二十岁。

13 二月二十六日，唐政府汴州军区（总部设河南省开封市）总司令（汴州总管）王要汉，进攻鲁政府（鲁王徐圆朗）杞州（河南省杞县），攻克，俘虏鲁政府将军周文举。

14 二月二十八日，唐政府延州兵团（陕西省延安市）总司令（延州道行军总管）段德操，进攻梁政府（首都朔方〔陕西省靖边县北白城则村〕）石堡城（陕西省榆林市）；梁帝梁师都亲自率军增援，段德操迎击，大破梁军，梁师都只剩下十六名骑兵，逃走。

唐帝（一任高祖）李渊（本年五十七岁）增加段德操的兵力，命他乘胜进攻梁政府首都夏州（陕西省靖边县北白城则村），攻陷东城，梁师都率数百人退守西城。就在此时，东突厥汗国（瀚海沙漠群）救兵抵达，李渊命段德操撤退。

15 二月二十九日，唐政府秦王李世民夺回洺水（河北省曲周县）。

三月，李世民与李艺（罗艺）在洺水（流经河北省曲周县北）南岸会师，扎营列阵，并分出一部分军队，到洺水北岸警戒。刘黑闼不断挑战，李世民坚守不出，而只派出特遣部队，切断汉东军的补给线。

三月十一日，汉东王刘黑闼任命高雅贤当国务院左执行长（左仆射），在营中大摆筵席。李世勣（徐世勣）率军紧逼汉东军大营，高雅贤已有几分酒意，单人匹马，出营迎战，李世勣（徐世勣）的部将潘毛，一矛刺下，高雅贤翻身落马，汉东援军适时赶到，扶高雅贤上马回营，还没有走到营门，即行断气。

三月十三日，唐军各将领率军再向前逼近，潘毛被汉东军大将王小胡生擒（王小胡事，参考去年〔六二一〕七月）。供应汉东军的粮秣，从冀州（河北省衡水市冀州区）、贝州（河北省清河县）、沧州（河北省盐山县西南）、瀛州（河北省河间市）送出，分别由水陆运输，唐政府永宁（河北省邯郸市永年区东南广府镇）县长程名振，率一千余人阻截突击，凿沉粮船，焚毁粮车。

唐政府宋州军区（总部设河南省商丘市）总司令（宋州总管）盛彦师，率齐州军区（总部设山东省济南市）总司令（齐州总管）王薄，进攻须昌（山东省东平县），向谭州（山东省济南市东北）征兵征粮，谭州州长李义满，跟王薄素有仇怨，因此封闭仓库，拒绝供应。后来，须昌（山东省东平县）投降，盛彦师逮捕李义满，囚禁齐州（山东省济南市）监狱，唐帝李渊下令释放，中央使节还没有到，李义满忧愁忿怒，在监狱中逝世。王薄班师，经过谭州（山东省济南市东北）。

三月十七日，夜晚，李义满的侄儿李武意，刺杀王薄。盛彦师也被认为有罪，斩首（胡三省注："唐政府认为盛彦师应负李义满死于监狱之责。"）。

16 唐帝李渊（首都长安）派人贿赂东突厥汗国（瀚海沙漠群）颉利可汗（十三任大可汗）阿史那咄苾，承诺两国皇家通婚，阿史那咄苾遂送汉阳公爵李瓌、郑元瑀、长孙顺德等回国（李瓌被留事，参考去年〔六二一〕四月）。

三月十九日，阿史那咄苾再派使节到唐政府，重申建立两国之间永久友谊，唐帝也送东突厥使节、公爵阿史那热寒、及阿史那德等回国。

唐政府并州军区（总部设山西省太原市）总司令（并州总管）刘世让，驻军雁门（山西省代县），颉利可汗阿史那咄苾，与燕王高开道（首都怀戎〔河北省怀来县〕）、定杨天子刘武周的残余部将苑君璋（基地马邑〔山西省朔州市〕），联合进攻雁门（山西省代县），一个月有余，不能攻克，只好撤退。

17 三月二十三日，唐政府任命隋王朝时交趾郡（越南河内市）郡长丘和，当交州军区（交趾郡改交州）总司令（交州总管）。丘和派军政官（司马）高士廉，携带奏章晋见唐帝李渊，请求辞职进京（首都长安），李渊批准，派丘和的儿子丘师利南下迎接。

18 唐政府秦王李世民，与汉东王刘黑闼，僵持六十余日，刘黑闼暗中派兵偷袭李世勣（徐世勣）大营，李世民率军偷袭刘黑闼的后背，用来支援李世勣（徐世勣）；刘黑闼反而回军把李世民包围，尉迟敬德率敢死队突围而入，李世民跟略阳公爵李道宗，乘机逃出。李道宗，是李渊的侄儿。

李世民推测：刘黑闼的军粮吃完时，一定发动决战，就派人到洺水（滏阳河支流，流经洺州城南）上游筑坝，告诉守坝官："等我跟盗贼（刘黑闼）会战，你就破坏堤防。"

三月二十六日，刘黑闼率步骑兵二万人，南渡洺水，紧逼唐军大营列阵，李世民亲率精锐骑兵，攻击刘黑闼的骑兵营，击破，于是乘战胜余威，命骑兵冲入汉东军阵地，践踏汉东军的步兵。刘黑闼率部众作殊死抵抗，自中午苦战到黄昏，历经几个回合，汉东军渐渐不能支持。王小胡警告刘黑闼说："我们的能力智慧，已经枯竭，最好是早点抽身！"王小胡与刘黑闼遂先行逃走，而主力部队

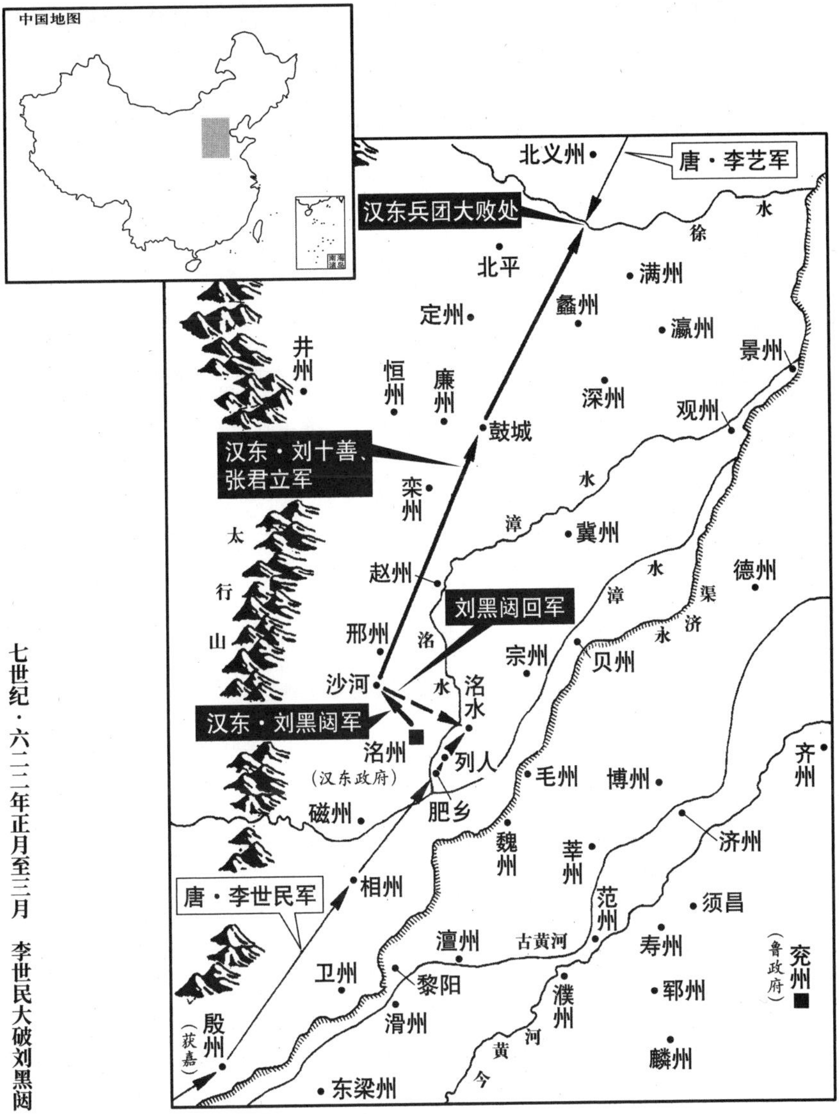

七世纪·六二二年正月至三月　李世民大破刘黑闼

还不知道，仍在那里肉搏。唐政府守坝官掘开堤防，大水排山倒海而下，洺水暴涨，深达一丈有余，汉东军遂完全崩溃，斩首一万余人，淹死数千人；刘黑闼跟范愿等二百名骑兵，投奔东突厥汗国（瀚海沙漠群），山东（崤山以东）全部归附唐政府。

柏杨曰

一般战争中，使用水攻，都在敌人“半渡”之时，或进军半渡，或退军半渡，这样才可发挥歼灭性的战果。洺水之战则不然，李世民的命令，没有提到敌人“半渡”，而是明确的说：“等我跟盗贼会战，你就破坏堤防！”两军会战时凿堤，大水没有眼睛，岂能分辨敌我！很明显的，李世民在这场战役中，采取的是敌我同归于尽的战术，李世民和高级将领没有危险，因为他们早就脱离战场。

政府军统帅弃军而逃，乃家常便饭，变民军统帅一旦弃军而逃，他对残兵败将，就很难重新集结，所以，他们绝不能怯懦。然而刘黑闼却因王小胡一句话就背弃部属逃生，实不可思议。

可能是，王小胡得到了李世民要两军同归于尽的消息，才劝告刘黑闼迅速走避，史书上不敢大胆记载！李世民决心要牺牲那些效忠他的政府军士卒，用以消灭刘黑闼这个突然崛起的劲敌。否则，不会在两军杀成一团的会战时毁堤。这场在历史上并没有名气的水淹三军，恐怕是一个残酷的集体谋杀。

19 燕王高开道（首都怀戎〔河北省怀来县〕）攻击唐政府易州（河北省易县），斩州长慕容孝干。

20 夏季，四月八日，前隋王朝藩属事务部长（鸿胪卿）宁长真，献出宁越郡（广西钦州市）、郁林郡（广西贵港市东）地区，向唐政府岭南（南岭以南）安抚慰问特使李靖投降（宁长真原归降梁帝萧铣，参考六一八年四月）。交州（越南河内市）、爱州（越南清化市）的交通，开始恢复正常；唐政府任命宁长真当钦州军区（宁越郡改钦州）总司令（钦州总管）。

21 唐政府任命夔州军区（总部设重庆市奉节县）总司令（夔州总管）赵郡王李孝恭，当荆州军区（总部设湖北省江陵县）总司令（荆州总管）。

22 鲁王徐圆朗（首都兖州〔山东省济宁市兖州区〕）听到汉东王刘黑闼（首都洺州）失败消息，大为恐惧，不知道如何是好。

河间（河北省河间市）人刘复礼，向徐圆朗建议说："一位名叫刘世彻的人，有盖世奇才，在东夏（东中国）享有盛名，而且有非常的相貌和帝王的器宇。你如果自己想作一番事业，一定没有成就。但是如果迎接刘世彻，拥护他当领袖，天下虽大，只要手指轻轻挥动，就可以平定。"徐圆朗同意，派刘复礼前往浚仪（河南省开封市）迎接刘世彻。刘复礼走后，有人提醒徐圆朗说："你被人迷了心窍，打算迎接刘世彻，请他当领袖。你有没有考虑到，刘世彻一旦掌握生杀大权，你岂能保命？我不敢引用古代例证，就在眼前，你难道没有看见翟让和李密（参考六一七年十一月）？"徐圆朗相信。刘世彻到后，已有部众数千人，驻扎城外，等候徐圆朗出来迎接；而徐圆朗并没有出城，只派人召唤刘世彻进城。刘世彻知道事情发生变化，打算逃走，恐怕逃不掉，只好硬着头皮进城晋见。

刘世彻进城之后，徐圆朗把他的部众完全隔离，命他当军政官（司马），前往谯州（安徽省亳州市）、杞州（河南省杞县）夺取土地。东方人一向崇拜他的大名，所以，所到之处，都纷纷投降；徐圆朗遂斩刘世彻。

唐政府秦王李世民，从河北（黄河以北）进军，打算攻击徐圆朗，正巧唐帝李渊召见李世民，命他乘坐驿马车返京（首都长安），李世民遂把兵权交给老弟、齐王李元吉。

四月九日，李世民抵达长安，李渊亲自到长乐（长安城东）迎接，李世民详细分析徐圆朗的情势，李渊再命他前去黎阳（河南省浚县）集结大军，东往济阴（曹州州政府所在县，山东省菏泽市定陶区）。

23 四月十六日，唐政府撤销山东（崤山以东）所有中央特遣政府（山东行台）。

24 四月二十一日，唐政府代州军区（总部设山西省代县）总司令（代州总管）定襄王李大恩（胡大恩），被东突厥汗国击斩。

最初，李大恩（胡大恩）上奏中央，指称东突厥汗国遭逢灾荒，人民饥馑，唐王朝可以乘机夺取马邑（山西省朔州市）。唐帝李渊派宫廷副总管（殿内少监）独孤晟，率军跟李大恩（胡大恩）共同攻击据守马邑（山西省朔州市）的苑君璋（参考前年〔六二〇〕四月），约定二月间在马邑（山西省朔州市）会师。可是约定日子已到，独孤晟军却没有抵达，李大恩（胡大恩）孤军不能进攻，驻守新城（山西省宁武县北阳方口镇北）。东突厥汗国颉利可汗（十三任大可汗）阿史那咄苾，派骑兵数万人，会同汉东王刘黑闼，包围新城（山西省宁武县北阳方口镇北），唐帝李渊命右骁卫（禁军）大将军（正三品）李高迁增援，还没有抵达，李大恩（胡大恩）军中粮食已经吃完，李大恩（胡大恩）于夜晚突围逃走，东突厥军截击，李大恩（胡大恩）部众溃散，身死（是被杀？是自杀？是战死？是饿死？是被俘处决？没说清楚）。

李渊得到消息，深为惋惜。独孤晟应被处死，减为流刑，贬窜边疆。

25 四月二十五日，唐政府中央特遣政府财政部长（行台民部尚书）史万宝，攻击鲁政府（首都兖州）陈州（河南省周口市淮阳区），攻克。

26 四月二十七日，广州（广东省广州市）变民首领邓文进、前隋王朝合浦郡（广西合浦县东北）郡长宁宣、日南郡（越南荣市）郡长李晙，都向唐政府投降。

五月九日，瓜州（甘肃省瓜州县）变民首领王干，斩州长贺拔行威，归降唐政府（贺拔行威叛唐政府事，参考前年〔六二〇〕十二月二十一日）；瓜州动乱平息。

27 东突厥汗国攻击唐政府忻州（山西省忻州市），李高迁把他击破。

28 六月一日，汉东王刘黑闼，率东突厥军攻击山东（崤山以东）。唐帝李渊命燕郡王李艺（罗艺）迎击。

29 六月三日，吐谷浑汗国（青海省）攻击洮州（甘肃省卓尼县）、旭州（甘肃省临潭县）、叠州（甘肃省迭部县）三州；唐政府岷州军区（总部设甘肃省岷县）总司令（岷州总管）李长卿，把吐谷浑军击破。

30 六月五日，唐政府派淮安王李神通，攻击鲁王徐圆朗（协助李世民）。

31 六月十七日，汉东王刘黑闼，率东突厥军攻击唐政府定州（河北省定州市）。

32 秋季，七月五日，唐政府为秦王李世民兴筑弘义宫（后改称大安宫），作为他的私宅。

李世民攻击鲁王徐圆朗（首都兖州），夺取十余个城池，声威震动淮泗（淮河下游及泗水流域），吴王李伏威（杜伏威）大为恐惧，请求到中央朝见（时李伏威〔杜伏威〕在丹阳〔江苏省南京市〕）。李世民认为淮济地区（淮河下游及济水流域）大致平定，遂留下淮安王李神通、大军作战司令（行军总管）任瓌、李世勣（徐世勣），继续攻击鲁王徐圆朗。

七月六日，李世民班师。

七月八日，李伏威（杜伏威）抵达长安（唐首都，陕西省西安市），唐帝李渊请他坐上御座，命他当太子太保（太子三师之三，正二品），仍兼中央特遣政府总执行长（兼行台尚书令），但不再返回基地，而留在首都长安，朝会时，位置在齐王李元吉的上面，用以显示皇帝对他有不同于众的宠爱。另任命跟随李伏威（杜伏威）来京（首都长安）的将领阚稜，当左领军（禁军）将军。

前吴帝李子通（李子通被俘押送长安事，参考去年〔六二一〕十一月）对他的部将乐伯通说："李伏威（杜伏威）北来，江东（太湖流域及钱塘江流域）局势并不安定，我们如果前往号召集结旧日部属官兵，一定可以建立大功。"遂一同逃走，逃到蓝田关（陕西省蓝田县东南），被守关官员捕获，一并斩首。

33 汉东王刘黑闼进军定州（河北省定州市），旧日部将曹湛、董康买，逃亡在鲜虞（定州州政府所在县），再聚众起兵，响应刘黑闼。

七月十五日，唐政府命淮阳王李道玄当河北兵团总司令（河北道行军总管），攻击刘黑闼。

34 七月十七日，迁州（湖北省房县）变民首领邓士政，逮捕唐政府任命的州长李敬昂，叛变。

35 七月十八日，前隋王朝汉阳郡（甘肃省礼县南）郡长冯盎，接到李靖的招降文告，遂率他的部众归降。唐政府在冯盎辖区内（广东省西部、广西东部，及海南省），设置八州：高州（广东省阳江市）、罗州（广东省化州市）、春州（广东省阳春市）、白州（广西博白县。此时应称南州）、崖州（海南省海口市琼山区）、儋州（海南省儋州市）、林州（广西桂平市南）、振州（海南省三亚市西崖州区）；任命冯盎当高州军区（总部设广东省阳江市）总司令（高州总管），封耿国公爵。

最初，有人鼓动冯盎说："唐政府刚刚平定中原，还不能控制远方，你所管辖的二十个州的地区，比赵佗当年所拥有的疆土还要广大（参考前一九六年五月），应该自称南越王。"冯盎说："我们冯家居住此地，已有五代（参考五五〇年六月），州长、郡长等地方高级首长，没有一个不出自我们家门，富贵已到极点，时常恐惧没有福气承受、为祖先带来羞辱，怎么敢效法赵佗，在一个地方称王！"遂向唐政府归降。

岭南（南岭以南）全部平定。

36 八月二日，唐政府分别在洺州（河北省邯郸市永年区东南广府镇）、荆州（湖北省江陵县）、交州（越南河内市）、并州（山西省太原市）、幽州（北京市）等五州，设置军区总司令部（大总管府）。

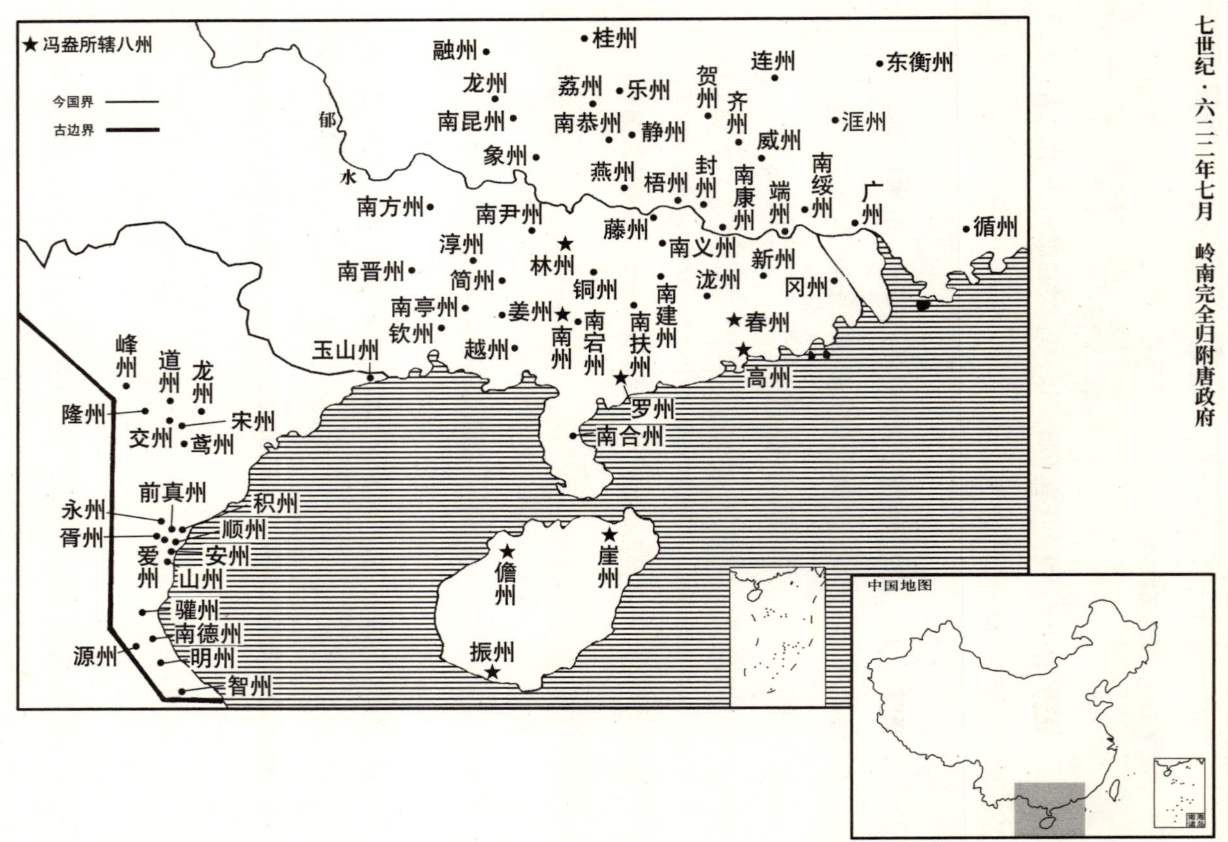

七世纪·六二二年七月　岭南完全归附唐政府

37 唐政府把隋王朝二任帝杨广，改葬扬州（江苏省扬州市）雷塘（扬州市北平冈上。杨广死后，草草埋葬江都宫西郊，参考六一八年八月二十五日。六一九年，唐政府曾宣布改葬，因当时江都仍在吴帝李子通之手，本年才能实施）。

38 八月五日（原文“甲戌”〔八月二十五日〕，顺位不对。据《新唐书》改），吐谷浑汗国（青海省）攻击唐政府岷州（甘肃省岷县），击败岷州军区总司令（岷州总管）李长卿。

唐帝李渊下诏，命中央驻益州（四川省成都市）特遣政府右执行长（行台右仆射）窦轨、渭州（甘肃省陇西县）州长且洛生（且，姓），增援李长卿。

吐谷浑军攻击洮州（甘肃省卓尼县），唐政府派武州（甘肃省陇南市武都区）州长贺亮抵抗。

39 八月六日，东突厥汗国（瀚海沙漠群）颉利可汗（十三任大可汗）阿史那咄苾，攻击唐朝边疆，唐帝李渊派左武卫（禁军）将军（从三品）段德操、云州军区（总部侨设陕西省延安市西北）总司令（云州总管）李子和（郭子和）率军抵抗。李子和本名郭子和（郭子和迁驻延州故城，参考前年〔六二〇〕十一月），因参与攻击汉东王刘黑闼，建立功勋，唐帝李渊赐他姓李。

八月七日，阿史那咄苾率十五万名骑兵，进入雁门（代州州政府所在县，山西省代县）。

八月十日，东突厥军攻击并州（山西省太原市），另派军攻击原州（宁夏固原市）。

八月十一日，唐帝李渊命太子李建成从豳州（陕西省彬州市）出发（迎战东突厥西路军），秦王李世民从秦州（山西省河津市）出发（迎战东突厥东路军），分别抵抗。李子和（郭子和）向云中（内蒙古和林格尔县）突击阿史那咄苾；段德操向夏州（陕西省靖边县北白城则村）切断东突厥军归路。

八月十二日，李渊询问文武百官说："突厥一面侵入国境，一面要求和解，抗战及和解，哪一个有利？"祭祀部长（太常卿）郑元璹说："抗战则使两国间的怨恨越发加深，不如和解有利！"最高立法长（中书令）封德彝说："突厥仗恃他们的军队比狗羊还多，对我们颇瞧不起，如果不经过战争就跟他们和解，会显示我们衰弱，他们明年定会再来。我愚昧的认为，不如迎头痛击，取得胜利后再跟他们和解，才能恩威兼备。"李渊同意。

八月二十日，并州军区（总部设山西省太原市）总司令官（并州大总管）襄邑王李神符，在汾东（汾水以东）击破东突厥军；汾州（山西省汾阳市）州长萧颉，也击破东突厥军，杀五千余人。

40 八月二十七日，东突厥汗国攻击廉州（河北省石家庄市藁城区）。

八月二十九日，东突厥军攻陷大震关（甘肃省张家川县东南）。唐帝李渊派祭祀部长（太常卿）郑元璹，前往晋见阿史那咄苾。当时，东突厥精锐骑兵数十万人，自介休（山西省介休市）到晋州（山西省临汾市），数百华里间，满山满谷。

郑元璹见到阿史那咄苾后，责备他破坏双边和平条约，一面解释一面诘问，阿史那咄苾十分惭愧。郑元璹遂建议说："大唐跟突厥，风俗习惯完全不同；突厥虽然取得大唐土地，并不能久居。而今，掳掠到手的东西，都被贵族或战士瓜分，对可汗有什么好处？不如班师回国，再订和约，不需要辛苦奔走，只需要坐在那里，就可以拿到金银财宝，而且全部进入可汗私人宝库，何必舍弃友邦多少年的兄弟之情，而去积蓄两国子孙之间无穷的怨恨！"

阿史那咄苾大为欢喜，率军撤退。

郑元璹自六一七年以来，五次出使东突厥（《资治通鉴》记载中，首次出使是在六一八年九月十八日），好几次都濒临死亡边缘。

41 九月十五日，唐政府交州（甘肃省张家川县西）州长权士通、弘州军区（总部设甘肃省庆阳市）总司令（弘州总管）宇文歆、灵州军区（总部设宁夏灵武市）总司令（灵州总管）杨师道，在三观山（今地不详）联合攻击东突厥军，击破。

九月十七日，李建成班师。

九月十八日，宇文歆在崇岗镇（宁夏平罗县西），袭击东突厥军，大胜，杀一千余人。

九月二十四日，定州军区（总部设河北省定州市）总司令（定州总管）双士洛（双，姓），在恒阳（河北省曲阳县境）攻击东突厥军。

九月二十八日，领军（禁军）将军安兴贵，在甘州（甘肃省张掖市）攻击东突厥军，都把他们击破。

42 汉东王刘黑闼攻克瀛州（河北省河间市），斩唐政府任命的州长马匡武。盐州（东盐州，河北省海兴县）变民首领马君德，献出城池，归附刘黑闼。

43 燕王高开道（首都怀戎〔河北省怀来县〕）攻击唐政府蠡州（河北省蠡县）。

44 冬季，十月一日，唐帝李渊下诏，派齐王李元吉前往山东（崤山以东），攻击汉东王刘黑闼。

十月四日，命李元吉当领军（禁军）大将军、并州军区（总部设山西省太原市）总司令官（并州大总管）。

十月五日，贝州（河北省清河县）州长许善护跟刘黑闼的老弟刘十善，在鄃县（山东省夏津县）会战，许善护全军覆没。

十月六日，唐政府右武候（禁军）将军（从三品）桑显和，在晏城（河北省辛集市境）攻击刘黑闼军，击破。观州（河北省泊头市西交河镇）州长刘会，献出州城，归附刘黑闼。

45 契丹部落（辽河上游）攻击唐政府北平（河北省顺平县）。

46 十月十六日，唐政府命秦王李世民兼左右十二卫（禁军）大将军（左卫、右卫、左武卫、右武卫、左骁卫、右骁卫、左领军卫、右领军卫、左屯卫、右屯卫、左武候卫、右武候卫，共十二卫）。

47 十月十七日，唐政府兵团总司令（行军总管）淮阳王（壮王）李道玄（李世民远房堂弟），在下博（河北省深州市东南下博村）跟汉东王刘黑闼会战，失败，被刘黑闼斩首。

当时，李道玄大军三万人，而李道玄跟副司令史万宝不和，李道玄率轻装备骑兵先行冲入汉东军阵地，命史万宝率大军继进，史万宝却按兵不动，对亲信说："我接到皇上（李渊）手令，认为淮阳王（李道玄）还是一个小娃，军事行动由我全权决定。而今，大王（李道玄）轻率狂妄，随意进攻，如果跟他同进，一定同败。不如把大王（李道玄）当作诱饵，大王（李道玄）失败，盗贼势必反击，我严阵等待，一定能把他们击破。"因此，李道玄一支孤军独进，阵亡。史万宝紧急备战，将要出击，而士卒已没有斗志，大军遂告崩溃，史万宝逃回。李道玄很多次追随秦王李世民出战，死时年才十九岁，李世民深感惋惜，对人说："道玄时常随我南征北讨，看我经常深入敌人阵地，心中羡慕，想要效法，才会有今天这样结局。"忍不住哭泣流涕。

李世民自起兵以来，前后数十次战役，一直身先士卒，只带少数骑兵，就敢深入敌人重阵，虽然不断遇到致命的危险，但从来没有被流箭、刀锋伤过。

48 楚帝林士弘（首都馀干〔江西省余干县〕）派老弟鄱阳王林药师，攻击唐政府循州（广东省惠州市），州长杨略迎战，斩林药师。楚政府将领王戎，献出南昌州（江西省永修县），投降唐军。林士弘大为恐惧。

十月二十一日，林士弘向唐军请求投降；但不久又后悔，放弃馀干（江西省余干县），逃到安成（江西省安福县），据守山洞，袁州（江西省宜春市）人民纷纷响应。唐政府洪州军区（总部设江西省南昌市）总司令（洪州总管）若干则（若干，复姓），派军进击，击破。

就在这个时候，林士弘逝世，部众星散（林士弘于六一七年十二月起兵，迄今六年）。

49 唐政府淮阳王李道玄败死消息传出，山东（崤山以东）震动惊骇，洺州军区（总部设河北省邯郸市永年区东南广府镇）总司令（洺州总管）庐江王李瑗，放弃城池，向西逃走。州县相继叛离，都归附刘黑闼，十天半月之间，刘黑闼收回夏国全部故有疆土。

十月二十七日，刘黑闼进入洺州（河北省邯郸市永年区东南广府镇）。

十一月三日，唐政府沧州（河北省盐山县西南）州长程大买，不能抵抗刘黑闼的压力，放弃城池逃走；齐王李元吉畏惧刘黑闼强大，不敢前进。

唐帝李渊在晋阳（山西省太原市）起兵背叛隋王朝时，都是李世民的谋略（参考六一七年四月），李渊对李世民说："大事如果成功，天下如果到手，全都靠你，就教你当太子。"李世民一面叩谢，一面辞让。后来，李渊被封唐王，将领及参谋官员们，曾请求封李世民当世子，李渊将要对外宣布，李世民再坚决不肯接受，才算中止。太子李建成，性情宽厚爽直，但喜爱饮酒、美女，以及游逛、打猎。齐王李元吉，不断犯错；李渊对这两个儿子，都不宠爱。李世民的功劳和声威，日渐升高，李渊常有意使他代替李建成；李建成心里不安，就跟李元吉合作，一心打击李世民，各自树立党羽。

李渊到了晚年，上床的美女成群结队，以至生下一群男孩，将近二十人，都封王爵（万贵妃生李智云，封楚王；尹德妃生李元亨，封酆王；莫嫔生李元景，封荆王；孙嫔生李元昌，封汉王；宇文昭仪生李元嘉、李灵夔，封韩王、鲁王；瞿嫔生李元裕，封邓王；杨嫔生李元祥，封江王；小杨嫔生李元名，封舒王；郭婕伃生李元礼，封徐王；刘婕伃生李元庆，封道王；杨美人生李凤，封虢王；张美人生李元轨，封霍王；张宝林生李元懿，封郑王；柳宝林生李元婴，封滕王；王才人生李元则，封彭王；鲁才人生李元晓，封密王；张女士生李元方，封周王；共十八人。各美女封号紊乱。"嫔"，只隋王朝一任帝杨坚时代才有，唐王朝则无。"德妃"，小老婆群第三级；"昭仪"，小老婆群第五级；"婕伃"，小老婆群第十四级；"美人"，小老婆群第十五级；"宝林"，小老婆群第十七级；"才人"，小老婆群第十六级）。各位年轻美丽的母亲，竞争着交结几位年纪大的儿子，用来巩固自己未来的地位。而李建成、李元吉也用尽心机，曲意奉承这些年轻美丽的庶母，谄媚、贿赂，无所不用其极，希望借她们的口碑，博得老爹李渊的欢心；于是传出谣言，说二人跟张婕伃、尹德妃通奸，宫廷深邃隐密，无法肯定。当时，东宫（太子宫）、各亲王府、各妃妾家、各公主家，以及皇亲国戚，横行长安（陕西省西安市），强夺人民田产家宅，无恶不作，主管治安单位和官员，不敢过问。

李世民住承乾殿，李元吉住武德殿后院，跟李渊寝殿和李建成东宫，不分日夜，畅通无阻。太子李建成，及秦王李世民、齐王李元吉，出入皇帝寝殿，十分简易，骑马携带弓箭刀枪等各种杂物，互相之间，仍保持平民家风。而"太子令""秦王令""齐王令"，跟皇帝的诏书，具有同等效力，并行于世，有关机关不知道遵照哪个命令才好，只好以到达的先后顺序，作为标准。只李世民对那些年轻美丽的庶母，不肯奉承。于是，她们在李渊面前，争相称赞李建成、李元吉，而抨击李世民。

李世民攻克洛阳，李渊派贵妃（小老婆群第一级）等数人，前往洛阳，遴选隋王朝皇宫的宫女，并收集御库房中的金银财宝，贵妃们私下向李世民要求贿赂，并替她们的亲属要求官职。李世民说："金银财宝已经登记造册，上奏中央，官职应该任命贤能而有才干的人。"一律拒绝，因此，她们对李世民更为怨恨。李世民因淮安王李神通，建立大功，配给耕田数十顷（一顷是一百亩），张倢伃的老爹，托女儿向皇帝李渊说情，李渊手令把这数十顷转赐给张倢伃的老爹，李神通因先奉到"秦王令"，拒绝移交，张倢伃告诉李渊说："你手令赏赐给我老爹的农田，秦王（李世民）把它夺走，赏赐给李神通。"李渊大发雷霆，责备李世民说："我的诏书不如你的命令，是不是？"过了几天，李渊对国务院左执行长（左仆射）裴寂说："这个孩子，带领军队长期留在外边，被一些知识分子调教坏了，已不是我昔日的孩子。"尹德妃的老爹阿鼠，骄傲蛮横，秦王（李世民）总部助理官（府属）杜如晦，经过他的大门，阿鼠家奴数人，冲出去把杜如晦拉下马背，痛加殴打，以至打断一根手指，阿鼠咆哮说："你是什么东西，过我们家门，敢不下马！"阿鼠恐怕李世民报告李渊，就先下手为强，教女儿向李渊哀诉说："秦王（李世民）总部官员，欺凌我家。"李渊再度大怒，斥责李世民说："我嫔妃家还被你的左右欺凌，小民家更不得了。"李世民多方分辩，李渊则是说什么也不相信。

李世民每次在宫中参与宴会，面对老爹的小老婆群，想起娘亲窦皇后（李建成、李世民、李玄霸、李元吉，一母同胞。参考六一七年四月）很早逝世，没有来得及看到老爹当上皇帝，伤感百端，有时忍不住唏嘘叹息，哭泣流泪，李渊看在眼里，很不愉快。小老婆群遂乘机陷害李世民，向李渊诉苦说："四海之内，幸好一片升平，陛下年龄已大，唯一的养生之道是及时行乐。可是，秦王（李世民）却常常独自一个人哭泣，正是对我们讨厌憎恨，陛下万岁（逝世）之后，我们母子一定不被秦王（李世民）包容，恐怕一人不留。"相对哭泣，乘机请求说："皇太子（李建成）仁慈孝顺，陛下把我们母子托付给他，一定可以保全。"李渊也感到悲怆，因此遂无意更换太子，对李世民也逐渐疏远；李建成、李元吉反而日益亲近。

太子宫政务副署长（太子中允）王珪、太子宫图书管理官（洗马）魏徵，建议太子李建成说："秦王（李世民）功劳之大，覆盖天下，无论中央或地方，人心归附。殿下只不过因居嫡长子之位，遂住东宫（太子宫），并没有立下大功，使人心服口服。而今，刘黑闼逃亡之余，部众不到一万人，军费粮秣，又都缺乏，如果用大军征剿，就像摧枯拉朽！殿下最好亲自出征，建立功业，塑造名望，并因此结交山东（崤山以东）英雄豪杰，或许可以保护自己平安。"李建成遂向李渊请求，李渊批准。王珪，是王颊的侄儿（王颊，是王僧辩的儿子，参考六〇四年八月）。

十一月七日，李渊下诏派太子李建成率军攻击汉东王刘黑闼；中央驻陕东道最高特遣政府（陕东道大行台）及山东道（崤山以东）大军元帅、河南（黄河以南）及河北（黄河以北）各州，同时接受李建成指挥，李建成有应变全权。

50 十一月八日，唐政府封皇族略阳公爵李道宗等十八人当郡王。李道宗，是李道玄的堂弟，当灵州军区（总部设宁夏灵武市）总司令（灵州总管）；梁帝梁师都（首都朔方〔陕西省靖边县北白城则村〕）派老弟梁洛儿会同东突厥汗国大军数万人，把灵州（宁夏灵武市）团团围住，李道宗仍抓住机会出击，大破梁突联军。

东突厥跟梁师都结盟，派将军阿史那郁射，率部众入居旧五原县（陕西省定边县），李道宗把他们驱逐出去，开拓疆土一千余华里。唐帝李渊认为李道宗的声威战功，犹如曹魏帝国任城王曹彰（攻击乌丸部落立功，参考二一八年七月），于是封李道宗当任城郡王。

51 十一月十九日，唐帝李渊前往宜州（陕西省铜川市耀州区）。

52 十一月二十二日，唐政府齐王李元吉，派军在魏州（河北省大名县）攻击汉东政府（首都洺州）大将刘十善，把他击破。

53 十一月二十六日，唐帝李渊在富平（陕西省富平县）阅兵并狩猎。

54 汉东王刘黑闼（首都洺州〔河北省邯郸市永年区东南广府镇〕）率军南下，相州（河南省安阳市）以北州县全都归附，只魏州军区（总部

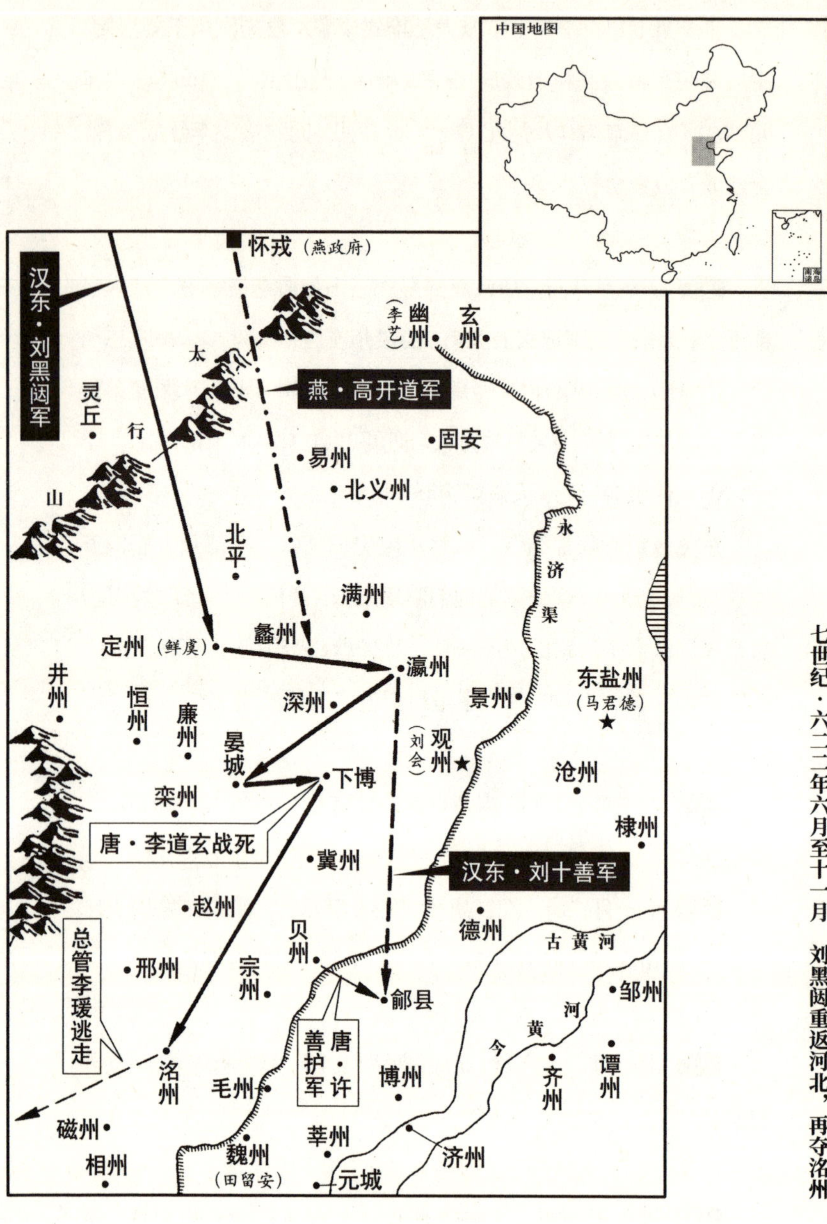

七世纪·六二二年六月至十一月 刘黑闼重返河北，再夺洺州

设河北省大名县）总司令（魏州总管）田留安，备战抵抗，刘黑闼围攻，不能攻克，率军北上攻克元城（大名县东北），回军再围攻魏州（河北省大名县）。

55 十二月三日，唐政府封皇族李孝友等八人当郡王。李孝友，是淮安王李神通的儿子。

56 十二月九日，唐帝李渊在华池（甘肃省华池县东华池村）检阅士卒并打猎。

57 十二月十一日，汉东王刘黑闼攻克恒州（河北省正定县），斩唐政府任命的州长王公政。

58 十二月十三日，唐帝李渊返首都长安。

59 十二月十六日，唐政府幽州军区（总部设北京市）总司令官（幽州大总管）李艺（罗艺），夺回被汉东军占领的廉州（河北省石家庄市藁城区）、定州（河北省定州市）。

十二月十七日，唐政府魏州军区（总部设河北省大名县）总司令（魏州总管）田留安，攻击汉东军，击破，俘虏汉东政府任命的莘州（山东省莘县）州长孟柱及将领士卒六千人。当时，山东（崤山以东）变民首领，纷纷诛杀州长县长，响应汉东王刘黑闼。以至上下猜疑提防，人心越发游离，充满怨愤。只田留安待他的部属及居民，胸襟坦荡，推诚相与，向他简报或请示的官员，不管关系密切，或感情疏远，都随他们的意，可以一直进入卧室。田留安常告诉他的官员和居民，说：“我和你们都是为了国家，抵抗盗贼（汉东王刘黑闼），本来就应该同心合力，假如一定有人要背叛政府，顺从叛徒，只管砍下我的人头拿走。”官民互相提醒说：“田公（田留安）用至诚待人，我们当用一死作为报答，决不可以辜负。”有位名叫苑竹林的人，本是刘黑闼的同党，阴谋叛变，田留安知道后，并不揭发，反而把苑竹林留在自己左右，交给他城门钥匙；苑竹林感动，遂改变主意，效忠田留安，最后终于得到苑竹林的帮助。田留安因建立功劳，被封道国公爵。

十二月十八日，唐政府并州（山西省太原市）州长成仁重，攻击汉东政府国务院左执行长（左仆射）范愿，击破范愿军。

汉东王刘黑闼攻击唐政府魏州（河北省大名县），很久不能攻克，唐政府太子李建成、齐王李元吉，率大军抵达昌乐（河南省南乐县），刘黑闼率军拒抗；可是，两次列阵，没有战斗，就收兵回营。魏徵建议李建成说：“从前击破刘黑闼，他的将领全都判处死刑，逃亡的全被通缉，而妻子儿女，都投入监狱。所以齐王（李元吉）来时，虽然宣布大赦诏书，他们却不敢相信，现在应该把我们手中的汉东俘虏，全部释放，安慰沟通，送他们回去，我们坐在这里，就可以看到刘黑闼部众离散。”李建成接受。刘黑闼军粮吃完，部众很多逃亡，有的甚至逮捕他们的部队长，向唐军投降。刘黑闼恐怕魏州（河北省大名县）守军出城，跟援军前后夹击，遂乘夜撤退到馆陶（河北省馆陶县），永济桥还没有搭成，不能渡过运河。

十二月二十五日，李建成、李元吉，率大军尾追而至，刘黑闼命大将王小胡背靠永济运河列阵，而亲自督促搭桥，等到桥梁完成，他先行过桥到运河西岸，汉东军霎时间彻底崩溃，将士纷纷抛弃武器，向唐军投降。唐军过桥追击刘黑闼，只过去骑兵一千余人，桥梁折断，因此刘黑闼得以率数百名骑兵逃掉。

60 唐帝李渊念及隋王朝末年，大军战士很多身陷高句骊王国（首都平壤〔朝鲜半岛平壤市〕），本年（六二二），李渊写信给高句骊王高建武（二十七任荣留王），命他全部送回；同时也下令各州县，调查留在中国的高句骊人，也送他们回国。

高建武接受诏书，送回汉人之多，前后以万为单位计算。

六二三年 癸未

唐　　武德　　六年
（梁帝梁师都永隆七年）
（燕王高开道始兴六年）
（鲁王徐圆朗三年）
（汉东王刘黑闼天造二年）
（元帅王摩沙进通元年）
（宋帝辅公祏元年）

1 春季，正月三日，汉东王刘黑闼（首都洺州〔河北省邯郸市永年区东南广府镇〕）所任命的饶州（河北省饶阳县）州长诸葛德威，生擒刘黑闼，献出城池，向唐军投降。

当时，唐政府（首都长安〔陕西省西安市〕）太子李建成派骑兵将领刘弘基，追击刘黑闼。刘黑闼被唐军逼迫，马不停蹄，得不到休息，逃到饶阳（饶州州政府所在县），左右侍从才一百余人，饿火中烧。诸葛德威出城迎接，请刘黑闼进城，刘黑闼不肯，诸葛德威哭泣流泪，

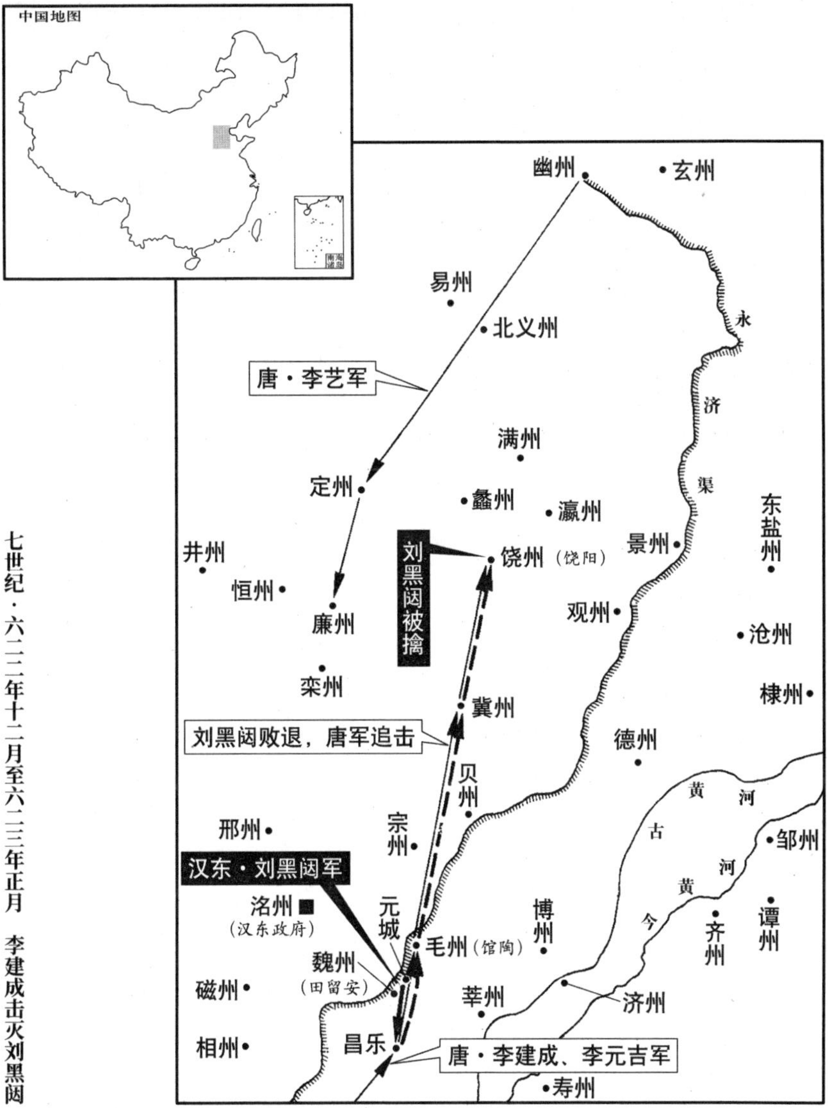

七世纪·六二二年十二月至六二三年正月　李建成击灭刘黑闼

中国地图

南海诸岛

幽州
玄州
易州
北义州
唐·李艺军
永
济
渠
满州
定州
蠡州
瀛州
东盐州
景州
刘黑闼被擒
饶州（饶阳）
井州
恒州
观州
廉州
沧州
栾州
棣州
冀州
刘黑闼败退，唐军追击
德州
贝州
黄
河
古
邢州
宗州
邹州
汉东·刘黑闼军
河
黄
洺州
（汉东政府）
元城
博州
今
齐州
谭州
毛州（馆陶）
魏州
（田留安）
磁州
莘州
济州
昌乐
唐·李建成、李元吉军
相州
寿州

一再请求，刘黑闼才进城。进城后在市场附近下马休息，诸葛德威送来饮食，刘黑闼等吃了一半，诸葛德威发动突袭，把他们逮捕，押送给李建成，连同刘黑闼的老弟刘十善，一同在洺州（河北省邯郸市永年区东南广府镇）斩首。临刑时，刘黑闼叹息说："我本来在家好好的种菜，都是高雅贤那批人害我到今天这种地步。"

2 正月六日，巂州（四川省西昌市）变民首领王摩沙，聚众起兵，自称元帅，改年号进通。

唐政府派征兵府司令（骠骑将军）卫彦讨伐。

3 正月二十四日，唐政府任命吴王李伏威（杜伏威）当太保（三师之三）。

4 二月四日，唐帝（一任高祖）李渊（本年五十八岁）前往骊山温泉（陕西省西安市临潼区东南）。

二月八日，李渊回宫。

平阳公主（昭公主）逝世。

二月十二日，安葬平阳公主。唐帝李渊下诏在出殡行列前后，增加乐队，并用军礼仪队四十人，手持刀剑护卫，虎贲武士沿途警戒。祭祀部长（太常）反对说："依照葬礼规定，妇女入土，从来不设乐队。"李渊说："乐队演奏的全是军乐，公主亲自擂动锣鼓，兴起义军，辅助我建立大业（参考六一七年九月十八日），怎么可以跟普通妇女相提并论！"

5 二月二十日，鲁王徐圆朗（首都兖州〔山东省济宁市兖州区〕）穷困急迫，放弃城池，只率几名骑兵逃走，被乡村流浪汉诛杀；他的辖区全部并入唐政府版图。

6 林邑王国（越南中部）国王梵志，派使节向唐政府进贡。

最初，隋王朝政府击破林邑王国（参考六〇五年三月），把国土分成三郡（比景郡、海阴郡、林邑郡。今地皆不详）。后来，中原大乱，林邑复国，本年（六二三）才开始派遣使节入贡。

7 唐政府幽州军区（总部设北京市）总司令（幽州总管）李艺（罗艺），请求调往中央政府。

二月二十四日，唐政府任命李艺（罗艺）当左翊卫（禁军）大将军。

8 唐政府撤销关中以天星为名号的十二军（参旗军等十二军事，参考六一九年七月）。

9 三月七日，燕王高开道（首都怀戎〔河北省怀来县〕）劫掠文安（河北省文安县）、鲁城（河北省黄骅市西北），唐政府征兵府司令（骠骑将军）平善政，发动突击，把他击败。

10 三月二十四日，梁帝梁师都（首都朔方〔陕西省靖边县北白城则村〕）所属将领贺遂、索同，率所属十二州，归降唐政府。

11 三月二十九日，唐政府前洪州军区（总部设江西省南昌市）总司令（前洪州总管）张善安，聚众起兵。唐政府派舒州军区（总部设安徽省潜山市）总司令（舒州总管）张镇周等，攻击张善安。

12 夏季，四月，吐谷浑汗国（青海省）攻击唐政府芳州（甘肃省兰州市西固区西北），州长房当树逃奔松州（四川省松潘县）。

13 变民首领张善安，攻陷孙州（江西省南昌市西南），生擒军区总司令（总管）王戎而去。

14 四月二十日，鄜州兵团（陕西省富县）总司令（鄜州道行军总管）段德操，攻击梁帝梁师都，抵达夏州（即梁师都的首都朔方，陕西省靖边县北白城则村），俘虏梁政府人民牲畜而回。

15 四月二十一日，吐谷浑汗国（青海省）攻击唐政府洮州（甘肃省卓尼县）、岷州（甘肃省岷县）。

16 四月二十二日，唐政府南州（广西博白县）州长庞孝恭、南越州（广西合浦县东北）变民首领宁道明、高州（广东省阳江市）变民首领冯暄，同时聚众起兵，攻陷南越州（广西合浦县东北），进攻姜州（广西浦北县西）。唐政府合州（南合州，广东省雷州市）州长宁纯，率军增援姜州（广西浦北县西）。

17 四月二十七日，唐帝李渊封皇子李元轨当蜀王、李凤当豳王（豳，音bīn〔彬〕）、李元庆当汉王。

四月二十八日，李渊命裴寂当国务院左执行长（左仆射），萧瑀当国务院右执行长（右仆射），杨恭仁当国务院文官部长（吏部尚书）兼最高立法长（兼中书令），封德彝当最高立法长（中书令）。

五月五日，李渊派岐州（陕西省宝鸡市凤翔区）州长柴绍，增援岷州

(甘肃省岷县)。

18 五月十五日，吐谷浑汗国(青海省)及党项部落(四川省西北部)，攻击唐政府河州(甘肃省临夏市)，州长卢士良把他们击败。

19 五月二十一日，梁政府(首都朔方)将领辛獠儿，引导东突厥军，攻击唐政府林州(甘肃省华池县东华池村)。

20 五月二十三日，故定杨天子刘武周中央特遣政府总监(行台)苑君璋(基地马邑〔山西省朔州市〕)的部将高满政，攻击代州(山西省代县)，唐政府征兵府司令(骠骑将军)林宝言把他击退。

21 五月二十八日，燕王高开道(首都怀戎〔河北省怀来县〕)，引导奚部落(滦河上游)骑兵攻击幽州(北京市)，唐政府幽州秘书长(长史)王诜，把他击破。

汉东王刘黑闼聚众起兵时，突地稽率军协助唐政府军，把部众移驻幽州(北京市)昌平城(北京市昌平区)。后来，高开道引导东突厥军攻击幽州(北京市)，突地稽率军狙击，把他们击破(刚在前年〔六二一〕六月十四日，突地稽被变兵拥护当盟主，接着没有下文；此处再度出现，却归附了唐政府。则之前的兵变当已失败，突地稽归顺唐王朝)。

22 六月十四日，高满政献出马邑郡(山西省朔州市)，向唐政府投降。

最初，唐政府前并州军区(总部设山西省太原市)总司令(并州总管)刘世让，调广州军区(总部设广东省广州市)总司令(广州总管)，将要前往到差。唐帝李渊问他加强边防的策略，刘世让回答说：“东突厥最近不断侵犯边疆，只因有马邑（山西省朔州市）作他们的前进基地。我建议派勇将进驻崞城（山西省原平市北崞阳镇。崞，音guō〔郭〕），储备大量金银绸缎（崞城位马邑郡东南航空距离六十公里），号召马邑军民投降，重重赏赐；再不断派出骑兵到马邑城下劫掠，大肆摧残践踏田里的农作物，破坏他们的生产，用不了一年，他们军民没有东西可吃，就非投降不可。”李渊同意他的计谋，说：“除了你，还有谁是勇将！”命刘世让率军进驻崞城（山西省原平市北崞阳镇），马邑（山西省朔州市）开始感到威胁。当时，马邑人都不愿隶属东突厥汗国，李渊再派人游说苑君璋。高满政建议苑君璋屠杀所有协防的东突厥军，投降唐政府，苑君璋拒绝。高满政遂利用大家高涨的情绪，趁夜袭击苑君璋，苑君璋发觉，逃奔东突厥；高满政诛杀苑君璋的儿子和东突厥的协防部队二百人，向唐政府投降。

23 六月十八日，梁帝梁师都（首都朔方〔陕西省靖边县北白城则村〕），引导东突厥军攻击唐政府匡州（陕西省吴堡县西北）。

24 六月二十三日，逃亡到东突厥的苑君璋，会同东突厥汗国吐屯将军，反攻马邑（山西省朔州市），高满政迎击，把他们击破。

唐政府任命高满政当朔州军区（马邑郡改朔州）总司令（朔州总管），封荣国公爵。

25 唐政府瓜州军区（总部设甘肃省瓜州县）总司令（瓜州总管）贺若怀广，巡视各地，抵达沙州（甘肃省敦煌市），正碰上变民首领张护、李通聚众起兵，贺若怀广率数百人保守敦煌内城。

唐政府凉州军区（总部设甘肃省武威市）总司令（凉州总管）杨恭仁，派军救援，被张护击败。

26 六月二十九日，唐政府岐州（陕西省宝鸡市凤翔区）州长柴绍，跟吐谷浑军会战（柴绍增援岷州〔甘肃省岷县〕，参考本年〔六二三〕五月五日），被吐谷浑军包围，吐谷浑军居高临下射击，箭如雨下。柴绍派人弹奏匈奴琵琶，命两位美女到营前对舞。吐谷浑军大为惊奇，停止射击，聚集观看，柴绍趁他们戒备松懈，暗中派出精锐骑兵，迂回到吐谷浑军背后，发动攻击，吐谷浑军崩溃。

27 秋季，七月二日，逃入东突厥的苑君璋，会同东突厥军，再攻马邑（山西省朔州市）。唐政府右武候（卫军）大将军李高迁，协助高满政联合抵御，在腊河谷（山西省朔州市东北十五公里）会战，击破东突厥军。

28 变民首领张护、李通，击斩唐政府瓜州军区（总部设甘肃省瓜州县）总司令（瓜州总管）贺若怀广，拥护沙州（甘肃省敦煌市）总秘书长（别驾）窦伏明当盟主，向瓜州（甘肃省瓜州县）进逼，瓜州州政府秘书长（长史）赵孝伦，把他们击退。

29 燕王高开道（首都怀戎〔河北省怀来县〕）劫掠赤岸镇（河北省曲阳县西北）及灵寿（河北省灵寿县）、九门（河北省石家庄市藁城区西北）、行唐（河北省行唐县）三县，满载而去。

30 七月三日，唐政府冈州（广东省江门市新会区）州长冯士翙（音

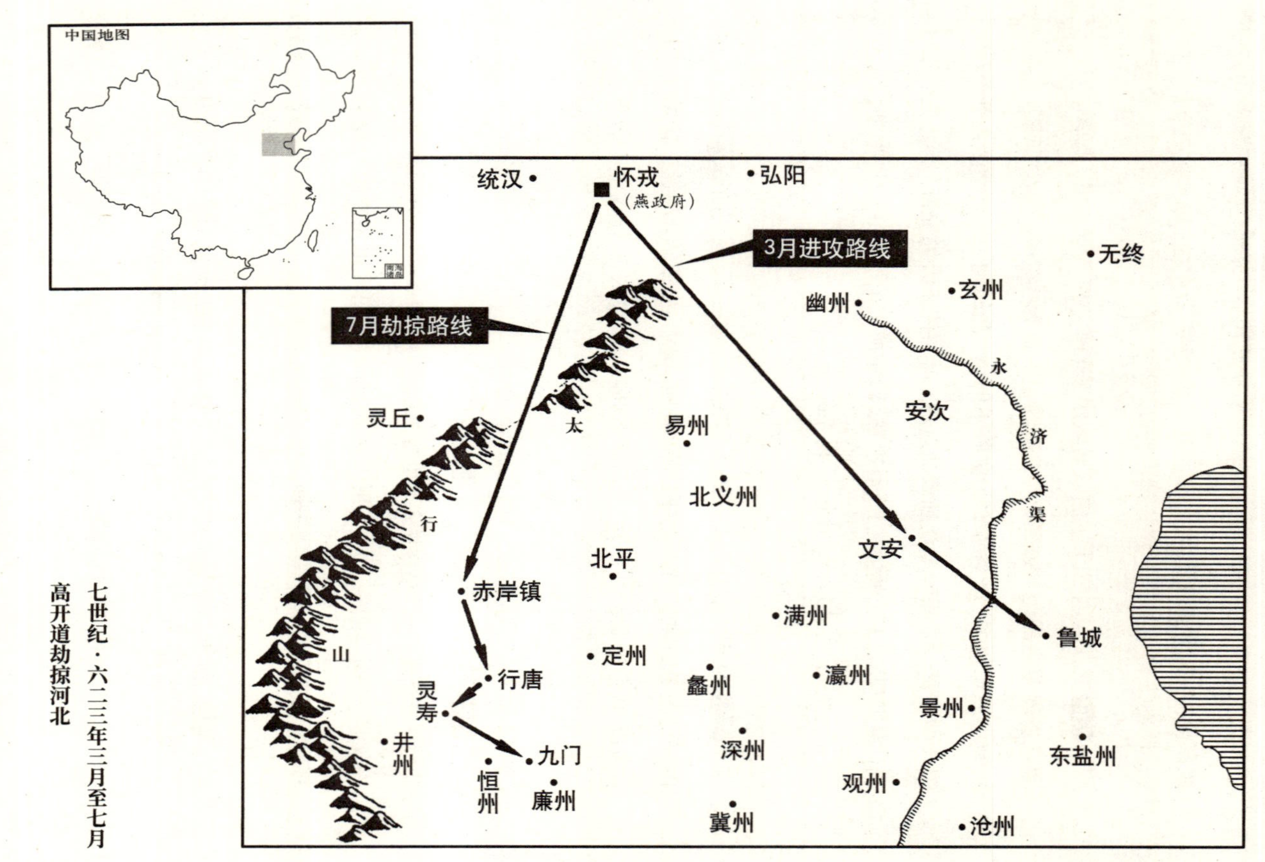

七世纪·六二三年三月至七月
高开道劫掠河北

huì〔会〕），在新会（冈州州政府所在县）叛变。唐政府广州（广东省广州市）州长刘感出军攻击，冯士翙投降，唐政府命他仍当冈州州长。

31 七月七日，燕政府（首都怀戎）所属弘阳（北京市延庆区西南）、统汉（河北省怀来县西）二镇，投降唐政府。

32 七月九日，东突厥汗国攻击原州（宁夏固原市）。

七月十一日，东突厥军攻击朔州（山西省朔州市）。唐政府右武候（卫军）大将军李高迁被击败，兵团总司令（行军总管）尉迟敬德率军增援。

七月二十五日，唐政府派太子李建成率军驻防北方边界，秦王李世民驻防并州（山西省太原市），防备东突厥。

八月一日，东突厥军攻击真州（陕西省榆林市东），又攻击马邑（山西省朔州市）。

33 八月九日，唐政府中央驻淮南道（淮河以南）特遣政府执行长（淮南道行台仆射）辅公祏（音shí〔石〕）叛变。

最初，吴王李伏威（杜伏威）跟辅公祏，感情亲密（参考六一三年十二月）；辅公祏年龄比较大，李伏威（杜伏威）把他当作兄长事奉，军中称辅公祏作“伯父”，对他的敬畏，跟对李伏威（杜伏威）的敬畏相等，日子一久，李伏威（杜伏威）渐渐猜忌，于是任命义子阚稜当左将军，王雄诞当右将军，暗中剥夺辅公祏的兵权。辅公祏知道后，深为怨恨，心情不能平衡，就跟他的老友左游仙在一起，假装修炼道术，不食人间烟火，竭力隐藏自己的锋芒。

后来，李伏威（杜伏威）前往中央（参考去年〔六二二〕七月），把辅公祏留下来镇守丹阳（江苏省南京市），命王雄诞掌握军权，做辅公祏的副司令官。李伏威（杜伏威）秘密警告王雄诞说："我这次前往长安，如果没有危险，千万不可使辅公祏发生变化。"李伏威（杜伏威）走后，左游仙游说辅公祏叛变，可是王雄诞手握兵权，辅公祏无法调动，于是假装接到李伏威（杜伏威）密函，宣称李伏威（杜伏威）对王雄诞的忠心，表示怀疑。王雄诞听到，大不高兴，声称有病，不再过问公事，辅公祏遂乘机剥夺他的兵权，命同党西门君仪向他解释谋反计划，王雄诞这才恍然大悟，后悔中计，说："现在，天下太平不久，吴王（李伏威〔杜伏威〕）又留在京师（首都长安），唐政府的军事力量，所向无敌，为什么好好的不活，而去追求全族屠灭！我只有一死，不敢接受命令。我今天追随你叛变，不过多活一百天而已，大丈夫怎么能害怕提早一百天死亡，而身陷不义！"辅公祏知道无法使他屈服，遂把他绞死。

王雄诞知道怎么带兵，能使士卒为他拼死，同时对部属的约束，又十分严厉，每次攻破城池，军纪严明，对人民一丝一毫都不侵犯；所以被害之日，江南（长江以南）军中和民间，都为他痛哭流涕。

辅公祏又声称李伏威（杜伏威）被唐政府扣留，不能返回江南（长江以南），传令教他起兵。于是加强整修铠甲武器，大量运输储存粮食。不久，辅公祏在丹阳（江苏省南京市）登极，自称皇帝，国号宋，修缮陈帝国故宫，迁进去居住，设立文武百官，命左游仙当国务院国防部长（兵部尚书）、东南道特使、越州军区（总部设浙江省绍兴市）总司令（越州总管）；跟洪州（即豫章郡，江西省南昌市）变民首领张善安联合（张善安，参考本年〔六二三〕三月），任命张善安当中央驻西南道全权特遣政府总监（西南道大行台）。

34 八月十六日，东突厥汗国攻击原州（宁夏固原市）。

35 八月二十二日，唐帝李渊下诏，命中央驻襄州道（湖北省襄阳市）特遣政府执行长（襄州道行台仆射）赵郡王李孝恭，率舰队向江州（江西省九江市）进发，命岭南道（南岭以南）特使李靖，率交州（越南河内市）、广州（广东省广州市）、泉州（福建省福州市）、桂州（广西桂林市）等州军队，向宣州（安徽省宣城市宣州区）进发，命怀州军区（总部设河南省沁阳市）总司令（怀州总管）黄君汉，自谯亳（安徽省亳州市），再命齐州军区（总部设山东省济南市）总司令（齐州总管）李世勣（徐世勣），自泗水，分别进入淮水；共同攻击宋帝辅公祏。

李孝恭将出发时，设筵宴请各军将领，命取清水，清水忽然变成血水，在座的人脸色大变，李孝恭言谈举止却跟平常一样，说："这是辅公祏人头落地的征兆！"一口气把血水喝干，大家心悦诚服。

36 八月二十三日，吐谷浑汗国（青海省）向唐政府投降。

37 八月二十八日，东突厥汗国攻陷唐政府原州（宁夏固原市）善和镇（固原市西南）。

八月三十日，东突厥军又攻击渭州（甘肃省陇西县）。

38 燕王高开道（首都怀戎）联合奚部落（滦河上游），攻击唐政府幽州（北京市）；幽州州政府军把他们击退。

39 九月三日，唐政府太子李建成班师（自北方边疆幽州班师，参考本年〔六二三〕七月）。

40 九月十五日，宋帝辅公祏（首都丹阳〔江苏省南京市〕）派部将徐绍宗攻击海州（江苏省连云港市），陈政通攻击寿阳（安徽省寿县）。

41 唐政府邛州獠（四川省邛崃市獠部落）聚众起兵，唐政府派沛公爵郑元璹讨伐。

42 九月十七日，东突厥攻击唐政府幽州（北京市）。

43 九月十九日，唐帝李渊下诏，命秦王李世民当江州兵团（江西省九江市）大军元帅（讨伐宋帝辅公祏）。

44 九月二十二日，沙州（甘肃省敦煌市）变民首领窦伏明（参考本年〔六二三〕七月），献出沙州，投降唐政府。

45 高昌王国（新疆吐鲁番市东）国王（十三任）麹伯雅逝世，儿子麹文泰继位。

46 九月二十三日，渝州（重庆市）变民首领张大智，聚众起兵；唐政府任命的州长薛敬仁，放弃州城，逃走。

47 九月二十九日，燕王高开道（首都怀戎〔河北省怀来县〕）引导东突厥骑兵二万人，攻击唐政府幽州（北京市）。

48 东突厥汗国对唐政府弘农公爵刘世让，恨入骨髓，派使节曹般陀（音tuó〔驼〕）晋见唐帝李渊，声称刘世让跟颉利可汗（十三任大可汗）阿史那咄苾暗中勾结，打算叛变，李渊相信。

冬季，十月四日，斩刘世让，家产没收。

49 唐政府秦王李世民，仍驻军并州（山西省太原市）。

十月十七日，唐帝李渊命李世民班师。李渊前往华阴（陕西省华阴市）。

50 渝州（重庆市）变民首领张大智，攻击涪州（重庆市涪陵区），唐政府任命的州长田世康等迎击，张大智率部众投降。

51 最初，唐帝李渊派右武候（卫军）大将军（正三品）李高迁，协助朔州军区（总部设善阳〔山西省朔州市〕）总司令（朔州总管）高满政，共同守卫马邑（山西省朔州市），苑君璋引导东突厥军骑兵一万余人，抵达城下，高满政把他们击败。颉利可汗（十三任大可汗）阿史那咄苾大为忿怒，集结大军反攻。李高迁恐惧，率领他的部队二千人，砍开城门，乘夜逃走；东突厥军在半途狙击，唐军逃亡及战死的有一半之多。阿史那咄苾亲自率军攻城，高满政出军抵御，有时候一天之中，会战十余回合。

李渊命兵团总司令（行军总管）刘世让增援（此事当发生在刘世让被诬杀之前），推进到松子岭（山西省朔州市东），不敢再进，退回崞城（山西省原平市北崞阳镇）。

正巧，阿史那咄苾派使节向李渊请求通婚，李渊说：“解除马邑（山西省朔州市）的包围，才可以讨论通婚。”阿史那咄苾打算撤退，但义成公主坚决主张继续攻击。阿史那咄苾知道燕王高开道精于制造攻城武器，遂召唤高开道到前线，在高开道协助下，攻城越发激烈。阿史那咄苾引诱高满政投降，高满政向他诟骂。可是，粮食快要吃完，救兵不来，高满政打算突围，投奔朔州（马邑郡〔朔州〕和马邑城〔马邑县城〕是两回事，因叙述不清，所以带来困扰。马邑城在马邑郡〔朔州〕郡政府所在的善阳县东，相距约二十公里。西汉马邑县在马邑城，隋马邑郡在善阳县。所以高满政才打算从马邑城突围，投奔朔州〔善阳县〕）。州政府右翼侦察官（右虞候）杜士远，认为突厥军强大，决逃不脱。

十月二十日，诛杀高满政，投降东突厥。

苑君璋进城，大肆处决城中民间豪杰，以及高满政同谋党羽三十余人。李渊任命高满政的儿子高玄积当上柱国（勋官一级，从一品），继承老爹的爵位（荣国公爵）。

十月二十五日，东突厥再度向唐政府请求和解，并且把马邑（山西省朔州市东）归还。李渊任命将军秦武通当朔州军区（总部设善阳〔山西省朔州市〕）总司令（朔州总管）。

东突厥汗国不断给唐政府边疆制造灾难，并州军区（总部设山西省太原市）总司令部秘书长（并州大总管府长史）窦静，上疏唐帝李渊，建议在太原地区武装垦荒屯田，用以节省粮食转运的辛劳和浪费，当权官员认为麻烦琐碎，将对民间造成苛扰，不准。窦静上疏据理力争，一再要求，李渊征召窦静到中央政府，命他跟裴寂、萧瑀、封德彝，在李渊面前互相盘问辩论，裴寂等不能驳倒窦静，于是采纳窦静的建议，结果每年收获谷米数千斛，李渊认为窦静很有才干，任命他当摄理并州军区（总部设山西省太原市）总司令官（检校并州大总管）。窦静，是窦抗的儿子（窦抗，是李渊的舅兄，参考六一八年三月）。

十一月九日，秦王李世民再请求在并州（山西省太原市）境内，增加垦荒屯田数目，李渊批准。

52 唐政府黄州军区（总部设湖北省武汉市新洲区）总司令（黄州总管）

周法明，率军攻击宋帝辅公祏（首都丹阳〔江苏省南京市〕）；宋政府中央驻西南道全权特遣政府总监（西南道大行台）张善安，驻防夏口（湖北省武汉市）拒抗。周法明扎营荆口镇（湖南省岳阳市北）。

十一月十日，周法明在战船上设宴饮酒，张善安派数名刺客假装渔夫，乘捕鱼小舟抵达，负责警戒的卫士不认为有什么异样，刺客遂把周法明格杀逃回。

十一月十二日，唐政府舒州军区（总部设安徽省潜山市）总司令（舒州总管）张镇周等，在猷州（安徽省泾县）黄沙（泾县东南黄田村）攻击宋政府（首都丹阳）将领陈当世，大破宋军。

53 十一月十五日，唐帝李渊在华阴（陕西省华阴市）围猎。

十一月十七日，李渊到忠武顿（华阴市东）迎接慰劳秦王李世民（李世民自并州〔山西省太原市〕班师）。

54 十二月二日，唐政府安抚特使李大亮，引诱宋政府驻西南道全权特遣政府总监（西南道大行台）张善安相见，乘机生擒。

原来，李大亮在洪州（江西省南昌市）攻击张善安，两军隔河对阵，互相问答。李大亮向张善安分析利害祸福，张善安说：“我本来无心叛变，只是被部将们误导；打算投降，又恐怕难逃一死。”李大亮说：“张总司令既有心归降，跟我就是一家人。”遂单人匹马，渡过河水，进入张善安大营，跟张善安握手，共话家常，表示一片诚心，毫不猜疑；张善安大为高兴，遂承诺投降。不久，张善安率数十名骑兵，也渡河进入李大亮大营，李大亮命张善安的骑兵卫士停在营门之外，只单独迎接张善安进去谈话。过了一段时间，张善安告辞，李大亮命勇士突袭，生擒张善安，营门外随从来

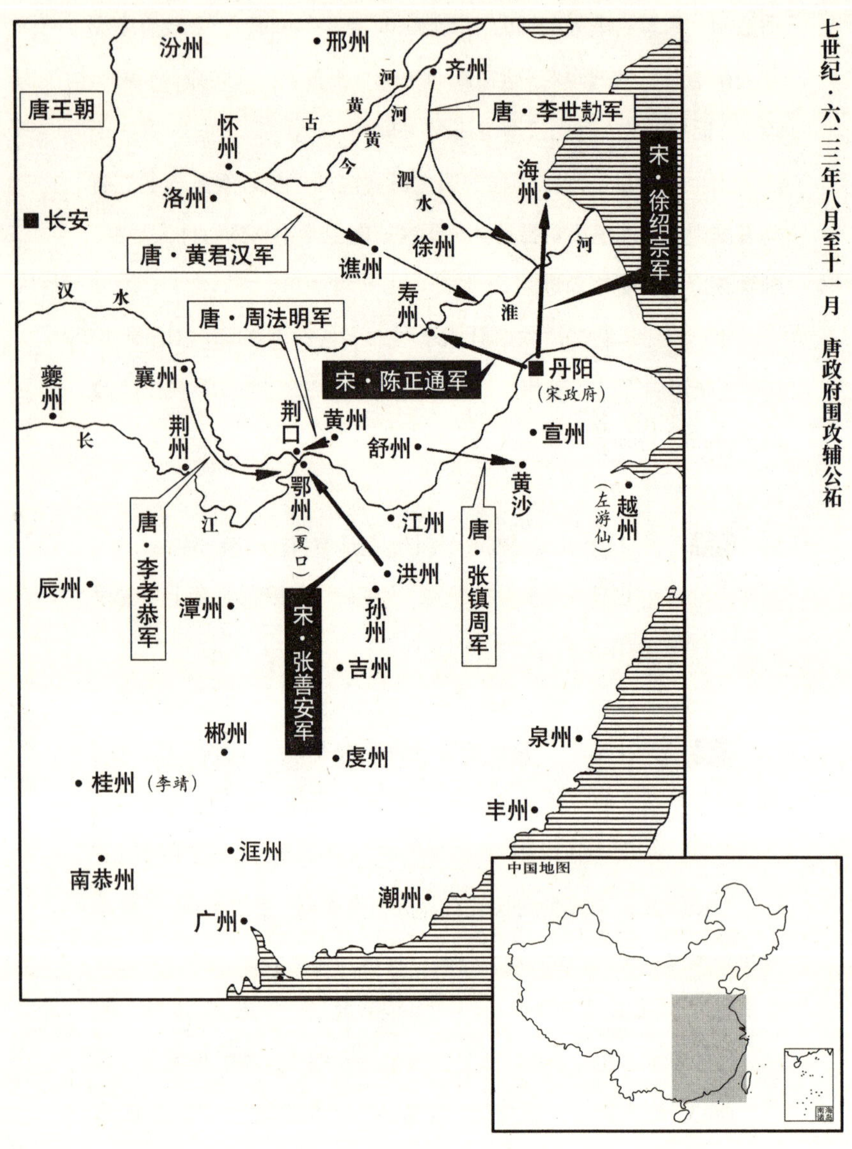

七世纪·六二三年八月至十一月 唐政府围攻辅公祏

的骑兵卫士，一哄而散。张善安大营听到主帅被捕消息，群情激愤，全体出动，将对李大亮攻击。李大亮派人向他们解释说："我并没有扣留张总司令，是张总司令赤胆忠心，效忠中央，对我说：'我如果回营，恐怕将领们反对，受他们挟制。'所以自己坚持留下不肯回去，你们对我发脾气干什么？"张善安的部众听了，破口大骂说："张总司令为了拍人家的马屁，竟然出卖我们！"分别逃走。李大亮追击，有很多掳获（李大亮一番漏洞百出的鬼话，竟使张善安手下大军，翻过来破口大骂他们的首领，四散逃命，使人十分惊异，张善安当初是怎么找到这些猪脑袋的）。

李大亮把张善安送到长安（唐首都，陕西省西安市），张善安誓言跟宋帝辅公祏没有关系。唐帝李渊把他赦免，相待优厚。后来，辅公祏失败，唐政府搜查到张善安跟辅公祏的来往信件，遂斩张善安。

55 十二月十三日，唐帝李渊返首都长安。

56 十二月十九日，白兰羌（四川省马尔康市羌部落）、白狗羌（四川省理县羌部落）同时派使节向唐政府进贡。

57 十二月二十八日，东突厥汗国攻击定州（河北省定州市），州政府军把他们击退。

六二四年 甲申

唐　武德　七年
（梁帝梁师都永隆八年）
（燕王高开道始兴七年）
（宋帝辅公祏二年）

1 春季，正月，唐政府（首都长安〔陕西省西安市〕）依照北周帝国、北齐帝国时代旧有制度，每州设置总考选官（大中正）一人，负责调查本州人才，评估他们的资历、声望、门第。总考选官由本州门第最高、声望最高的人士担任，纯是名誉职，没有官阶，也没有俸禄。

2 正月十一日，唐政府赵郡王李孝恭，攻击宋政府（首都丹阳，皇帝辅公祏）将领据守的枞阳（安徽省枞阳县），击破宋军。

3 正月十九日，唐政府邹州（山东省济南市章丘区西北）变民首领邓同颖，诛杀州长李士衡，叛变。

4 正月二十五日，唐政府在白狗等羌部落所在地，分别设置维州（四川省理县）、恭州（四川省马尔康市）。

5 二月，宋帝辅公祏（首都丹阳〔江苏省南京市〕）派军包围猷州（安徽省泾县），唐政府任命的州长左难当，登城守卫。安抚特使李大亮率军攻击宋军，把宋军击破。赵郡王李孝恭攻击宋政府鹊头镇（安徽省铜陵市北），攻克。

6 二月七日，高句骊王国（首都平壤〔朝鲜半岛平壤市〕）国王（二十七任荣留王）高建武，派使节前来中国，请唐政府颁发年号日历（这就是历代所重视的“正朔”，高句骊王国这样做，就是“奉正朔”，表示臣服）。

唐政府派使节封高建武当辽东郡王、高句骊国王；并封百济国王（首都泗沘〔朝鲜半岛扶余市〕）扶余璋当带方郡王、新罗国王（首都金城〔朝鲜半岛庆州市〕）金真平当乐浪郡王。

7 唐政府始州獠（四川省剑阁县獠部落）叛变，唐政府派中央特遣政府执行长（行台仆射）窦轨讨伐。

8 二月九日，唐帝（一任高祖）李渊（本年五十九岁）下诏：“各州应调查：凡是明了儒家学派经典一种以上，还没有做官的知识分子，把姓名呈报中央。‘州’‘县’‘乡’一律设立学校（唐王朝建立时，李渊已下令州县学校招生，参考六一八年五月二十八日，不知为何再下此诏）。”

9 二月十二日，唐政府兵团副总司令（行军副总管）权文诞，在猷州（安徽省泾县）击破宋政府（首都丹阳）军，攻陷宋政府枚洄（安徽省泾县东南）等四镇。

10 二月十七日，唐帝李渊前往国立贵族大学（国子监），在神坛前敬酒；下诏命王公子弟入学读书。

11 二月十八日，唐政府撤销各地大总管府，改称大都督府（为了显示真相，我们的译名不改）。

12 二月十九日，燕王高开道（首都怀戎〔河北省怀来县〕）的部将张金树，斩高开道，投降唐政府。

原来，高开道发现天下局势，逐渐明朗，唐政府势将扫平所有变民首领，打算向唐政府投降，但因为自己反复无常，又不敢投降（高开道降而复反，参考六二一年十一月）；同时也仗恃东突厥汗国（瀚海沙漠群）强大兵力的支持，遂不考虑归附。他手下军队士卒，都是山东（崤山以东）人，思念乡里，遂离心离德。高开道也了解自己处境孤危，于是遴选敢死勇士数百人，收作义子，教他们守卫家院，而命亲信张金树当部队长。

汉东王刘黑闼的旧部张君立，投奔高开道，跟张金树密谋推翻高开道。张金树派他的党羽数人，进入高开道家院，跟义子们赌博，赌到黄昏，暗中割断义子们弓上的弦，而把佩刀、长矛，藏到床铺底下，等到天黑，大家刚刚睡熟时，党羽们抱着这些佩刀长矛，冲出大门；张金树遂即率领他的部众，擂鼓呐喊，杀声震天，攻击高开道家院。义子们奋起迎击时，发现弓弦全断，武器也都失踪，知道没有希望，纷纷出来投降。而张君立的部众也在外面举起火炬响应，内外呐喊，高开道了解他难逃一死，于是穿上铠甲，手持武器，高坐堂上，跟王后以及小老婆群狂饮，仍命奏乐助兴；变军畏惧他的勇猛，不敢接近。天将亮时，高开道上吊自杀，王后、小老婆群，以及所有儿子，都跟着自杀。

张金树集结部队戒备，召集高开道的义子，一律斩首；同时诛杀张君立，死五百余人。张金树派人向唐政府请求投降，唐帝李渊下诏，改妫川郡（郡政府设怀戎〔河北省怀来县〕）作妫州（妫，音guī〔规〕）。

二月二十二日，李渊任命张金树当北燕州（即妫州，北齐帝国时称北燕州）军区总司令（北燕州都督）。

13 二月二十八日，洋州獠（陕西省西乡县獠部落）、集州獠（四川省南江县獠部落）起兵叛变，攻陷隆州（四川省阆中市）的晋城（四川省南部县西）。

14 本月（二），唐政府太保（三师之三）、吴王李伏威（杜伏威）逝世。

宋帝辅公祏背叛唐政府时，对外宣称奉李伏威（杜伏威）之命起兵，用来欺骗部众。稍后，辅公祏败死（参考本年〔六二四〕三月二十八日），唐政府赵郡王李孝恭不知其中有诈，而径行上奏。唐帝李渊下诏把李伏威（杜伏威）开除官籍，妻子儿子全被逮捕，送入官府当奴仆婢女，直到二任帝李世民登上宝座（六二六年），知道杜伏威冤枉，才下诏赦免，恢复他的官职及爵位。

15 三月，唐政府公布官制：太尉、司徒、司空，称“三公”。其次是国务院（尚书）、监督院（门下）、立法院（中书）、皇家图书院（秘书省）、宫廷总管署（殿中省）、宦官总管署（内侍省），称六院署（六省）。其次是总监察署（御史台），其次是祭祀部（太常）到库藏部（太府），称九部（九府：祭祀部〔太常寺〕、宫廷膳食部〔光禄寺〕、军械供应部〔卫尉寺〕、皇族事务部〔宗正寺〕、畜牧部〔太仆寺〕、最高法院〔大理寺〕、藩属事务部〔鸿胪寺〕、农林部〔司农寺〕、库藏部〔太府寺〕）。其次是建筑部（将作监），其次是国立贵族大学（国子学），其次是天策上将府。其次是“左右卫”到“左右领卫”，称“十四卫军”（左卫军、右卫军、左武卫军、右武卫军、左骁军、右骁军、左领军卫军、右领军卫军、左屯卫军、右屯卫军、左武候卫军、右武候卫军、左监门军、右监门军）。

太子宫（东宫）设置“三师”（太子太师、太子太傅、太子太保）、“三少”（太子少师、太子少傅、太子少保）、太子宫总管（詹事），及太子二署（二坊：太子宫政务署〔左春坊〕、太子宫事务署〔右春坊〕）、太子三署（三寺：太子宫总务署〔家令寺〕、太子宫纠察署〔率更寺〕、太子宫交通署〔仆寺〕）、十卫队司令部（十率府：左卫军、右卫军、左宗卫军、右宗卫军、左虞候军、右虞候军、左监门军、右监门军、左内军、右内军）。

王公分别设王公府官员及封国官员，公主设公主府官员，全属中央官（王府设王师、王傅、首席参谋官〔咨议参军〕、亲王宾友〔王友〕、图书官〔文学〕、首席教育官〔东阁祭酒〕、次席教育官〔西阁祭酒〕、政务秘书长〔长史〕、军务秘书长〔司马〕、事务秘书官〔掾〕、军务秘书官〔属〕、秘书官〔主簿〕、事务员〔史〕、机要官〔记室〕、总务官〔录事参军〕、人事参谋官〔功曹参军〕、出纳参谋官〔仓曹参军〕、户籍参谋官〔民曹参军〕、军务参谋官〔兵曹参军〕、骑兵参谋官〔骑曹参军〕、军法参谋官〔法曹参军〕、工务参谋官〔士曹参军〕、参谋官〔参军事〕、副参谋官〔行参军〕、收发官

〔典签〕。封国官有：王府总管〔国令〕、农林官〔大农〕、警卫官〔尉〕、秘书官〔丞〕、记录员〔录事〕、侍卫员〔典卫〕、随从员〔舍人〕、教育官〔学官长〕、膳食官〔食官长〕、养马官〔厩牧长〕、总务官〔典府长〕。公主府有：公主府总管〔家令〕、主任秘书〔丞〕、秘书官〔主簿〕、礼宾员〔谒者〕、随从员〔舍人〕、总务员〔家吏〕）。州政府、县政府、镇指挥部（镇）、驻军站（戍）等，都属地方官。

自开府仪同三司（从一品）到将仕郎（从九品下），共二十八阶，称“文散官”（应是二十九阶：开府仪同三司〔从一品〕、特进〔正二品〕、光禄大夫〔从二品〕、金紫光禄大夫〔正三品〕、银青光禄大夫〔从三品〕、正议大夫〔正四品上〕、通议大夫〔正四品下〕、太中大夫〔从四品上〕、中大夫〔从四品下〕、中散大夫〔正五品上〕、朝议大夫〔正五品下〕、朝请大夫〔从五品上〕、朝散大夫〔从五品下〕、朝议郎〔正六品上〕、承议郎〔正六品下〕、奉议郎〔从六品上〕、通直郎〔从六品下〕、朝请郎〔正七品上〕、宣德郎〔正七品下〕、朝散郎〔从七品上〕、宣议郎〔从七品下〕、给事郎〔正八品上〕、征事郎〔正八品下〕、承奉郎〔从八品上〕、承务郎〔从八品下〕、儒林郎〔正九品上〕、登仕郎〔正九品下〕、文林郎〔从九品上〕、将仕郎〔从九品下〕）。骠骑大将军（从一品）到陪戎副尉（从九品下），共三十一阶，称“武散官”（骠骑大将军〔从一品〕、辅国大将军〔正二品〕、镇军大将军〔从二品〕、冠军大将军及怀化大将军〔正三品〕、云麾将军及归德将军〔从三品〕、忠武将军〔正四品上〕、壮武将军及怀化中郎将〔正四品下〕、宣威将军〔从四品上〕、明威将军及归德中郎将〔从四品下〕、定远将军〔正五品上〕、宁远将军及怀化郎将〔正五品下〕、游骑将军〔从五品上〕、游击将军及归德郎将〔从五品下〕、昭武校尉〔正六品上〕、昭武副尉及怀化司阶〔正六品下〕、振威校尉〔从六品上〕、振威副尉及归德司阶〔从六品下〕、致果校尉〔正七品上〕、致果副尉及怀化中候〔正七品下〕、翊麾校尉〔从七品上〕、翊麾副尉及归德中候〔从七品下〕、宣节校尉〔正八品上〕、宣节副尉及怀化司戈〔正八品下〕、御侮校尉〔从八品上〕、御侮副尉及归德司戈〔从八品下〕、仁勇校尉〔正九品上〕、仁勇副尉及怀化执戟长上〔正九品下〕、陪戎校尉〔从九品上〕、陪戎副尉及归德执戟长上〔从九品下〕）。

上柱国（正二品）到武骑尉（从七品上），共十二级，称“勋官”（上柱国〔一级，正二品〕、柱国〔二级，从二品〕、上大将军〔三级，正三品〕、大将军〔四级，从三品〕、上轻车都尉〔五级，正四品上〕、轻车都尉〔六级，从四品上〕、上骑都尉〔七级，正五品上〕、骑都尉〔八级，从五品上〕、骁骑尉〔九级，正六品上〕、飞骑尉〔十级，从六品上〕、云骑尉〔十一级，正七品上〕、武骑尉〔十二级，从七品上〕）。

16 三月十六日，唐政府赵郡王李孝恭，在芜湖（安徽省芜湖市）击破宋政府军，攻克梁山（安徽省和县南）等三镇。

三月二十一日，唐政府安抚特使任瓌，攻克扬子城（江苏省扬州市南长江渡口），宋政府任命的广陵（江苏省扬州市）城防司令（城主）龙龛投降（龙，姓。龛，音kān〔堪〕）。

17 三月二十七日，东突厥汗国攻击唐政府原州（宁夏固原市）。

18 三月二十八日，唐政府赵郡王李孝恭，攻克宋政府（皇帝辅公祏）首都丹阳（江苏省南京市）。

最初，宋帝辅公祏派他的将领冯慧亮、陈当世，率水军三万人驻防博望山（安徽省当涂县西南），另派陈正通、徐绍宗率步骑兵混合兵团三万人驻防青林山（当涂县东南），并在梁山长江两岸拉起铁链，横断江面，兴建一连串攻防堡垒（却月城），绵延十余华里，又在长江西岸（安徽省和县以西）筑营列阵，抵抗唐军。李孝恭和李靖率舰队进抵舒州（安徽省潜山市），李世勣（徐世勣）率步兵一万人，南渡淮河，攻占寿阳（安徽省寿县），进抵硖石（寿县北）。冯慧亮等固守营垒，拒绝迎战，李孝恭派出奇袭部队，切断冯慧亮等补给线，冯慧亮等的军粮开始缺乏，于是派军趁夜进逼李孝恭大营，李孝恭睡在床上，动也不动。稍后，李孝恭召集各将领举行军事会议，大家一致认为："冯慧亮等拥有强大兵力，占据水陆险要关隘，我们无法立即攻克，不如用跳蛙战术，跳过冯慧亮兵团，直接进攻丹阳（江苏省南京市），突击他们的巢穴。丹阳（江苏省南京市）陷落，冯慧亮等自然投降！"李孝恭打算接受这项建议，李靖反对，说："辅公祏的精兵猛将，虽然都在冯慧亮兵团，但他亲自率领的部队，也不在少数。而今，连他们的博望（安徽省当涂县西南）大营尚且不能攻克，辅公祏保卫丹阳（江苏省南京市），怎么可能轻易夺取？进攻丹阳（江苏省南京市），十天半月如果无法攻克，冯慧亮紧跟在后，我们腹背受敌，将是危险的策略。冯慧亮、陈正通，都是身经百战的残余盗匪，心里并不是不愿作战，只因辅公祏的决策要他们采取守势，打算把我们拖得筋疲力尽。我们如果直接攻城，激怒他们，一次会战，就可破敌！"李孝恭同意。命老弱残兵攻击宋政府（皇帝辅公祏）博望大营，下令精锐部队严阵以待。老弱残兵当然无法取得胜利，转身逃走，宋军出营追击，前进几华里，遇到唐军主力，会战，宋军大败；唐政府左领军（卫军第七军）将军（从三品）阚稜，脱下头盔（李伏威〔杜伏威〕前往中央后，阚稜被唐政府任命当左领军将军，实任越州军区〔总部设浙江省绍兴市〕总司令〔越州都督〕），向宋军将士说："你们难道不认识我？怎么敢跟我作战？"宋军很多是阚稜的旧日部属，一时之间，丧失斗志，有的甚至就地叩拜，于是冯慧亮等大军溃散。

李孝恭、李靖乘胜追击，一面进攻，一面奋战，前进一百余华里，宋政府博山（安徽省当涂县西南）、青林（当涂县东南）两处基地，全部瓦解，冯慧亮、陈正通等逃回首都丹阳（江苏省南京市），士卒死伤及淹死的达一万余人。李靖军先进抵丹阳（江苏省南京市）城下，辅公祏大为恐惧，放弃城池，率领大军数万人，向东逃走，打算投奔左游仙据守的会稽（浙江省绍兴市），李世勣（徐世勣）紧追不舍。辅公祏抵达句容（江苏省句容市），部队星散，追随他的只剩下五百人。夜晚，住宿常州（江苏省常州市），辅公祏部将吴骚等，商议生擒辅公祏归降，辅公祏发觉，抛下妻子儿女，只身率心腹卫士数十人，砍开城门逃走，逃到武康（浙江省德清县西武康镇），受乡间流浪汉攻击，西门君仪战死，流浪汉遂捉住辅公祏，送到丹阳（江苏省南京市），砍下人头。唐政府分别搜捕辅公祏党羽，全部诛杀；江南（长江以南）平定。

三月二十九日，唐政府任命李孝恭当中央驻东南道特遣政府右执行长（东南道行台仆射），李靖当特遣政府国防部长（兵部尚书）。不久，中央撤销特遣政府（行台），改命李孝恭当扬州军区（总部设江苏省南京市）总司令官（扬州大都督），李靖当总部秘书长（府长史）。唐帝李渊特别赞扬李靖的功劳，说："李靖，是萧铣（梁帝）、辅公祏（宋帝）的克星！"

阚稜自负他有大功，很有点骄傲不驯。辅公祏深恨阚稜，诬称阚稜跟自己共同策划谋反。正巧，又碰上赵郡王李孝恭没收辅公祏党羽田地住宅时，连阚稜、李伏威（杜伏威）、王雄诞在宋政府辖区里的田地住宅，也全都没收，阚稜亲自申请重新审查，言辞之间，冒犯李孝恭，李孝恭大怒，扣上谋反罪名，斩阚稜。

19 夏季，四月一日，唐政府赦免天下。当天（四月一日），唐政府颁布新制法律，比隋王朝一任帝杨坚在位时所颁布旧律（参考五八三年十二月），多出五十三条（之前沿用杨坚时代旧制，参考六二一年七月十二日）。

20 唐政府首次制定"人民田赋捐税劳役条例"（租庸调法）。

田赋（租）：凡成年男子，由政府配给农田一顷（一百亩），有重病

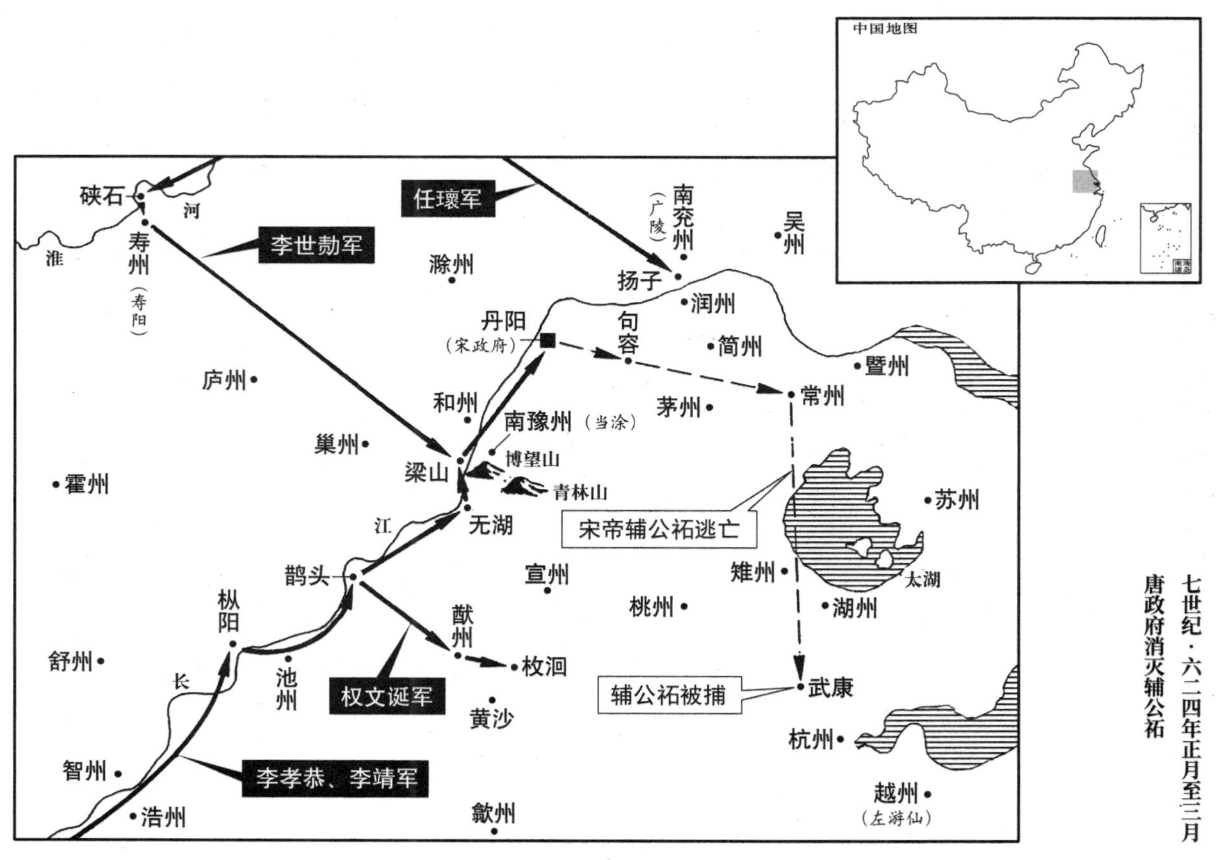

七世纪·六二四年正月至三月
唐政府消灭辅公祏

的人配给四十亩，没有丈夫的寡妇配给三十亩。十分之二作为私产，永远保持，可遗留给子孙；十分之八则在身死之后交还政府，再配给其他的人。每个成年男子每年向政府缴纳粟米二石。

捐税（调）：每一成年男子，可以依照当地特产，选择薄绸（绫）、厚绸（绢）、粗绸（绝，音shī〔施〕）、棉布，缴送政府（厚绸〔绢〕二匹、薄绸〔绫〕及粗绸〔绝〕二丈、棉布二丈四尺、棉花三两、麻三斤，没有养蚕的地区，则缴纳代金十四两白银）。

劳役（庸）：每一成年男子，每年应为政府服劳役二十天，闰月则加三天。不愿服劳役的，可以缴纳代金，每天折合厚绸（绢）三尺。政府有事，要人民加服劳役达十五日，则免除本年捐税（调）；加服劳役达三十日，则田赋（租）、捐税（调）全部免除。

遇到水灾、旱灾、虫灾（如蝗虫）、霜灾、庄稼损失四成以上的，免除田赋（租），损失六成以上的，免除捐税（调），损失七成以上的，连劳役（庸）也免除。

人民产业财富，分为九等（上中下各级再分三等）。

四家称“邻”，四邻（十六家）称“保”，一百家称“里”，五里（五百家）称“乡”。城市之中，行政最小单位称“坊”，城市之外乡野，最小行政单位称“村”。

唐政府再规定：政府公务人员，不可以经商，不可以和人民争夺利益。从事工业或商业的人，不准在政府任职。婴儿出生时称“黄口”，四岁时称“小口”，十六岁时称“中口”，二十岁时称“丁口”，六十岁时称“老口”。

唐政府又规定：每年制定田赋账册；每三年作人口普查。

21 四月八日，党项部落（四川省西北部）攻击唐政府松州（四川省松潘县)。

22 四月二十一日，唐政府立法院立法官（通事舍人）李凤起，攻击万州（四川省达州市达川区西北）獠部落变民，平定。

23 五月二日，东突厥汗国（瀚海沙漠群）攻击唐政府朔州（山西省朔州市）。

24 五月五日，羌民族部落与吐谷浑军，联合攻击松州（四川省松潘县）。唐政府派中央驻益州（四川省成都市）特遣政府左执行长（益州行台左仆射）窦轨，从翼州（四川省茂县西北）出发；扶州（四川省九寨沟县南坪镇）州长蒋善合，从芳州（甘肃省兰州市西固区西北）出发，分别迎击。

25 五月十七日，唐政府在宜君（陕西省宜君县）兴建仁智宫，落成。

26 五月十八日，唐政府中央驻益州特遣政府左执行长（益州行台左仆射）窦轨，在方山（四川省苍溪县）击破獠部落变民军，俘虏二万余人。

27 六月三日，唐帝李渊前往仁智宫（陕西省宜君县境）避暑。

28 六月十三日，唐政府泷州（广东省罗定市南）、扶州（南扶州，广东省信宜市）獠部落聚众起兵。唐政府派南尹州军区（总部设广西贵港市）总司令（南尹州都督）李光度等，把他们击败。

七世纪·六二四年二月至五月　山南獠族叛变

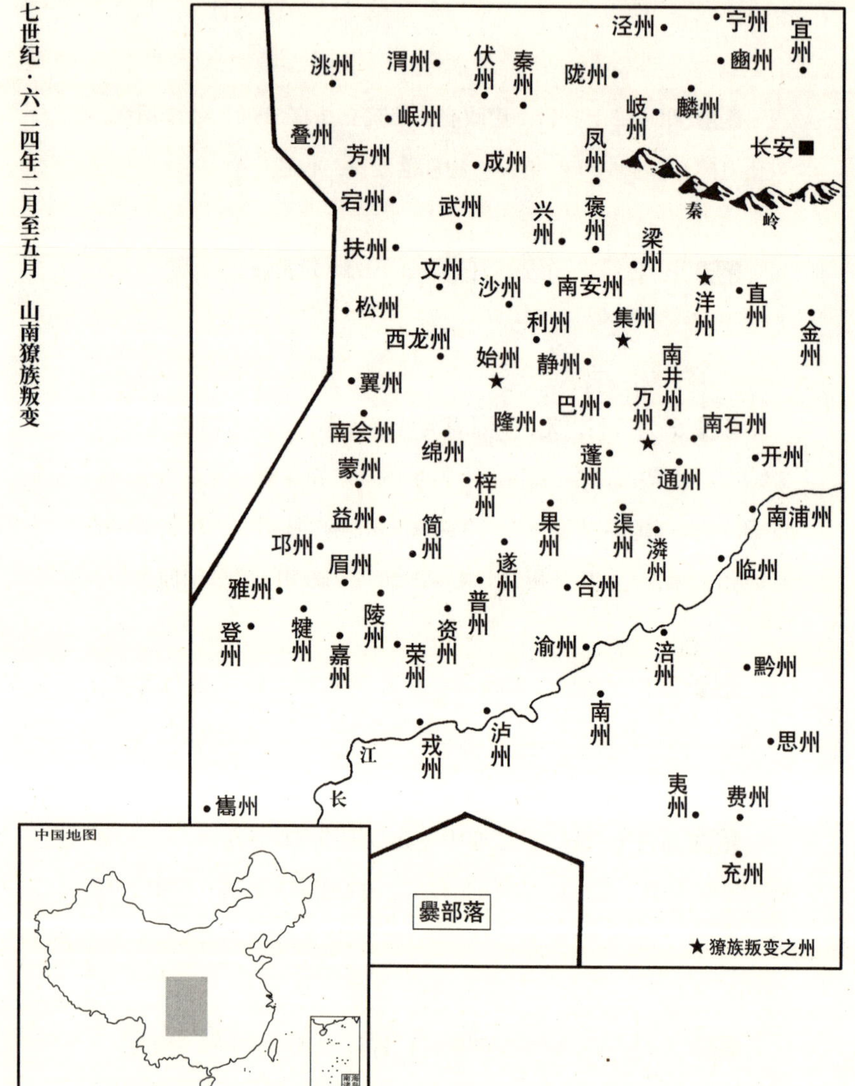

29 六月十八日，吐谷浑军攻击唐政府扶州（四川省九寨沟县南坪镇），州长蒋善合把他们击退。

30 六月二十四日，唐政府庆州军区（总部设甘肃省庆阳市）总司令（庆州都督）杨文干叛变。

最初，齐王李元吉鼓励太子李建成除掉秦王李世民，说：“我为了大哥，当亲手动刀！”李世民随老爹李渊一块前往李元吉私宅。李元吉命王府护卫军司令（护军）宇文宝埋伏卧室，打算刺杀李世民。李建成性情仁慈宽厚，临时制止。李元吉生气说：“我是为你打算，对我有什么好处！”

李建成擅自招募首都长安以及四方骁勇武士二千余人，组成太子宫（东宫）卫队，分别驻守左右长林（太子宫有左长林门、右长林门），称“长林兵团”。李建成又暗中命太子宫右翼保安军（右虞候）司令（率）可达志（可达，复姓），向燕郡王李艺（罗艺）征调幽州（北京市）突击骑兵队三百人，配备太子宫各署（坊），打算补作太子宫常备卫士，被人向李渊告密，李渊召见李建成责备，把可达志贬窜到巂州（四川省西昌市）。

杨文干曾当过太子宫卫士，李建成跟他感情亲密，暗中命他招募勇士，送到首都长安。李渊将去仁智宫（陕西省宜君县）避暑时，命李建成留守京师（首都长安）；命李世民、李元吉随从。李建成嘱咐李元吉有机会时顺便铲除李世民，说：“是安是危，就看今年。”又派贵族征兵府（内府）副司令（郎将）尔朱焕（尔朱，复姓）、大队长（校尉）桥公山，送铠甲给杨文干。二人走到豳州（陕西省彬州市），向李渊紧急告发，指控太子李建成命杨文干起事，内外呼应。就在此时，一位宁州（甘肃省宁县）人杜凤举，也向中央紧急告发，到皇宫当面指控。李渊大为忿怒，假装为了别的事情，亲写诏书召见李建成，命他前来行宫（李渊时在仁智宫〔陕西省宜君县境〕），李建成恐惧，不敢前往。太子宫事务管理官（太子舍人）徐师谟，怂恿李建成占据京师（首都长安），背叛老爹；太子宫总管府秘书官（詹事主簿）赵弘智，建议李建成单人匹马，衣帽简单，不带卫士，晋见老爹请求恕罪。李建成采纳赵弘智的建议，遂往仁智宫。

李建成在距仁智宫六十华里处，把他的属官全部留在毛鸿宾堡（陕西省淳化县东，北魏帝国将领毛鸿宾〔参考五二七年正月〕所筑），而只率十余名骑兵卫士，晋见老爹，用头叩地，请求宽恕，用力过猛，几乎气绝身死。李渊仍怒不可遏，当天夜晚，把他软禁帐幕之中，只供应粗饭（麦饭）给李建成充饥，命宫廷总管（殿中监）陈福严密防守，派农林部长（司农卿）宇文颖急往庆州（甘肃省庆阳市）召唤杨文干。宇文颖抵达庆州，把情况告诉杨文干，杨文干遂起兵叛变。李渊派左武卫（卫军第三军）将军（从三品）钱九陇，会同灵州军区（总部设宁夏灵武市）总司令（灵州都督）杨师道，联合讨伐。

六月二十六日，李渊召见秦王李世民，讨论军情，李世民说："杨文干不过一个小丑，竟然反抗中央，我认为他会被他的部将诛杀；即令不会，只要派一个将领进击，就已足够。"李渊说："不然，杨文干事奉建成，关系密切，恐怕会有很多人响应。你应该亲自去一趟，回来后，封你当太子。我不能效法杨坚，害死自己的亲生之子，我会改封建成当蜀王，巴蜀（四川省）军队脆弱，以后如果他能够接受你的领导，你应该保全他的生命，如果不能够接受你的领导，你制服他易如翻掌。"

李渊因仁智宫位于万山丛中，恐怕叛军发动突击，不敢安枕，于夜晚率宫廷侍卫从南方下山，前进数十华里，和太子宫（东宫）官员士卒相遇，李渊命他们三十人作为一队，派军把他们分别包围。

明天（六月二十七日），李渊再回仁智宫（政治斗争下，李渊已成惊弓之鸟）。

李世民率军出征后，李元吉跟李渊的小老婆群，轮流不断的在李渊面前为李建成辩护解释，而政府中，最高监督长（侍中）封德彝，也在外营救，李渊的立场遂作一百八十度改变，命李建成再回京师（首都长安）留守。不再追究谋反形迹，而只责备他们兄弟不能和睦，把罪过归于太子宫政务管理官（太子中允）王珪、太子宫左翼侍卫军司令（左卫率）韦挺、天策上将府军籍参谋官（天策兵曹参军）杜淹，一同流窜巂州（四川省西昌市）。韦挺，是韦冲的儿子（韦冲，参考五八一年四月）。最初，唐政府攻克洛阳，杜淹长时期没有擢升，打算辞职投奔李建成。房玄龄因为杜淹狡狯诡诈，恐怕影响李建成，将对李世民更为不利，于是报告李世民，介绍他到天策上将府。

31 东突厥汗国攻击唐政府代州（山西省代县）所属的武周城（山西省左云县）；被州政府军击败。

秋季，七月一日，定杨故将苑君璋率东突厥军进攻唐政府朔州（山西省朔州市），朔州军区总司令（总管）秦武通把他们击退。

32 杨文干发动袭击，攻陷宁州（甘肃省宁县），裹挟官员人民进占百家堡（甘肃省庆阳市境）。

唐政府秦王李世民率军抵达宁州（甘肃省宁县），杨文干军崩溃。

七月五日，杨文干被他的部属刺死，把人头送到京师（首都长安）。唐军擒获宇文颖，斩首。

33 七月九日，梁政府（首都朔方）中央特遣政府总监（行台）白伏愿，投降唐政府。

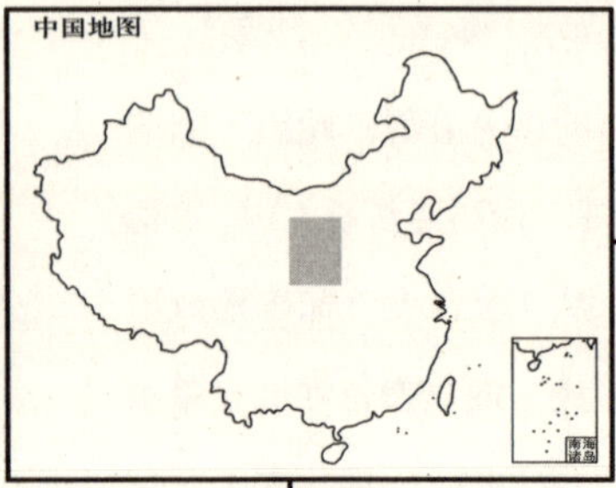

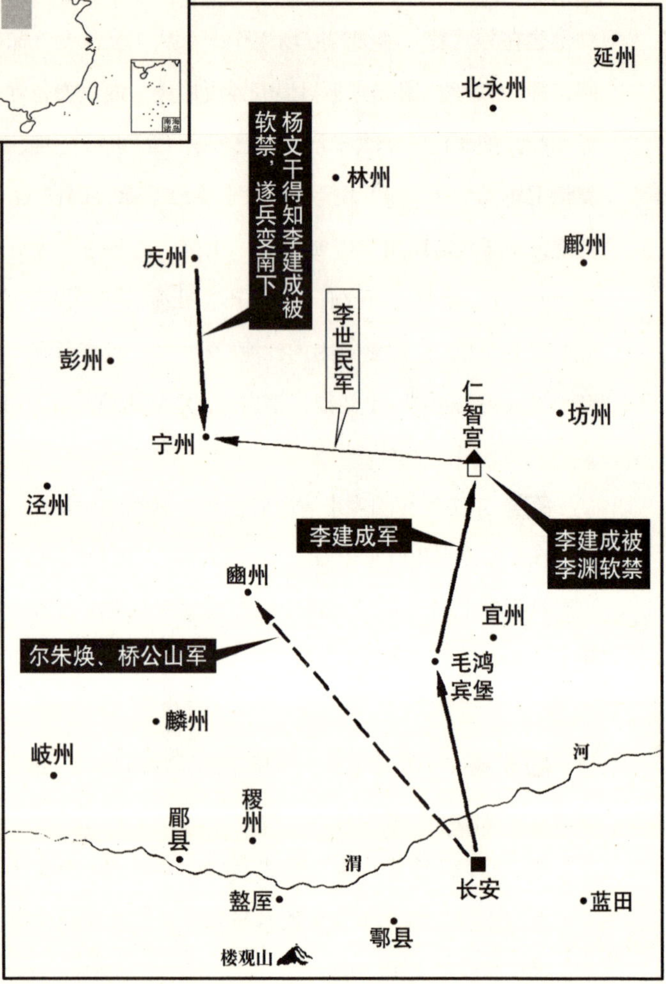

七世纪·六二四年六月至七月　杨文干事件

中国地图
南海诸岛
延州
北永州
林州
鄜州
庆州
杨文干得知李建成被软禁，遂兵变南下
李世民军
彭州
仁智宫
坊州
宁州
泾州
李建成军
李建成被李渊软禁
豳州
宜州
尔朱焕、桥公山军
毛鸿宾堡
麟州
岐州
河
稷州
郿县
渭
长安
盩厔
蓝田
鄠县
楼观山

34 七月十日，东突厥汗国攻击原州（宁夏固原市）。唐政府派宁州（甘肃省宁县）州长鹿大师救援，又派杨师道前往大木根山（内蒙古鄂托克前旗）布防。

七月十二日，东突厥军攻击陇州（陕西省陇县），唐政府派王府禁军司令（护军）尉迟敬德迎击。

35 吐谷浑汗国（青海省）攻击唐政府岷州（甘肃省岷县）。

七月十三日，吐谷浑军、党项部落军，联合攻击唐政府松州（四川省松潘县）。

36 七月十五日，东突厥汗国攻击阴盘（甘肃省平凉市东）。

37 七月十六日，唐政府扶州（四川省九寨沟县南坪镇）州长蒋善合，在松州（四川省松潘县）所属的赤磨镇（松潘县西北），击破吐谷浑军。

38 七月二十一日，东突厥汗国阿史那吐利将军，跟定杨故将苑君璋联军攻击唐政府并州（山西省太原市）。

39 七月二十六日（原文“甲子”，据《新唐书》改），唐帝李渊返首都长安。

40 有人向李渊建议说：“东突厥所以不断的攻击关中（陕西省中部），为的是美女壮男，以及金银绸缎，都集中长安（唐首都，陕西省西安市）。我们如果把长安用火焚烧成废墟，把首都迁到别的地方，则蛮虏（指突厥）的侵略，自然停止。”李渊同意，遂派副立法长（中书侍郎）宇文士及，越过南山（秦岭山脉终南山），前往樊城（湖北省襄阳市汉水北岸）、邓城（襄阳市北），勘察可以迁都的地方（应指襄阳城〔湖北省襄阳市〕），打算把首都迁到那里。太子李建成、齐王李元吉、国务院执行长（尚书仆射）裴寂，全都赞成；萧瑀等一批人虽知道绝对不可以，却不敢劝阻。秦王李世民警告说："蛮夷自古以来，就是中国的灾难。陛下神圣英武，像巨龙一样兴起民间，使中国恢复和平，手握精锐部队百万之众，所向无敌；怎么只不过为了蛮夷骚扰边疆，就决定迁都躲避，使我们羞对四海，成为百世笑柄！霍去病不过西汉王朝一个将领，还立志消灭匈奴（参考前一一九年）；何况我身为帝国藩篱，请给我数年时间，我保证拴住颉利可汗（十三任大可汗阿史那咄苾）的脖子，牵到宫门。如果没有成果，再迁都也不算晚。"李渊说："好极！"李建成反驳说："从前，樊哙大言不惭的说要率十万部众，横扫匈奴（参考前一九二年春季），秦王（李世民）的话，很有点相似。"李世民说："形势不同，战略不同，樊哙不过一个小丑，有什么值得称道的！不出十年，我们定会扫平瀚海沙漠以北，不是空口虚话（后来真的成为事实，参考六四六年六月）！"李渊才停止迁都计划。李建成遂联合李渊的小老婆群，在李渊耳边打小报告陷害李世民，说："东突厥虽然不断侵犯边疆，可是我们只要送点贿赂，也就撤退。而秦王（李世民）在一致对外、抵抗外寇的名义之下，目的不过企图继续掌握军权，完成他夺嫡的阴谋。"

李渊到长安城南打猎，太子李建成、秦王李世民、齐王李元吉，全都随从；李渊命三个儿子比赛骑马射箭。李建成有一匹蛮夷的马，十分肥壮，可是却有一个缺点，它飞奔时脚步不稳，容易栽倒，李建成把它交给李世民，说："这是一匹骏马，能跳过数丈宽的水沟山涧，你精于骑术，骑它试试。"李世民骑它追逐野鹿，它果然栽倒，李世民从马背跳下，跳到数步之外，等马挣扎爬起，李世民再骑，这样经过三次，李世民回头告诉宇文士及说：“他打算利用这匹马杀我，生死都是命中注定，怎么能够伤到我！”李建成听到这话，就教李渊的小老婆群，向李渊打小报告说：“秦王（李世民）自己宣称：‘我有天命，要当天下之主，怎么会白白一死！’”李渊大怒，先召唤李建成、李元吉，然后召唤李世民进宫，责备说：“天子自有天命，单靠人的智慧和力量，无法夺取，你追求宝座，为什么这般急迫！”李世民脱下冠帽叩头，请求交付司法机关调查审理。李渊的忿怒仍无法化解，正巧有关单位奏报：东突厥侵入国境！李渊才收回一脸不高兴，对李世民慰劳勉励，命他戴回冠帽，讨论如何对外。

闰七月二十一日，李渊下诏派李世民、李元吉率军从豳州（陕西省彬州市）出发，迎击东突厥。李渊在兰池（陕西省咸阳市东）为两个儿子饯行。每遇到外族入侵或变民起兵，李渊总是派李世民抵抗讨伐。可是，胜利归来之后，猜忌怨恨更为严重。

41 最初，隋王朝末年，京兆（首都大兴，陕西省西安市）人韦仁寿，当蜀郡（四川省成都市）司法参谋官（司法书佐），所判决死刑的囚犯，在押到刑场斩首时，仍面向西天，向佛祖为韦仁寿祈福，然后伸颈接受斩首。

唐政府成立，爨部落（云南省中部）首领爨弘达，率西南各部族，归附唐王朝。唐政府派遣特使，前往安抚。这些特使大都贪污放纵，无恶不作，偏远人民不堪压迫，常常叛变。韦仁寿当时担任嶲州军区（总部设四川省西昌市）政务秘书长（嶲州都督长史），唐帝李渊听过他的名声，命他当摄理南宁州军区（总部设云南省曲靖市）总司令（检校南宁州都督)，而把司令部暂设在越嶲(嶲州州政府所在县)，命他每年去南宁州(云南省曲靖市)一趟，慰问安抚居民。韦仁寿性情宽厚，有见识气度，接到中央命令后，率士卒五百人抵达西洱河(云南省大理市东北洱海)，环绕滇池，跋涉数千里，各部族首领望风归附，纷纷前来晋见韦仁寿。韦仁寿行使皇帝职权，设置七州、十五县，分别命他们的酋长当州长、县长，韦仁寿法令简明，做官清廉，各部族全都心悦诚服。

韦仁寿将返嶲州(四川省西昌市)时，各部族首领都说："天子(李渊)派你当南宁州军区总司令，为什么急于离去？"韦仁寿推辞说：南宁州没有城池！各部落立刻联合为韦仁寿兴筑州城，设立政府官舍，十天时间，就告落成。韦仁寿说："我接到的命令是来此地巡察慰问，不敢擅自留下。"各部族首领在流泪哭泣中送他回去，并各派子弟向唐政府进贡。

闰七月二十四日，韦仁寿返抵首都长安，李渊大为高兴，命韦仁寿把总部迁到南宁州(云南省曲靖市)，派军队驻防。

42 定杨故将苑君璋引导东突厥军攻击唐政府朔州(山西省朔州市)。

八月一日，东突厥军攻击唐政府原州(宁夏固原市)。

43 八月二日，吐谷浑汗国(青海省)攻击唐政府鄯州(青海省海东市乐都区)。

44 八月五日，东突厥军攻击唐政府忻州(山西省忻州市)。

八月九日，东突厥军攻击唐政府并州(山西省太原市)；唐政府首都长安戒严。

八月十一日，东突厥军攻击唐政府绥州（侨州，陕西省延川县），被州长刘大俱击退（攻击绥州之东突厥军，应自梁帝梁师都〔首都朔方〕国境出发）。

当时，东突厥颉利可汗（十三任大可汗）阿史那咄苾、突利可汗（小可汗）阿史那什钵苾，出动全国兵力，军营相连，南下向唐王朝发动攻击。唐政府派秦王李世民率军抵御，不巧，关中（陕西省中部）连绵大雨，道路桥梁很多被水冲断，军粮供应不继，士卒对不断的征战和不断的劳役，深感疲惫厌倦，刀枪弓箭武器，也都残破，中央政府及军中将领，都十分忧虑。李世民在豳州（陕西省彬州市）跟东突厥军突然相遇，准备迎战。

八月十二日，阿史那咄苾率一万余名骑兵，突然出现城西，在五陇阪（陕西省彬州市南）列阵，唐军将士震恐，李世民对李元吉说："而今，蛮虏（东突厥军）骑兵逼到眼前，我们不可以显示胆怯，应该跟他们打上一仗，你能不能跟我一同冲锋陷阵？"李元吉畏惧说："蛮虏兵势如此强大，我们怎么能轻率出战？万一不利，后悔都来不及！"李世民说："你不敢离营，我就单独前往，你留在这里观战！"遂率骑兵奔向东突厥阵地，喊话说："唐政府跟可汗已经和解，可汗为什么撕毁盟约，深入大唐国土？我是秦王（李世民），可汗如果愿意单挑独斗，就请出阵跟我单挑独斗；如果出动大军，我就用这一百名骑兵应战！"阿史那咄苾想不到李世民突然出现，不敢确定李世民玩什么花样，只在阵前微笑，不敢反应。李世民再向前逼近，派骑兵告诉阿史那什钵苾说："你从前跟我盟誓，有难同当，有急相救；今天竟然率军进攻，为什么没有一点香火之情！"阿史那什钵苾沉默不作回答。李世民再向前逼进，打算渡过横亘两军之间的一条水沟，阿史那咄苾看见李世民只带少数骑兵，又

七世纪·六二四年闰七月至八月 东突厥大举入侵

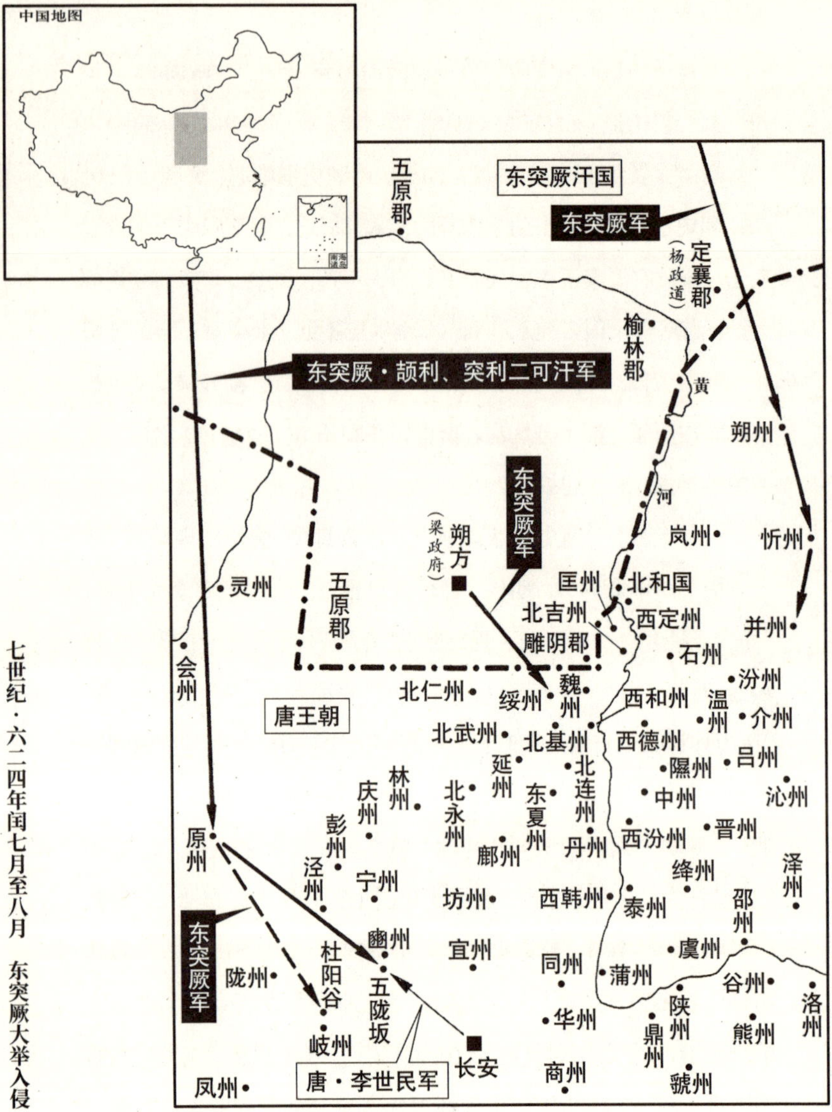

中国地图
南海诸岛
东突厥汗国
东突厥军
五原郡
定襄郡
（杨政道）
榆林郡
东突厥·颉利、突利二可汗军
黄
河
朔州
东突厥军
朔方
（梁政府）
岚州
忻州
匡州
北和国
灵州
五原郡
北吉州
西定州
并州
雕阴郡
石州
会州
唐王朝
北仁州
绥州
魏州
西和州
温州
汾州
介州
北武州
北基州
西德州
延州
隰州
吕州
林州
庆州
北永州
东夏州
北连州
中州
沁州
彭州
原州
鄜州
丹州
西汾州
晋州
泾州
宁州
绛州
泽州
坊州
西韩州
泰州
邵州
东突厥军
豳州
宜州
杜阳谷
五陇坂
虞州
陇州
同州
蒲州
谷州
洛州
陕州
岐州
长安
华州
鼎州
熊州
唐·李世民军
商州
凤州
虢州

听到“香火之情”的话，霎时间怀疑阿史那什钵苾跟李世民可能有什么密谋，于是派人阻止李世民说：“大王不必过沟，我没有别的意思，只是打算跟你重申前盟而已。”挥军稍向后退。

之后，雨势更大，李世民对各将领说：“蛮虏（东突厥军）所仗恃的，是他们的弓箭，而今，连绵大雨，气候潮湿，弦胶吸收水分，会失去弹性，弓箭已成为无用之物，他们就像飞鸟折断了翅膀。我们住在房屋之中，用火煮饭，气候干燥，刀枪长矛仍然锐利，用精神饱满克制身心疲劳，不抓住这个机会，还等什么机会！”于是在夜色掩护下，暗中出动，冒雨逼近东突厥大营，东突厥军大为震惊。李世民又派使节向突利可汗（小可汗）阿史那什钵苾，分析利害祸福，阿史那什钵苾高兴，愿接受指示。所以，当颉利可汗（十三任大可汗）阿史那咄苾打算发动攻势时，阿史那什钵苾反对；阿史那咄苾遂决定和解，乃派阿史那什钵苾，跟夹毕公爵阿史那思摩，到唐军大营晋见李世民，请求和解，李世民承诺。阿史那思摩，是阿史那咄苾的堂叔。阿史那什钵苾趁这个机会，把自己托付给李世民，请求结拜成为兄弟；李世民也以恩情和诚意回报，二人盟誓，阿史那什钵苾才回。

八月二十三日，唐政府岐州（陕西省宝鸡市凤翔区）州长柴绍，在杜阳谷（陕西省宝鸡市凤翔区东北）击破东突厥军。

八月二十五日（原文“壬申”误），阿史那思摩抵达长安（唐首都，陕西省西安市）晋见李渊，李渊请他坐上皇帝御座，予以慰劳。阿史那思摩的相貌像匈奴人，不像突厥人，所以处罗可汗（十二任大可汗）阿史那俟利弗疑心他不是突厥血统（也就是疑心阿史那思摩的娘亲不贞，与匈奴人通奸），所以历经阿史那俟利弗及阿史那咄苾两任大可汗，只封阿史那思摩当夹毕公爵（夹毕特勒），而不能带兵当将军（设）。阿史那思摩既晋见李渊，李渊封他当和顺王。

八月三十日，李渊派国务院左执行长（左仆射）裴寂，出使东突厥汗国。

45 九月六日，日南（越南荣市）变民首领姜子路，聚众起兵。唐政府交州军区（总部设越南河内市）总司令（交州都督）王志远，把他击破。

46 九月六日，东突厥军攻击绥州（侨州，陕西省延川县），唐政府绥州军区总司令（绥州都督）刘大俱，击破东突厥军，擒获公爵（特勒）三人。

冬季，十月三日，东突厥军攻击甘州（甘肃省张掖市）。

47 十月五日，唐帝李渊在鄠县（陕西省西安市鄠邑区）南山（秦岭山脉）狩猎。

十月七日，李渊抵达终南（终南山）。

48 吐谷浑军及羌部落军，攻击唐政府叠州（甘肃省迭部县），攻陷合川（叠州州政府所在县）。

49 十月十日，唐帝李渊前往楼观（陕西省周至县东南楼观山），叩拜李耳庙（以《老子》一书闻名寰宇的李耳，因姓李的缘故，所以设有祭庙）。

十月十七日，李渊用太牢（猪羊牛各一）祭祀隋王朝一任帝杨坚。

十二月二日（原文误置于十一月，据《新唐书》改），李渊前往龙跃宫（陕西省西安市高陵区境）。

十二月五日（原文误置于十一月，据《新唐书》改），李渊返首都长安。

太子宫总管（太子詹事）裴矩，暂时摄理最高监督长（权检校侍中）。

唐　武德　八年
（梁帝梁师都永隆九年）

1 春季，正月二十一日，唐王朝政府（首都长安〔陕西省西安市〕）任命寿州军区（总部设安徽省寿县）总司令（寿州都督）张镇周，当舒州军区（总部设安徽省潜山市）总司令（舒州都督）。

舒州是张镇周的故乡，张镇周到职后，在他的旧宅大摆筵席，招待亲戚朋友，尽情欢乐，披头散发，分开双腿，像畚箕一样坐在那里，跟他当平民时没有分别，一连十日。最后一天，赠送他们金银绸缎，哭泣泪下，向大家辞别，说："今天的张镇周，还可以跟老友欢聚饮酒，明天之后，舒州军区总司令（舒州都督）就要开始治理人民。人民跟官员之间，被礼教隔开，不能再跟各位来往。"自此之后，亲戚朋友犯法有罪的，张镇周绝不包庇，州境之内，社会秩序井然有序。

2 正月二十二日，唐政府派右武卫（卫军第四军）将军（从三品）段德操，夺取梁政府（首都朔方，皇帝梁师都）夏州（即朔方郡，陕西省靖边县北白城则村）土地。

3 吐谷浑汗国（青海省）攻击唐政府叠州（甘肃省迭部县）。

4 本月（正月），东突厥汗国（瀚海沙漠群）、吐谷浑汗国（青海省）分别向唐政府请求开放双边贸易，唐帝（一任高祖）李渊（本年六十岁）下诏准许。

从前，中国大乱，民间缺乏耕牛；自双边贸易开始后，民间向外国大量购买，各种牲畜遂遍布郊野。

5 夏季，四月十二日，党项部落（四川省西北部）攻击唐政府渭州（甘肃省陇西县）。

6 四月二十一日，唐帝李渊前往鄠县（陕西省西安市鄠邑区），在甘谷（西安市鄠邑区西南甘峪）围猎，在终南山（秦岭山脉终南山）兴筑太和宫（陕西省西安市南二十五公里太和谷）。

四月二十三日，李渊返首都长安。

7 西突厥汗国（新疆北部及中亚东部）叶护可汗（三任大可汗）阿史那统，派使节到唐政府，请求两国皇家缔结姻亲。唐帝李渊对裴矩说："西突厥距我们太远，遇到紧急情况，互相都不能帮助，而今向我提出缔结姻亲要求，应该怎么办？"裴矩回答说："如今东突厥正在强大，为国家长程利益，应该远交近攻（范雎谋略，参考前二七〇年），我认为不妨承诺这项婚事，用以威胁东突厥颉利可汗（十三任大可汗）阿史那咄苾。等到几年之后，我国兵力充实，足以对抗东突厥时，然后再考虑下一个步骤。"李渊采纳这项建议，派高平王李道立，前往西突厥报聘，阿史那统大为欣喜。李道立，是李渊的堂侄。

8 最初，唐帝李渊认为天下已经平定，所以撤销关中十二军（参考前年〔六二三〕二月），可是不久，东突厥不断侵略扰动。

五月十八日（原文误置于四月，据《唐会要·京城诸军》改），李渊下令恢复关中十二军，命祭祀部长（太常卿）窦诞等分别担任各军将军，挑选士卒战马，加强战斗训练，讨论如何对东突厥发动大规模攻击。

五月二十一日（原文误置于四月），凉州（甘肃省武威市）匈奴人睦伽陀（睦，姓）引导东突厥军，袭击唐政府凉州军区总司令部（凉州都督府），攻进内城；总秘书长（长史）刘君杰击破东突厥军。

9 六月二日，唐帝李渊前往太和宫（终南山）。

六月十四日，李渊派燕郡王李艺（罗艺）驻军华亭县（甘肃省华亭市）及弹筝峡（甘肃省平凉市西北泾河上游河谷）；命国务院工程部河川司长（水部郎中）姜行本切断石岭道（山西省忻州市南十五公里石岭关），阻挠东突厥南下。

10 六月二十四日，东突厥颉利可汗（十三任大可汗）阿史那咄苾，攻击灵州（宁夏灵武市）。

六月二十五日，唐政府命右卫（卫军第二军）大将军（正三品）张瑾，当大军作战司令（行军总管）率军抵抗；命立法院副立法长（中书侍郎）温彦博，当张瑾总部秘书长（长史）。

从前，唐帝李渊跟东突厥汗国书信来往，都站在平等地位。

秋季，七月十二日，李渊对侍从说："突厥贪婪成性，永不满足，我打算大加征伐；从今以后不要写信给他们，要写的话，一律用诏书、指令。"（这是自己往脸上抹粉的话，不是事实，事实是：李渊一直容忍东突厥，参考六一八年五月二十七日。）

七月十四日，李渊回首都长安。

11 七月十七日，东突厥颉利可汗（十三任大可汗）阿史那咄苾攻击唐政府相州（河南省安阳市）。

12 凉州（甘肃省武威市）变民首领睦伽陀，攻击武兴（甘肃省武威市西北）。

13 七月二十四日，唐政府代州军区（总部设山西省代县）总司令（代州都督）蔺谟，在新城（山西省宁武县北阳方口镇北）跟东突厥军会战，失利；唐政府又命大军作战司令（行军总管）张瑾，推进到石岭（山西省忻州市南十五公里石岭关），右武候（卫军第十二军）大将军（正三品）李高迁向太谷（山西省晋中市太谷区）前进，抵御东突厥军南下。

七月二十五日，唐政府命秦王李世民率军进驻蒲州（山西省永济市），防备东突厥突破唐政府前锋各军。

八月一日，东突厥军强行通过石岭（山西省忻州市南十五公里石岭关），攻击并州（山西省太原市）。

八月二日，东突厥军攻击灵州（宁夏灵武市）。

八月六日，东突厥军攻击潞州（山西省长治市）、沁州（山西省沁源县）、韩州（山西省襄垣县）。

14 唐政府左武候（卫军第十一军）大将军（正三品）安修仁，在且渠川（甘肃省张掖市东南）攻击变民首领睦伽陀，击破睦伽陀军。

15 唐帝李渊下诏命安州军区（总部设湖北省安陆市）总司令官（安州大都督）李靖，从潞州道（山西省长治市）出发，兵团总司令（行军总管）任瓌驻军太行山，抵御东突厥军南下。颉利可汗（十三任大可汗）阿史那咄苾率军十余万人，在朔州（山西省朔州市）大肆劫掠。

八月十一日，并州兵团（山西省太原市）总司令（行军总管）张瑾，在太谷（山西省晋中市太谷区）跟东突厥军会战，全军覆没，张瑾仅逃出一命，投奔李靖，兵团总司令部秘书长（行军长史）温彦博被东突厥军俘虏。东突厥认为温彦博手中掌握机要，向他询问国家有关军事秘密，诸如部队、粮秣情形，温彦博拒绝回答，东突厥军把他押解到阴山（内蒙古阴山山脉）。

八月十九日，东突厥军再攻击灵武（宁夏灵武市）。

八月二十三日，唐政府灵州军区（总部设宁夏灵武市）总司令（灵州都督）任城王李道宗，击破这项攻势。

八月二十五日，东突厥军攻击绥州（侨州，陕西省子长市东）。

八月二十六日，颉利可汗（十三任大可汗）阿史那咄苾派人向唐政府请求和解，然后撤退。

七世纪·六二五年七月至八月　东突厥入侵河东

中国地图
★ 东突厥入侵之州
东突厥军
马邑
朔州（善阳）
新城
代州
唐·蔺谟军
梁帝梁师都领土
黄河
岚州
忻州
石岭关（张瑾）
受州
太行山
匡州
北和州
北吉州
西定州
雕阴郡
石州
蔺州
并州
箕州
绥州
魏州
汾州
太谷（李高迁）
西德州
北温州
介州
北基州
西和州
东和州
隰州
北连州
吕州
韩州
中州
昌州
沁州
东夏州
晋州
潞州
丹州
南汾州
唐·李靖军
唐·李世民军
西韩州
泰州
泽州
卫州
绛州
盖州
殷州
邵州
虞州
怀州
今黄河
同州
蒲州
芮州
陕州
谷州
郑州
管州
洛州
鼎州
熊州
嵩州

九月二日，东突厥军阿史那没贺咄，攻陷并州（山西省太原市）的一个县。

九月五日，唐政府代州军区（总部设山西省代县）总司令（代州都督）蔺谟，把他击破。

16 九月十二日，唐政府下令库藏部（太府）检查各州的度量衡工具（度，长短；量，大小；衡，轻重。唐王朝制度：一个黍米〔黄米〕的横宽是一“分”，十分是一“寸”，十寸是一“尺”，十尺是一“丈”。一千二百颗中等黍米〔黄米〕是一“籥”〔音yuè，悦〕，二籥是一“合”，十合是一“升”，十升是一“斗”，十斗是一“斛”〔在此，斛就是石〕。一百颗中等黍米〔黄米〕的重量是一“铢”，二十四铢是一“两”，十六两是一“斤”）。

17 九月十五日，唐政府右领军（卫军第八军）将军（从三品）王君廓，在幽州（北京市）击破东突厥军，俘虏及斩杀二千余人。

东突厥军攻击蔺州（山西省吕梁市离石区西）。

18 冬季，十月十一日，吐谷浑汗国（青海省）攻击叠州（甘肃省迭部县），唐政府派扶州（四川省九寨沟县南坪镇）州长蒋善合增援叠州。

19 十月十七日，东突厥军攻击鄯州（青海省海东市乐都区），唐政府派霍公爵柴绍增援鄯州。

20 十一月一日，唐帝李渊前往宜州（陕西省铜川市耀州区）。

暂时摄理最高监督长（权检校侍中）裴矩，免职；改任主管副监督长（判黄门侍郎）职务。

21 十一月八日，东突厥军攻击彭州（甘肃省庆阳市西峰区）。

22 十一月十日，唐政府任命天策上将府军政官（天策司马）宇文士及，暂时摄理最高监督长（权检校侍中）。

十一月十一日，唐政府改封蜀王李元轨当吴王、汉王李元庆当陈王。

十一月十三日，唐政府加授秦王李世民当最高立法长（中书令）、齐王李元吉当最高监督长（侍中）。

23 十一月十六日，吐谷浑军攻击岷州（甘肃省岷县）。

24 十一月十八日，眉州（四川省眉山市）山獠部落聚众起兵。

25 十二月一日，唐帝李渊返抵京师（首都长安）。

十二月二十日，李渊在鸣犊泉（陕西省西安市长安区东南）狩猎。

十二月二十一日，李渊回宫。

李渊任命襄邑王李神符摄理扬州军区（总部设江苏省南京市）总司

令官（检校扬州大都督），把总部以及居民，从丹阳（江苏省南京市）迁到长江以北。（自有扬州以来，州政府不断迁移，东汉王朝时扬州在历阳县〔安徽省和县〕，东汉王朝末年在寿春〔安徽省寿县〕，最后在合肥〔安徽省合肥市〕；三国时代，扬州州土分属曹魏及东吴二帝国，曹魏州政府先在合肥，后迁寿春，东吴州政府在建业〔江苏省南京市〕。晋王朝灭东吴帝国后，扬州州土合二为一，州政府迁回建业〔参考二八一年〕。大分裂时代前期的五胡乱华十九国中，后赵〔参考三四九年六月〕、前燕〔参考三六九年十月〕皆曾占领寿春，设置扬州州政府。前秦一度设扬州于下邳〔江苏省睢宁县北古邳镇，参考三七九年七月〕，但为时甚短。至南北朝时代，南宋帝国四任帝刘劭时，一度撤销扬州，改称"司隶校尉"〔参考四五三年三月九日〕，不久复旧；五任帝刘骏时，扬州州政府迁于会稽〔浙江省绍兴市，参考四五九年三月二日〕，至六任帝刘子业时，又恢复旧制〔参考四六四年十二月二十八日〕；北魏帝国夺取寿阳〔安徽省寿县〕后，设置扬州〔参考五〇〇年二月二十八日〕，再度出现二政府。北齐帝国篡夺东魏政权以及北周帝国消灭北齐帝国，而扬州州政府设寿阳不变。隋灭陈后，把建康夷为平地〔参考五八九年二月〕，于广陵〔江苏省扬州市〕设扬州〔参考五八九年四月〕，而把寿阳的州政府改称寿州。七世纪一〇年代改朝换代大混战时，丹阳郡〔江苏省南京市〕再置扬州，唐政府消灭辅公祏后不改，参考去年〔六二四〕三月。自本年〔六二五〕起，扬州州政府迁到广陵〔江苏省扬州市〕，以后不再迁移，扬州遂成江苏省扬州市专称。）

六二六年 丙戌

唐　武德　九年

（梁帝梁师都永隆十年）

1 春季，正月十日，唐王朝（首都长安〔陕西省西安市〕）皇帝（一任高祖）李渊（本年六十一岁）下诏，命祭祀部副部长（太常少卿）祖孝孙等，重新制定贵族音乐（原来的官方音乐，出自隋王朝二任帝杨广，参考六〇六年十二月）。

正月二十五日，李渊擢升国务院左执行长（左仆射）裴寂当司空（三公之三），每天派国务院秘书官（员外郎）一人，到裴寂私宅值班。

二月一日，李渊擢升齐王李元吉当司徒（三公之二）。

2 二月十七日，唐政府开始命各州县政府，祭祀土神农神，又命民间乡里分别设立“土地庙”，向供奉在庙中的神灵祈福，以及感谢它的赐福（春夏二季祈求风调雨顺，秋冬二季演戏酬报），并促使乡亲之间，借机聚会联欢。

二月十九日，李渊祭祀土农神坛。

3 二月二十八日，东突厥军（瀚海沙漠群）攻击原州（宁夏固原市），唐政府派折威将军（关中十二军宁州道〔甘肃省宁县〕兵团）杨毛迎击。

4 三月二日，李渊前往昆明池（在旧长安城西南，西汉王朝所开，参考前一二〇年）。

三月四日，李渊回宫。

5 三月五日，吐谷浑汗国（青海省）、党项部落（四川省西北部），联合攻击岷州（甘肃省岷县）。

6 三月十日，中央驻益州道（四川省成都市）特遣政府执行官（益州道行台尚书）郭行方，攻击眉州（四川省眉山市）山獠部落变民军，把变民军击破。

7 三月十四日，梁帝梁师都（首都朔方〔陕西省靖边县北白城则村〕），攻击唐政府北方边疆，攻陷静难镇（陕西省清涧县）。

8 三月十八日，李渊前往周氏陂（陕西省西安市高陵区境）。

9 三月二十三日，东突厥军攻击灵州（宁夏灵武市）。

10 三月二十七日，李渊回宫。

11 三月二十五日，南海公爵欧阳胤，奉派当唐政府的使节，前往东突厥聘问时，率领他的部众五十人，计划突袭颉利可汗（十三任大可汗）阿史那咄苾的御帐；阴谋泄漏，东突厥政府逮捕欧阳胤等囚禁。

三月二十九日，东突厥军攻击凉州（甘肃省武威市），凉州军区总司令（凉州都督）长乐王李幼良把他们击退。

12 三月三十日，郭行方在洪雅（四川省洪雅县）攻击山獠部落变民军，大破变民军，俘虏男女五千人。

13 夏季，四月九日，东突厥军攻击朔州（山西省朔州市）。

四月十二日，东突厥军攻击原州（宁夏固原市）。

四月十五日，东突厥军攻击泾州（甘肃省泾川县）。

四月二十日，安州军区（总部设湖北省安陆市）总司令官（安州大都督）李靖，在灵州（宁夏灵武市）所属峡石（宁夏青铜峡市西南广武村），跟东突厥军大战，从早晨搏斗到下午四时，才把东突厥军击退。

14 天文台长（太史令）傅奕，上疏请求禁止佛教，说：

“佛教传自西方，言论不可求证，如果遂使不忠不孝的人，剃掉头发，抛弃双亲及君王；也使游手好闲之辈，改穿特制衣裳（指袈裟），到四方乞讨，不事生产，逃避赋税，称世有‘三涂’（涂，涂炭，灾难之意。佛教认为，人生有三大灾难，一是“火涂”，即“地狱道”，要受猛火炙烧；二是“血涂”，即“畜生道”，要互相吞食；三是“刀涂”，即“饿鬼道”，要受刀箭杀害。人生作恶，死后一定堕入三涂中的一涂），更扩张为‘六道’（上述三道〔地狱道、畜生道、饿鬼道〕，是作恶之报。又有三道，一是“天道”，二是“人道”，三是“阿修罗道”，是行善之报；共称六道）；用来影响凡夫俗子。大家遂都醉心于悔过赎罪，而虚构未来的幸福乐园。施舍给庙院一个铜钱，却希望购买到一万倍的回报，吃斋一日，竟希望赐下一百天粮食。于是善男信女受到迷惑，愚不可及的寻求功德，不恐惧法律制裁，轻易触犯法律，甚至大恶大逆之人，等到身陷法网，才在狱中叩拜佛祖，祈求免除他的罪过。真是可悲！

“自从伏羲氏（神话时代五氏之三）、神农氏（神话时代五氏之五），直到西汉王朝，并没有所谓佛法，可是君王圣明，臣属忠贞，政权都维持很久。东汉王朝二任帝（明帝）刘阳，才开始崇拜佛教（参考六五年），西域（新疆及中亚东部）一些佛教徒也开始传播他们的佛经。晋王朝之前，国家颁布严厉禁令，不准国人随便把头剃光。后来，后秦帝国及后赵帝国兴起，羌民族及匈奴民族扰乱中国（五胡乱华），君王昏庸，臣属奸诈谄媚，政治暴虐，政权寿命短促（后赵帝国三任帝石虎尊崇高僧佛图澄，参考三三五年九月；后秦帝国二任帝姚兴尊崇高僧鸠摩罗什，参考四〇五年正月），在萧衍（南梁帝国一任帝）、高澄（北齐帝国一任帝高洋的老哥）的遭遇上，可以看得清清楚楚（萧衍饿死宫城，参考五四九年二月；高澄被厨师兰京诛杀，参考五四九年八月）。

“而今，全国和尚尼姑，为数超过十万，剪裁贵重绸缎，披到泥人（佛像）身上，信徒们互相竞争着学习念咒作法，迷惑人民。我请求政府下令他们男婚女嫁，如此，立刻就增加十余万户人家，再生男育女，十年抚养成长，十二年教育训练，兵源将十分充裕，保卫国土，使四海免除被人蚕食的灾难，人民也可以知道权威到底在谁之手，则谣言惑众的风气，自会革除，淳厚朴实的教化，也因此复兴。我曾经看到北齐帝国章仇子佗在奏章上说（章仇，复姓）：‘和尚尼姑，消耗国家资源，寺院塔庙奢侈豪华，浪费人民金银绸缎。’结果，和尚们取得宰相庇护，在政府中设计陷害，尼姑们依靠嫔妃公主势力，暗中栽赃，章仇子佗竟被逮捕囚禁，绑到街市斩首。后来，北周帝国三任帝（武帝）宇文邕消灭北齐帝国，下令整修章仇子佗的坟墓。我虽然不聪明，但我心里羡慕章仇子佗的作为（《资治通鉴》没有章仇子佗的记载）。”

李渊命文武百官讨论傅奕的建议，只有畜牧部长（太仆卿）张道源认为傅奕的建议合理。萧瑀反对最烈，说：“佛祖，乃是圣人，傅奕竟抨击圣人，《孝经》说：‘抨击圣人的，无法无天。’应给他处罚。”傅奕说：“人类最大的伦理，莫过于尊敬君王和尊敬父亲，释迦牟尼是国王的嫡长子，既背叛老爹，又以一个人的力量，起而对抗天子。萧瑀没生在空心桑树中（《太平寰宇记·河南府伊阙县》：从前，有莘部落一位女子，于伊川采摘桑叶，在一棵空心桑树中捡到一个婴儿，婴儿说：“我娘亲在伊水岸上怀孕，梦见神灵警告她：‘门口有个石臼，当它流水的时候，你要向东奔跑！’娘亲第二天去看石臼，石臼中有水流出，大为吃惊，急急呼告邻居，一同逃走，逃到一个山丘，回头一看，城邑村落已淹成一片汪洋。娘亲也化成一棵空心桑树，我则在空心桑树之中。”有莘部落女子抱出婴儿，献给酋长，那个婴儿就是伊尹〔商王朝四任帝〕），却遵奉不认老爹的宗教。《孝经》说：‘不孝顺的人，没有亲情。’正是说的萧瑀。”萧瑀不能回答，只有双手合掌，说：“地狱之所以设立，正是为了你这种人。”

李渊也痛恨和尚、道士假借宗教信仰，拒绝向政府缴税和服劳役，而又不能遵守宗教戒律，产生种种弊端，正如傅奕的形容。

而寺院道观接近闹市，又和肉店酒馆混杂在一起。

四月二十三日，李渊下诏，命："主管单位调查天下和尚、尼姑、道士、道姑，凡真心修行的，一律移居大寺庙、大道观，由政府供应衣服饮食，不要短缺。至于平庸、猥琐、粗野、污秽的，一律还俗，强行送回乡里。京师（首都长安）只留寺庙三所、道观二所；各州则寺、观各留一所；其余的全部撤销。"

傅奕性情谨慎，因身为天文台长（太史令），负责观察星辰变化，所以断绝亲友来往（无意中透露天象，都会招杀身之祸）；关于灾变奏章，原稿全都焚烧，没有人知道内容。

15 四月二十五日，东突厥军攻击西会州（甘肃省靖远县）。

16 五月一日，庆州（甘肃省庆阳市）匈奴变民首领成郎等，诛杀政务秘书长（长史），投降梁帝梁师都（首都朔方〔陕西省靖边县北白城则村〕）；唐政府军区总司令（都督）刘旻，追斩成郎等。

17 五月五日，党项部落（四川省西北部）攻击廓州（青海省化隆县）。

18 五月十一日，东突厥军攻击秦州（甘肃省天水市）。

19 五月十五日，越州（浙江省绍兴市）变民首领卢南，聚众起兵，诛杀州长宁道明。

20 五月十九日，吐谷浑军、党项部落军，攻击河州（甘肃省临夏市）。

21 东突厥军攻击兰州（甘肃省兰州市）。

22 五月二十九日，唐政府派平道将军（关中十二军岐州道〔陕西省宝鸡市凤翔区〕兵团）柴绍，率军攻击匈奴变民军。

23 六月一日，金星白昼划过长空（《汉书·天文志》：金星白昼划过长空，天下发生变革，人民改换君王）。

秦王李世民跟太子李建成、齐王李元吉之间，有很深裂痕；李世民因洛阳（河南省洛阳市）是险要之地，恐怕情势突然恶化，计划出京（首都长安）据守该地，于是命中央特遣政府工程部长（行台工部尚书）温大雅，镇守洛阳；又命秦王府车骑将军荥阳（河南省荥阳市）人张亮，率左右侍卫王保等一千余人同往，暗中结交山东（崤山以东）英雄豪杰，等待事态发展，李世民付给张亮大量金银绸缎，随他使用。李元吉指控张亮阴谋叛变，李渊下令逮捕张亮，交付有关单位调查审理，张亮自始至终不发一言，这才把他释放，仍命他回洛阳供职。

李建成召唤李世民参加夜宴，在酒中暗下鸩毒，李世民饮酒后，突然心痛如绞，呕吐鲜血数升；淮安王李神通扶持李世民返回西宫（即弘义宫，李世民住西宫承乾殿）。李渊得到消息，前往西宫问候李世民病情，吩咐李建成说："秦王（李世民）一向不能饮酒，今后更不可以在夜晚饮酒。"因而对李世民说："当初，第一个提出伟大谋略，后来又削平海内群雄，都是你的功劳。我打算封你当太子，是你坚决辞让（参考六二二年十一月）。同时也因为建成是大哥，先当世子，又当太子，时日已久，我也不忍心剥夺他的继承权力。看情形你们兄弟似乎不能包容，大家挤在京师（首都长安），一定发生冲突，

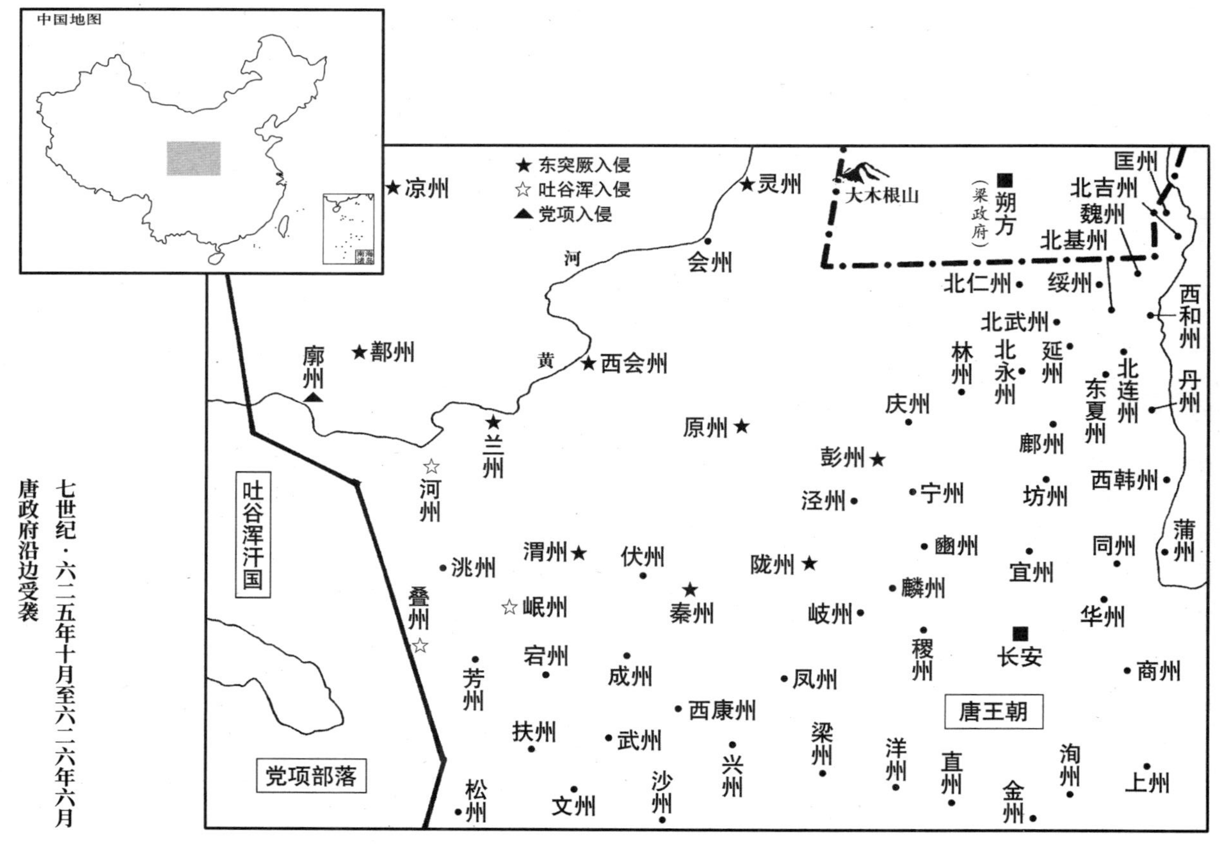

七世纪·六二五年十月至六二六年六月
唐政府沿边受袭

我当命你回到特遣政府，居住洛阳，陕州（河南省三门峡市）以东国土，由你做主。准许你使用天子专用的旗帜礼仪，仿效西汉王朝梁王刘武往例（参考前一四八年）。”李世民流泪哭泣，不肯前往，声称不愿远离老爹膝下。李渊说：“天下原是一家，东西两座首都，相距很近（洛阳、长安航空距离三百公里），我想念你的时候，就动身前去，不用烦恼悲伤。”

李世民将要出发，李建成、李元吉互相商量说：“秦王（李世民）如果前往洛阳，手中掌握土地城池及武装部队，以后谁对他都无法控制；假如把他留在长安，不过一个孤单匹夫而已，制服他易如反掌。”于是暗中命几个人呈递“亲启密奏”，声言：“秦王（李世民）左右官属，听说前往洛阳，都欢喜得跳起来，观察他们的兴趣志向，恐怕一去不返。”又派受宠爱的亲近臣属，向李渊分析利害祸福，李渊遂改变主意，事情中途停止。

李建成、李元吉，跟李渊的小老婆群（指尹德妃、张婕伃等），日夜不停的在李渊面前诬陷李世民，李渊相信，打算处罚李世民，陈叔达劝阻说：“秦王（李世民）对帝国有伟大的功劳，不可以罢黜。而且他性情刚强激烈，如果受到打击挫折，恐怕无法负荷忧愁悲愤，万一发生无法预测的意外，陛下后悔已来不及。”李渊才打消原意。李元吉秘密请求李渊诛杀李世民，李渊说：“他有平定天下的贡献，而罪状并不显著，用什么借口这样做！”李元吉说：“秦王（李世民）当初攻克东都（洛阳）时，盘桓观望，不肯马上班师，散发金钱绸缎，树立私人恩德，反抗诏书，不是叛逆是什么？只要马上动手，还怕找不到借口！”李渊不接受。

秦王府官属忧愁恐惧，不知道如何是好，中央特遣政府文官部考核司长（行台考功郎中）房玄龄，对司法部审计司长（比部郎中）长孙无忌说：“而今，结怨已深，一旦大难爆发，岂只总部血流满地，而且可能颠覆国家。不如劝大王（李世民）效法姬旦前例，拯救帝国（指姬旦诛杀管国国君姬度、蔡国国君姬鲜）。生死存亡契机，不容耽误，必须今天发动。”长孙无忌说：“很久以来，我就有这种想法，只是不敢出口。你今天说的话，正合我意，当详细报告。”遂进去报告李世民，李世民召唤房玄龄商量，房玄龄说：“大王功盖天地，当然应继承帝位，今天的忧虑与危机，正是上天赐给你的机会，请大王不要迟疑。”遂会同秦王府军务秘书官（府属）杜如晦，共同建议李世民诛杀李建成、李元吉。

李建成、李元吉因秦王府拥有很多勇将，计划引诱他们背离，转而效忠自己，秘密送给秦王府左翼第二护卫军副司令（左二副护军）尉迟敬德金银器一车，并且写信给尉迟敬德，表示爱慕，说：“盼望有幸接受长者的照顾，用这一点菲薄的礼物，增进我们贫贱时相识的友情。”尉迟敬德拒绝，说：“我，尉迟敬德，出身贫贱，隋王朝末年，天下大乱，人民流离，一直追随叛逆集团（指定杨天子刘武周），罪恶应该万死，秦王（李世民）对我有再生之恩（参考六二〇年四月），而今又列名王府，只有杀身以报。对于殿下，我却没有一点功劳，所以不敢接受重赏。如果跟殿下秘密交往，就是对主人（李世民）暗怀二心，贪图富贵，把忠贞抛到脑后，对这种人，殿下要他有什么用？”李建成大怒，跟尉迟敬德断绝来往。尉迟敬德告诉李世民，李世民说：“你的心志好像山岳一样坚定，纵然把黄金从地面堆到北斗星，我知道你也不会改变。如果他再有什么馈赠，你只管收下，避什么嫌疑！而且还可以探听他们的阴谋诡计，岂不是更好的计策！不然的话，大祸就要临到你头上。”不久，李元吉果然派刺客于夜间袭击尉迟敬德，尉迟敬德得到消息，命家人把大门到卧室的所有门户，全部打开，自己则仍躺在床上，并不移动，刺客几次已到庭院，都不敢进入卧室。李元吉一计不成，再用一计，就在李渊面前诬陷尉迟敬德犯罪，李渊逮捕尉迟敬德，在监狱中调查审理，打算处死。李世民竭力营救，才留下一命。李元吉又诬陷秦王府左翼第一骑兵军司令（左一马军总管）程知节，李渊遂命程知节出任康州（西康州，甘肃省成县）州长。程知节警告李世民说："大王的四肢和翅膀，全被剪除，身躯还能活多久？我愿冒死刑的危险，留在京师（首都长安），请早定大计。"李元吉同样用金银绸缎，结交秦王府右翼第二卫戍军司令（右二护军）段志玄，段志玄也不接受。李建成对李元吉说："秦王府的智囊，使人在意的不过房玄龄、杜如晦二人！"遂在李渊面前加以诬陷，把他们调出秦王府。

这时，李世民的心腹密友，只剩下长孙无忌还留下来，长孙无忌跟舅父、京畿总卫戍司令部军务秘书长（雍州治中）高士廉，右候卫（卫军第十二军）车骑将军、三水（陕西省旬邑县）人侯君集，以及尉迟敬德等，日夜不断的游说李世民诛杀李建成和李元吉；李世民一直犹豫，不能决定，于是询问灵州军区（总部设宁夏灵武市）总司令官（灵州大都督）李靖的意见，李靖不肯回答；再问兵团总司令（行军总管）李世勣（徐世勣）的意见，李世勣（徐世勣）也不肯回答；因此，李世民对二人十分尊重。

正巧，东突厥将军阿史那郁射，率骑兵数万人，南下黄河河套，进入唐帝国边塞，包围乌城（陕西省定边县南）。李建成推荐李元吉代替李世民，率各路兵马北上迎战，李渊同意，命李元吉率右武卫（卫军第四军）大将军（正三品）李艺（罗艺）、天纪将军（关中十二军泾州道〔甘肃省泾川县〕兵团）张瑾等，增援乌城（陕西省定边县南）；李元吉请求调用尉迟敬德、程知节、段志玄，以及秦王府右翼第三警备军司令（右三统军）秦叔宝等，一同出征；并挑选秦王府精锐部队，编入李元吉战斗序列。太子宫纠察署主任秘书（率更丞，从七品上）王晊，秘密报告李世民说："太子（李建成）告诉齐王（李元吉）说：'现在，你已兼并秦王（李世民）的精兵猛将，手握数万部众。我准备和秦王（李世民）在昆明池（旧长安城西南）摆设筵席，给你饯行，就在饯行宴上，命勇士把他扑杀，告诉老爹说是急病而死，老爹不会不信。我自会命人游说老爹，把政府大权移交给我。尉迟敬德等既已落到你手，最好全部坑杀，谁敢不服？'"李世民把王晊的话告诉长孙无忌等，长孙无忌等劝李世民抢先下手。李世民叹息说："骨肉手足，互相残杀，无论古今，都是最大的罪恶。我当然知道早晚之间，灾难就要出现，不过总盼望对方先行发动，然后用正义之军，加以讨伐，难道不对！"尉迟敬德说："人之常情，谁不怕死，而今大家愿用一死拥护大王，应是上天旨意。大祸立刻就要爆发，大王居然认为不必忧虑，你纵然看轻自己，可是帝国前途和皇家祭庙，又怎么办？大王如果不采纳我的建议，我将逃离王府，到山野江湖流浪，不能再留在大王左右，双手被绑，受他们诛杀！"长孙无忌说："不接受尉迟敬德的建议，大势就一去不返，尉迟敬德等定必远走，我也只有追随逃亡，不能再事奉大王。"李世民说："我的意见也不可以全部推翻，你们再进一步研究！"尉迟敬德说："大王今天处理事情，一直犹豫，没有智慧；面对危难，无法迅速决断，没有勇气。大王平时训练的敢死勇士八百余人，在外面的现在已经进入宫城，全身披甲，手拿武器，形势已经造成，大王怎么能够中止！"

李世民询问王府其他幕僚的意见，大家一致认为："齐王（李元吉）凶狠暴戾，决不可能终身事奉他的兄长（指太子李建成）。最近听说，齐王府护卫军司令（护军）薛实，曾经告诉齐王（李元吉）说：'大王名字合在一起，成一个“唐”字，大王（李元吉）终有一天，要主持唐王朝皇家祭祀（指当皇帝）。’齐王（李元吉）大喜说：‘只要除掉秦王（李世民），对付东宫太子（李建成），比翻一下手掌还容易！’齐王（李元吉）跟太子（李建成）的阴谋还没有成功，就有夺嫡之意，这种永不满足、不断制造祸乱的心理，有什么事做不出来？如果使他们二人如愿以偿，恐怕将不再归属唐王朝政府。以大王的智慧能力，擒获二人不过像弯腰在地上捡起一根草一样，为什么要坚持凡夫俗子的节操，而忘记为帝国着想。”李世民仍然疑虑，不敢决定。大家反问他：“大王认为姚重华是什么样的人？”李世民说：“是圣人。”大家说：“假使姚重华在掘井时被埋葬，他不过化成井里一堆泥土；假使姚重华在屋顶上不跳下来，他不过被烧成屋顶上的一团灰炭，怎么能使他的恩德，普遍施给全国人民！又怎么能使他所厘订的法令规则，行于后世（姚重华事，参考一二五年十二月注）！所以，父母用小棍子打，我们接受；用大棍子打，我们就应逃走，（《孔子家语》：孔丘说：“姚重华事奉瞽叟，小棍子打他接受，大棍子打他就逃走！”）因为关系重大，必须保留性命。”李世民命卜卦，正巧幕僚张公谨从外面进来，抓起龟壳投到地上，说：“占卜的目的是要请神明决断，现在既无怀疑，要什么决断！占卜的结果如果不吉，难道就停止发动！”李世民遂下定决心。

李世民命长孙无忌秘密召唤房玄龄等，房玄龄回答说：“奉皇上（李渊）指令，不准再听大王（李世民）命令，今天如果私自晋见，定被处死，所以不敢接受。”李世民大怒，对尉迟敬德说：“房玄龄、杜如晦，难道真的背叛我！”取下佩刀，交给尉迟敬德，说：“你去看一下，他们如果真的不肯来，砍下他们人头。”尉迟敬德见到房玄龄等后，跟长孙无忌一同保证说：“大王已下决心，最好是快点进去，共同策划。我们四个人，不可以一起走在街上！”遂命房玄龄、杜如晦改穿道士服装，和长孙无忌同往秦王府，尉迟敬德则绕道另一条路，随后也到。

六月三日，金星再一次白昼划过长空。天文台长（太史令）傅奕，向李渊呈递“亲启密奏”，说：“金星出现在秦国（陕西省中部）地带，秦王（李世民）将坐上宝座，治理天下。”李渊把这份密奏交给李世民。于是，李世民立即发动，先呈递密奏，指控李建成、李元吉跟后宫庶母（李渊的小老婆群）通奸，并且严厉抨击说：“我对兄弟，没有分毫亏欠，他们今天竟打算杀我，简直是替王世充、窦建德报仇。我今被冤枉害死，永别父亲君王，鬼魂回归地下，没有脸再见那些盗匪（王世充、窦建德）。”李渊看见，大吃一惊，但他再料不到会爆发可怕的流血政变，所以只命人转告李世民：“明天我会问个清楚，你最好早早入朝。”

六月四日，李世民率长孙无忌等入朝，在玄武门（宫城北面中门）设下伏兵。张婕伃已探听到李世民的密奏内容，急派人飞奔报告李建成，李建成召唤李元吉商量，李元吉说：“应该动员我们所控制的军队备战，一面声称有病，不要入朝，观察形势变化。”李建成说：“护卫军已经出动，戒备森严，自当跟你一同入朝，看看到底是怎么回事。”于是一同入朝，直向玄武门。李渊这时已召集裴寂、萧瑀、陈叔达等，计划共同审理李世民的密奏。

李建成、李元吉走到临湖殿，发觉情况不对劲，立即拉转马头，奔回东宫（太子宫），李世民拍马追上，高呼：“大哥！”李元吉举弓射击李世民，因过度紧张，三次都无法把弓拉满（弓拉不满，箭在中途就会落下），李世民瞄准李建成，一箭射死。尉迟敬德率骑兵七十人随后赶到，左右射击李元吉，李元吉从马上栽下。李世民坐骑受到惊吓，失去控制，往树林狂奔，被树枝挂住，李世民摔倒在地，无法爬起，而李元吉突然出现，夺下李世民手中的弓，打算勒死李世民。尉迟敬德飞马而来，厉声大喝住手，李元吉徒步逃命，打算逃往武德殿，尉迟敬德追到，射死。太子宫贵族征兵府司令（翊卫车骑将军）、冯翊（陕西省大荔县）人冯立，听到李建成死亡消息，叹息说："他活着的时候，接受他的恩惠，他死之后，怎么可以逃避他的灾难！"遂跟太子宫护卫军副司令（副护军）薛万彻、屈咥直府左车骑（这个官称的关系位置及职责不详）、万年（首都长安东半城）人谢叔方，率东宫（太子宫）、齐王府精锐部队二千人，直向玄武门。张公谨力大无穷，独自闭城拒抗，谢叔方军不能进入。云麾将军（武散官六级，从三品）敬君弘统御宫廷禁军，驻守玄武门，挺身迎战太子军，他的亲信劝说："事情到底如何，还不能预测，应该观察变化，等到大军集结，列阵再出，也不算晚。"敬君弘不接受，跟贵族征兵府（内府）司令（中郎将）吕世衡，嘶喊攻击，全都战死。敬君弘，是敬显隽的曾孙（敬显隽事，参考五五四年六月）。玄武门守军（秦王军）跟太子军薛万彻等鏖战很久，薛万彻呼叫喧哗，声称要攻击秦王府，秦王军大为恐惧。正巧，尉迟敬德提着李建成、李元吉的人头赶到，让大家查看，太子军遂一哄而散。薛万彻率骑兵数十人，逃往终南山。冯立既斩敬君弘，对他的部众说："多少可以回报太子（李建成）。"遂解散手下军队，落荒而逃。

李渊正在海池（皇宫人工湖）泛舟，李世民派尉迟敬德进宫保护，尉迟敬德头戴铁盔，身穿铠甲，手拿长矛，一直走到李渊面前。李渊大为震惊，问说："今天作乱的是谁？你来这里做什么？"尉迟敬德回答说："太子（李建成）和齐王（李元吉）叛变，秦王（李世民）出动军队，把二人诛杀，恐怕惊动陛下，派我前来保驾。"李渊对裴寂等说:“想不到今天发生这种事,应该怎么办?”萧瑀、陈叔达说:“建成、元吉,本来没有参与当初起义行动,对于帝国的建立,也没有功劳,嫉妒秦王(李世民)功高望重,共同设下奸谋。如今秦王(李世民)既已把他们扑灭,功盖宇宙,全国人民,向他归心,陛下如果封他当太子,把政府交给他,就不会发生事端。”李渊说:“你说的对,这也正是我的心愿。”当时宫廷禁卫军及秦王府军,跟太子宫及齐王府军,仍在鏖战,尉迟敬德请求李渊下令阻止,并命各军都受秦王(李世民)指挥;李渊听从。

天策上将府军政官(天策府司马)宇文士及,从东上阎门出宫,宣布李渊指令,战斗终于平息。李渊又命副监督长(黄门侍郎)裴矩前往东宫(太子宫),向各将士解释疏导,全部遣散。李渊召见李世民,抚摸李世民的头发,安慰说:“这些日子,几乎犯了‘投梭’错误(误传曾参杀人,娘亲相信;参考前三〇八年)。”李世民跪在那里,把脸庞贴在老爹胸前,哭号不已。

李建成的儿子:安陆王李承道、河东王李承德、武安王李承训、汝南王李承明、钜鹿王李承义;李元吉的儿子:梁郡王李承业、渔阳王李承鸾、普安王李承奖、江夏王李承裕、义阳王李承度,全部斩首,同时开除皇家户籍。

最初,李建成承诺:登极后封李元吉当皇太弟,所以李元吉为他不惜牺牲。李世民所属各将领打算杀尽李建成、李元吉左右亲信一百余人,没收他们的家产,尉迟敬德竭力反对,说:“一切罪恶,只在两个元凶,既已诛杀,如果扩大打击面,无法使社会安定。”遂中止行动。

当天(六月四日),李渊下诏,说:“赦免天下罪犯,凶恶叛逆罪罚,只限李建成、李元吉,其他所有党羽,全不追问。所有和尚、尼姑、道士、道姑，一律恢复原状（本年四月，下诏还俗）。政府事务，向秦王（李世民）请示，听候裁决。”

六月五日，冯立、谢叔方都出来投降，薛万彻仍然逃亡，李世民不断派人向他解释，薛万彻才出来。李世民说：“他们忠于他们的主人，是忠义之士。”全都释放。

六月七日，李渊正式封李世民当皇太子，再下诏说：“从今之后，无论军事政治，不管事情大小，由太子（李世民）裁决之后，再行奏报。”

选择嫡子当继承人时，一定选择年纪最大的兄长，才是礼教正统。然而，李渊之所以能夺取政权，统一全国，却是李世民的功劳。李建成庸碌低能，却高居李世民之上；李世民处在嫌疑的地位，形势逼迫，绝不可能受到包容。如果李渊早有姬昌（周文王）的智慧，李建成早有姬太伯（吴王国始祖）的贤明（姬太伯避位事，参考二五二年闰四月注），李世民早有曹臧的节操（曹臧拒绝继位事，参考五三一年五月注），那么，祸乱从什么地方发生？

既然大家都不能如此，李世民开始时只是等待对方先行动手，然后再作反应，果真如此，则事情不由自己发动，应是最好的情况。后来，在部属们的压迫之下，以至于在宫门喋血，亲手挥刀，诛杀一母同胞，千古以来，受到抨击，至为可惜。

开创大业，建立正统的君王，是子孙崇拜仿效的对象，唐王朝李显（六任帝中宗）、李隆基（九任帝玄宗）、李亨（十任帝肃宗）、李豫（十一任帝代宗）的继承帝位，岂不都是有个榜样在那里，找到了借口（李显于娘亲武曌〔南周王朝一任帝〕病危时，夺回政权，参考七〇五年正月；李隆基协助老爹李旦，铲除韦皇后及安乐公主，把七任帝〔殇帝〕李重茂赶下台，由李旦继位〔八任帝睿宗〕，参考七一〇年六月；太子李亨原被老爹皇帝李隆基猜忌，趁安史之乱，自己称帝，参考七五六年七月十三日；太子李豫原与张皇后对立，趁老爹皇帝李亨病危，联合宦官，就在老爹病榻之前，逮捕张皇后，不久李亨病死，李豫继位，参考七六二年四月）！

一个新建立的王朝，用不了多久，就会进入瓶颈，能通过瓶颈则一片兴旺，不能通过，这个新建立的王朝，可能一爆而碎。而这种瓶颈，往往与夺嫡有关，嬴胡亥如此，刘恒如此，司马衷如此，杨广如此，李世民也如此。

只要是专制政治，就无法排除这种瓶颈，也无法化解夺嫡斗争，司马光把消灭祸乱，建立在不可能的假设上，与现实完全脱离。就好像说，假如上帝抽去人类身上的权力欲望，世界就更加和平一样，这种话说了等于没说，毫无意义。因为专制政治一定产生瓶颈效应，容易溃烂成为夺嫡恶疮。幸运时，或许可以避免，问题是，人类并不幸运。

李建成是一位忠厚善良的老哥，李元吉则是一个机警伶俐的恶少；老哥变得越来越不能包容，这个恶少老弟要负重要责任。激情的表态，常把首领或伙伴导入难以回头的狭径，狭径总是通向死亡之谷。《资治通鉴》上史迹斑斑，李元吉不过小角色而已。

玄武门骨肉相残，是一项命中注定的悲剧，李渊在得到二子被杀的消息时，连哭都不敢，而且对最钟爱的一群幼孙，眼睁睁看着他们被砍下人头，同样不敢阻止，幸亏他退位得快，不然的话，他就是下一个刀下之鬼，这跟李世民不友不孝无关，专制病毒一旦发作，就是如此残酷无情，人在其中，身不由己。极权分子，以及“天纵圣明”，和摇尾系统之辈，只看到“民主”对他们的权力有所压抑，却看不到“民主”对他们的保护功能，使他们在失败之后，仍可以自由自在登台高论，仍可以自由自在到海边晒晒太阳、到饭店吃吃大餐，而不必像李建成、李元吉一样，亲兄弟反而成了恶毒的凶手。

然而，中国人应庆幸李世民夺嫡成功，他阁下为中国带来名垂千古的“贞观之治”，成为盛世的典范，就已知的史料推测，如果李建成当了皇帝，因为有李元吉在旁的缘故，他的政绩不可能比李世民更好。

24 六月十二日，李渊任命宇文士及当太子宫总管（太子詹事，正三品），长孙无忌、杜如晦当太子宫政务署长（左庶子，正四品上），高士廉、房玄龄当太子宫事务署长（右庶子，正四品下），尉迟敬德当太子宫左翼侍卫军司令（左卫率，正四品上），程知节当太子宫右翼侍卫军司令（右卫率，正四品上），虞世南当太子宫事务署副署长（中舍人，正五品下），褚亮当太子宫事务管理官（舍人，正六品上），姚思廉当太子宫图书馆长（洗马，从五品下）。把齐王（李元吉）府库中的金银财宝，全部赏赐给尉迟敬德。

最初，太子宫图书馆长（洗马）魏徵，时常劝太子李建成早日铲除李世民，等到李建成被杀，李世民召见魏徵，问他说：“你为什么离间我们兄弟之情？”大家都替魏徵恐惧，但魏徵言行却跟平常一样，回答说：“先太子（李建成）早先如果采纳我的建议，绝对不会有今天的灾难。”李世民一向敬佩魏徵的才干，立刻和颜悦色，以礼相待，命他当太子宫总管府秘书官（詹事主簿）。同时，也召回贬窜嶲州（四川省西昌市）的王珪、韦挺（二人贬窜事，参考前年〔六二四〕六月），命二人同时当监督院（门下省）高级顾问官（谏议大夫，正五品上）。

李世民下令释放皇家园林中的猎鹰猎狗，拒收各地贡品，垂听文武百官陈述治国的意见；政令简单易行，执行严厉，无论中央或地方的官员人民，一片喜悦。

李渊任命屈突通当中央驻陕东道特遣政府左执行长（陕东道行台左仆射），镇守洛阳（河南省洛阳市）。

中央驻益州（四川省成都市）特遣政府执行长（益州行台仆射）窦轨，跟特遣政府执行官（行台尚书）韦云起、郭行方，素不和睦。韦云起的老弟韦庆俭及韦姓家族，很多事奉太子李建成，李建成死后，窦轨报复，诬称韦云起跟李建成共同谋反，逮捕韦云起，斩首。郭行方大为恐惧，逃奔京师（首都长安），窦轨追捕，没有追及。

25 吐谷浑军攻击岷州（甘肃省岷县）。

26 东突厥军攻击陇州（陕西省陇县）。

六月十五日，东突厥军攻击渭州（甘肃省陇西县）；唐政府派右卫（卫军第二军）大将军（正三品）柴绍迎战。

27 唐政府撤销中央驻益州（四川省成都市）全权特遣政府（益州大行台），改设益州军区总司令部（大都督府）。

28 六月十六日，李渊写信给司空（三公之三）裴寂等，说："我应该自称'太上皇'。"

29 六月二十五日，幽州军区（总部设北京市）总司令官（幽州大都督）庐江王李瑗叛变，右领军（卫军第八军）将军（从三品）王君廓斩李瑗，把人头送到京师（首都长安）。

最初，李渊知道李瑗性情懦弱畏怯，不是一个可以担任将领元帅的材料，所以命王君廓当他的副手。王君廓本是强盗出身，勇猛凶悍、阴险狡诈，李瑗推心置腹的依靠他，承诺两家结成姻亲。太子李建成谋害李世民，秘密跟李瑗结交。李建成死后，李渊派助理立法官（通事舍人）崔敦礼，乘驿马车驰往幽州（北京市），召唤李瑗回京（首都长安），李瑗心中惊惧，跟王君廓商量。王君廓计划出卖李瑗，用李瑗的血作自己升官资本，于是警告李瑗说："大王如果入朝，没有保全的理由。而今，你拥有军队数万人，为什么接受一个单人匹马使节的征召，自投罗网？"于是二人相对哭泣，李瑗说："我今天把性命交到你手里，决心起兵。"遂胁迫崔敦礼，查问京师（首都长安）机密，崔敦礼拒不答复，李瑗把崔敦礼囚禁，派使节乘坐驿马车到各地召集军队，并召唤燕州（怀戎，河北省怀来县）州长王诜，前来蓟城（幽州州政府所在城，北京市），共同商讨大计。军籍参谋官（兵曹参军）王利涉告诉李瑗说："王君廓反复无常，不可以把军权交给他，应该早一点铲除，由王诜接替。"李瑗犹豫不决。王君廓得到消息，前往拜访王诜，王诜正在洗头，手握头发，迫不及待出来迎接，王君廓亲手击斩王诜，提着人头，向部众宣布说："李瑗跟王诜一同谋反，囚禁钦差大臣，擅自征调军队。现在，王诜已经诛杀，只剩下李瑗，毫无作为！你们愿意追随李瑗，全族都被屠灭？还是愿意追随我，取得荣华富贵！"大家都说："愿追随你讨伐盗贼（李瑗）！"王君廓遂率他的部队一千余人，翻过西城，进入蓟城（幽州州政府所在城，北京市），李瑗还没有发觉；王君廓到监狱释放崔敦礼，李瑗才接到报告，仓猝间率左右侍卫数百人，披上铠甲，冲出府门，在门外和王君廓相遇，王君廓呼唤李瑗的侍卫说："李瑗背叛中央，你们为什么跟着别人跳火坑！"侍卫们抛下武器，逃走一空，只剩下李瑗一人，诟骂王君廓说："龌龊小人出卖我，马上就轮到你自己头上！”王君廓生擒李瑗，绞死。

六月二十六日，唐政府擢升王君廓当左领军（卫军第七军）大将军（正三品）兼幽州军区总司令（兼幽州都督），把李瑗的家人赏赐给王君廓当奴仆婢女。崔敦礼，是崔仲方的孙儿（崔仲方事，参考五八〇年七月）。

30 六月二十九日，撤销天策府（天策府之设，参考六二一年十月）。

31 秋季，七月三日，平道军（关中十二军岐州道〔陕西省宝鸡市凤翔区〕）兵团将军柴绍，在秦州（甘肃省天水市）击破东突厥军，斩东突厥公爵（特勒）一人、士卒一千余人。

32 唐政府任命秦王府护卫军司令（护军）秦叔宝，当左卫（卫军第一军）大将军（正三品）；又命太子宫右翼侍卫军司令（右卫率）程知节，当右武卫（卫军第四军）大将军（正三品），太子宫左翼侍卫军司令（太子左卫率）尉迟敬德，当右武候（卫军第十二军）大将军（正三品）。

七月六日，唐政府命太子宫事务署长（太子右庶子）高士廉当最高监督长（侍中），房玄龄当最高立法长（中书令），国务院右执行长（右仆射）萧瑀当左执行长（左仆射），太子宫政务署长（左庶子）长孙无忌当国务院文官部长（吏部尚书），杜如晦当国务院国防部长（兵部尚书）。

七月七日，唐政府命太子宫总管（太子詹事）宇文士及当最高立法长（中书令），擢升摄理国务院文官部长（检校吏部尚书）封德彝当国务院右执行长（右仆射）。又命前天策府军籍参谋官（兵曹参军）杜淹当总监察官（御史大夫），立法官（中书舍人）颜师古、刘林甫当立法院副立法长（中书侍郎），太子宫左翼侍卫军副司令（左卫副率）侯君集当左卫（卫军第一军）将军（从三品），太子宫左翼保安军司令（左虞候）段志玄

当左骁卫（卫军第五军）将军（从三品），太子宫护卫军副司令（副护军）薛 106
万彻当右领军（卫军第八军）将军（从三品），太子宫右翼内寝侍卫军副司令（右内副率）张公谨当右武候（卫军第十二军）将军（从三品），太子宫右翼宫门防卫军司令（右监门率）长孙安业当右监门（卫军第十四军）将军（从三品），太子宫右翼内寝侍卫军副司令（右内副率）李客师当左领军（卫军第七军）将军（从三品）。长孙安业，是长孙无忌的老哥；李客师，是李靖的老弟。

33 故太子李建成、齐王李元吉的同党，分别逃亡躲藏在民间，虽然政府颁布过两次赦免命令，大家心里仍然惊惧不安；险恶的人更纷纷告密搜捕，企图领取奖赏。高级顾问官（谏议大夫）王珪报告李世民。

七月十日，李世民下令："六月四日以前，受东宫（李建成）及齐王（李元吉）事变牵连，六月十七日以前，受李瑗事变牵连的，一律不准再对他们提出控告，违反的受反坐处分。"

七月十一日，唐帝李渊派高级顾问官（谏议大夫）魏徵，前往山东（崤山以东）宣传慰问，赋予紧急处分的全部授权。魏徵走到磁州（河北省磁县），正遇到州县政府用囚车押送身戴刑具的前太子宫贴身带刀卫士（太子千牛，从七品上）李志安、齐王府护卫军司令（齐王护军）李思行，前往京师（首都长安），魏徵说："我接到命令那天，知道前太子、齐王的官属，全都赦免，不再追究，今天再押送李思行等，谁能不再怀疑！虽然派出使节宣布赦令，还有什么人相信？我不可以为了怕受嫌疑，不为帝国着想。而且，我既受到'国士'的礼遇，怎敢不用'国士'行为回报！"下令全部释放。李世民得到报告，大为高兴。

太子宫右翼侍卫军司令部军械军事参议官（右卫率府铠曹参军，从八品下）唐临，出任万泉县（山西省万荣县）主任秘书（丞），县监狱羁押囚犯十几个人，春季，落雨，唐临下令释放，命他们回家耕田，在约定的时间，都自动返回监狱。唐临，是唐令则的侄儿（唐令则是杨勇太子宫总管，参考六〇〇年十月）。

34 八月一日，东突厥汗国（瀚海沙漠群）派使节抵达长安，请求与唐政府和解。

35 八月七日，吐谷浑汗国（青海省）派使节抵达长安，请求与唐政府和解。

36 八月八日，唐帝（一任高祖）李渊下令把帝位传给太子李世民，李世民坚决辞让，李渊不准。

八月九日，李世民（本年二十九岁）在东宫（太子宫）显德殿，登极称帝（二任太宗），赦免天下；关内（陕西省中部）及蒲州（山西省永济市）、芮州（山西省芮城县）、虞州（山西省运城市东北安邑街道）、泰州（山西省河津市）、陕州（河南省三门峡市）、鼎州（河南省灵宝市）六州，免除二年田赋及捐税，其他各州则免除差役一年。

八月十八日（原文“癸未”〔八月二十八日〕，顺位不对。据《旧唐书》改），李世民下诏说：“宫女太多，幽闭深宫，实堪怜悯，应调查选择，释放出宫，送回给她们的父母，自行婚配（李渊起兵时，曾释放过一次，参考六一七年九月二十八日）。”

37 最初，稽胡部落（陕西省北部及山西省西部）酋长刘仙成，率部众投降梁帝梁师都（首都朔方〔陕西省靖边县北白城则村〕），梁师都听信别人谗言，斩刘仙成。因此，部属互相猜疑，很多人向唐政府归降，梁师都的势力开始衰弱，遂向东突厥汗国（瀚海沙漠群）称臣，向他们提供计划，劝他们南侵。

于是，颉利可汗（十三任大可汗）阿史那咄苾、突利可汗（小可汗）阿史那什钵苾，联军十余万人，攻击泾州（甘肃省泾川县），挺进到武功（陕西省武功县西），京师（首都长安）戒严。

38 八月二十一日，唐帝李世民封太子妃长孙女士当皇后。

长孙皇后自幼喜爱读书，就是在紧急时刻，言谈举止也都遵守礼教。李世民当秦王时，跟太子李建成、齐王李元吉，结有怨恨，长孙皇后侍奉公公李渊，奉承李渊小老婆群，尽量弥补他们兄弟之间的裂缝，是对内一大助力。长孙女士登上皇后宝座，一切要求节约勤俭，衣服用具，够用就很满足。李世民对她十分敬重，曾经有一次，李世民跟她讨论赏罚，长孙皇后不肯参与，说："'母鸡早上啼叫，家庭一定衰败。'（《书经·牧誓》："牝鸡之晨，惟家之索。"）我是一个妇女，怎么敢过问政府决策。"李世民坚持要听她的意见，她始终不肯回答。

39 八月二十四日，东突厥军进攻高陵（陕西省西安市高陵区）。

八月二十六日，泾州兵团（甘肃省泾川县）总司令（行军总管）尉迟敬德，在泾阳（陕西省泾阳县）跟东突厥军会战，大破东突厥军，擒获东突厥司令官（俟斤）阿史德乌没啜，杀一千余人。

八月二十八日，颉利可汗（十三任大可汗）阿史那咄苾进抵渭水便桥北岸桥头，派他的心腹官员执失思力（执失，复姓），到长安晋见李世民，并搜集情报，探听虚实，执失思力夸张说：“颉利与突利二可汗率军百万，今天就要抵达！”李世民责备他说：“我跟你的可汗，当面和解，馈赠他的金银绸缎，前后多到无法计数。你的可汗自己背叛盟约，率军深入我国国土，竟然毫不惭愧！你虽是蛮夷，也应稍有人心，怎么能把恩德全部忘掉、夸口强大，我今天就先砍下你的人头！”执失思力恐惧，请求宽恕。国务院左最高执行长（左仆射）萧瑀、右最高执行长（右仆射）封德彝（李世民曾当过国务院总理〔尚书令〕，参考六一八年六月一日；他登极后，没有人敢再当总理〔尚书令〕，于是总理〔尚书令〕成为赠官，“仆射”成为尚书省首长），建议礼貌的把执失思力送回，李世民说：“我今天把他送回，蛮虏一定认为我怕他们，就会更加放肆。”于是，把执失思力囚禁监督院（门下省）。

李世民亲自出玄武门（宫城北面中门），跟最高监督长（侍中）高士廉、最高立法长（中书令）房玄龄等六人，骑马向渭水南岸，跟阿史那咄苾隔渭水对话，责备阿史那咄苾违背盟约。东突厥士卒大吃一惊，都下马遥拜。一会工夫，唐政府军纷纷抵达，旌旗招展，铠甲耀目，遮蔽原野。阿史那咄苾发现执失思力没有回来，而唐政府皇帝反而轻率的挺身而出，军队声势壮大，脸上露出畏惧颜色。李世民下令各军稍向后退列阵，而单独留在岸边，跟阿史那咄苾交谈。萧瑀认为李世民过于轻敌，拦住马头劝阻，李世民说：“我已计划妥当，你不可能了解。突厥所以敢抽空全国军队南下，直抵京畿，只因他们认为我们国家正有内乱（玄武门喋血），而我又新登帝位，肯定我不能抵抗。我如果显示衰弱，紧闭城门固守，蛮虏一定放纵他们士卒，大肆劫掠，局势就没有办法控制。所以我单人匹马出来，表示并没有把他看在眼里。我又故意炫耀强大的军容，使他们相信我们一定迎战。一切都出蛮虏意料之外，使他们不知道如何应付才好。他们深入我国国土，必然心怀警惕。在这种情形之下，跟他们作战一定胜利，跟他们和解一定稳固。制服东突厥，就在这一次，你且旁观！”

当天（八月二十八日），阿史那咄苾派使节向唐政府请求谈判，李世民接受，遂即回宫。

八月三十日，李世民再往长安城西郊，在渭水便桥上，跟阿史那咄苾斩白马盟誓，东突厥遂撤退。

萧瑀向李世民请教说：“突厥还没有请和的时候，各将领要求攻击，陛下不准，我们也深感怀疑，不久蛮虏果然自己退走，原因何在？”李世民说：“我观察突厥的部众，人数虽多，但是没有严格纪律，君王和臣属们唯一的目的是要钱。当他们请求和解时，可汗一个人停在渭水西岸（渭水固是由西向东流，但河床曲折，有时也有南北流向），其他高官贵族都来见我，我如果摆下筵席，把他们灌醉绑住，乘机袭击他们的军队，势如摧枯拉朽。我再派长孙无忌、李靖，在他们北返要道的豳州（陕西省彬州市）埋伏重兵，张开口袋阵地等待，蛮虏逃回时，伏兵在前迎头痛击，大军在后追赶，消灭他们，如同翻转手掌一样容易。我所以不用战争手段，因为我登极的日子还短，国家还不安定，人民仍很贫困，需要休息安抚。一旦跟蛮虏开战，我们的损失一定也多。蛮虏受到致命打击，对我们一定产生更大的仇怨和恐惧，可能改革政治，加强兵力，我们就无法达到目的！所以我才克制不发，而又塞给他们金银绸缎，他们既得到所希望得到的，自会撤退，而且心里骄傲，意志惰怠，不再防备。我们就利用这个缓冲时间，培养兵力，等待机会，只要一次出动，就可把突厥消灭。‘打算夺取他的东西，一定要先给他东西。’（《老子》：“将欲取之，必固与之。”）就是这个道理，你是不是了解？”萧瑀叩头说：

七世纪·六二六年八月　唐、突渭桥之盟

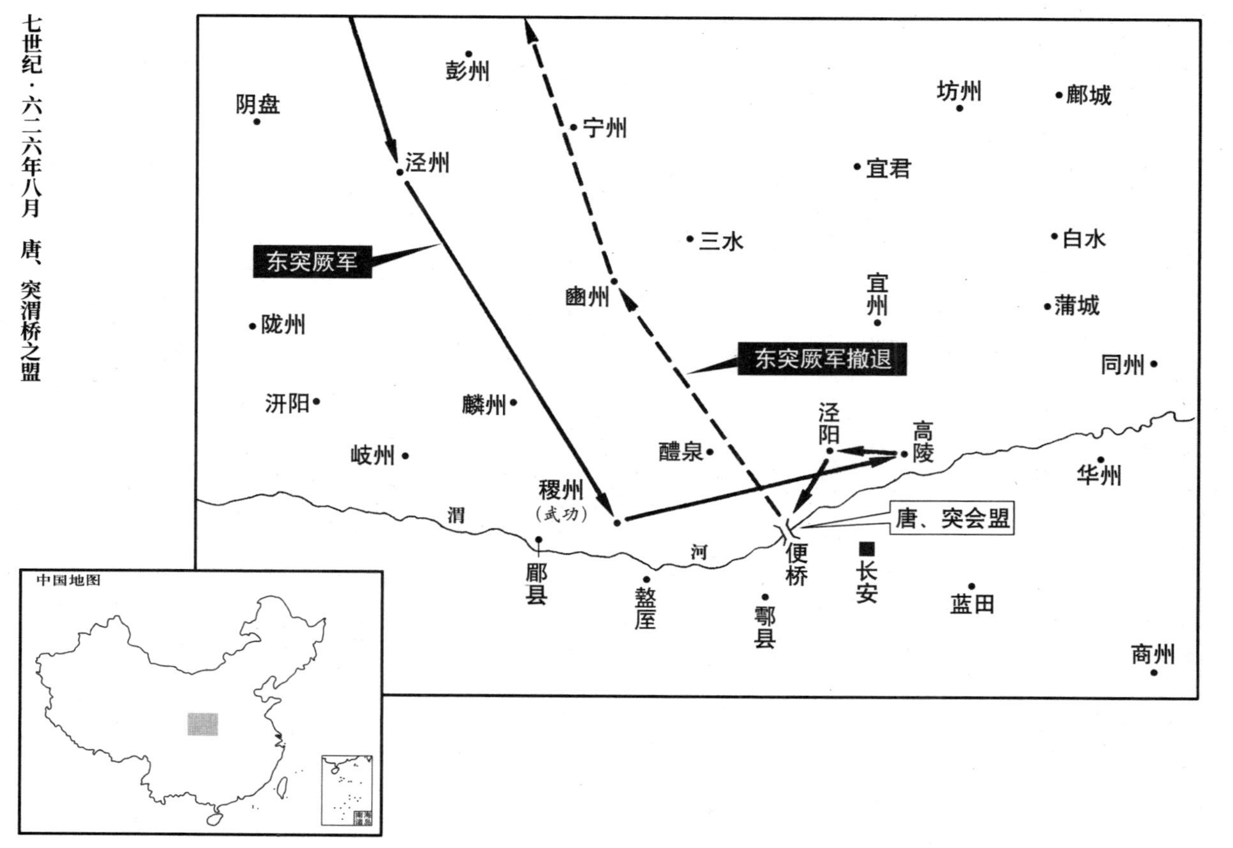

"我看不到这么远。"

九月，阿史那咄苾馈赠李世民马三千匹、羊一万只，李世民不肯接受。但下诏给阿史那咄苾，命他送回过去所掳掠的中国人，包括去年（六二五）被俘的温彦博（温彦博被俘事，参考去年〔六二五〕八月）。

40 九月二十二日，李世民率禁卫军将士，在显德殿大院训练箭术，告诉大家说："蛮夷侵略国土，抢劫人民财产，从古以来，就有这种事情，并不值得忧虑；值得忧虑的是蛮虏没有行为，边界一片太平，君王沉湎在淫逸欢乐之中，忘记战争，以至盗贼攻击时，无法抵御。而今，我不征调你们去挖掘池塘、修建林苑，只要你们专心练习骑马射箭。平常无事，我当你们的教师，突厥侵略，我当你们的将领，希望中国人民可以稍稍安定！"于是每天率数百人在殿庭训练，李世民亲自主持考试，中靶次数多的，赏赐给他们弓箭、刀枪、绸缎，他们的长官也给予"上等"考绩。很多文武官员警告李世民说："依照政府公布的法律，凡是把武器带到皇帝所住地方的，处以绞刑。而今，让一些卑微的士卒，在宫殿中拉弓射箭，陛下却在他们中间，万一有人发狂，暗中下手，出人意外，那不是爱护国家的做法。"韩州（山西省襄垣县）州长封同人，诈称奉诏回京（首都长安）乘坐驿马车进宫面见李世民，竭力劝阻，李世民拒不接受，说："帝王把全国当作一个大家庭，四海之内的人民，都是我至爱的儿女，我把我的心一一放到他们腹中，怎么可以连皇家禁卫军都加以猜忌！"因此人人奋发，自我勉励，数年时间，全成为精锐部队。

李世民曾经说过："我从小东征西讨，经营四方，相当了解军事行动的重点，每次只要观察敌人营阵，就知道他们是强是弱，然后用我的弱抵挡敌人的强，用我的强攻击敌人的弱。敌人攻击我们的老弱残兵，顶多追击数十百步，可是我们攻击他们的弱势部队，一定猛冲到敌人阵后，回头再猛冲出敌人阵前，敌人无不溃散失败，所以得到胜利，大多如此。”

41 九月二十四日，李世民亲自裁定功臣长孙无忌等的爵位和采邑，命陈叔达到殿前高声呼唤他们的名字，当面宣告，李世民说：“我审查你们的功劳和赏赐，或许并不恰当，你们可以自己申诉。”于是各将领争夺功劳，乱成一团。淮安王李神通说：“我在关西（陕西省中部）聚众起兵，第一个响应正义之师（参考六一七年九月十八日），而今房玄龄、杜如晦等，不过在纸上动动笔杆，功劳却在我之上，我不能心服。”李世民说：“正义旗帜最初竖起时，叔父（李神通是李世民的堂叔）虽然首先起兵响应，但其中同时也有自救成分。后来，窦建德吞并山东（崤山以东），叔父全军覆没（李神通被生擒，参考六一九年十月）；刘黑闼再集合残余灰烬，叔父又吃一次败仗（参考六二一年九月）。而房玄龄等在大营中运用谋略，使政府基础稳固，依照功劳奖赏，本来就应在叔父之上（房玄龄辅助李世民，参考六一七年九月二十四日）。叔父是皇家至亲，我不是一个吝啬的人，但不可以因为私情，而跟功劳不分！”各将领互相说：“陛下最是公正，以淮安王（李神通）的尊贵，陛下对他都不偏心，我们怎么敢不安分！”大家都心悦诚服。房玄龄曾经提醒李世民说：“秦王府旧人中没有升官的，都抱怨说：‘我们在陛下左右，侍候当差，有多少年了，而今升官，反而远落在太子宫（李建成）、齐王府（李元吉）那些人的后面！’”李世民说：“帝王公正无私，所以才能使人民心服口服。我跟你们每天所吃的东西、所穿的衣服，都来自民间。设置官位、分派工作，都是为了人民，应该选择贤能人才担任，怎么可以依照新旧关系，作为当官的先后顺序！如果新人贤能，旧人愚劣，岂允许舍弃贤能的新人，而用愚劣的旧人？而今，不问‘贤’‘愚’，只问‘新’‘旧’，一味怨恨，怎能建立政治上公平的体制！”

42 李世民下诏：“民间不可以兴建乱七八糟的神庙。除非是被政府认可的占卜方式，其他各种算命法术，一律禁止。”

43 李世民在皇宫弘文殿，收集《经》《史》《子》《集》四大类书籍二十余万卷（现代书籍以“册”为单位，古代书籍则以“卷”为单位，卷似是“卷”的名词，“卷”的长短犹如“册”的厚薄，并没有严格规定，如以司马光版《资治通鉴》原著为准估计，平均每卷约一万四千字左右）；并在殿旁另建皇家研究院（弘文馆），谨慎遴选全国文学上有高度造诣的人士：虞世南、褚亮、姚思廉、欧阳询、蔡允恭、萧德言等，都保留原官，而兼皇家研究院研究官（弘文馆学士），命他们每隔一天到皇家研究院（弘文馆）住宿值班。李世民主持朝会后，如果时间宽裕，就把他们召唤到内殿，回溯从前大家说过的话或做过的事，再讨论现今政治措施得失，有时甚至谈到午夜才结束。

李世民又命遴选三品以上官员的子孙，充当皇家研究院研究官（弘文馆学士）。

44 冬季，十月一日，日蚀。

45 李世民下诏，追封故太子李建成爵位息王，绰号隐王；齐王李元吉爵位剌王（似封爵位海陵王，绰号剌王），依照安葬亲王的礼仪，重新安葬。出殡的那天，李世民登宜秋门哭泣，至为悲哀。高级顾问官（谏议大夫）魏徵、王珪上疏请李世民送葬到墓地，李世民同意，而且下令故东宫、故齐王府的官属，全部参与送葬。

46 十月八日，李世民封皇子中山王李承乾当太子。本年（六二六），李承乾八岁。

47 十月二十五日，唐政府制定功臣“实封”等差。

48 最初，萧瑀向一任帝（高祖）李渊推荐封德彝，李渊命封德彝当最高立法长（中书令）。

李世民登极，命萧瑀当国务院左最高执行长（左仆射），封德彝当右最高执行长（右仆射）。然而，对已经讨论决定的事情，一到李世民面前，封德彝总是反过来改变立场，因之，萧瑀与封德彝之间，渐渐发生裂痕。这时候，房玄龄、杜如晦深受李世民信任，新人当权，都疏远萧瑀，而跟封德彝亲近；萧瑀心里越发怨愤不平，遂向李世民呈递“亲启密奏”，抨击严厉，辞句不通，李世民大不高兴。正巧，萧瑀跟陈叔达在李世民面前吵闹争执。

十月二十五日，萧瑀与陈叔达都被指控“对皇帝不敬”，免职。

49 十月二十九日，国务院财政部长（民部尚书）裴矩，奏称：“民间有受到东突厥军队暴行摧残的，请每家发给绸缎一匹。”李世民说：“我以诚信治理天下，不打算做表面工作，名义上赈济贫苦，却没有实惠。家庭有大小，怎么可以把他们当成一样？”下令以人口多少为标准发放。

50 最初，一任帝李渊打算用分封皇族的手段，镇压天下，所以，凡是同一个曾祖父，甚至同一个高祖父的李家子弟，以及所有的侄儿，即令是怀抱中的婴孩，都封王爵，有数十人之多（李渊连血缘疏远的堂侄、堂弟，也封亲王，参考六一八年六月七日）。

李世民曾在闲暇时，偶尔问文武官员："普遍的封皇族子弟，对帝国是不是有利？"国务院右最高执行长（右仆射）封德彝说："从前，只有皇子、皇兄、皇弟，才可以封王，其他的人，除非建立大功，没有人可以封王。太上皇（李渊）促进皇族的情谊，大肆分封李姓家属，自从两汉王朝以来，从来没有今天这么众多。爵位阶级既十分崇高，自必须供应大量劳役，恐怕不是显示以至公治理天下的办法。"李世民说："是的，我当天子，是要抚养人民，怎么可以劳动人民，养我的家族！"

十一月五日，李姓皇族封郡王的，全降封县级公爵，但有功劳的几个人不改。

51 十一月二十一日，李世民跟文武官员讨论如何肃清盗贼。有的人主张使用重刑，李世民嗤之以鼻，说："人民所以沦落成为盗贼，原因在于赋税沉重，劳役繁多，贪官污吏又向他们勒索敲诈，无食充饥，无衣御寒，所以才顾不得廉耻。我应该戒除奢侈，节省各种开支，减少人民劳役，减轻人民田赋捐税，选任清廉的官员，使人民穿得暖，吃得饱，而且还有盈余，自然没有人去当盗贼，怎么用得着重刑！"

自此，数年以后，四海之内，一派升平，道路上遗失东西，都没有人捡，家家户户大门都不关闭，商人旅客，住宿荒野，都平安无事。

李世民又曾经对他左右侍从臣属说："君王依靠国家，国家依靠人民。剥削人民侍奉君王，跟割自己的肉吃下肚子一样，肚子吃饱，人也死亡；君王富裕，国家消灭。君王最大的灾难，不是从外而来，而是由内产生。必须了解，凡事要讲排场、好面子，一定要大量花费，为了供应消耗，一定要加重田赋捐税；田赋捐税太多，人民一定悲愁；人民悲愁，国家一定危险；国家危险，则君王丧亡。我常常想到这些，所以不敢随心所欲。"

52 十二月十五日，益州军区（总部设四川省成都市）总司令官（益州大都督）窦轨，奏称獠部落叛乱，请求出军讨伐。李世民说："獠部落住在高山深林之中，偶尔出去偷盗民间一点东西，是一件平常的事情。州长县长假如能用恩德和信义安抚慰问，他们自会陆续顺服，怎么可以轻易的大动干戈，把人民当作禽兽一样的捕捉，岂是人民父母官的本意！"拒不批准。

53 李世民告诉裴寂："最近很多上疏讨论国家大事的，我把他们的奏章都贴到墙上，每次走过的时候，就伫足观看，想起要治理一个庞大的帝国，有时候到深夜才能睡觉。你们应该兢兢业业，体会我的心意。"

李世民全神贯注要使国泰民安，很多次命魏徵进入寝殿，听取他对政府的批评，魏徵只要是知道的，从不隐瞒，李世民全都很愉快的接受。李世民派使节前往全国各地视察征兵事务，国务院右最高执行长（右仆射）封德彝奏称："'中男'（十六岁至十七岁）年龄虽然还没有满十八岁，但有些体格健壮的，也可以提前服役（唐政府规定男子十六岁称中口，二十岁称丁口，参考前年〔六二四〕四月）。"李世民同意，下令执行，魏徵坚决反对，拒绝在手令上签名，前后四次，李世民大怒，召见他责备说："'中男'而体格健壮，事实上都是'成丁'(十八岁至二十岁)，奸民们故意诈欺，用来逃避兵役，提前征召，有什么害处，你却固执成这个样子！"魏徵回答说："军队作战，胜败决定于统帅指挥策略，不决定于数目庞大。陛下征集体格已经成熟的'成丁'(十八岁至二十岁)，只要加强训练，足可以天下无敌，何必增加一些还没有成年的孩子，只不过为了使军队数目看起来更多！而且，陛下常常说：'我用诚信治理天下，希望臣属和人民，都没有欺诈。'而今，陛下登极不久，对人民失信，已有很多次。"李世民呆了一下，说："我哪些事失信？"魏徵说："陛下刚登极的时候，下诏说：'积欠政府的财物，一律不必偿还。'有关单位认为人民积欠秦王府的债务，不是政府财物，继续追索。陛下由秦王高升天子，秦王府库房里的东西，不是政府财物是什么？陛下又说：'关中(陕西省中部)人民免除田赋捐税二年，关外免除劳役一年。'可是不久就有手令，说：'已经缴纳赋税或已经服过劳役的，则明年开始。'把已退还的东西，重新征收，人民就已经感到奇怪(赋税已纳，劳役已服，免除时间因之顺延一年，非不合理，并没有把已退还的东西，重新征收，人民为什么奇怪！这一段没有说清楚)。而今，既征收赋税，又征召当兵，怎么能够说'明年开始'！再者，辅佐陛下共同治理国家的，是全国州长县长，平常把兵役行政，完全交给他们，可是等到检查役男体格时，却又怀疑他们心怀奸诈，这难道是所谓的'诚信治国'！"李世民大喜，说："从前，我认为你个性固执，疑心你不了解政治，而今，你评论国家大事，探讨到问题中心。政府命令如果没有公信力，人民便无法遵守；天下怎么能够太平，我犯了大错。"下令不再对"中男"(十六岁至十七岁)做体格检查，并赏赐魏徵一个金瓮。

李世民听说景州（河北省沧州市）总务参谋官（录事参军，从七品上至从八品上）张玄素的名字，召见他，问他治理国家的方法，张玄素回答说：“隋王朝皇帝特别喜爱‘事必躬亲’，连事务性的工作，也都亲自处理，而不信任文武百官；文武百官心怀恐惧，只知道奉行命令，不敢违抗（隋王朝一任帝杨坚处理琐事，参考五八三年十二月；二任帝杨广东征高句骊王国之独断情景，参考六一二年五月）。以一个人的智慧裁决天下所有事情，即使是对错各有一半，恶行已经够多，更何况在下位的人摇尾拍马，在上位的人受到蒙蔽，如果不亡，难道还有别的后果！陛下假如能够谨慎遴选人才，充分授权，要他们分担责任，而自己高坐在上，只考察他们是不是尽职，分别奖赏或处罚，何必担心政治不上轨道！其次，我观察隋王朝末年天下大乱情况，真正有非常抱负，和政治理念，想当帝王的，不过十余人而已，其他变民首领，都不过只希望保全乡里和妻子儿女，等待英明领袖出现，就向英明领袖归附。由此可以了解，喜爱战乱的人很少，只是人主不能给他们保护罢了。”李世民认为他的见解正确，擢升他当执法监察官（侍御史，从七品上至正八品上）。

前幽州（北京市）记录官（记室）、调往立法院任职（直中书省）的张蕴古，呈递《大宝箴》，大意是：“圣人接受上天命令，拯救水深火热中的人民，所以用一个人治理天下，不是用天下万民奉养一个人。”又说：“再豪华的宫殿，睡眠的地方，不过一个床铺，愚昧无知的人，却用瑶玉建筑高台，琼玉装潢住室；再丰富的山珍海味，所吃的食物，不过求其合乎胃口，狂妄迷惑的人，却把曲糟堆成山丘，美酒装满池塘。”又说：“不要沉默不语陷于昏庸，不要挑剔小事认为自己聪明，虽然皇冠前面垂下的珠帘（旒），遮住眼睛，但仍高瞻远瞩；虽然皇冠两侧垂下的黄棉（黈纩，音tǒu kuàng〔钭矿〕），塞住耳朵，但仍听到人民细微的呻吟。”（《汉书·东方朔传》：水如果太清，就没有鱼；人如果太挑剔，就没有部众。皇冠前面的珠帘，就是使君王不要看得太透彻；皇冠两侧的黄棉，就是使君王不要听得太清楚。）李世民十分嘉许，赏赐绸缎二匹，任命他当最高法院主任秘书（大理丞，从六品上）。

54 李世民召见天文台长（太史令）傅奕，赏赐给他同桌共餐的荣耀，对他说：“你前些时所上的奏章，几乎给我带来大祸（参考本年〔六二六〕六月）。然而，以后如果再有天象变异，你也应该像这样有什么说什么，不要为了这件事，心生障碍。”

55 李世民对官员们差不多都贪赃枉法，十分忧虑，密令左右侍从向官员们行贿。国务院司法部关卡稽查司管理员（司门令史，流外），接受馈赠绸缎一匹，李世民打算把他诛杀，国务院财政部长（民部尚书）裴矩劝阻说：“官员接受贿赂，自应处死。但陛下派人送去，他才接受，是故意陷害别人犯法，恐怕不属于‘用道德引导，用礼教治理’（《论语》孔丘语）范畴。”李世民大喜，召集五品以上官员，告诉大家说：“裴矩能面对皇上，竭力争辩，而不肯当面顺从，如果每件事情都能如此，何必担心国家不能治理。”

古人有句话说：“君王圣明，臣属正直。”裴矩在隋王朝时，是个奸佞（参考六〇七年十月）；但在唐王朝，却竭尽忠心，并不是他性格有什么变化，而是：领袖不愿听到自己的过失，忠贞干部就变成邪恶，领袖欢迎正直的言语，邪恶就变成忠贞。因此可以知道：领袖像测时的仪表，干部像是日影，仪表动，日影一定跟随。

56 本年（六二六），李世民擢升皇子长沙郡王李恪当汉王、宜阳郡王李祐当楚王。

57 朝鲜半岛新罗王国（首都金城〔朝鲜半岛庆州市〕）、百济王国（首都泗沘〔朝鲜半岛扶余市〕）、高句骊王国（首都平壤〔朝鲜半岛平壤市〕），长久以来结仇，互相间不断攻击。

李世民派国立贵族大学助理教授（国子助教，从七品上）朱子奢前往调解，三国都上疏请求宽恕。

六二七年 丁亥

唐 贞观 元年
（梁帝梁师都永隆十一年）

1 春季，正月一日，唐王朝（首都长安〔陕西省西安市〕）改年号（贞观）。

2 正月三日，唐帝（二任太宗）李世民（本年三十岁），设筵宴请文武百官，乐队演奏《秦王破阵乐》（李世民当秦王时，击破定杨天子刘武周〔参考六二〇年四月〕，军中创作此乐）。李世民说："我从前接受命令，负责军事讨伐，民间遂流传这个乐章，虽然比不上推行政治理想那么优雅宏大，然而，却由于战争胜利，帝国才能建立，我不敢忘本。”国务院右最高执行长（右仆射）封德彝说：“陛下用神圣武功，扫平四海，文职官员处理国事，怎能相比！”李世民说：“平定祸乱，依靠武职；治理国家，依靠文官；文武的功能，随着时代而有不同。你说‘文’不如‘武’，这话犯了错误。”封德彝叩头道歉。

3 正月十五日，李世民下令：“从现在开始，最高立法长（中书）、最高监督长（门下），以及三品以上官员，进入内阁议事（此“内阁”与现代体制“内阁”迥然不同，但现代“内阁”二字，却是源自于此，意义是权力中心。唐王朝二任帝李世民时代，每月一日、十五日，登太极殿〔正殿〕早朝〔太极殿之北有两仪殿，平时在两仪殿早朝〕，太极殿前东西两排房舍，称“上阁”），负责纠举规劝的官员（谏官），应跟随入阁，发现失误，立刻进言。”

4 李世民命国务院文官部长（吏部尚书）长孙无忌，跟皇家研究院研究官（弘文馆学士）和立法官、司法官，共同讨论修订法令判例，对于多达五十种的绞刑条款，减轻为仅砍断右脚脚趾，李世民仍认为过于残酷，说：“中国废除肉刑，为时已久，不可再伤害人民肢体，应该改变（中国废除肉刑，始于西汉王朝五任帝刘恒，参考前一六七年五月。但后世君王又把刑法加重，直至隋王朝一任帝杨坚时，才再次废除肉刑，参考五八一年九月）。”蜀王府司法参谋官（蜀王法曹参军）裴弘献建议：“取消砍断右脚脚趾，而改判加重流刑；贬窜三千华里以外边荒地区，在贬所罚做苦工三年。”李世民批准。

5 李世民因国务院国防部军政司长（兵部郎中）戴胄，忠贞清廉，公平正直，擢升他为最高法院副院长（大理少卿）。

很多申请当官、等待任命的候补人员，往往伪造资历，冒充世家高门；李世民下令，命他们向政府自首，如果不自首而被查出，一律斩首。不久，一个人被查出诈欺，李世民打算诛杀。戴胄上疏说："依照帝国法律，应判流刑。"李世民大怒说："你遵守法律，却教我丧失信用！"戴胄回答说："陛下命令，起因于一时喜怒，而法律却是政府的公信。陛下对一些候补人员的诈欺，十分忿怒，所以打算诛杀，后来发现不可诛杀，而回归法律正轨，这正是忍小忿而存大信的做法。"李世民说："你能维护法律的尊严，我还有什么忧虑！"

戴胄前后很多次冒犯李世民的盛怒，坚持维护法律尊严，建议事项如同泉水，李世民都接受他的意见，天下没有冤狱。

要想了解一个国家，看它的监狱。要想了解一个国家的政治，看它的司法。人权没有保障，滥捕滥杀的国家，当权者一定是一群自称英明的狗男女。审判独立，不受政治影响，或不太受政治影响的国家，正是我们所盼望却一直难以实现的天堂。

"贞观之治"在历史上留下光辉，其中最重要的是，它没有冤狱！或很少冤狱！仅就人性尊严的观点，中国虽有其他太平盛世，但也只有贞观之治（七世纪二〇至四〇年代），才算是黄金时代，我们为生长在这个时代的中国人庆幸，唯一可惜的，是这个时代太短。

6 李世民命国务院右最高执行长（右仆射）封德彝推荐贤能，封德彝很久没有推荐，李世民问他，封德彝回答说："并不是我不尽心，只是如今天下没有人才。"李世民说："领袖选用干部，好像一个人选用器具，各取所长。古时创造太平盛世的领袖，难道是向其他王朝借用人才？你应该惭愧你的无能，怎么可以侮辱一代的人全都愚劣。”封德彝羞惭告退。

总监察官（御史大夫）杜淹奏称：“各单位的档案，恐怕很多失散，请准予派监察官（御史）到各部院调查。”李世民问封德彝的意见，封德彝回答说：“政府设立官吏，分别职责，各人主管各人的业务。如果有什么过失，监察官（御史）自应提出弹劾。可是一旦派人遍查每一个单位，挑剔毛病，寻找瑕疵，太过烦杂琐碎。”杜淹沉默不再分辩。李世民问杜淹：“你为什么不坚持？”杜淹说：“国家事务，要尽力追求公道。对方如果有充分的理由，自当听从。封德彝所说的，深识大体，我十分佩服，所以不敢反驳。”李世民高兴说：“你们能够这样，我还有什么忧虑！”

7 右骁卫（卫军第六军）大将军（正三品）长孙顺德，接受别人馈赠的绸缎，事情泄漏，李世民说：“长孙顺德如果做出有益于帝国的事，我将跟他共享国库，何至贪污窝囊到如此程度！”但仍珍惜他过去的功劳，不加处罚，并且在金銮宝殿上，赏赐给他绸缎数十匹。最高法院副院长（大理少卿）胡演抗议说：“长孙顺德贪赃枉法，罪行不可赦免，怎么还要赏赐给他绸缎！”李世民说：“他如果还有人性，接受绸缎的羞辱，超过他接受刑罚；如果没有人性，不知道惭愧，不过一只禽兽，杀他有什么意义！”

8 正月十七日，天节将军（关中十二军宜州道〔陕西省铜川市耀州区〕兵团司令）、燕郡王李艺（罗艺），夺取泾州（甘肃省泾川县），叛变。

李艺（罗艺）当初回归中央（参考六二三年二月），仗恃自己的功劳，骄横傲慢。秦王李世民左右官员到他的营地，李艺（罗艺）无缘无故加以殴打，当时一任帝李渊大怒，逮捕李艺（罗艺）囚禁，可是不久又把他释放。李世民继任皇帝后，李艺（罗艺）恐惧不安。曹州（山东省菏泽市定陶区）巫法师李五戒，告诉李艺（罗艺）说："大王尊贵的气色已经呈现！"劝他叛变。李艺（罗艺）遂对外宣称，他接到李世民的秘密手令，要他增援首都（长安）。即率军自防地宜州（陕西省铜川市耀州区）抵达豳州（陕西省彬州市），豳州军务秘书长（治中）赵慈皓，驰马出城晋见，李艺（罗艺）遂占领豳州。

李世民下诏派国务院文官部长（吏部尚书）长孙无忌等，当兵团总司令（行军总管）讨伐。赵慈皓听到中央军就要到达，暗中跟平民征兵府司令（统军）杨岌，商讨因应方略，而密谋泄漏，李艺（罗艺）囚禁赵慈皓。杨岌在城外发觉变化，发动攻击，李艺（罗艺）部众溃散，李艺（罗艺）抛弃妻子儿女逃亡，打算投奔东突厥汗国（瀚海沙漠群），抵达乌氏（甘肃省泾川县北），左右侍从们对他背叛，砍下他的人头，送到首都长安（陕西省西安市）。李艺（罗艺）的老弟李寿，当利州军区（总部设四川省广元市）总司令（利州都督），受到牵连，也被诛杀。

9 最初，隋王朝末年，天下大乱，英雄豪杰纷纷起兵，各自拥有部众，据有城池土地，互相争夺。唐政府建立，英雄豪杰先后归降，一任帝李渊特别划出国土，设立州县，赐给他们恩惠荣耀，因此，州县的数目，超过隋王朝时代两倍。

李世民因各地人民少而官员多，打算改革这项弊端。

二月，对各行政区大肆裁并，依照山川形势，分全国为十道：一关内道、二河南道、三河东道、四河北道、五山南道、六陇右道、七淮南道、八江南道、九剑南道、十岭南道（隋王朝时，虽也有"道"，但

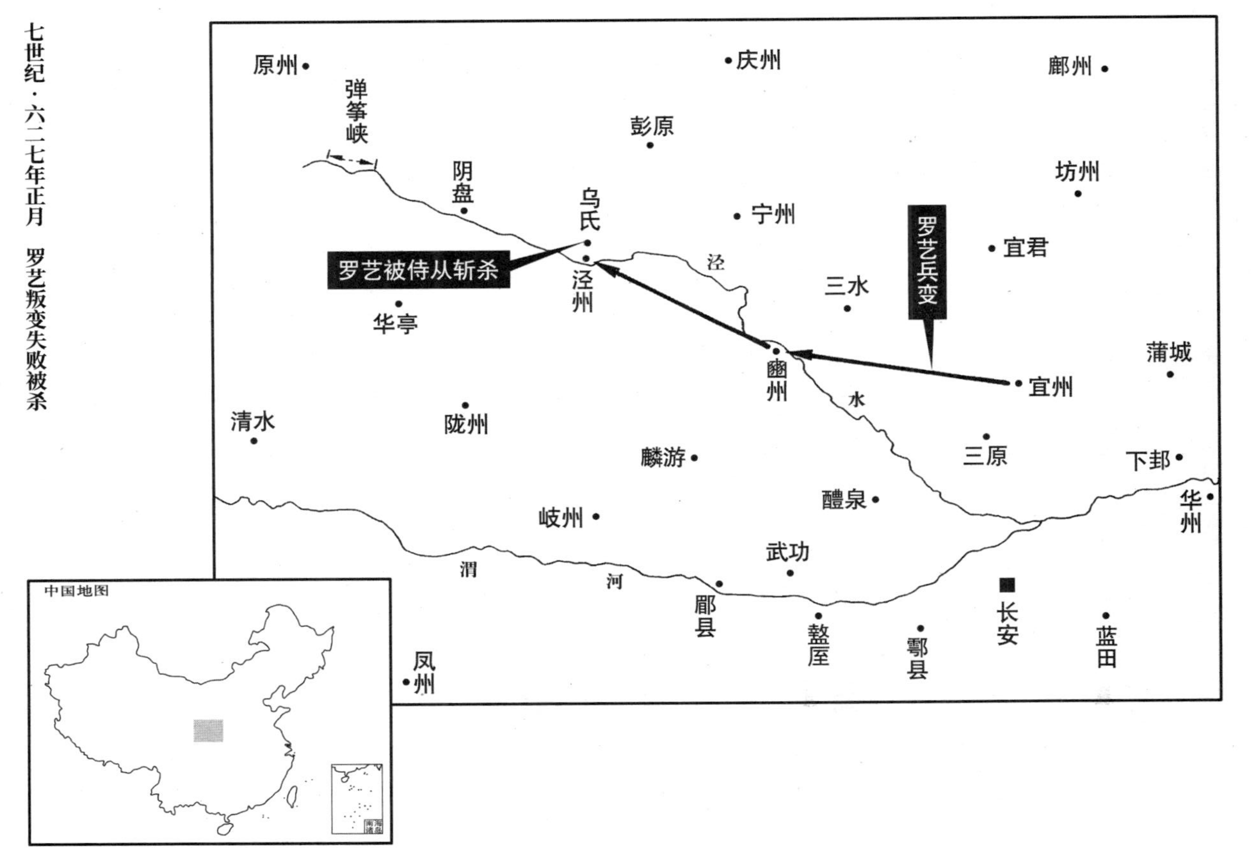

七世纪·六二七年正月　罗艺叛变失败被杀

多是在作战或特别事故时才设置，而且各道覆盖范围不定，名称也不定。其属官编制则以北魏帝国及北齐帝国时的“行台”〔特遣政府〕或“行省”〔国务院驻地方分院〕为蓝本，具备行政功能。而唐王朝的“道”则纯粹监察及辅导，类似西汉王朝的“州”〔参考前一〇六年〕，而且是常设。“道”出现后，唐政府行政系统遂成为四级制：中央——道——州——县。初期的“道”跟初期的“州”一样，属官架构不固定，办公处所不固定，是一个虚级；直到后来，才终于落实）。

10 三月十日，长孙皇后率内外命妇，亲自养蚕（内命妇，指皇帝的小老婆群。外命妇，指王爵的娘亲及妻妾，一品官员的娘亲及妻子〔称“国夫人”〕，三品以上官员的娘亲及妻子〔称“郡夫人”〕，四品官员的娘亲及妻子〔称“郡君”〕，五品官员的娘亲及妻子〔称“县君”〕；勋官四品有封爵的娘亲及妻子〔称“乡君”〕；外命妇朝见皇后时，序列依照丈夫或儿子的品级）。

11 闰三月一日，日蚀。

12 闰三月二十日，李世民对太子少师（太子三少之一）萧瑀说：“我从小喜爱弓箭，曾经收集到良弓十数张，自认为没有比它们更好的弓，最近拿出来让弓匠察看，弓匠竟然说：‘都不是好材料。’我问他什么缘故，弓匠说：‘木心不直，因此脉络全都歪斜，弓虽强劲，但射出的箭道不直。’我才恍然大悟当初鉴定不够精密。我用弓箭平定四方，对弓箭的认识仍不能正确，何况天下之大，事务之多，怎么能全部知道！”下令京师（首都长安）五品以上官员，轮流到立法院宫内办公厅（中书内省）值班住宿，李世民常常接见他们，查询民间疾苦和政治措施得失。

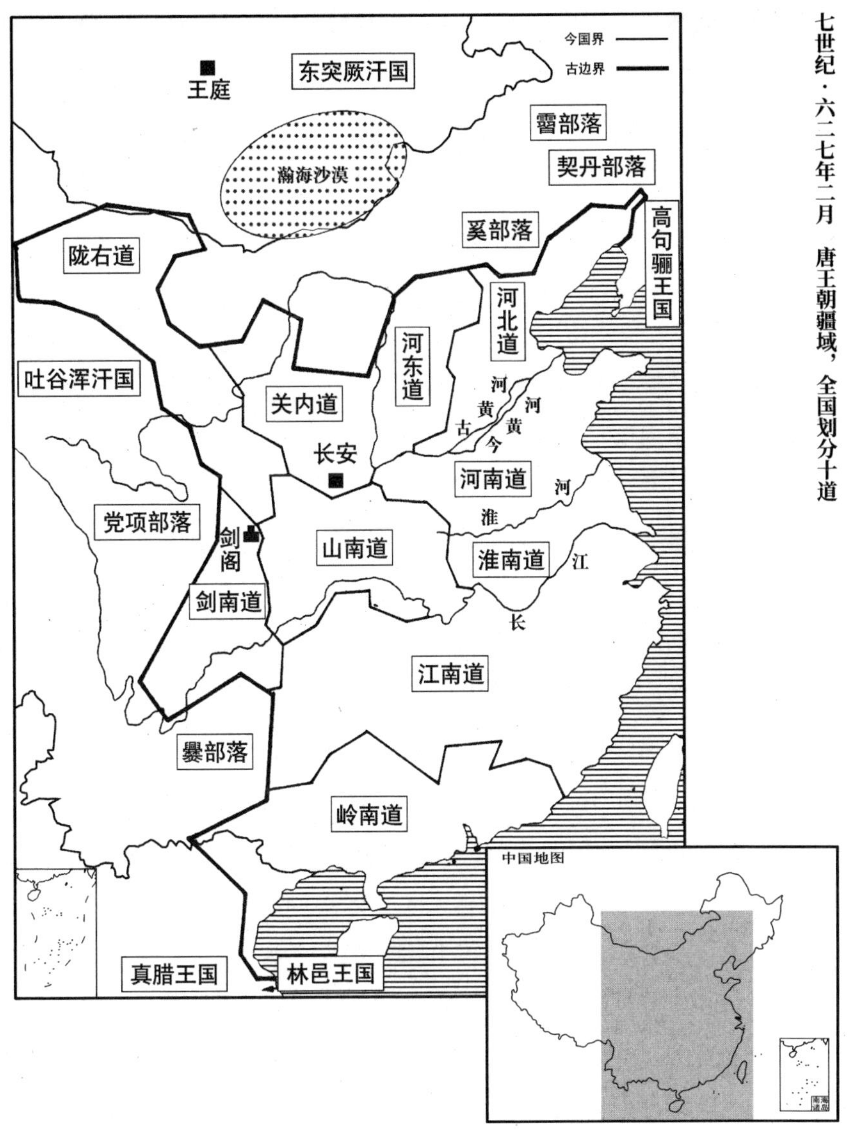

七世纪·六二七年二月　唐王朝疆域，全国划分十道

13 凉州军区（总部设甘肃省武威市）总司令（凉州都督）长乐王李幼良，性情粗鲁凶暴，左右侍从一百余人，都是地痞流氓，欺压凌虐平民；又跟羌部落、匈奴部落互相贸易。

有人向中央控告李幼良谋反，李世民派最高立法长（中书令）宇文士及，乘政府驿马车前往接替，并调查审理这项控告。李幼良左右侍从大为恐惧，阴谋劫持李幼良投奔东突厥汗国，同时也有人打算诛杀宇文士及，然后占领河西（甘肃省中部西部），另组独立政府；再被人检举。

夏季，四月十二日，李世民命李幼良自杀。

14 五月，定杨天子刘武周故将苑君璋，终于率部众向唐政府投降。

最初，苑君璋引导东突厥军，攻陷马邑（山西省朔州市），诛杀高满政（参考六二三年十月），退守恒安（山西省大同市），他的部众都是汉人，纷纷抛弃苑君璋，投降唐政府。苑君璋恐惧，也投降唐政府，请求捍卫北方边疆为自己赎罪，一任帝李渊允许。苑君璋请签订合约，李渊派雁门（山西省代县）人元普送去“不死金券”。可是，颉利可汗（十三任大可汗）阿史那咄苾也派人向他要求结盟，苑君璋迟疑不敢决定，恒安（山西省大同市）人郭子威提醒苑君璋说：“恒安（山西省大同市）地势险要，城池坚固，突厥国势正强，应该向它靠拢，等待天下变化，不可以绑住自己的手，听别人摆布。”苑君璋遂逮捕元普，押送给东突厥汗国，再跟东突厥结合，屡次会同东突厥军，攻击唐帝国。

而就在本年（六二七），苑君璋眼看阿史那咄苾政治混乱，知道东突厥汗国的国力并不可恃。于是，率领部众向唐政府投降。

李世民命苑君璋当隰州军区(总部设山西省隰县)总司令(隰州都督),封芮国公爵。

15 有人上疏李世民,建议排除奸佞,李世民问:“谁是奸佞?”那人回答说:“我身在民间,不能确切指出。但我建议陛下跟文武官员对话时,不妨假装勃然大怒,作为试探。仍然据理力争的人,是正直之士,因恐惧而顺服的人,就是奸佞。”李世民说:“领袖好像泉源,干部犹如河流,把泉源搞成一潭浑水,却盼望河流清澈,绝不可能。领袖先心怀诡诈,怎么能够要求干部正直!我正以诚心诚意治理天下,常见从前帝王喜爱用小动作权术对待他的部属,认为那是一种耻辱。你的办法虽好,我不采用。”

16 六月一日,国务院右最高执行长(右仆射)、密公爵(明公)封德彝逝世。

17 六月十二日,李世民再任命太子少师(太子三少之一)萧瑀,当国务院左最高执行长(左仆射)。

六月二十八日,李世民跟侍从官员讨论周王朝和秦王朝两代政权的寿命,为什么有长有短,萧瑀回答说:“商王朝末任帝子受辛(纣)残暴无道,周王朝一任王(武王)姬发出军讨伐。而周王朝以及当时的六国,并没有罪,嬴政(秦王朝一任帝)却把它们消灭。夺取全国性政权的目的虽然一样,但人心的归向不同。”李世民说:“你只知道这个原因,不知道还有更重要的原因:周王朝取得全国政权后,推广仁义道德,秦王朝夺取全国性政权后,反而更依靠诈术和暴力;政权寿命的长短,因此悬殊。夺取的时候或许用非常手段，但治理的时候却不可以不正常作业。”萧瑀抱歉他没有想到这一点。

18 山东（崤山以东）大旱成灾，李世民下诏命各地方政府办理赈济，并免除灾区人民本年（六二七）田赋捐税。

19 秋季，七月二日，李世民擢升国务院文官部长（吏部尚书）长孙无忌为国务院右最高执行长（右仆射）。长孙无忌和李世民是平民时代的朋友，再加上长孙无忌的妹妹又嫁给李世民，有辅佐皇家的功劳，李世民把他当作心腹，长孙无忌所受的礼遇，其他文武官员都无法相比，李世民很多次都想命他担任宰相，可是长孙皇后坚决反对，说："我身在皇宫，长孙家所受的荣华富贵，已到顶点，实在不愿兄弟再掌握权柄。吕雉家（参考前一八〇年九月）、霍光家（参考前六六年七月）、上官桀家（参考前八〇年九月），都是血淋淋的教训，请陛下同情。"

李世民不同意，仍然发表这项人事命令。

20 最初，突厥（东突厥）人民性情淳朴敦厚，汗国政治法律简单明了。后来，颉利可汗（十三任大可汗）阿史那咄苾，信任汉人赵德言，言听计从。赵德言遂仗势欺人，作威作福，大量变更突厥人旧有风俗习惯，政令烦琐苛刻，人民开始反对。阿史那咄苾喜爱外族人，而疏远本族人，外族人又多数贪污犯法，反复无常。阿史那咄苾不断出军讨伐反叛，没有一年过太平安静的日子。正巧，天降大雪，深达数尺，牲畜大量死亡，一连数年饥荒，人民无不啼饥号寒。阿史那咄苾不但不能救济，反而因不够开支之故，向各部落加重征收赋税，于是内外离心怨恨，各部落纷纷叛变，国势逐渐衰弱。

唐政府很多官员请求乘机向东突厥汗国采取军事行动，李世民征求国务院左最高执行长（左仆射）萧瑀、右最高执行长（右仆射）长孙无忌的意见，说："可汗暴虐，部属昏庸，必定丧亡。可是，今天如果发动攻击，我们最近才跟他结盟；今天如果按兵不动，又恐怕以后再没有这种机会，怎么办才好？"萧瑀赞成攻击，长孙无忌反对，说："蛮虏并没有侵犯边塞，我们却发动攻击，是向全世界宣布我们失信叛盟，而又劳动人民，不是正义之师。"李世民遂停止。

21 李世民向三公及部长级以上官员，询问使唐王朝长久存在的策略，萧瑀说："三代（夏商周）因为分封皇家子弟，政府寿命长久；秦王朝因为没有分封皇家子弟，皇帝高高在上，势力孤单，加速灭亡。"

李世民认为确是如此，自此开始考虑分封皇子，建立屏藩（李世民把郡王级的皇族，降为公爵，参考去年〔六二六〕十一月）。

22 监督院副监督长（黄门侍郎）王珪有"亲启密奏"，附在最高监督长（侍中）高士廉奏章中转呈，高士廉把奏章扣留，而且也不告诉王珪。

李世民听到这个消息。

八月十九日，贬高士廉出任安州军区（总部设湖北省安陆市）总司令官（安州大都督）。

23 九月一日，日蚀。

24 九月十二日，最高立法长（中书令，正三品）宇文士及免职，降级当宫廷总管（殿中监，从三品）；李世民命总监察官（御史大夫）杜淹“参预朝政”；以“参预朝政”做实质宰相，自此开始（唐王朝宰相没有固定名称，也没有员额限制，除最高执行长〔仆射〕、最高立法长〔中书令〕、最高监督长〔侍中〕是正式宰相外，其他官员如果加授“参预朝政”“参知机务”“参议得失”“平章政事”之类，即是实质宰相）。

杜淹推荐国务院司法部法务司副司长（刑部员外郎）邸怀道（邸，姓），李世民询问邸怀道的贡献，杜淹说：“杨广（隋王朝二任帝）将要前往江都（江苏省扬州市），召见文武百官征求意见，邸怀道正担任国务院文官部考选司事务员（吏部主事，从八品上至从九品上），只他一个人认为不可以，我亲眼看到。”李世民说：“你如此称赞邸怀道，你自己为什么不当面规劝？”杜淹说：“我当时的地位卑微，又明知说了也没有用，白白送死，对国家没有益处。”李世民说：“你既然知道杨广不能接受规劝，为什么还在他的政府当官？既然在他的政府当官，为什么对他的错误行为不加规劝？在隋政府中，或许你的地位卑微；后来你在王世充政府，地位尊荣，为什么也不规劝？”杜淹回答说：“我并不是不规劝他，只是他不肯采纳。”李世民说：“王世充如果贤明，采纳规劝，就不应亡国；如果粗暴的拒绝规劝，你又怎么能够免祸？”杜淹不能回答。李世民说：“今天你的地位可以说十分尊贵，可以不可以进言劝告！”杜淹回答说：“愿意一死。”李世民微笑。

25 九月二十二日，幽州军区（总部设北京市）总司令（幽州都督）王君廓叛变逃亡，道路中被杀。

王君廓在幽州（北京市），骄傲放纵，贪赃枉法，李世民征召他到中央政府任职。政务秘书长（长史）李玄道，是房玄龄堂妹的儿子，写信给堂舅父，托王君廓带往转递。王君廓偷偷把信拆开，因为不认识草书，疑心李玄道在告发自己的罪行，大为恐惧，抵达渭南（陕西省渭南市）时，格杀驿马车站招待所官员，向北逃走，打算投奔东突厥汗国（瀚海沙漠群），中途被流浪汉诛杀。

26 岭南（南岭以南）酋长冯盎、谈殿等（谈，姓），互相攻击，很久没有到中央朝见，各州纷纷奏报冯盎叛变，奏章前后有几十份之多，李世民派将军蔺谟等，动员江岭地区（长江以南及南岭以南）数十州的军队，南下讨伐。高级顾问官（谏议大夫）魏徵劝阻说："中国内部仅只粗略安定，岭南（南岭以南）瘴气瘟疫流行，路途危险，地方遥远，无法驻扎重兵。而且，冯盎叛变的证据不足，不应该劳师动众。"李世民说："检举冯盎叛变的人，在道路上前后相望，怎么可以说他没有叛变？"魏徵回答说："冯盎如果叛变，一定派兵据守险要关卡，攻击劫掠州县。而今，检举冯盎叛变已有数年，而冯盎的军队并没有越出他的辖区。所以，没有叛变的证据，十分明确。只因各州都认为冯盎谋反，陛下又没有派使节前往镇压安抚，冯盎因为怕死，所以不敢前来中央朝见。如果派出亲信大员，表示中央诚意，他高兴免掉灾难，可以不劳动一兵一卒，自会归附。"李世民乃下令复员。

冬季，十月六日，李世民派员外散骑侍郎（文散官，从五品下）李公掩，持节，前往沟通安抚慰问。冯盎派他的儿子冯智戴跟随李公掩入朝晋见。李世民说："魏徵教我派出一个使节，岭南（南岭以南）全部安定，威力胜过十万雄兵，不可不赏。"赐给魏徵绸缎五百匹。

27 十二月四日，国务院左最高执行长（左仆射）萧瑀，因事被免除官职。

28 十二月三十日，利州军区（总部设四川省广元市）总司令（利州都督）李孝常等，阴谋策动兵变，被捕诛杀。

李孝常因经常前往中央朝见，留在京师（首都长安），遂跟右武卫（卫军第四军）将军（从三品）刘德裕，及他的外甥、平民征兵府司令（统军）元弘善，右监门（卫军第十四军）将军（从三品）长孙安业，互相讨论符咒天命，阴谋策动禁卫军兵变。长孙安业，是长孙皇后同父异母的老哥，嗜酒如命，行为卑鄙无赖，老爹长孙晟很早逝世，老弟长孙无忌及幼妹长孙皇后年纪还小，长孙安业不但不肯抚养，反而把弟妹们逐回他们的舅家（他们的舅父是高士廉）。

李世民登极，长孙皇后不念旧怨，对这位异母兄长，恩惠和礼敬，都很周到。现在，谋反案爆发，长孙皇后哭泣流泪，一再向李世民请求，说："安业的罪状，应该死一万次。然而，他对我从小虐待，天下人人皆知，而今把他斩首，人们一定认为是我暗中报仇，恐怕使圣明王朝蒙上污点。"因此，长孙安业得免一死，贬窜嶲州（四川省西昌市）。

29 有人控告国务院右秘书长（右丞）魏徵，用人不公，包庇亲戚，李世民命总监察官（御史大夫）温彦博调查，结果没有这回事。温彦博报告李世民说："魏徵不知道回避行迹，远离嫌疑，虽然没有私心，但也不是没有可以责备的地方。"李世民命温彦博把这话告诉魏徵，特别吩咐说："从此以后，你应该注意人与人间的分际。"过了几天，魏徵进宫晋见，向李世民强调说："我听说，君王跟臣属，密切如同一体，应该互相以至诚相待，如果上下都心存分际，则国家是兴是亡，恐怕难以预料，我不敢接受命令。”李世民突然领悟，说：“我也很是后悔。”魏徵叩头说：“我幸运的能事奉陛下，但愿使我当一个‘良臣’，不要使我当一个‘忠臣’。”李世民说：“良臣、忠臣，难道不一样？”魏徵说：“姬弃（黄帝王朝七任帝〔舜帝〕姚重华时农业官员，十五代孙姬发建立周王朝）、子契（商王朝一任帝姒文命时水利官员，后裔子天乙建立商王朝）、皋陶（姚重华时司法官员），与君王同心合力，共享荣华富贵，就是‘良臣’。关龙逄、子干，在金銮宝殿上，当面和君王争执，身既被杀，国也灭亡，就是所谓‘忠臣’（关龙逄、子干二人事，参考前一二年十二月注）。”李世民大喜，赐给他绸缎五百匹。

李世民神采焕发，文武官员晋见时，都会手足失措。李世民了解他带给大家的压力，所以每遇到有人启奏，他必定和颜悦色，希望能听到规劝的话。曾经对三公及部长级以上官员说：“人们如果想看到自己的形象，一定要靠明镜。君王如果想知道自己的过失，一定要靠忠臣。假如君王的性情刚愎，自以为英明过人，臣属们也自会拍马摇尾，顺口奉承，君王固然会失掉政权，臣属也不可能单独保全。像虞世基等，拼命谄媚杨广，为的是保持荣华富贵，后来杨广横死，虞世基等也被诛杀（参考六一八年三月）！你们应该以此作为鉴戒，政府做事有不对的地方，不要吝啬批评。”

30 有人上疏建议：秦王府旧有士卒，应该全部擢升武官，编入禁卫军任职。李世民对他说：“我把天下当作一个大家庭，只知道任用贤能人才，难道除了秦王府旧有士卒，其他的没有一个人可以信任！你这项建议，并不是把我的德意推广到天下的办法！”

李世民对三公及部长级以上官员说：“从前，姒文命（夏王朝一任帝）开凿大山，治理洪水，人民并没有怨言，因为福利与人民共享。嬴政（秦王朝一任帝）兴建皇宫宝殿，人民怨恨背叛，因为他损人利己。奇珍异宝，人人都希望得到，如果不能克制，作无止境的追求，危险灭亡，立刻来临。我本来要兴建一个宝殿，土木材料全部准备妥当，想到秦王朝的前车之鉴，而终于停止。亲王公爵以下官员，要体会我的苦心。”

自此以后二十年间，人民风俗朴素，衣裳不用锦绣绸缎，政府与民间，全部富裕。

31 李世民对副监督长（黄门侍郎）王珪说：“帝国政府设立立法院（中书）、监督院（门下），本来的用意是互相检查制衡，立法院（中书省）发布的诏书或皇帝手令，万一发生差错过失，监督院（门下省）应该立刻纠正批驳（唐王朝制度：立法院〔中书〕发布命令，监督院〔门下〕审查。无论诏书或皇帝手令，或任免官职及爵位，都由立法官〔中书舍人〕起稿呈阅，皇帝批准后，交回立法院〔中书〕发布，立法院〔中书〕则向监督院〔门下〕会稿，监督院〔门下〕如果反对，则涂改上奏，由皇帝交立法院〔中书〕重新拟定，术语称“涂归”，也称“涂敕”）：人的见解，本来都不相同，假定互相诘难，讨论出真相，就是放弃自己的主张，接受别人的意见，又有什么关系？可是最近却有人为了掩饰自己的缺失，竟怨恨对方，致使感情破裂；也有人为了避免对方反击，公报私仇，明明看到对方犯错，也不纠正。只不过为了个人的颜面，竟不惜给万民带来灾难，这是亡国的政治。杨广在位时，内外大小官员，一味顺服，不敢表示一点异议，每人都自认为聪明绝顶，大祸绝临不到自己头上。等到天下大乱，帝国和家庭，同时毁灭，虽然也有人幸免，但也受到舆论轻视，千年难雪羞辱。你们各位应该为了公事，忘掉私怨，不要跟隋王朝的官员一样。”

32 李世民对左右侍从官员说："我听说过，西域（新疆及中亚东部）商人得到明珠，就剖开自己肌肉，把它藏在里面，有没有这回事？"侍从官员说："有这回事。"李世民说："听到这件事的人都笑他只爱明珠，不爱自己身体。官员收受贿赂，被法律制裁；君王奢侈放纵，国破家亡，跟那个商人可笑的情形，有什么分别！"国务院右秘书长（右丞）魏徵说："从前，姬蒋（春秋时代鲁国二十八任君哀公）对孔丘说：'有人得了遗忘症，搬家时连妻子都忘掉。'孔丘说：'还有比这更严重的，像姒履癸（桀）、子受辛（纣），连自己的老命都忘掉。'也是这种情形。"李世民说："是的。我跟各位应该竭尽能力，互相帮助，才可以不被人嗤笑！"

33 青州（山东省青州市）有人谋反，州县政府大肆逮捕党羽，以至监狱人满。李世民派金殿监察官（殿中侍御史）安喜（河北省定州市）人崔仁师，前往复查。崔仁师抵达后，解除囚犯身上的械具，供给他们饮水及食物，准许他们洗澡，慰问安抚，使他们宽心，最后只把首领十余人判罪，其他的全都释放。回京（首都长安）奏报，钦差大臣将往执行死刑，最高法院副院长（大理少卿，从四品上）孙伏伽对崔仁师说："你平反的人太多，人之常情，谁不贪生？恐怕被判死刑的囚犯看见同伴都被豁免，不肯甘心，实在为你担忧！"崔仁师说："身为一个法官，应以'公平''宽恕'审理案件，怎么可以为了使自己不负责任，明知被告冤枉，也不伸雪！万一判断有误，错放有罪，用我一个人的死亡，换十个囚犯的性命，也所情愿。"孙伏伽惭愧告辞。

钦差大臣抵达青州（山东省青州市），重新审讯，各囚犯异口同声说："崔先生公平仁厚，我们都不冤枉，请早行刑。"没有一个人呼冤。

34 李世民喜爱骑马射箭，孙伏伽劝阻，认为："天子平常居住九门之内（九门，形容数目之多），出宫时戒备森严，与人民保持距离，并不是为了端架子、摆派头，而是为了国家人民。陛下喜爱骑马射箭，让左右侍从官员欢乐，这是陛下少年当亲王时的做法，不是如今身为天子的行为。既不能保护陛下身体不受伤害，又不能作为后代榜样，我认为陛下不应如此。"李世民大喜。擢升孙伏伽当高级顾问官（谏议大夫，正五品上）。

35 隋王朝时甄选官员，每年十一月，将各地推荐的人才，集中京师（首都长安），到第二年春季才结束，人们都觉得时间仓猝。

本年（六二七），国务院文官部副部长（吏部侍郎）观城（河南省清丰县）人刘林甫，奏准：以后一年四季经常甄选，遇到缺额，随时签报，大家认为方便。

唐王朝初年，知识分子在天下大乱之后，都不想当官，以至各级政府发生官员不足现象。国务院（尚书省）下令各州保荐贤能人才到中央听候任职，州政府及钦差大臣，往往用空白公文书，填上姓名，当作人事任命状。现在，全部废除，命所有候补官员，一律前往国务院（尚书省）报到，听候派遣，共集结七千余人，刘林甫依照他们的才能，铨叙等级，分别录用，使每人都能尽到他的才能，时人都对刘林甫称赞。

李世民下诏，因关中（陕西省中部）粮食价格昂贵，命一部分人到洛州（河南省洛阳市）参加甄选（当是东部各州人士）。

李世民指示最高立法长（中书令）房玄龄，说："政府官员要看才干，不在人多。"命房玄龄大刀阔斧裁员，中央政府文武官员只留下六百四十三人。

36 隋王朝皇家图书院长（秘书监）晋陵（江苏省常州市）人刘子翼，品行学问，都很优良，性情刚直，朋友犯了错误，他经常当面责备。立法官（中书舍人）李百药常说："刘子翼虽然总是骂人，人们对他却没有怨恨。"本年（六二七），李世民下诏征召刘子翼到中央任官，刘子翼推辞说：娘亲太老，要留在家奉养；始终不肯前往京师（首都长安）。

37 鄃县（山东省夏津县）县长裴仁轨，调派看守城门的差役为自己做私事，李世民接到报告，大怒，打算斩裴仁轨。金殿监察官（殿中侍御史，正八品上）长安（首都长安西半城）人李乾祐劝阻说："对于法律，陛下跟天下人民，都应共同遵守，它不是陛下私人的东西。而今，裴仁轨犯了轻罪而竟用极刑处决，我恐怕人民连手脚都没有地方放。"李世民大喜，免除裴仁轨一死，而擢升李乾祐当中央监察官（侍御史，从七品上）。

38 李世民在谈话中，曾经谈到"关中人"（陕西省中部）如何，"山东人"（崤山以东）如何，意思之间，颇有分别。金殿监察官（殿中侍御史）义丰（河北省安国市）人张行成，跪下启奏说："君王把全国当作大家庭，对臣属不应因他是东方人或西方人，而有差别待遇，恐怕显示自己心胸太窄。"李世民称赞他的建言，厚厚赏赐。自此，每逢政府有重大决策，常命张行成参加讨论。

39 最初，东突厥汗国（瀚海沙漠群）国力鼎盛之时，敕勒（铁勒）汗国（新疆东北部及蒙古国北部）所属各部落星散，计有薛延陀部落（蒙古国西南部）、回纥部落（蒙古国哈拉和林市西北）、都播部落（西伯利亚萨彦岭南）、骨利干部落（西伯利亚贝加尔湖畔）、多滥葛部落（蒙古国乌兰巴托市）、同罗部落（乌兰巴托市北）、仆固部落（乌兰巴托市东）、拔野古部落（内蒙古呼伦湖西）、思结部落（哈拉和林市西南）、浑部落（乌兰巴托市西）、斛薛部落（蒙古国北部）、结部落（西伯利亚赤塔市西南）、阿跌部落（西伯利亚恰克图市北）、契苾部落（乌兰巴托市南）、白霫部落（蒙古国塔木察格布拉克城。霫，音xí〔习〕）等十五个部落，都在瀚海沙漠群以北，人民风俗习惯，大抵跟东突厥一样。而薛延陀部落势力最强。

西突厥汗国（新疆东北部及中亚东部）曷萨那可汗（一任大可汗）阿史那达漫，国力强大，敕勒各部落，都向他归附。可是阿史那达漫不断向他们征收税捐，毫无节制，各部落都十分怨恨。而最后，阿史那达漫更诛杀敕勒各部落重要首领人物一百余人，于是各部落纷纷叛变，共同推举契苾部落酋长契苾哥楞当可汗，称易勿真莫贺可汗，王庭（中央政府）设贪于山（新疆天山山脉东段博格多山）以北；另推举薛延陀部落酋长乙失钵，当也咥小可汗，定居燕末山之北（今地不详）。后来，西突厥射匮可汗（二任大可汗）阿史那射匮即位，国势重振，契苾哥楞与乙失钵，都取消自己可汗的称号，仍向西突厥归附（以上都发生在隋王朝，加以追叙）。

回纥部落的六个支派，留在郁督军山（蒙古国杭爱山）的，东部属东突厥始毕可汗（十一任大可汗）阿史那咄吉。

西突厥汗国叶护可汗（三任大可汗）阿史那统在位时，国力衰退，薛延陀酋长乙失钵的孙儿乙失夷男，率部众七万余家，归附东突厥汗国颉利可汗（十三任大可汗）阿史那咄苾（此事当在六二五年之前），而阿史那咄苾领导无方，政治混乱，薛延陀部落、回纥部落、拔野古部落等，先后背叛。阿史那咄苾派侄儿阿史那欲谷将军，率骑兵十万人，发动攻击，回纥部落酋长药罗葛菩萨率

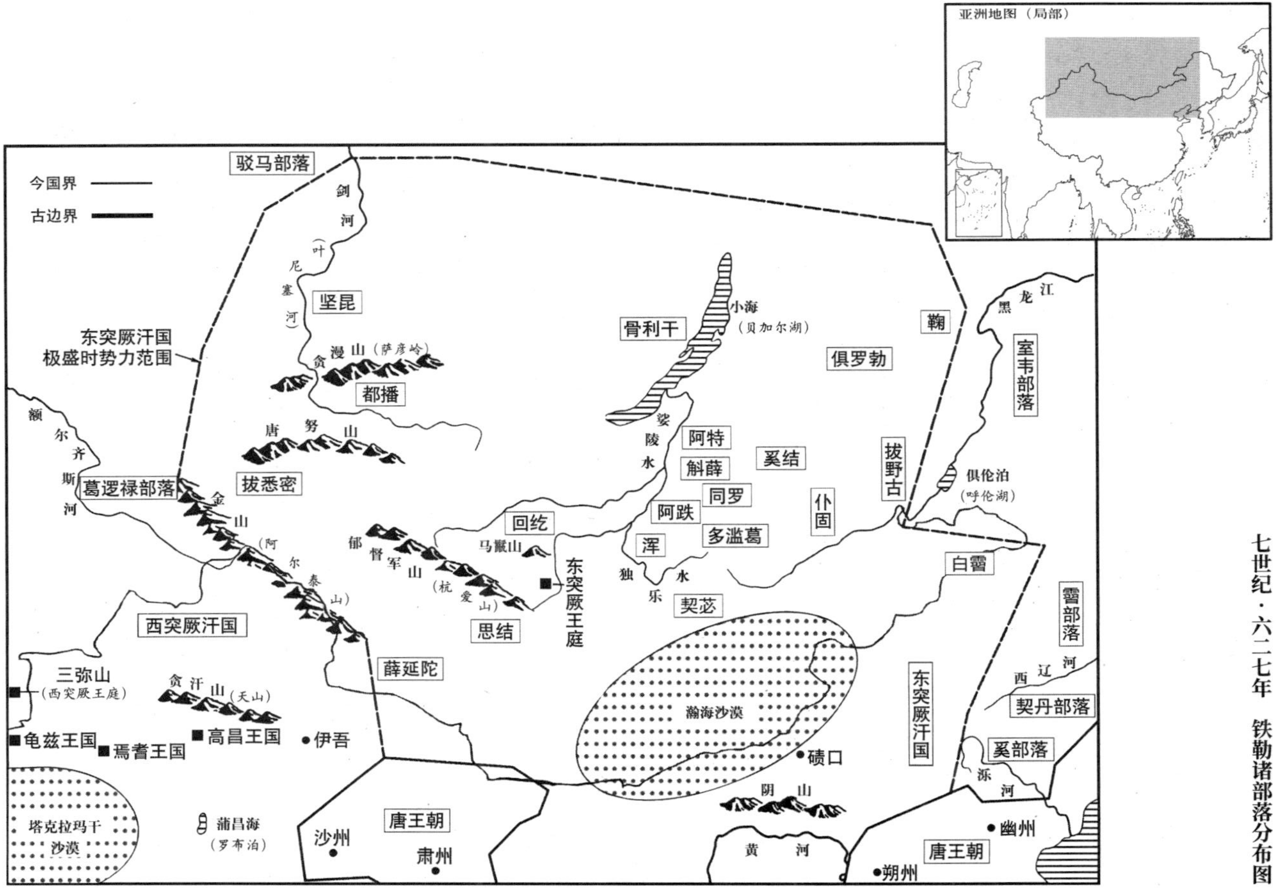

七世纪·六二七年 铁勒诸部落分布图

亚洲地图（局部）

今国界
古边界

东突厥汗国
极盛时势力范围

驳马部落
剑河
（叶尼塞河）
坚昆
贪漫山（萨彦岭）
都播
唐努山
拔悉密
额尔齐斯河
葛逻禄部落
金山（阿尔泰山）
郁督军山（杭爱山）
马鬣山
回纥
东突厥王庭
思结
薛延陀
西突厥汗国
三弥山
（西突厥王庭）
贪汗山（天山）
龟兹王国
焉耆王国
高昌王国
伊吾
塔克拉玛干沙漠
蒲昌海
（罗布泊）
沙州
唐王朝
肃州
骨利干
小海
（贝加尔湖）
俱罗勃
鞠
娑陵水
阿特
解薛
奚结
同罗
阿跌
仆固
多滥葛
浑
独乐水
契苾
拔野古
黑龙江
室韦部落
俱伦泊
（呼伦湖）
白霫
霫部落
西辽河
契丹部落
东突厥汗国
瀚海沙漠
碛口
阴山
黄河
奚部落
泺河
幽州
唐王朝
朔州

骑兵五千人（药罗葛，三字姓），在马鬣山（蒙古国哈拉和林市北）迎战（鬣，音liè〔列〕），大破东突厥军。阿史那欲谷逃走，药罗葛菩萨追击，抵达天山（杭爱山），掳掠大量东突厥部众；回纥部落声势，震动一方。薛延陀部落也进军击破东突厥四名将军，阿史那咄苾无法阻止。

东突厥汗国的国势越来越弱，人民纷纷叛离逃走。而正巧又遇上天降大雪，平地积雪达数尺之厚，羊马等家畜大量死亡，人民严重饥馑。阿史那咄苾恐怕唐政府趁他处境困苦，发动攻击，于是先行率军南下，深入朔州（山西省朔州市）边境，扬言狩猎，实际上加强防御设备。

唐政府藩属事务部长（鸿胪卿）郑元琦，出使东突厥，回国后，报告李世民说："蛮夷的兴盛和衰败，在羊马上可以看得出来，现在，突厥人民饥饿，牲畜枯瘦，这是亡国的预兆，出不了三年。"李世民同意。很多文武官员建议李世民抓住这个机会，发动攻击，李世民说："刚刚跟人结盟，就马上背叛，不守信义；利用人的灾难，没有仁慈；乘人之危出兵，获得胜利，也不光荣。即令突厥所有部落全都反叛，牲畜全都死光，我也不会动手。一定等他先行冒犯，然后讨伐。"

西突厥汗国叶护可汗（三任大可汗）阿史那统，派司令官真珠统，陪同高平王李道立（李道立出使西突厥事，参考前年〔六二五〕四月），一齐前来唐帝国，呈献镶嵌宝石的马鞍和用黄金装饰的马缰，以及骏马五千匹，迎接下嫁的唐朝公主。东突厥当然不愿看到西突厥跟唐帝国的亲密关系，不断派军进入唐帝国边疆骚扰，又派人警告阿史那统说："你迎接唐朝公主，要知道必须通过我的国土！"阿史那统忧虑，结果竟无法成婚。

六二八年 戊子

唐　贞观　二年
（梁帝梁师都永隆十二年）

1 春季，正月三日，唐王朝（首都长安〔陕西省西安市〕）国务院右最高执行长（右仆射）长孙无忌免职。当时，有人呈递“亲启密奏”，指摘长孙无忌权势和宠爱，都太过分，唐帝（二任太宗）李世民（本年三十一岁）把这份密奏交给长孙无忌过目，说：“我对你从头到脚，了解得十分透彻，假如各人听到闲话，放在心里而不说出来，君王和臣属之间的情谊就不能沟通。”更召集文武百官，宣布说：“我所有的孩子，年纪都小，我疼爱无忌，就像疼爱我的儿子，任何人都无法挑拨离间。”但长孙无忌对权势太重引起的灾难，心怀恐惧，一再请求退位，他妹妹长孙皇后又竭力说情，李世民才允许，改命长孙无忌当开府仪同三司（文散官一级，从一品）。

2 唐政府在国务院设置六个副部长（六司侍郎，正四品上至正四品下），当部长（尚书）的助手（副部长官位，始于隋王朝二任帝杨广，唐政府于六二四年撤销，如今复置）。另在国务院设置左右主任秘书（左右司郎中，从五品上）各一人。

3 正月五日，吐谷浑汗国（青海省）攻击岷州（甘肃省岷县），岷州军区（总部设岷州）总司令（都督）李道彦，把吐谷浑军击退。

4 正月九日，改封汉王李恪当蜀王、卫王李泰当越王、楚王李祐当燕王。

5 唐帝（二任帝太宗）李世民问国务院右秘书长（尚书右丞）魏徵说："领袖怎么才会聪明？怎么才算愚昧？"魏徵回答说："虚心听取多方面的意见，自然聪明；只相信某人的一面之词，一定愚昧。从前，伊祁放勋（尧帝）虚心对待人民，所以有苗（传说中的"四凶"之一）的罪恶，在上位的人终于知道。姚重华（舜帝）视觉明亮得好像有四只眼睛，听觉敏锐得好像有四只耳朵，所以共工、姒鲧、驩兜对他不能蒙蔽（共工等"四凶"事，参考八六年四月注）。嬴胡亥（秦王朝二任帝）一味信任赵高，终于造成望夷宫杀身之祸（参考前二〇七年八月）；萧衍（南梁帝国一任帝）一味信任朱异，终于受到饿死宫城的耻辱（参考五四九年五月）；杨广一味信任虞世基，终于发生彭城阁政变（参考六一八年三月。

彭城阁，当是“西阁”）。所以领袖垂听各方面的意见，干部就无法蒙蔽，下面的实际情况，才可以向上表达。”李世民说：“对极。”

李世民对副监督长（黄门侍郎）王珪说：“五九四年天下大旱，杨坚（隋王朝一任帝）不准打开粮仓赈济饥民，反而要饥民到山东（崤山以东）当乞丐讨饭（关中大饥馑，杨坚率领官民，东走洛阳，参考五九四年八月）。等到隋王朝末年，各地仓库所储蓄的粮食，可供全国人民五十年食用。杨广（隋王朝二任帝）仗恃富裕，奢侈浪费，从不厌倦，终于国亡家破。所以，仓库存粮只要能度过荒年，就已足够，多了有什么用！”

6 二月，李世民对左右官员说：“人们都说：天子至为尊贵，什么都不怕；我认为不是如此；对上畏惧天神的察看，对下畏惧文武百官的注视，每天小心翼翼，仍恐怕上不合天心，下不符人望。”国务院右秘书长（右丞）魏徵说：“这实在是治理国家的重要纲领，但愿陛下谨慎警惕，始终如一，以后跟现在一样，就尽善尽美。”

7 李世民对最高立法长（中书令）房玄龄等说：“从事政治工作，没有比大公无私更为重要。从前，诸葛亮把廖立、李严贬窜到南夷（云南省），诸葛亮逝世，廖立、李严都悲哀哭泣，也有人因伤心过度，丧身而死（参考二三四年八月），如果不是大公无私，怎么能够如此。高颎在隋王朝当宰相，处事公平，知道治理国家的关键何在；隋王朝兴亡，关键在高颎存没。我既然羡慕前世的英明君王，各位不可以不效法前世的贤能宰相。”

8 三月一日，日蚀。

9 三月五日，最高法院副院长（大理少卿）胡演，进呈每月囚犯名册。李世民命自此以后，凡是死刑，都由立法院（中书省）、监督院（门下省）四品以上官员，会同国务院（尚书省）商讨研究，希望再没有冤狱滥杀。

不久，最高法院（大理寺）押解囚犯到金銮宝殿点验，其中有岐州（陕西省宝鸡市凤翔区）州长郑善果，李世民对胡演说："郑善果固然有罪，但官位品阶不低，怎么可以跟平民囚犯混在一起。自今以后，三品以上的囚犯，不必押解到金銮宝殿，而只押解到殿门，即行停下，听候指示。"

10 关内（陕西省中部）大旱成灾，人民饥馑，很多平民卖掉儿女，换取衣服粮食。

三月二十二日，李世民下诏，命御库（御府）拿出金银绸缎，为被卖的儿女赎身，归还他们的父母。

三月二十三日，李世民下诏：去年（六二七）雨量太多，今年又发生旱灾、蝗灾，因此赦免天下。诏书大略说："如果庄稼能够丰收，天下能够太平，宁可所有灾难，都集中在我一人之身。能使万邦生存，是我唯一愿望，甘心无怨。"正巧，干旱的地方落雨，人民大为喜悦。

11 夏季，四月三日，李世民下诏，说："隋王朝末年，人民离散，随之而来的是饥馑，白骨满野，使人触目伤心，各地方政府应妥为收集安葬。"

12 最初，东突厥汗国突利可汗（小可汗）阿史那什钵苾，在幽州（北京市）正北，建立王庭，管理汗国东方国土；而奚部落（滦河上游）、霫部落（辽河以北）等数十部落，很多背叛东突厥，归降唐帝国；颉利可汗（十三任大可汗）阿史那咄苾因阿史那什钵苾丧失太多部众，对他责备。后来，薛延陀部落（蒙古国西南部）、回纥部落（蒙古国哈拉和林市西北）等，击败司令官阿史那欲谷（参考去年〔六二七〕十二月），阿史那咄苾命阿史那什钵苾出兵讨伐，也被击败，阿史那什钵苾一个人骑马逃回，阿史那咄苾大怒，囚禁阿史那什钵苾十余日，加以鞭打，阿史那什钵苾十分怨恨，准备叛变。

稍后，阿史那咄苾好几次向阿史那什钵苾征兵，阿史那什钵苾不理，反而上疏唐朝皇帝李世民，请求到长安朝见。李世民对侍从官员说："从前，突厥强大，可以作战的军队高达一百万人，百般欺凌中国，但也因此之故，骄傲不可一世，而失去人民拥护。而今，突利可汗（阿史那什钵苾）自动请求朝见，假如不是穷途末路，怎肯如此！我阅读这份奏章，既欢喜，又恐惧，为什么？突厥衰败，我们北方边境从此平安无事，所以欢喜；然而，我如果犯了错误，有一天也会跟突厥一样，能不恐惧！各位应该不吝啬你们的劝告，来帮助我能力所不及。"

颉利可汗（十三任大可汗）阿史那咄苾，出军攻击突利可汗（小可汗）阿史那什钵苾。

四月十一日，阿史那什钵苾派使节向唐政府求救，李世民跟高级官员商量，说："我跟突利可汗（阿史那体钵苾）是结盟兄弟，他有急难，我不可不救（结盟事，参考六二四年八月）。可是，我跟颉利可汗（阿史那咄苾）也有盟誓（渭桥之盟，参考前年〔六二六〕八月），应该怎么办？"国务院国防部长（兵部尚书）杜如晦说："蛮虏没有信用，到最后一定会撕毁誓约，今天如果不趁他们内乱夺取，以后再懊悔就来不及。对有内乱的国家，就把它消灭；对自寻覆亡的国家，就把它征服（《书经·仲虺之诰》："取乱侮亡。"），是古代圣人的训示。"

四月二十日，契丹部落（辽河上游）酋长，率部众向唐政府投降。颉利可汗（十三任大可汗）阿史那咄苾派使节到唐帝国，答应愿把梁帝梁师都（首都朔方〔陕西省靖边县北白城则村〕）交给唐政府，但唐政府则将契丹部落交给东突厥。李世民告诉使节说："契丹人跟突厥人是两个种族，契丹人归附我国，突厥人有什么资格要求把他们交回！梁师都是中国人，盗取大唐土地，虐待大唐人民，突厥却庇护他，我每次出军讨伐，你们都对他援助，他像一条锅里游来游去的鱼，我根本不担心他会逃出我的手心。而且，即令我不能擒获梁师都，也决不会用投降我的人去交换他。"

从前，李世民知道东突厥汗国政治腐败混乱，已无力庇护梁师都，所以写信给梁师都，分析利害，要他归降，梁师都都拒绝接受。李世民派夏州军区（总部侨设何地不详）总司令部政务秘书长（夏州都督长史）刘旻、军务秘书长（司马）刘兰成，拟定消灭梁师都计划。刘旻等不断派出轻装备骑兵，深入梁国国境，践踏摧毁梁国的农田庄稼，又派出大量间谍，造谣生事，挑拨梁师都跟臣属间的感情，于是国势渐渐衰弱，向唐政府投降的人，前后相连。梁国名将李正宝等，打算发动政变，生擒梁师都，密谋泄漏，逃奔唐政府军；梁政府上下越发猜忌，互相越发怀疑。刘旻等知道机会已经成熟，上疏中央，请求出兵。

李世民派右卫（卫军第二军）大将军（正三品）柴绍、宫廷副总管（殿中少监）薛万均，出军攻击。又派刘旻等进驻朔方（梁首都，陕西省靖边县北白城则村）东城，加强压力（攻克朔方东城事，参考六二二年二月二十八日）。梁师都引导东突厥军抵达东城城下，刘兰成命取下所有旗帜，停止击鼓，拒不出战。梁师都在夜色掩护下撤退，刘兰成追击，把梁师都军击破。东突厥汗国再派大军增援，柴绍等迎战，距朔方（陕西省靖边县北白城则村）数十华里，跟东突厥军遭遇，柴绍等奋勇攻击，大破东突厥军，遂包围朔方（陕西省靖边县北白城则村），东突厥军不敢援救，而城中粮食吃完。

四月二十六日，梁师都的堂弟梁洛仁，诛杀梁师都，献出城池，向唐军投降（梁师都自六一七年三月起兵，至此〔六二八年四月〕灭亡，历时十二年，隋王朝末年割地称雄的变民首领中，寿命最久，而结局则一）。

唐政府在朔方（陕西省靖边县北白城则村）设夏州。

13 祭祀部副部长（太常少卿）祖孝孙，认为南梁帝国及陈帝国的音乐，含有太多吴（长江下游）楚（长江中游）地方声韵；而北周帝国及北齐帝国的音乐，含有太多北方及东方民族声韵；于是参照南北，考察古代，创作《唐王朝雅乐》，凡八十四调、三十一曲、十二和（事关音律，完全不懂）。

李世民下诏命祭祀部御用作曲官（协律郎，正八品上）张文收，与祖孝孙共同研究修订。

六月十一日，祖孝孙等呈奏新乐。李世民说："礼仪音乐，是圣人顺应人性推行教育的一种手段，国家兴隆和衰败，和它有什么相干？"总监察官（御史大夫）杜淹说："北齐帝国将灭亡时，出现《伴侣曲》（《资治通鉴》记载的是《无愁曲》，参考五七五年二月）；陈帝国将灭亡时，流行《玉树后庭花》（参考五八四年十一月），声调悲哀愁怨，行路旅人听到，都凄苦流泪，怎么能说国家兴衰不在音乐！"李世民说："不然。音乐能够使人感动，所以欢乐的人听到自会喜悦，忧愁的人听到自会悲戚。喜悦悲戚都在人心，并不由于音乐。国家快要灭亡，人民一定愁苦，听了音乐才感到悲戚。而今，这两首乐曲仍然存在，我教乐队演奏给你们欣赏试试，你们怎么会哀伤！”国务院右秘书长（右丞）魏徵说：“古人说：‘礼仪是什么？难道指的是金银绸缎！音乐是什么？难道指的是钟鼓乐器！’（《论语》孔丘语。）音乐的目的在于使人和睦，不在于用什么声调。”

我曾经听说，古代名工程师垂（姓不详），眼睛可以判断方圆，心意可以了解曲直，但他不能把他的方法教给别人；他所能教人的，全是规矩及法则。圣人不需要努力就把握关键，不必深思熟虑就能豁然贯通，但他不能把他超人的能力传授给别人；他所能传授给别人的，礼仪音乐两大项目而已。礼仪，圣人也要实践；音乐，圣人因此欢悦。圣人脚步正大光明，喜爱和平，更进一步想到要四海之内，共同分享，传递百世，于是创作礼仪和音乐。所以，工程师遵照垂先生的规矩法则，去建立新的构造，这一切事实上是垂的贡献；君王遵照五帝三王的礼仪音乐，推广到世界之上（五帝：黄帝姬轩辕、玄帝姬颛顼、俈帝姬夋、尧帝伊祁放勋、舜帝姚重华。三王：夏王朝一任帝姒文命、商王朝一任帝子天乙、周王朝一任王姬发），也等于五帝、三王在治理国家。五帝、三王逝世已久，后人看到他们遗留下的礼仪，而知道如何遵循，听到他们的音乐，而知道他们的欢悦，明显得好像他们仍活在世上一样，这岂不是礼仪、音乐的功能！

礼仪和音乐，有本体、有形式：正道是本体，声调是形式，二者不可缺一。从前的帝王，严守礼仪音乐的本体，一时一刻都不忘记，发挥礼仪音乐的感染力，一时一刻都不使它远离身边。下自闺房卧室，上到金銮宝殿，普及到荒村僻壤，传播给各封国国君，风行于四海之内，大的如祭祀、作战，小的如日常生活、衣食住行，没有一件事不被包括在礼仪音乐范围之中。经过数十年或数百年，然后，政治与教育融合为一，连凤凰都来朝见。假如没有正道的本体，而只有外在的形式，一日实行，百日舍弃，却打算希望能够改变风俗，自然困难。所以刘彻（西汉王朝七任帝）设置音乐总监（协律都尉。参考前一二〇年），歌颂祥瑞（指制定年号，参考前一二二年；以及到泰山封禅，参考前一一一年），并不是一件不美的事情，但不能避免他晚年颁发哀痛诏书（参考前八九年六月）；王莽（新王朝一任帝）设置‘羲和’高官（参考一年二月），修订音律（参考一五年），并不是不精密，但不能救他逃出渐台的灾祸（参考二三年九月）；司马炎制造横笛，协调钟、磬、丝、竹（《资治通鉴》对此没有记载），并不是不够详尽，但不能消除平阳（山西省临汾市）的灾难（司马炽、司马邺在平阳被杀事，参考三一三年正月、三一七年十二月）；萧衍制造四种乐器，修正八个音阶（参考五〇二年八月），并不是没有深刻认识，但不能免除饿死宫城的羞辱（参考五四九年四月）。所以，即令韶乐（姚重华时代雅乐）、夏乐（姒文命时代雅乐）、濩乐（子天乙时代雅乐）、武乐（姬发时代雅乐），仍存留世上，而君王的德行不能配合，它就连一个匹夫都不能感化，更何况感化四海！犹如手拿垂先生设计的蓝图，却既没有工具，又没有材料；坐在那里等待大功告成，最后一定失望。何况北齐帝国、陈帝国那些昏暴荒淫的君王在位，亡国的声音，出现金銮宝殿，怎么能够改变世人的悲哀或欢乐！李世民仓猝发言，认为国家的兴盛或衰败，跟音乐没有关系，为什么如此轻率，而又如此果断的批评圣人！

礼仪，不是威严，然而，没有威严，礼仪就无法实行。音乐，不是歌声，然而，没有歌声，音乐就不存在。好比我们所熟知的“山”，握起一把土，拿起一块石头，称它是“山”，当然不可以；但是，如果抽去所有的土石，山在哪里？所以说：“没有本体，不能建立；没有形式，不能运作。”（《礼记·礼器》：“无本不立，无文不行。”）怎么可以因北齐帝国、陈帝国的音乐，不能应验今世，而竟认为音乐并不影响政治好坏？这跟看见小石头就瞧不起泰山，有什么分别！一定像李世民所说的，那么，五帝、三王创造音乐，岂不都成了胡说八道。“正人君子对于他不知道的事情，宁可闭口。”（《论语》：孔丘说：“君子于其所不知，盖阙如也。”）李世民不知道闭口，可惜。

14 六月十三日，李世民对侍从官员说：“我阅读《杨广文集》，发现杨广的文字深奥，学问渊博，也知道赞扬伊祁放勋（尧）、姚重华（舜），更知道严厉斥责姒履癸（桀）、子受辛（纣）。可是，他做出来的事，却为什么跟他的言论，恰恰相反！”魏徵回答说：“君王虽是圣贤哲人，也应该虚心接受别人的建议，这样才能使智者贡献他的谋略，勇者贡献他的力量。杨广仗恃自己敏捷干练，骄傲不可一世，沾沾自喜，所以虽满口仁义道德，却一肚男盗女娼，从来想不到大祸会临到他头上。”李世民说：“从前的事不远，我们应该记取教训。”

柏杨曰

《杨广文选》，是杨广对人类所作的唯一贡献，他现身说法，为“满口仁义道德，一肚男盗女娼”，立下一个活生生的榜样。

中国皇帝有一种毛病，在享尽现世欢乐之余，还想高升圣人宝座，以便他的大名，永垂不朽。“大诰”“皇训”之类，遂纷纷出笼，除了培养子民服从的惯性外，更希望别人产生一种印象：“说这种好话的人，不会做出和这种好话恰恰相反的坏事。”不但希望用文字洗清自己的血手，也希望用文字把自己转化成为一个仁慈的天使，翱翔天空。

《杨广文选》同时也给我们一项教训：观察一个人，无论他是帝王或是领袖，无论他是知识分子或一字不识的流浪汉，绝不可以只看他说了什么，而应追查他做了些什么！如果仅就他说的话，就信以为真，那可是人类有史以来所能犯的错误中，最大的错误。每个人都必须成为一个高水准的鉴赏家，否则有人怎么说，大家就怎么信，杨广就会再度骑到我们头上，灾难可是自己找的，怪不了谁。我们必须记得，当初希特勒上台，可全靠他的大著《我的奋斗》!

15 京畿地区发现蝗虫。

六月十六日，李世民前往禁苑（玄武门北御花园），看到蝗虫，捉起几只，祈求说："人民靠庄稼养活生命，而你吃庄稼，我宁愿你吃我的内脏！"举手要把它吃下，左右侍从官员劝阻说："毒恶的东西，可能使人生病。"李世民说："我为人民受苦，不怕生病。"竟把蝗虫吞下。本年（六二八），蝗虫没有造成灾害。

16 李世民说："我主持早朝会报，每一句话都经过再三斟酌，唯恐怕伤害人民，所以不多说话。"御前监督官（给事中）代理皇家生活记录官（知起居事）杜正伦说："我的职责是记录皇帝的言论，陛下说错了话，我一定照实记载，不但对现代政治有害，也将受到后人的讥笑。"李世民喜悦，赐给他绸缎二百段。

17 李世民说："萧衍（南梁帝国一任帝）和他的臣属，只喜爱在那里穷嚼蛆——清谈，侯景之乱时，文武百官连马都不会骑（高官豪门，大都饿死，参考五四九年五月二十八日）。萧绎（南梁帝国四任帝）被北周帝国

（应是西魏帝国）大军包围，还讲解《老子》，官员们全副武装，出席恭听（参考五五四年十月），我们应从其中得到教训。我所喜爱的，只有伊祁放勋（尧）、姚重华（舜）、姬旦（周公）、孔丘的道理，认为像鸟有翅膀，像鱼有河川，失去翅膀或失去河川，鸟鱼即行死亡，不可以一时离开。”

18 李世民认为：辰州（湖南省沅陵县）州长裴虔通，是隋王朝二任帝杨广的旧部，并受杨广特别宠爱，而竟诛杀杨广（参考六一八年三月十一日），虽然事过境迁，已经改朝换代，而又经过很多次赦令，幸而逃脱全族被屠的命运，但不可以再让他当官、管理人民。李世民乃下诏，开除裴虔通官籍，贬窜驩州（越南荣市）。

裴虔通经常说：“我亲手铲除隋王朝，为唐王朝开路。”自以为有功，平常一直就有怨恨的脸色，等到被贬，悲愤而死。

19 秋季，七月，李世民下诏，将宇文化及的党羽：莱州（山东省莱州市）州长牛方裕，绛州（山西省新绛县）州长薛世良，广州军区（总部设广东省广州市）总司令部政务秘书长（广州都督长史）唐奉义，隋王朝时代虎牙指挥官（虎牙郎将）元礼，一律开除官籍，贬窜边疆（各人事，皆参考六一八年三月）。

20 李世民告诉侍从官员说：“古人有言：‘赦免，是卑鄙小人物的大幸，正人君子的不幸。’‘一年之中，有两次赦免，善良的人就再不敢开口。’培养野草，一定伤害庄稼，赦免有罪的盗贼，一定伤害善良人民，所以我登极以来，不打算一赦再赦，就是恐怕卑鄙小人物有这种盼望，轻率的去触犯法律。”

21 九月三日，唐政府规定：退休官员朝见时，位置在同品官员的前面。

22 李世民说："最近有些官员，不断上疏祝贺祥瑞。家家户户富裕，而没有祥瑞，并不妨碍君王当伊祁放勋（尧）、姚重华（舜）；家家户户怨恨愁苦，而有很多祥瑞，也不妨碍君王当姒履癸（桀）、子受辛（纣）。北魏帝国末年，官员砍伐连理木，用来煮白野鸡吃掉（《资治通鉴》没有记载二事），难道是天下太平的理想境界？"

九月四日，李世民下诏，说："自今以后，除非是特别祥瑞，才可以报告中央（特别祥瑞中，又分"大瑞"〔如庆云〕六十四种，"上瑞"〔如出现白狼〕三十八种，"中瑞"〔如出现苍乌〕三十二种，"下瑞"〔如出现灵芝、连理木〕十四种），其他普通的祥瑞，报告给有关单位即可。"

曾经有白鹊在寝殿槐树上筑巢，两巢相连，好像腰鼓（腰鼓，一种乐器），左右侍从认为是一种祥瑞，纷纷道贺。李世民说："我时常讥笑杨广喜爱祥瑞，要知道，得到贤能才是祥瑞，两个鸟巢有什么可贺的！"命把两个鸟巢拆毁，把白鹊带到郊外释放。

23 天很少落雨，立法院立法官（中书舍人）李百药上疏，说："从前，虽然也曾放出宫女（参考前年〔六二六〕八月），但为数十分有限。私下听说太上皇宫（李渊所住）及陛下皇宫中的宫女，闲散摆在那里，无事可做的，仍有很多，不仅消耗浪费衣服粮食，而且压制人性，怨气累积难消，也足以促使旱灾发生。"李世民说："妇女幽闭在深宫之中，实在可怜，除了洒水扫地，再没有别的用处，应该把她们全都放出，随她们自己的意愿婚配。"

于是派国务院左秘书长（尚书左丞）戴胄、御前监督官（给事中）洹水

（河北省魏县西南）人杜正伦，在宫城西门挑选释放，前后有三千余人。

24 九月十六日，东突厥汗国（瀚海沙漠群）攻击唐帝国边疆，有些政府官员建议修筑古长城（不知指哪个朝代所建的长城），征调民兵守卫碉堡岗哨。李世民说：“突厥的灾害不断，阿史那咄苾（十三任大可汗）不知道心怀畏惧，广施恩德，反而越发残暴，自己骨肉之间，互相攻击，灭亡就在早晚。我正要为你们扫清沙漠，用不着劳师动众去加强碉堡岗哨防御！”

25 九月二十九日，唐政府任命前农林部长（司农卿）窦静，当夏州军区（总部设陕西省靖边县北白城则村）总司令（夏州都督）。窦静在农林部时，副部长（少卿）赵元楷喜爱搜刮民间财富，窦静对他十分轻视，曾经当着很多官属，大声对他说：“杨广奢侈豪华，竭力敛财，农林部当然非你不行。而今，天子（李世民）节俭爱民，你怎么会派上用场！”赵元楷大为惭愧。

26 李世民问副监督长（黄门侍郎）王珪说：“近世国家领导人，远不如古代，什么原因？”王珪回答说：“两汉王朝时代，尊重儒家思想，宰相多由精通儒家学派经典人士担任，所以风俗淳厚（西汉王朝时，大量擢升儒家学派知识分子当高官，始于七任帝刘彻，参考前一二四年六月）。近世重视条文，依靠法律，轻视儒家，政治教化衰败的原因在此。”李世民同意。

27 冬季，十月，总监察官（御史大夫）实质宰相（参预朝政）、安吉公爵（襄公）杜淹逝世。

28 交州军区（总部设越南河内市）总司令（交州都督）遂安公爵李寿，因贪污被定罪，李世民认为瀛州（河北省河间市）州长卢祖尚有文武全才，而且清廉公平正直，于是征召他到中央，告诉他："交趾（指交州）长期以来，得不到适当人选，需要你前去镇压安抚。"卢祖尚叩头谢恩后退出，可是退出后立刻后悔，遂推辞说他的病还没有痊愈。李世民派杜如晦等告诉他："一介匹夫，还遵守承诺，你怎可以答应我而又反悔？"卢祖尚坚决辞职。

十月十五日，李世民再次召见，当面敦劝，卢祖尚仍固执不允。李世民大怒，说："我连一个人都指使不动，怎么能主持政府！"就在金銮宝殿前，斩卢祖尚。可是，不久就很懊悔。

有一天，李世民跟左右侍从官员讨论高洋（北齐帝国一任帝）这个人怎么样，国务院右秘书长（尚书右丞）魏徵回答说："高洋虽然狂暴，但有人跟他争执，如果自己没有理，一定听从对方。有一次，前任青州（州政府设东阳〔山东省青州市〕）州长魏恺，出使南梁帝国回来，中央命他当光州（州政府设东莱〔山东省莱州市〕）州长，魏恺不肯到差，杨愔奏报，高洋大怒，召见魏恺责备，魏恺说：'我先当大州州长，出使返国，只有功劳，没有过失，却被派到一个小州，我所以不去就职的原因在此。'高洋回头对杨愔说：'他说的有理，你要赦免。'（以上之事，《资治通鉴》没有记载。）这是高洋的长处。"李世民说："是的。那一次，卢祖尚虽然失去臣属的立场，但我杀他，也太过分，在这一点上，我不如高洋。"命恢复卢祖尚的官位及荫子（《旧唐书·职官志》：唐王朝荫子制度：一品，儿子任官正七品上；二品，儿子任官正七品下；正三品，儿子任官从七品上；从三品，儿子任官从七品下；正四品，儿子任官正八品上；从四品，儿子任官正八品下；正五品，儿子任官从八品上；从五品及国级公爵，儿子任官从八品下。三品以上，荫及第四代曾孙。四品至五品，荫及第三代孙儿。孙儿任官比儿子任官降一等，曾孙任官比孙儿再降一等；而“赠官”低“正官”一等，为国家死难的，虽是赠官，但跟正官相同，郡级公爵、县级公爵的儿子，同从五品的孙儿，县级男爵以上，儿子低一等。勋官二品的儿子，又低一等）。

魏徵外貌不过中等身材，但有胆量策略，很能扭转领袖的心意，经常冒犯领袖难以预测的脸色，苦苦劝告，有时正碰上李世民怒不可遏，而魏徵面色不变，李世民也稍稍息怒。魏徵曾经去祭扫祖先坟墓，回京（首都长安）后，询问李世民说：“听人说陛下打算游逛南山（终南山），随从人员都已整装完毕，而竟没有成行，为了什么？”李世民笑说：“我最初确有这个想法，但怕你生气，所以中途停止。”

李世民曾经得到一只漂亮的鹞鹰，教它站在自己的臂上；忽然看见魏徵进来，急把它藏到怀里，魏徵奏事时故意把时间拖得很长，结果鹞鹰竟在李世民怀里闷死。

29 十一月十九日，李世民前往圆形神坛，祭祀天神。

30 十二月十日，李世民擢升副监督长（黄门侍郎）王珪，暂任最高监督长（守侍中）。

李世民有一次休闲时，跟王珪对话，一位美女在旁侍候，李世民指着她告诉王珪说：“她是庐江王李瑗的小老婆（李瑗死事，参考前年〔六二六〕六月），李瑗杀了她的丈夫，把她夺到手。”王珪立刻起立，说：“陛下认为李瑗这样做，是对？是不对？”李世民说：“杀她的丈夫，夺他的妻子，你还问对不对？”王珪说：“从前，姜小白（春秋时代齐国十六任国君桓公）完全了解郭国国君灭亡的原因：虽然知道什么是好的，却不去做，反而舍弃他自己所敬佩称赞的人！管仲认为姜小白跟郭国国君没有什么差别！（姜小白经过郭国〔山东省聊城市东北郭城〕都城废墟，问父老说："郭国怎么会亡？" 父老说："国君知道什么是善，什么是恶！" 姜小白说："照你说的，怎么会亡国？" 父老说："国君知道什么是善，却不去做；知道什么是恶，却不能改，所以灭亡。"）而今，美女仍在左右，我还以为你认为李瑗杀夫夺妻的做法很对。" 李世民喜悦，立即送那美女出宫，归还她的亲属。

李世民派祭祀部副部长（太常少卿）祖孝孙教宫女音乐，成绩不能满意，李世民责备他。总监察官（御史大夫）温彦博、暂任最高监督长（守侍中）王珪劝阻说："祖孝孙乃是高雅的知识分子，派他前去教宫女音乐，而又加以斥责，我认为并不适合。" 李世民大怒说："我把你们当作心腹，你们应竭尽忠诚正直事奉我，而竟然结交在下位的人，欺骗上级，替祖孝孙做起说客！" 温彦博叩头请恕。王珪却不肯叩头，说："陛下一直要求臣属忠贞，今天奏报的事，难道是私情？陛下辜负臣属，不是臣属辜负陛下！" 李世民沉默不语，朝会仓猝结束。第二天，李世民对最高立法长（中书令）房玄龄说："自古以来，君王采纳劝告，非常困难，我昨天斥责温彦博、王珪，到现在还十分后悔，你们不要为了这件事，不肯尽言！"

31 李世民说："为我养育人民的，只有军区总司令（都督）、州长，我常把他们的名字写在屏风上，无论坐着或躺着，都看得清楚，知道他们有好的政绩，或做了坏事时，就把事迹写在他们名下，作为升降的资料。县长尤其直接管理人民，更不可不慎重选择。" 下令所有五品以上官员，每人都要推荐可以担任县长的人选，奏报中央。

32 李世民说："最近有奴仆检举主人谋反的，这是一项流弊。谋反是件大事，不能单独行动，必定与人同谋，不必担心它不泄漏，为什么鼓励奴仆控告主人！自今以后，凡是奴仆控告主人的，全不受理，并立斩奴仆。”

33 西突厥汗国（新疆东北部及中亚东部）叶护可汗（三任大可汗）阿史那统，被他的伯父阿史那莫贺咄诛杀，阿史那莫贺咄继承宝座，称侯屈利俟毗可汗（四任大可汗），汗国人民不服；弩矢毕部落推举莫贺将军阿史那泥孰当可汗，阿史那泥孰不肯接受。阿史那统的儿子阿史那咥力公爵，逃避阿史那莫贺咄的政变，流亡康居王国（康国，中亚撒马尔罕），阿史那泥孰迎接他回来，推举他当首领，称乙毗钵罗肆叶护可汗（五任大可汗）。两大可汗互相攻击，争战不停。同时派出使节，到中国请求迎娶公主，李世民拒绝说：“你们正在内乱，谁是君谁是臣，都还没有确定，怎么有资格求婚！”劝他们各守疆界，不要再攻。于是，西域（新疆及中亚东部）各国，以及原来屈服在西突厥之下的敕勒各部落（新疆北部及蒙古国北部），纷纷叛离。

34 东突厥汗国（瀚海沙漠群）北方各部落，很多叛离颉利可汗（十三任大可汗）阿史那咄苾，归降薛延陀部落（蒙古国西南部），共同推举薛延陀部落司令官（俟斤）乙失夷男当可汗，乙失夷男不敢接受。

李世民正计划征服东突厥汗国，派游击将军（武散官十五级，从五品下）乔师望，携带唐帝国皇帝的封爵诏书，从小路前往，封乙失夷男当真珠毗伽可汗，赏赐给他大旗巨鼓。乙失夷男大喜过望，派使节到唐王朝进贡，在郁督军山（蒙古国杭爱山）之下，建立王庭，组织政府。薛延陀汗国东到靺鞨部落（黑龙江下游），西到西突厥汗国（新疆东北部及中亚东部），南到瀚海沙漠群，北到俱伦水（内蒙古呼伦湖）。回纥部落（蒙古国哈拉和林市西北）、拔野古部落（内蒙古呼伦湖西）、阿跌部落（乌兰巴托市西北）、同罗部落（蒙古国北部）、仆骨部落（蒙古国东部）、霫部落（辽河以北），都归附新崛起的薛延陀汗国。

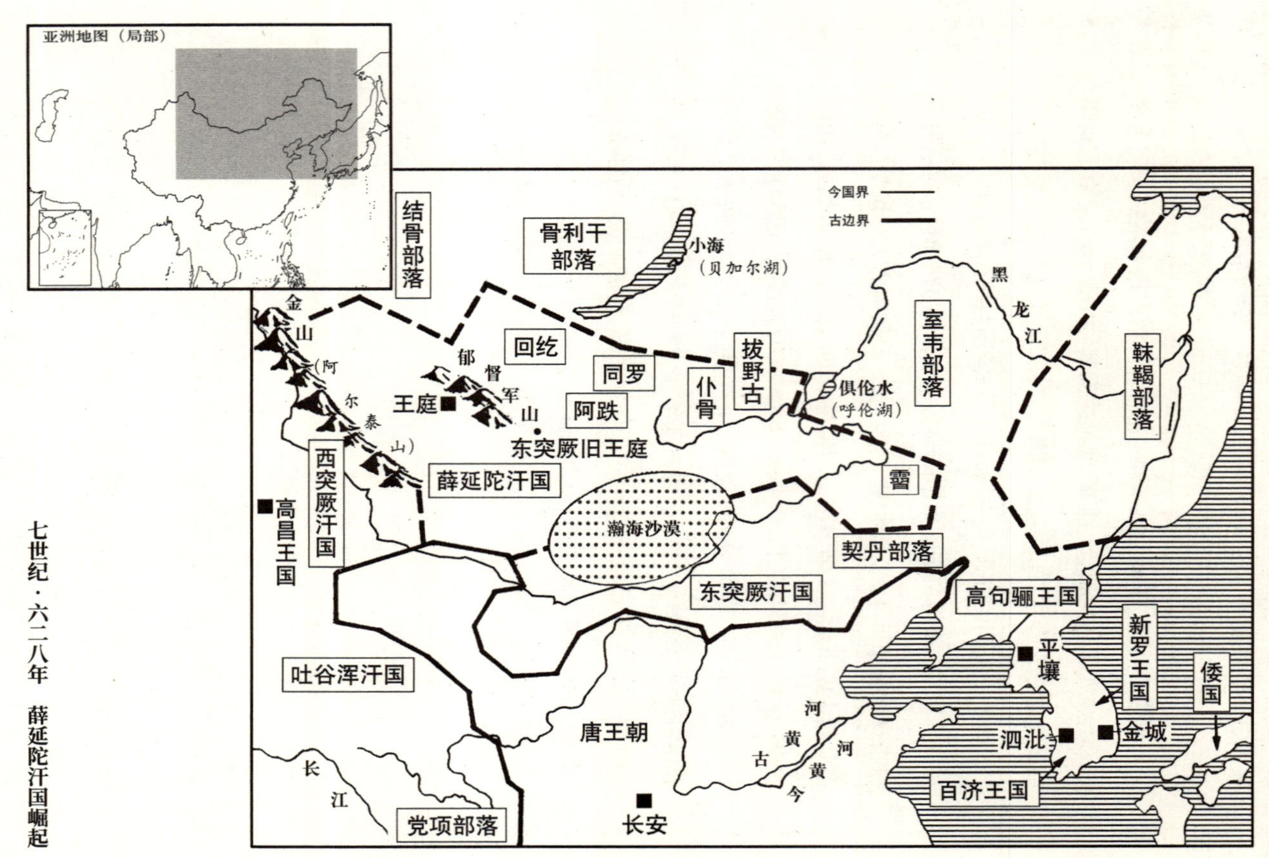

七世纪·六二八年 薛延陀汗国崛起

1 春季，正月十六日，唐王朝（首都长安〔陕西省西安市〕）皇帝（二任太宗）李世民（本年三十二岁），前往皇家祖庙祭祀。

正月二十一日，李世民在首都长安城东，举行亲自耕田典礼。

2 佛教和尚法雅，被控妖言惑众，斩首。司空（三公之三）裴寂曾经听到过这项妖言，却没有检举。

正月二十九日，裴寂因此被免除官职，命他回归故乡。裴寂请求留在京师（首都长安），李世民指摘他说："依照你的功劳，怎么可以升迁到如此高位？你只不过蒙受太上皇（李渊）宠爱，在文武百官中，侥幸居于第一。二〇年代时（李渊在位），贿赂公行，法纪紊乱，毛病都出在你身上，只因你是昔日故旧，不忍心依法处理，你能活着回到故乡，已属万幸。"裴寂遂回蒲州（山西省永济市）。

不久，裴寂又被指控：精神病患者信行（信，姓），曾说过裴寂有当皇帝的命，而裴寂也没有报告，应处死刑；最后贬窜静州（广西昭平县），正巧山区羌族部落作乱，谣传劫持裴寂当盟主。李世民说："裴寂应该处死，是我饶他一命，他绝不会如此。"不久得到消息，裴寂率领他的家人，击破作乱军。

李世民想到裴寂有开国辅佐的功劳（参考六一七年四月），征召他回中央，而裴寂却因病逝世（年六十岁）。

3 二月六日，任命最高立法长（中书令）房玄龄当国务院左最高执行长（左仆射），国务院国防部长（兵部尚书）杜如晦当国务院右最高执行长（右仆射）；任命国务院右秘书长（尚书右丞）魏徵暂任皇家图书院长（守秘书监）、实质宰相（参预朝政）。

4 三月八日，李世民审查囚犯。有一人名叫刘恭，因脖子上纹路像个"胜"字，曾经自己宣传说："当称霸天下。"因此被捕入狱。李世民说："如果上天要他崛起，我就无力把他排除；他如果没有上天之命，一个'胜'字又有什么意义！"下令释放。

5 三月十六日，李世民告诉房玄龄、杜如晦说："你们当国务院最高执行长（仆射），应该广泛物色贤能人才，依照他们的才能，命他们当官尽责，这才是宰相的职务。近来听说你们每天忙着处理诉讼案件，怎么有时间帮助我物色贤能人才！”遂下手令：“国务院（尚书）事务性工作，归左右秘书长（左右丞）管辖，遇到必须奏报的大事，才禀告最高执行长（仆射）。”

房玄龄精通行政工作，又有文学素养，从早到晚竭尽心力，唯恐公务处理有误；待人处事，宽厚和平，听说别人优点，就好像是自己的优点一样，从不要求对方十全十美，也不把自己的长处作为标准。房玄龄跟杜如晦推荐提拔知识分子，只担心还有遗漏。唐王朝组织规模，都是二人制定。李世民每次跟房玄龄讨论大事，一定说：“非杜如晦不能决定。”等到杜如晦抵达，总是采用房玄龄的策略。因为房玄龄精于策划，而杜如晦精于判断。二人密切合作，一心为国，所以唐王朝时代的贤能宰相，都认为是房玄龄、杜如晦。房玄龄虽然受皇帝无比的宠爱，但有时候偶尔被李世民谴责，他就每天前往金銮宝殿，叩头请求宽恕，恐慌畏惧，好像世界上已没有他容身之地。

房玄龄当国史馆馆长（监修国史），李世民嘱咐说：“最近看到《汉书》，刊载《子虚赋》《上林赋》，文字浮华，毫无用处。至于有些讨论时政的奏章，理由充分，措辞正直的，无论我采纳或不采纳，都应记载。”

6 夏季，四月四日，太上皇李渊迁居弘义宫，改名大安宫。李世民才开始使用太极殿（李渊传位时，李世民在太子宫显德殿登极，李渊迁居弘义宫，宫城才正式腾出），对文武官员说：“立法院（中书）、监督院（门下），都是政府机要之地，无论诏书或手令，有不恰当时，都应反应。最近我只看到事事顺从，却听不见一点反对声音，如果只是办办公文，谁都可以做，何必由贤能人才担任！”房玄龄等叩头请求宽恕。

依照政府运作惯例：凡是军国大事，先由立法官（中书舍人）写出各人的意见，由大家分别签名，称“五花判事”。然后呈报副立法长（中书侍郎）、最高立法长（中书令）修正。最后移送监督院（门下省），交由御前监督官（给事中）及副监督长（黄门侍郎）审查，提出反对或修正意见。李世民加强这项古老制度，自此政府很少犯错。

7 茌平（山东省聊城市茌平区）人马周，客居长安（陕西省西安市），住在贵族征兵府司令（中郎将，正四品下）常何家中。

六月十二日，因正逢旱灾，李世民命文武百官尽量批评政府，常何没有学识，不知道应说什么，马周遂代他撰写二十余项建议。李世民对常何忽然有如此见识，大为惊讶，向常何查询，常何回答说：“我没有这个本领，是我的客人马周代我拟定草稿。”李世民立即召见马周，马周还没有到，李世民一连派人前往催促，等到马周晋见，李世民和他谈话，大为高兴，派他到监督院（门下省）上班；不久，任命他当行政监察官（监察御史），奉命调查案件，李世民全都满意。认为常何能发掘人才，赏赐绸缎三百匹。

8 秋季，八月一日，日蚀。

9 八月八日，薛延陀汗国（蒙古国西南部）毗伽可汗乙失夷男，派他的老弟乙失统公爵到唐帝国进贡，李世民馈赠给他一把宝刀和一条宝鞭，对他说：“你的部属中，有犯大罪的，用这把刀斩首，有犯小罪的，用这条鞭抽打。”乙失夷男欣喜过望。东突厥汗国（瀚海沙漠群）颉利可汗（十三任大可汗）阿史那咄苾听到消息，大为恐惧，立刻采用低姿势，派使节向唐政府称臣，请求迎娶公主，以女婿的身份进贡礼物。

代州军区（总部设山西省代县）总司令（代州都督）张公谨，上疏分析必须对东突厥汗国发动攻击的原因，说："阿史那咄苾随心所欲，不知道克制，横肆凶暴，诛杀忠良，亲近奸佞，其一。薛延陀等部落，纷纷叛离，其二。突利可汗（小可汗阿史那什钵苾）、拓将军（阿史那社尔）、欲谷将军（阿史那欲谷）都被他定罪，没有立身之地，其三。塞北严霜，大旱成灾，粮食缺乏，其四。阿史那咄苾疏远突厥人，亲信外族人，而外族人反复无常，中国远征军一旦压境，他们内部一定发生变化，其五。中国人流亡北方，数目众多（隋王朝末年，人民北逃），最近听说各在逃难之地，呼啸聚集，盘据山谷险要，中国远征军一旦出塞，他们自会响应，其六。"李世民因阿史那咄苾既跟唐政府和解，却又援助梁帝梁师都（参考去年〔六二八〕四月）。

八月十九日，命国务院国防部长（兵部尚书）李靖当远征军作战司令（行军总管），出兵讨伐；而命张公谨当李靖的副司令。

九月九日，东突厥司令官（俟斤）九人，率骑兵三千名，归降唐政府。

九月二十一日，拔野古部落（内蒙古呼伦湖西）、仆骨部落（蒙古国东部）、同罗部落（蒙古国乌兰巴托市北）、奚部落（滦河上游）酋长，率领部众，归降唐政府。

10 冬季，十一月四日，东突厥军攻击河西（甘肃省中部西部），肃州（甘肃省酒泉市）州长公孙武达、甘州（甘肃省张掖市）州长成仁重迎战，击破东突厥军，俘虏一千余人。

11 李世民派使节前往凉州（甘肃省武威市），凉州军区总司令（凉州都督）李大亮，养有优良猎鹰，使节暗示李大亮：应该呈献皇帝。李大亮上疏密奏，说："陛下断绝游猎，为时已久，而钦差大臣却要我呈献猎鹰，如果是陛下原意，则跟当初的承诺相违。如果是钦差大臣擅作主张，则他不是适当的钦差大臣人选。"

十一月六日，李世民对侍从官员说："李大亮可称忠直！"亲手撰写诏书褒扬，并赐给他一个外国水瓶，和一部荀悦著的《汉纪》（荀悦，参考二〇五年十月）。

12 十一月二十三日，唐政府任命兼并州军区（总部设山西省太原市）总司令（行并州都督）李世勣（徐世勣），当远征军通漠兵团总司令（通漠道行军总管），国务院国防部长（兵部尚书）李靖，当定襄兵团总司令（定襄道行军总管），华州（陕西省渭南市华州区）州长柴绍当金河兵团总司令（金河道行军总管），灵州军区（总部设宁夏灵武市）总司令官（灵州大都督）薛万彻当畅武兵团总司令（畅武道行军总管），共集结军队十余万人；各将领均受李靖指挥，分道向东突厥汗国攻击。

十一月二十八日，任城王李道宗在灵州（宁夏灵武市）击破东突厥军。

十二月二日，突利可汗（小可汗）阿史那什钵苾，到唐帝国朝见。李世民对左右侍从官员说："从前，太上皇（李渊）为了保护人民的缘故，向东突厥汗国屈膝称臣（否认称臣事，参考六二五年七月），我非常痛心。而今，单于（可汗）反过来向我们叩头，希望多少可以洗雪一点从前的羞辱。"

十二月十六日，靺鞨部落（黑龙江下游）派使节到唐帝国进贡，李世民说："靺鞨部落从遥远的地方前来我国（黑龙江下游，距长安航空距离二千五百公里)，只因东突厥已向大唐臣服；古人认为抵御蛮夷没有最上等策略(严尤告诉王莽语，参考一一年)，我今天使大唐强大，四方蛮夷自然归附，岂不是上策！”

13 十二月十七日，国务院右最高执行长(右仆射)杜如晦，因病辞职，李世民允许。

14 十二月十九日，李世民问御前监督官(给事中)孔颖达说：“《论语》：‘有才能的人请教于没有才能的人，知道多的请教于知道少的人；知识丰富好像知识贫乏，心灵充实好像心灵空虚。’(“以能问于不能，以多问于寡，有若无，实若虚。”)是什么意思？”孔颖达加以解释，并且说：“不但一介平民要如此，君王也要如此，君王头脑英明，外表就应沉默，所以《易经》说：‘用安静的态度培养正气，用沉默的态度面对人民。’(“以蒙养正，以明夷莅众。”)如果居尊贵的高位，却炫耀自己的聪明，用自己的才华欺凌别人，拒绝别人劝告，美化自己的错误，则下情不能上达，是亡国之道。”李世民称许他的意见。

15 十二月二十四日，东突厥汗国将军阿史那郁射，率部众投降唐帝国。

16 闰十二月十一日，东谢部落酋长谢元深、南谢部落酋长谢强，到唐帝国朝见。谢部落是南方蛮族的一个支派，位于黔州(重庆市彭水县)以西。李世民下诏，在东谢部落设应州(贵州省三都县)，在南谢部落设庄州(贵州省贵阳市南)，隶属黔州军区(总部设重庆市彭水县)。此时，远方各国前来唐帝国朝见进贡的很多，服装奇异。副立法长（中书侍郎）颜师古，请求政府把各种奇异服装，绘图保留，传给后世，称《王会图》，李世民批准。

闰十二月二十九日，牂柯（贵州省瓮安县）酋长谢能羽，及充州（贵州省石阡县）部落，都向唐帝国进贡。李世民下诏，在牂柯设牂州（贵州省瓮安县）；党项部落（四川省西北部）酋长细封步赖（细封，复姓）向唐帝国投降，唐政府在该地设轨州（四川省阿坝县）；以上都任命他们的酋长担任州长。党项部落辖区广达三千华里，各以姓氏组成不同的支派，互不隶属，其中细封、费听、往利、颇超、野辞、旁当、米擒、拓跋，都是大姓。细封步赖既被唐帝国优待，其他部落遂纷纷归降，于是分别在各部落设置崌州、奉州、岩州、远州等四州（均在四川省松潘县西万山丛中）。

17 本年（六二九），国务院财政部（户部〔此时应称"民部"〕）奏称：从塞外回归的中国人及向唐帝国投降的四方部族，前后相加，共男女一百二十余万人。

18 国务院左最高执行长（左仆射）房玄龄、暂任最高监督长（守侍中）王珪，负责文武官员甄选考绩。副总监察官（治书侍御史，从五品上)、万年(首都长安东半城)人权万纪，弹劾二人不公。李世民命侯君集调查审理。魏徵劝阻说:“房玄龄、王珪，都是政府旧有官员，平时因忠心正直，深受陛下信任，他们考核的人太多，其中难道没有一二人不恰当。但探讨其中情节，并不是包庇私人。如果根据这一二人的事实论罪，则其他裁决，就全都不可信赖，他们怎么能再负这项重大责任！而且，权万纪最近一直参与考核工作，从没有提出纠正，等他不再参与，才表示意见，正是为了要激怒陛下，不是为了竭诚报国。假如查出所控是实，对政府没有裨益；假如查出所控是假，也会失去陛下信任高官的初意。我所关心的是治国大道，不敢袒护房、王二人。”李世民下令不再调查。

19 濮州(山东省鄄城县)州长庞相寿，因贪污免职，庞相寿陈情说，他曾在秦王府供职，李世民怜惜，打算命他仍回原位。魏徵劝阻说:“秦王(李世民)左右侍从官属，中外很多，恐怕人人都将仗恃陛下恩典私惠，将使善良的人恐惧。”李世民欣然采纳，对庞相寿说:“我从前当秦王，是一府之主；而今当天子，是四海之主，不能偏袒旧人。执政高官执意如此，我怎么能反对！”赏赐金银绸缎，遣送他回去，庞相寿流泪叩辞。

贞观之治

导读

“贞观之治”终于来临。

贞观，是唐王朝二任帝李世民在位时的年号，自六二七年到六四九年，历时二十三年。二十三年，在五千年漫长历史中，极为短暂，可是，这极为短暂的二十三年，却被视为太平盛世的典范，成为以后一千余年所有政治领袖羡慕、模仿的样本。

“贞观之治”主要的成绩有二，一是解除了长久以来泰山压顶般的北方外患，二是国内政治进入轨道，冤狱减少。我们当然更要肯定李世民大帝的英明领导。

柏杨　一九八八·四·一五

唐王朝

- 李靖北伐，东突厥汗国亡。
- “贞观之治”。
- 唐军大破吐谷浑汗国，可汗慕容伏允自缢死。
- 美女武曌入宫。
- 唐军攻击高昌王国。

- 穆罕默德攻陷麦加，建阿拉伯帝国，中国称“大食”“天方”。
- 中国高僧玄奘深入印度苦学。
- 阿拉伯军队攻陷大马士革、耶路撒冷。

六三〇年 庚寅

唐 贞观 四年

1 春季，正月，唐王朝（首都长安〔陕西省西安市〕）远征军定襄兵团总司令（定襄道行军总管）李靖，率骁勇骑兵三千人，自马邑（山西省朔州市）进驻恶阳岭（内蒙古和林格尔县南），夜晚，袭击定襄（和林格尔县），攻破。东突厥汗国（瀚海沙漠群）颉利可汗（十三任大可汗）阿史那咄苾再想不到李靖军突然出现，大惊说："唐帝国如果不是全国出动，李靖一支孤军，怎么敢到这里！"一日之间，不断惊恐骚动，于是把王庭（中央政府）迁到碛口（内蒙古四子王旗西北呼和淖尔西沙漠口岸）。李靖又派出间谍，挑拨阿史那咄苾跟他心腹干部之间感情，阿史那咄苾亲信康苏密，首先携带隋王朝萧皇后（杨广正妻）及杨广的孙儿杨政道，投奔唐帝国（萧皇后进入突厥事，参考六一九年四月）。

正月九日，杨政道等抵达京师（首都长安）。之前，归降者中有人说："唐帝国有人暗中写信给萧皇后！"现在，立法官（中书舍人）杨文瓘请求审讯萧皇后，李世民说："天下还没有安定，突厥又正强盛，人民愚昧无知，或许有这种事。而今，全国统一，过去犯的错误，何必追问！"

远征军通漠兵团总司令（通漠道行军总管）李世勣（徐世勣），从云中（山西省大同市）出发，在白道（内蒙古呼和浩特市北）跟东突厥军会战，大破东突厥军。

2 二月三日，唐帝（二任太宗）李世民（本年三十三岁）前往骊山温泉（陕西省西安市临潼区境）。

3 二月八日，远征军定襄兵团总司令（定襄道行军总管）李靖，追到阴山，击破东突厥颉利可汗（十三任大可汗）阿史那咄苾大军。

先前，阿史那咄苾既被击败，逃到铁山（阴山之北），部众还有数万人，派执失思力到长安（陕西省西安市）晋见唐朝皇帝李世民，请求宽恕。阿史那咄苾承诺全国归附，自己也愿入朝。李世民派藩属事务部长（鸿胪卿）唐俭等前往慰问安抚，又下诏命李靖率军迎接阿史那咄苾。阿史那咄苾外貌十分卑屈，言辞尤其谦恭，但心里仍在犹豫，打算拖到草青马肥，继续向沙漠之北逃亡。李靖率军跟李世勣（徐世勣）在白道（内蒙古呼和浩特市北）会师，互相商量说："阿史那咄苾虽然挫败，可是部众仍然很多，势力仍相当强大，如果穿过瀚海沙漠，向北逃走，依靠九姓蛮夷（敕勒〔铁勒〕九姓，参考六四六年八月），道路遥远，又危险阻塞，势难追到。而今，钦差大臣正在他那里，蛮虏的警戒一定松懈，如果遴选精锐骑兵一万人，携带二十天粮食，前往袭击，用不着战斗，就能把他擒获。”遂将这项谋略告诉张公谨，张公谨说：“皇上已接受阿史那咄苾投降，钦差大臣又在他那里，怎么能发动攻击！”李靖说：“这正是韩信击破齐王国的原因（参考前二〇三年十二月），唐俭等的性命，有什么值得珍惜！”于是率军在夜晚出发，李世勣（徐世勣）随后跟进，大军抵达阴山，遇到东突厥部众一千余篷帐，全部俘虏，命他们随军前进。

颉利可汗（十三任大可汗）阿史那咄苾接见唐朝使节，大喜，心情也归平静。李靖派武邑（河北省武邑县）人苏定方，率骑兵二百人当前锋，利用大雾掩护挺进，距东突厥御帐只七华里，才被发觉。阿史那咄苾骑千里马先行逃走，李靖主力大军抵达时，东突厥军立刻崩溃，唐俭逃回。李靖杀一万余人，俘虏男女十余万人，掳获牲畜数十万头，斩隋王朝义成公主，生擒她的儿子阿史那叠罗施。阿史那咄苾率一万余人，打算横穿瀚海沙漠，李世勣（徐世勣）在碛口（内蒙古四子王旗西北呼和淖尔西沙漠口岸）布防，阿史那咄苾逃到那里，无法前进，属下大酋长都率领部众投降唐军，李世勣（徐世勣）掳获五万余人，班师。唐朝开拓疆土：南自阴山，北到瀚海沙漠群。远征军用不封口的告捷文书，向中央奏报胜利消息。

4 二月十日，李世民回宫（从骊山温泉）。

5 二月十八日，唐政府因击破东突厥汗国，赦免天下。

6 唐政府任命总监察官（御史大夫）温彦博当最高立法长（中书令）；暂任最高监督长（守侍中）王珪实任最高监督长（侍中）；国务院暂任财政部长（守民部尚书）戴胄实任财政部长（民部尚书）、三级实质宰相（参预朝政）。

任命祭祀部副部长（太常少卿）萧瑀当总监察官（御史大夫）、四级实质宰相（参议朝政）。

7 三月三日，任命东突厥汗国夹毕公爵（特勤）阿史那思摩，当右武候（卫军第十二军）大将军（正三品）。

唐帝国四领部族酋长君王，在长安（唐首都，陕西省西安市）皇宫门前集合，请求李世民接受他们所上的尊贵绰号：天可汗，李世民说："我是大唐天子，难道还要兼办可汗的事！"文武百官，以及四领部族酋长、国王，都高呼万岁！自此以后，李世民对西北边陲酋长君王颁发诏书时，一律自称"天可汗"。

三月五日，东突厥汗国司令官（俟斤）阿史那思结，率部众四万人，投降中国。

三月十一日，唐政府任命突利可汗（小可汗）阿史那什钵苾当右卫（卫军第二军）大将军（正三品），封北平郡王。

最初，始毕可汗（十一任大可汗）阿史那咄吉，任命启民可汗（十任大可汗）阿史那染干亲弟阿史那苏尼失，当沙钵罗将军，管辖部落五万家，牙帐位于唐帝国灵州（宁夏灵武市）西北。后来颉利可汗（十三任大可汗）阿史那咄苾政治衰败，大家纷纷叛变，只阿史那苏尼失部落，仍没有二心。突利可汗阿史那什钵苾投降唐帝国，阿史那咄苾封阿史那苏尼失当小可汗。阿史那咄苾在碛口被李世勣（徐世勣）击败，前往投奔阿史那苏尼失，打算继续投奔吐谷浑汗国（青海省）。远征军大同兵团总司令（大同道行军总管）任城王李道宗率军进逼，命阿史那苏尼失逮捕阿史那咄苾。阿史那咄苾得到消息，率数名骑兵趁夜逃走，躲藏到荒山穷谷之中，阿史那苏尼失大为恐惧，驰马追赶，把他擒获。

三月十五日，远征军副作战司令张宝相，率军突袭阿史那苏尼失大营，俘虏阿史那咄苾，押送京师（首都长安）；阿史那苏尼失率部众投降中国。

瀚海沙漠以南，遂无敌踪。

8 蔡公爵（成公）杜如晦病重，李世民派太子李承乾前往问安，又亲自探视。

三月十九日，杜如晦逝世（年四十六岁）。

李世民每得到好东西，就想到杜如晦，派使节送到他家。很久以后，谈到杜如晦，都忍不住哭泣流泪，对国务院左最高执行长（左仆射）房玄龄说："你跟如晦一同辅佐我，而今，只看到你，却看不到如晦。"

9 东突厥颉利可汗（十三任大可汗）阿史那咄苾，被押送到长安（陕西省西安市）。

夏季，四月三日，李世民登顺天楼（皇城南面中门〔顺天门〕城楼）受降，仪式铺张，大量陈列各种宝贵文物器具，引见阿史那咄苾，斥责说："你仗恃老爹老哥遗留下的本钱，放情纵欲，荒淫横暴，自找灭亡，罪状之一。不断跟我国结盟，又不断叛盟，罪状之二。自认为强大，喜爱战争，枯骨遍野，不能安葬，罪状之三。蹂躏摧残我国庄稼，掠夺我国子女，罪状之四。我赦免你的罪，只在保存你

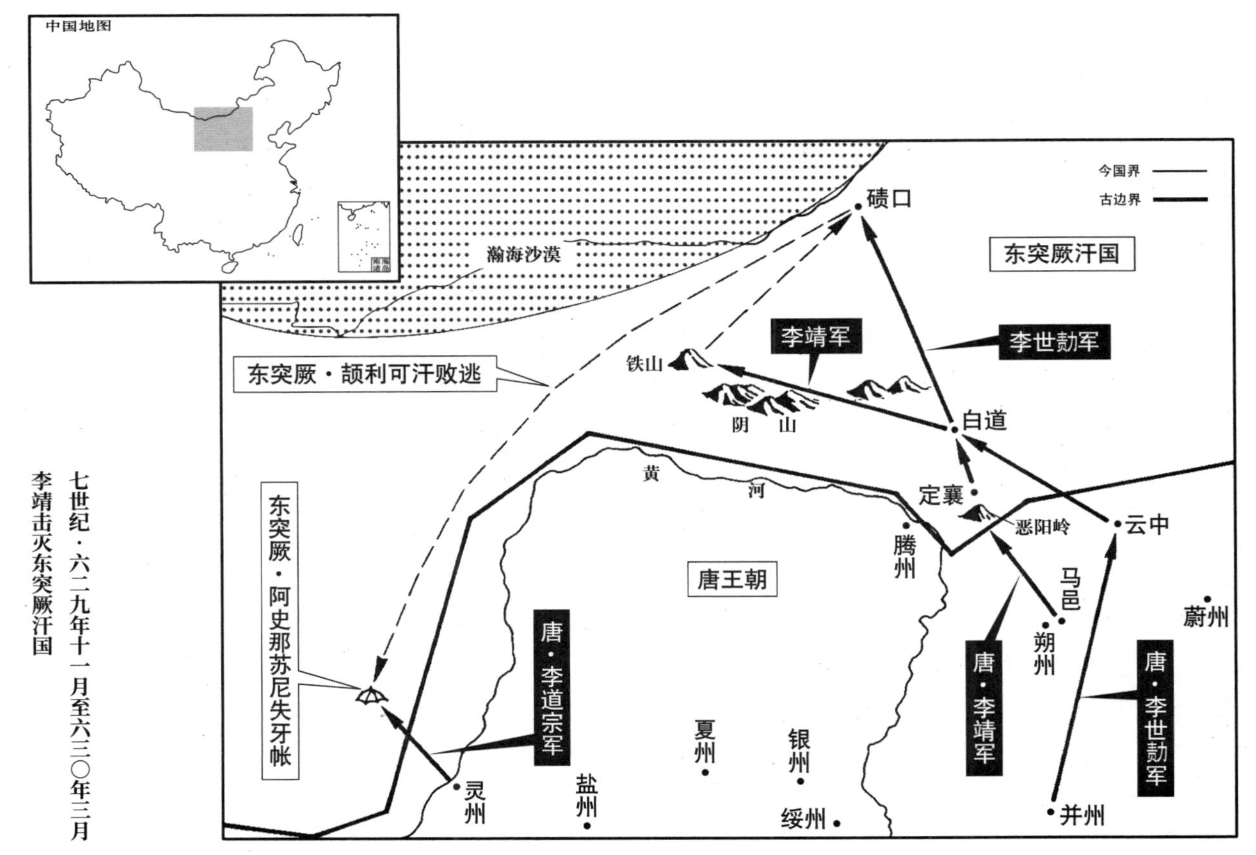

七世纪·六二九年十一月至六三〇年三月
李靖击灭东突厥汗国

的汗国，你却迁延推辞不肯入朝，罪状之五。然而，念及你自渭河便桥结盟以后（参考六二六年八月），不再大举侵略，因此饶你不死。”阿史那咄苾痛哭谢恩，告退。李世民命他住畜牧部（太仆）宾馆，供应丰富饮食。

太上皇李渊听到生擒颉利可汗（十三任大可汗）阿史那咄苾消息，叹息说：“刘邦被困白登（参考前二〇〇年），不能报复。而今，我儿能消灭突厥，我把政权托付给适当的人，还有什么值得担忧！”李渊召唤李世民跟高级官员十余人，以及各亲王、王妃、公主，在凌烟阁设筵，酒半醉时，李渊亲自弹琵琶，李世民随音乐跳舞，三公及部长级高官都起身敬酒祝福，到夜深才散。

东突厥汗国既被消灭，残余部落有的向北投奔薛延陀汗国，有的向西投奔西域（新疆及中亚东部），而投降唐帝国的约有十万人，李世民下诏命文武官员商讨如何安置，官员们很多主张：“北方蛮夷自古以来，都是中国的灾难，幸而今天破灭，应该把他们全部迁到黄河以南古兖州（古兖州，山东省西部）及豫州（古豫州，河南省）一带，拆散他们的部落，分别遣送到各州县，教他们耕田织布，把那些蛮虏教化成农民，使塞北地区永成真空。”副立法长（中书侍郎）颜师古认为：“突厥、铁勒，自上古以来，没有人可以使他们臣服，陛下既使他们臣服，请把他们仍安置在河北（黄河河套以北），分别遴选酋长，领导各个部落，则永无后患。”国务院教育部副部长（礼部侍郎）李百药认为：“突厥虽然称为一个国家，事实上因种族及部落的不同，各有酋长。而今乘势把他们分散隔离，就命各部落各自推选首领，地位平等，谁也不隶属谁。即令特别保存阿史那一族，可汗也只算阿史那家族的首领。汗国既被分割，力量一定减弱，就容易控制；各部落互相间势均力敌，就难以吞并；各自独立，就决不可能跟中国抗衡。我建议在定襄（内蒙古和林格尔县）设立总督府（都护府），负责管理，这是使边疆安宁的长程计划。”夏州军区（总部设陕西省靖边县北白城则村）总司令（夏州都督）窦静认为：“蛮夷性情，好像禽兽，不能用刑罚吓阻，也不能用仁义感化，何况他们回归故国的盼望，不容易忘记，把他们安置在中原地带，只会造成伤害，不会有一点裨益，恐怕万一发生变化，冒犯国法。不如趁他们残破败亡之际，施舍给他们再也想不到的恩典，封他们酋长一个王侯的称号，再把皇族的女儿嫁给他们为妻，分割他们的土地，拆散他们的部落，使他们权力薄弱，形势崩裂，就容易控制，可使他们永成藩属，长保边塞平安。”最高立法长（中书令）温彦博认为：“把他们迁移到古兖州豫州一带，违背人性，不是对他们保护养育之道。请依照东汉王朝一世纪五〇年代，把匈奴人安置在边塞以内的前例，仍保持他们原来的部落编制，尊重他们固有的风俗习惯（参考五〇年），用来开垦人烟稀少的土地，作为大唐的屏藩，这应是最好的策略。”皇家图书院长（秘书监）魏徵认为：“突厥世代侵略中原，是人民的仇敌，今天幸而破亡，陛下因为念及他们投降归附，不忍心全部屠杀，最好是使他们回到他们的土地之上，不可留在大唐境内。蛮夷都是人面兽心。衰弱的时候屈服，强大的时候背叛，这是他们的本性。现在，投降的人将近十万，数年之后，子孙蕃衍，人口将加倍成长，一定成为大唐的心腹大患，后悔已来不及。晋王朝初年，各蛮夷分散到内地各处，郭钦、江统，都劝司马炎（晋王朝一任帝）把他们驱出塞外，斩断乱源，司马炎不能接受（参考二八〇年十月、二九九年正月。江统进谏的对象应是晋王朝二任帝司马衷，不是司马炎）。二十余年后，伊洛（洛阳）一带，遂成为蛮夷巢穴，前事可作鉴戒。”温彦博说：“君王和万民之间的关系，好像天一样覆盖，地一样承载，毫不遗漏。而今，突厥走投无路，向我们归降，怎么可以抛弃不理！孔丘说：‘只管认真教育，不管他是什么人。’（“有教无类”）如果把突厥人从死亡中救出来，传授给他们生产能力，教导他们礼义，数年之后，都会成为大唐的国民。再遴选他们酋长到京师（首都长安）担任皇家禁卫军官，他们畏惧威严，感怀恩德，哪里来的后患？”

李世民最后终于采取温彦博处理突厥投降部众的建议，东起幽州（北京市），西到灵州（宁夏灵武市），在突利可汗故地，设置顺州（五柳戍，辽宁省朝阳市南）、祐州（今地不详）、化州（陕西省榆林市北）、长州（陕西省靖边县西）四个军区总司令部（都督府），又在颉利可汗故地，设立六个州，东方设置定襄军区（内蒙古锡林郭勒盟）总司令部（定襄都督府），西方设置云中军区（内蒙古乌兰察布市）总司令部（云中都督府），统御突厥部众。

五月七日，李世民任命突利可汗阿史那什钵苾当顺州军区（总部设辽宁省朝阳市南）总司令（顺州都督），命他率部众前往到职。李世民警告阿史那什钵苾说：“你的祖父启民可汗（十任大可汗）阿史那染干，单身投奔隋王朝，隋王朝封他当大可汗，领土涵盖北方原野（参考五九九年十月）；你的老爹始毕可汗（十一任大可汗）阿史那咄吉，反而成为隋王朝的灾难（参考六一五年八月），上天不容，所以今天使你们混乱丧亡到这种地步。我所以不封你当突厥大可汗，实在是害怕历史重演。而今命你当大唐的军区总司令（都督），你应该好好遵守大唐法令，不要再侵扰抢掠。不仅仅希望大唐长久平安，也希望保护你家族长久平安。”

五月八日，李世民封阿史那苏尼失当怀德郡王，阿史那思摩当怀化郡王。颉利可汗（十三任大可汗）阿史那咄苾败亡时，各部落酋长都抛弃他，纷纷向大唐投降，只阿史那思摩追随左右，不肯离去，最后竟跟阿史那咄苾同时被俘。李世民称赞他的忠心，命他当右武候（卫军第十二军）大将军（正三品）。不久再命他当北开州军区（总部设陕西省榆林市北）总司令（北开州都督），统御阿史那咄苾旧有直属部众。

五月十三日，李世民任命右武卫（卫军第四军）大将军（正三品）史大奈（阿史那大奈）当丰州军区（总部设内蒙古五原县）总司令（丰州都督），其他归降的突厥酋长，全命他们当“将军”“司令”（中郎将），分发有关政府单位。计五品以上官员有一百余人，几乎占中央原有官员的半数；突厥人定居长安（陕西省西安市）的，将近一万家。

10 五月十七日，李世民下诏：“今后，诉讼案件不服国务院（尚书省）判决的，可以上诉东宫（太子宫），请求太子（李承乾）裁决，如果仍然不服，再上奏皇帝。”

11 五月二十三日，总监察官（御史大夫）萧瑀上奏，弹劾远征军定襄兵团总司令（定襄道行军总管）李靖，攻陷颉利可汗（十三任大可汗）阿史那咄苾王庭（牙帐）时，军纪败坏，以至官兵大肆劫掠，汗国金银财宝，珍玩古董，被抢一空，请将李靖交付军法审判。李世民手令阻止这项弹劾，但李靖班师回京（首都长安）晋见时，李世民仍对他严厉斥责，李靖叩头请求宽恕。很久，李世民才说：“隋王朝时，史万岁击破达头可汗（小可汗）阿史那玷厥，建立大功，不但没有赏赐，反而被杀（参考六〇〇年十月）。我跟杨坚不一样，只记你的功，不记你的罪。”加授李靖左光禄大夫（文散官三级，从二品），赏赐绸缎一千匹，增加采邑连同从前所有的，共五百户。

过了一段时间，李世民对李靖说：“从前，有人进谗言陷害你，我已经醒悟，请你不要挂心。”再赏赐绸缎二千匹。

12 林邑王国（越南中部）向唐王朝呈献火珠（传说：中午时，把珠放在阴影地方，下放艾草，珠即出火），主管单位因他们奏章上措辞傲慢，请求出兵讨伐，李世民说：“好战之徒，一定覆亡。杨广、阿史那咄苾，都是我们亲眼看到的。攻击小国，战胜他并不威武，何况未必战胜！言语文字上的瑕疵，不必在意！”

13 六月四日，唐政府任命怀德郡王阿史那苏尼失当北宁州（今地不详）军区总司令（北宁州都督），贵族征兵府司令（中郎将）史善应当北抚州（今地不详）军区总司令（北抚州都督）。

六月九日，任命右骁卫（卫军第六军）将军（从三品）康苏当北安州（今地不详）军区总司令（东突厥汗国消灭后，唐政府在该国故土上所置各州，都有名无实，而且州名也昙花一现）。

14 六月二十二日，唐政府征调士卒，整修洛阳宫殿，准备李世民前往巡视。

御前监督官（给事中）张玄素上书劝阻，认为：“陛下前往洛阳（河南省洛阳市）巡视，日期还没有决定，就预先整修宫殿，不应是今天紧急任务。从前，刘邦（西汉王朝一任帝）采纳娄敬的建议，把国都从洛阳迁到长安（参考前二〇二年五月），岂不是因为洛阳形势，远不如关中（陕西省中部）！刘启（西汉王朝六任帝）相信晁错的计划，以至激起七国叛变（参考前一五四年正月）。陛下今天把突厥人安置在大唐境内，突厥人跟政府的亲密关系，比西汉王朝七国跟政府间的亲密关系如何！为什么不作深远忧虑，却急于兴建宫殿，轻易出巡！我曾亲眼看到，隋王朝兴建洛阳宫殿时，附近山上没有粗木，而使用的巨大梁柱，都来自远方（参考六〇五年三月），两千人牵引一根梁柱，用坚木做成车轮，但仍摩擦生热，冒出火焰。于是改用铁质轮轴，但也只能走一二华里，铁轴即行破裂，另派数百人专门携带铁轴，跟随左右，随时更换，一天时间，不过前进二三十华里。一根梁柱，就用去数十万人的工资，其他开支，可推想而知。陛下当初攻克洛阳，对隋王朝宫殿的雄壮宏大部分，下令摧毁（参考六二一年五月），迄今不到十年，就再加修建，为什么从前那样痛恨它，又为什么今天这样急于起而仿效！而且，帝国今天的财富，怎么比得上隋王朝？陛下驱使满身创伤的人民，踏上隋王朝覆亡的道路，恐怕比杨广更为不如。”李世民说：“你以为我不如杨广，可是比姒履癸（桀）、子受辛（纣）如何？”张玄素说：“如果兴筑洛阳宫殿的工程不能停止，结果跟杨广一样，天下大乱。”李世民叹息说：“我考虑的不够周到，才有这种决定。”对国务院左最高执行长（左仆射）房玄龄说：“我因为洛阳位居全国中央，各地朝贡，道路远近平均，本来为了便利人民，所以才命修建宫殿。现在张玄素的话，理由充分，应该立刻停工。以后我有事前往洛阳，就是住在露天底下，也没有关系。”赏赐张玄素彩缎二百匹。

15 秋季，七月一日，日蚀。

16 七月二日，李世民问房玄龄、萧瑀说：“杨坚（隋王朝一任帝）是个什么样的政治领袖？”二人回答说：“杨坚治理国家，至为辛苦勤劳，主持御前会报，有时中午过后还不能结束。杨坚接见五品以上官员时，教他们入座谈论，漫长没有止境，以致卫士们不能换班，只好站在那里进餐。性情虽然并不仁慈忠厚，但总算一心求好。”李世民说：“你只知道这一面，却不知道还有另一面，杨坚并不聪明，却喜欢自作聪明，挑剔别人的小毛病。不聪明则观察无法透彻，喜欢挑剔小毛病则对人疑心重重；杨坚凡事都自己裁决，不信任干部。天下之大，一天要处理万件机要，即令累得身心憔悴，也不能全都中肯。官员既然了解领袖的心意，也只有一切听候指示，虽然发现错误，也没有人敢劝，所以只传两代（三任帝杨侑以下不计），国便覆亡。我跟他恰恰相反，选择天下贤能人才，分别担任各种官职，使他们思考天下大事，报告宰相，研究妥善，然后上奏。有功则赏，有罪则罚，谁敢不竭尽心力，进德修业，用不着担忧天下不太平。”于是，手令告诫文武百官：“自今以后，诏书手令有不恰当时，都应复奏，不可以一味顺从，不肯费心。”

17 七月十日，唐政府擢升前太子少保（太子三少之三）李纲，当太子少师（太子三少之一）；任命兼总监察官（兼御史大夫）萧瑀，当太子少傅（太子三少之二）。

李纲脚部患病，李世民赏赐给他人挽的小车，使他乘坐到内阁前，又屡次请他进宫，询问政治事务。李纲每到东宫（太子宫），太子李承乾都亲自叩拜。李承乾每次升堂处理事务，李世民都命李纲及房玄龄在旁陪坐。

最初，李世民命萧瑀当宰相（与宰相参议朝政），萧瑀气势凌人，而又喜爱争辩，房玄龄等都不能拒抗，而李世民对萧瑀的意见，又多不采纳。房玄龄、魏徵、温彦博，曾经有微小过失，萧瑀上疏弹劾，李世民不理，萧瑀因此灰心失意，李世民遂免除他总监察官（御史大夫）一职，专任太子少傅（太子三少之二），不再兼任宰相（预闻朝政）。

18 西突厥汗国（新疆北部及中亚东部）若干种族部落，散布在伊吾（新疆哈密市）一带，唐政府任命凉州军区（总部设甘肃省武威市）总司令（凉州都督）李大亮，当西北道安抚特使，在碛口（哈密市东沙漠出口）储存粮食，对投奔大唐的降人，发给粮食赈济；对派到唐王朝的使节，则招待慰劳；于是道路上行人前后相望。李大亮上疏说：

"要号召远方的人，必定先安抚近地的人，中国是树根，四方蛮夷是树叶，压榨中国供奉四方蛮夷，犹如拔出树根，去增添树叶。我远考秦、汉王朝，近看隋王朝，对外重视蛮夷，都促使本国穷苦。而今对西突厥的政治攻势，只看到浪费，没有看到利益。何况河西（甘肃省中部西部）州县，一片萧条，自从西突厥衰败，农民才开始耕种，而今又要供奉这项差役，实不堪负荷，不如撤销安抚特使，恢复正常。伊吾（新疆哈密市）地区，几乎全是沙砾，住民如果拥戴一个首领，愿向大唐称臣，归附我国，我们就应联系接受，命他们仍住塞外，做大唐的外围屏藩，这才是用虚惠交换实利的方略。"

李世民批准。

19 八月十四日，李世民下诏："政府官员平日服装，没有等级区别。从今以后，三品以上穿紫色，四品五品穿红色，六品七品穿绿色，八品九品穿青色；妻子的服饰比照丈夫。"（四品以下服装，红、绿、青，又分深浅；五品浅红、七品浅绿、九品浅青。）

20 八月二十二日，李世民下诏，擢升国务院国防部长（兵部尚书）李靖，当国务院右最高执行长（右仆射）。

李靖性情沉默敦厚，每次跟众宰相商议国事，拘谨慎重，好像不会讲话。

21 东突厥汗国既已灭亡，营州军区（总部设辽宁省朝阳市）总司令（营州都督）薛万淑，派契丹部落（辽河上游）酋长贪没折，前往游说东北各部落。于是，奚部落（滦河上游乌桓人）、霫部落（辽河以北匈奴人）、室韦部落（内蒙古东北部）等十余部，都归降大唐。薛万淑，是薛万均的老哥。

22 八月二十六日，东突厥汗国将军阿史那欲谷，向大唐投降。阿史那欲谷，是突利可汗（小可汗）阿史那什钵苾的老弟。阿史那什钵苾溃败，阿史那欲谷投奔高昌王国（新疆吐鲁番市东），听说阿史那什钵苾受到大唐礼遇，遂向大唐投降。

23 九月六日，伊吾（新疆哈密市）城防司令（城主），到唐帝国首都长安（陕西省西安市）朝见。隋王朝末年，伊吾归附隋帝国，隋帝国设伊吾郡（事在六一〇年）；隋王朝衰乱，伊吾向东突厥汗国称臣，东突厥汗国既亡，伊吾城防司令（城主）率领所属的七个城池，再归降唐帝国，唐政府遂在该地设西伊州（后年〔六三二〕改称伊州）。

24 思结部落（蒙古国哈拉和林市西南）饥馑穷苦，朔州（山西省朔州市）州长、新丰（陕西省西安市临潼区东北新丰街道）人张俭，号召他们归降唐帝国；有些人响应这项号召；但也有些人拒绝，仍留在瀚海沙漠群以北。两方面亲戚朋友私下往来，张俭并不禁止。

后来，张俭转任胜州军区（总部设内蒙古托克托县）总司令（胜州都督），朔州州政府上疏奏称：迁入唐帝国的思结部落准备叛变。李世民下诏命张俭前往调查，张俭单人匹马，进入思结部落游说沟通，把他们迁到代州（山西省代县），李世民即任命张俭摄理代州军区总司令（检校代州都督），而思结部落最后也没有叛变。张俭遂鼓励思结部众耕田垦荒，本年（六三〇），庄稼丰收。张俭恐怕思结部众积蓄太多，生出异心，于是奏请中央核准，用市价收购他们的粮食，加强边防储存。思结部落大为欢喜，耕田越发努力，而边防储备更为充实。

25 九月十四日，开拓南方疆域，设置费州（贵州省思南县）、夷州（贵州省凤冈县东）。

26 九月十七日，李世民前往陇州（陕西省陇县）。

27 冬季，十一月一日（原文“壬辰”，据《新唐书》改），李世民任命右卫（卫军第二军）大将军（正三品）侯君集，当国务院国防部长（兵部尚书），实质宰相（参议朝政）。

28 十一月三日，李世民返京师（首都长安）。

29 李世民阅读《明堂针灸书》，上面记载：“人类所有内脏，都联系脊背。”

十一月十七日，李世民下诏命自今以后，不准捶击鞭打囚犯脊背。

30 十二月十四日，李世民前往鹿苑（陕西省西安市高陵区境）打猎。

十二月十五日，李世民回宫。

31 十二月二十四日，高昌王国（新疆吐鲁番市东）国王（十五任王）麴文泰，前来唐帝国朝见。西域（新疆及中亚东部）各国听到消息，纷纷趁麴文泰朝见之便，派使节向唐帝国进贡，李世民命麴文泰的随从厌怛纥干，西上迎接。皇家图书院长（秘书监）魏徵劝阻说：“从前，刘秀（东汉王朝一任帝）不接受西域（新疆及中亚东部）各国的人质，拒绝设立总督（都护），认为不应为了蛮夷而削弱自己的国家（参考四七年）。而今，天下刚刚安定，麴文泰入朝之时，所经过的地方，接待安顿，费用至为庞大，官民更是辛劳。十个国家进贡的使节，加上随从，不可能少于一千人，边疆人民消耗严重，将无法承受这项苦难。如果准许他们的商人往来，跟边疆人民做生意，当然可以；但如果把他们当作宾客接待，不是大唐之福。”当时，厌怛纥干已经出发，李世民立即下令停止。

32 在一个各位宰相都在座的筵席上，李世民对最高监督长（侍中）王珪说：“你的见识深远，而口才又好，现在请你从房玄龄开始，对在座各人，一一评鉴，并且你自认为比他们如何？”王珪说：“谨慎小心，献身国家，认为应做的一定去做，我不如房玄龄。文武全才，出则当元帅，入则当宰相，我不如李靖。撰写诏书，奏报事务，详细明确，分析公允，我不如温彦博。处理复杂困难问题，解决紧急事变，都能照顾周到，我不如戴胄。总是盼望君王上比伊祁放勋（尧）、姚重华（舜），而且以规劝君王作为自己的责任，我不如魏徵。至于淘汰欠缺品德能力的人，擢升贤能的人，痛恨邪恶，喜爱正直，我比在座各位，也算是一点小小长处。”李世民十分同意，大家也认为是一种定论。

33 李世民刚登极时，曾经跟文武官员谈到教化，李世民说："而今，天下大乱之后，恐怕人民不容易接受教化。"魏徵回答说："不然。长期安定中的人，容易骄傲淫逸，骄傲淫逸的人才难教化；久经离乱的人，全都身心愁苦，身心愁苦的人反而容易教化。譬如饥饿的人什么食物都觉得好吃，口渴的人什么水都觉得好喝。"李世民同意。封德彝反驳说："三代（夏商周）以下，人心逐渐轻浮诡诈，所以秦王朝使用法律治国，西汉王朝羼杂霸术，都是因为想教化而不能教化，并不是能教化而不教化！魏徵不过一个平凡的知识分子，不知道世界大势，如果相信他那些迂阔理论，一定败坏国家。"（封德彝已于六二七年逝世，此项记载当是追叙。）魏徵说："五帝三王（五帝：黄帝姬轩辕、玄帝姬颛顼、帝喾姬夋、尧帝伊祁放勋、舜帝姚重华；三王：夏王朝一任帝姒文命、商王朝一任帝子天乙、周王朝一任王姬发），并没有改换人民，照样教化。从前，姬轩辕（黄帝）征服蚩尤，姬颛顼（玄帝）诛杀九黎，子天乙（商王朝末任帝）放逐姒履癸（夏王朝末任帝），姬发（周王朝一任王）讨伐子受辛（商王朝末任帝），都亲自缔造出太平盛世，难道他们不是在天下大乱之后？如果说古人淳朴厚重，以后渐渐轻浮诡诈，那么，时至今日，人民全都变成了鬼魅，政治领袖怎能治理鬼魅！"李世民终于采纳魏徵的建议。

六二七年，关中（陕西省中部）严重饥馑，每斗米值绸缎一匹；六二八年，天下蝗虫成灾；六二九年，全国又发生大水（关中饥馑及蝗灾，参考前年〔六二八〕三月及六月，至于去年〔六二九〕记载的，不是水灾，却是旱灾，参考去年六月）。李世民辛苦殷勤，照顾安顿，人民虽然流亡他乡，奔波乞讨，但都没有抱怨。本年（六三〇），全国丰收，流亡外乡的人全都回归故里，每斗米不过三四钱，年底为止，判处死刑的不过二十九人。东自东海，南到五岭（南岭），都夜不闭户，行旅商人，不带干粮，沿途都有饭店供应。

李世民对开府仪同三司（文散官一级，从一品）长孙无忌说："我登极的最初几年，上疏的官员都说：'政治领袖当独断独行，展示权威，不可以把权力交给部下。'也有人建议：'应该炫耀帝国武力，出军讨伐四方蛮夷。'只有魏徵劝我：'放弃武力，任用文官治理国家，国家安定，四方蛮夷自然归服。'我采纳了他的建议。而今，颉利可汗（东突厥十三任大可汗）阿史那咄苾被擒，突厥酋长甚至身带佩刀，担任皇家侍从，部落人民也都改穿大唐衣裳，这都是魏徵的力量，恨的是没有让封德彝亲眼看到。"魏徵叩头感谢说："突厥残破灭亡，四海之内，一派升平，都是陛下的威望和恩德所致，我怎么有这些力量！"李世民说："我能信任你，你又不辜负我的信任，功劳难道只是我的！"

34 国务院左最高执行长（左仆射）房玄龄奏称："检查军械库武器铠甲，远超过隋王朝。"李世民说："武器铠甲，军事装备，当然不可缺少。然而，杨广（隋王朝二任帝）的武器铠甲，岂不充足？而终于灭亡。各位尽心尽力使人民安定，才是我的武器铠甲。”

35 李世民对皇家图书院长（秘书监）萧璟说：“你在隋王朝时，能不能常常见到萧皇后（隋王朝二任帝杨广正妻）？”（萧璟跟萧皇后同一娘亲。）萧璟说：“杨广连儿女都不见，我是什么人，怎么能够见面？”魏徵说：“我听说杨广对他的儿子杨暕全不相信，一直派宦官前往窥探（参考六〇八年四月），听到杨暕饮宴，就说：‘他做了什么事，那样欢喜！’听到杨暕忧愁憔悴，就说：‘他有别的念头才这个样子。’父子之间，尚且如此，何况别人！”李世民笑说：“我今天待杨政道，比杨广待杨暕好多了。”萧璟，是萧瑀的老哥。

36 西突厥汗国肆叶护可汗（五任大可汗）阿史那咥力，是三任大可汗阿史那统的儿子，深受部众拥护，屈利俟毗可汗（四任大可汗）阿史那莫贺咄部下的酋长，也多往归附。

阿史那咥力率军攻击阿史那莫贺咄，阿史那莫贺咄大败，逃到金山（新疆阿尔泰山），被将军阿史那泥孰诛杀，汗国各部落遂共推阿史那咥力当大可汗（西突厥汗国短暂分裂，至此统一。参考前年〔六二八〕十二月）。

六三一年 辛卯

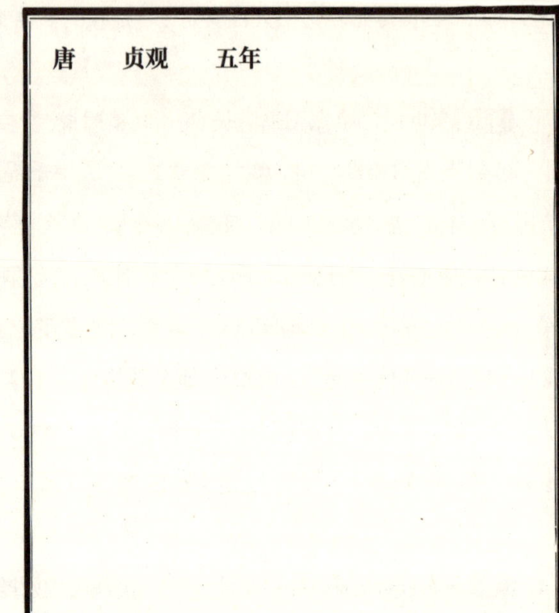

1 春季，正月，唐王朝（首都长安〔陕西省西安市〕）皇帝（二任太宗）李世民（本年三十四岁）下诏，命和尚、尼姑、道士，对父母都要下跪叩头。

2 正月十三日，李世民在昆明池（旧长安城西南）举行扩大狩猎，四方各族部落酋长及各独立王国国王，全都随从。

正月十四日，李世民设筵欢宴高昌王国（新疆吐鲁番市东）国王

(十五任王) 麴文泰和文武百官。

正月十六日，李世民还宫，亲自把狩猎得到的飞禽走兽，呈献给太上皇李渊。

3 正月二十三日，各地方政府进京朝见特使 (朝集使) 赵郡王李孝恭等，联名上疏，认为四方各族全部顺服称臣，请李世民前往泰山“封禅” (泰山上添土祭祀天神称“封”，梁父山下辟场祭祀地神称“禅”)；李世民亲笔撰写诏书拒绝 (胡三省注：进京朝见特使〔朝集使〕，于每年十月二十五日抵达京师〔首都长安〕，十一月一日，国务院财政部〔民部〕陪同他们晋见皇帝，再到国务院〔尚书省〕跟各宰相相见。然后，在大厅集合，就各地方政府考绩事项，提出报告及回答质问。明年元旦到皇宫呈递各地方政府贡品)。

4 有关单位上疏，认为太子李承乾应该行加冠礼 (本年李承乾十三岁)，请在二月吉祥日举行，开始配置武装警卫。李世民说：“二月正逢春耕，最好改到十月。”太子少傅 (太子三少之二) 萧瑀上疏说：“根据《阴阳书》(占卜书)，十月不如二月。”李世民说：“吉祥凶险都在人为，动不动就看《阴阳书》，不顾礼义，吉祥怎么可能降临！在正大光明的道路上前进，自然跟吉祥会合。春耕时候，农夫最忙，不可剥夺。”

5 二月十四日，李世民下诏，说：“各州所有用骷髅筑成的高台 (京观)，不管时代远近，一律铲平，散落的枯骨，重新埋葬，堆土掩蔽，成为坟墓，不可暴露于外。”

6 二月十九日，李世民封皇弟李元裕当郐王 (郐，音kuài〔快〕)、李元名当谯王、李灵夔当魏王、李元祥当许王、李元晓当密王。

二月二十日，李世民封皇子李愔当梁王、李恽当郯王、李贞当汉王、李治当晋王、李慎当申王、李嚣当江王、李简当代王。

夏季，四月三日，代王李简逝世。

7 四月十三日，灵州（宁夏灵武市）斛薛部落叛变，任城王李道宗追击，把他们击破（斛薛部落属铁勒汗国，原住蒙古国肯特山）。

8 隋王朝末年，隋朝人很多投奔东突厥汗国（瀚海沙漠群），后来东突厥汗国消灭，李世民派使节前往，用金钱绸缎，把他们赎回。

五月七日，主管单位奏称：共赎回男女八万人。

9 六月二十六日，太子少师（太子三少之一）、新昌公爵（贞公）李纲逝世（年八十五岁）。

最初，北周帝国齐王宇文宪的女儿，夫死而又没有儿子，李纲一直对她馈赠安慰，情义深厚。李纲逝世，宇文宪的女儿把李纲当作父亲安葬。

李纲曾当过宇文宪的军事参议官（参考五七八年六月），宇文宪身陷冤狱，被杀丧生，不久北周帝国覆亡。而李纲对老长官的遗孤，爱心如炉，看惯了变色虫的忠贞嘴脸，我们对李纲的忠义，倍生尊敬。

10 秋季，八月十七日，唐政府派使节前往高句骊王国（首都平壤〔朝鲜半岛平壤市〕），收集隋王朝时阵亡将士的骸骨，安葬祭奠。

11 河内（河南省沁阳市）人李好德，精神失常，满口胡说八道，被认定妖言惑众。李世民下诏调查审判，最高法院主任秘书（大理丞）张蕴古奏称："李好德精神失常，早有医生证明，依照法律，不应定罪。"副总监察官（治书侍御史）权万纪提出弹劾，说："张蕴古家在相州（河南省安阳市），李好德的老哥李厚德当相州州长，张蕴古为了奉承州长，存心庇护，办案不公。"李世民大怒，下令在长安（陕西省西安市）街市上斩张蕴古。然而，不久李世民就后悔，下诏说："自今以后，我定人死罪时，即使下令立即斩决，主管单位也应复奏三次，才可执行（隋王朝时已有此诏，参考五九六年八月；当是后来废除）。"

权万纪跟监察官（侍御史）李仁发，都因不断揭发别人隐私，受李世民宠爱，政府高级官员因此每每受到责备。魏徵提醒李世民说："权万纪等一群卑鄙小人，不知道大体，认为揭发别人隐私，才是正直；陷害别人受苦，才是忠贞。陛下并不是不知道他们并不可靠，只是看重他们那种无畏无避的精神，用以激励文武百官。可是权万纪等仗恃恩宠权势，却去实现他们的诡诈阴谋，所作的检举弹劾，都不是真的有罪。陛下纵然不能提携善良人士，为世俗作榜样，也不必亲近奸佞，自毁形象。"李世民沉默不语，赏赐魏徵绸缎五百匹。很久之后，权万纪等的邪恶行为败露，全被定罪。

"贞观之治"是中国历史上最重要的一个黄金时代，李世民是中国历史上最顶尖的帝王之一，但是仍挡不住权万纪之辈鲨鱼群，在政海中从容遨游，左吞右噬。原因在于领袖人物喜爱他们的小报告，认为天下人都有叛意，只有他们这一小撮人忠心耿耿。这一小撮人不断陷害无辜，使自己在文武官员中越发孤立，领袖人物最欣赏的就是他们这种孤立。鲨鱼群也正好利用帝王的这项盲点，把帝王拨弄得或坐或站，或跳或喊。李世民英明盖世，也无法逃出他们的手心。

魏徵指出，造成这种形势的原因，不是领袖人物不知道他们满身罪恶，而是喜欢他们敢于下口吃人，尤其当自己拉不下仁慈假面具时，需要有人代他动手，而且借着他们的小报告，去了解部属们的动向。有则美国小故事说：一个董事长向朋友抱怨他的秘书小姐一无是处，朋友劝他说："你可以开除她！"董事长大惊说："你怎么会有这种想法，如果把她开除，职员们在下面干什么勾当，我就什么都不知道了。"在自由社会，秘书小姐不过一条绊马索，顶多把人绊倒；在专制社会，权万纪之类却是森森钢牙，造成惨剧。

12 九月，李世民整修仁寿宫（陕西省麟游县境），改名九成宫（自六〇四年七月杨广在此杀父之后，仁寿宫便形同废置，迄今二十八年）。

李世民又打算整修洛阳宫，国务院财政部长（民部尚书）戴胄上疏劝阻，认为："天下战乱，人民离散，才刚刚结束，生活困苦，国库空虚，如果经营建筑没有止境，无论政府与人民，都无法负担。"李世民嘉许他说："戴胄跟我并不是亲戚，但他忠诚爱国，所知道的，一定说出来，所以我对他升官封爵，作为回报。"

可是很久之后，李世民终于仍命建筑部长（将作大匠）窦琎整修洛阳宫。窦琎挖掘池塘，堆积假山，宫殿全部雕梁画栋，非常豪华奢侈。李世民忽然大怒，下令摧毁；把窦琎免职。

13 冬季，十月二十日，李世民在皇家林园（后苑，禁苑）狩猎野兔（唐王朝皇家御内林园〔内苑〕，在太极宫之北，皇家禁区林园〔禁苑〕，在皇家御内林园〔内苑〕之北。皇家禁区林园至为广大，西方包括西汉王朝故都长安城，东到灞水，北到渭水，南到太极宫前。长安城西北三门：光化门、芳林门、景耀门，也是皇家林园的门。禁区林园〔禁苑〕周围一百二十华里），左领军（卫军第七军）将军（从三品）执失思力（执失，复姓。归降唐帝国事，参考去年〔六三〇〕二月）劝阻说："上天命你当中国人和蛮人的父母，怎么可以不自己保重！"

李世民又要猎鹿，执失思力脱下冠帽，解下玉带，跪下坚决阻止，李世民才打消此意。

14 最初，李世民命文武官员讨论封建制度，皇家图书院长（秘书监）魏徵建议说："如果建立大量封国，各封国官员全都需要薪津俸禄，势必要增加田赋捐税。另外一点，京畿地区的田赋捐税，为数不多，中央政府财政，全靠京畿以外供应，如果全都建立封国，中央政府财政立刻枯竭。另外一点，燕秦赵代地区都和蛮夷相邻，万一发生紧急情况，征调中央军前往援救，时间上绝来不及。"国务院教育部副部长（礼部侍郎）李百药认为："王朝年代长短，由上天注定，伊祁放勋（尧帝）、姚重华（舜帝）都是伟大的君王，想永远拥有它，却无法做到；刘邦（西汉王朝一任帝）、曹丕（曹魏帝国一任帝），虽然出身微贱，想拒绝它，却推脱不掉。而今，使有功劳的皇亲国戚的子孙，都拥有权力和人民，新生代兴起之后，势将骄傲奢侈、荒淫无度，互相之间攻击争战，人民受到的伤害，将更惨毒。不如设立州长县长，可以随时更换。"副立法长（中书侍郎）颜师古认为："不如分封亲王出任国君，封国面积不可太大；封国与封国之间，设立州县，使封国跟州县交错杂居，互相牵制，命他们各自保守采邑，同心合力，就足够保卫京师（首都长安）。封国所有官员，都由国务院主管单位派遣，中央政府法律命令之外，封国不可以擅自作威作福，动用刑罚。有关朝见及进贡礼仪，都详细的条条列出。这项制度一旦确立，千年万世，都不会出错。”

十一月一日，李世民下诏：“皇亲国戚以及开国功臣，最好派他们分别担任州长，世代继承，传给子孙。除非犯了重大错误，不可以贬降或免职。主管单位应遵照这项指示，订定实施细则，以及官阶等级回奏。”

15 十一月二日，林邑王国（越南中部）进贡五色鹦鹉。

十一月十二日，新罗王国（首都金城〔朝鲜半岛庆州市〕）进贡美女二人，魏徵认为不可以接受。李世民欢喜说：“林邑鹦鹉自己都说无法忍受北方寒冷，想回祖国；何况二位美女，远离她的亲戚家人！”于是，把美女和鹦鹉一并交还她们国家的使节，分别带回她们祖国。

16 倭国（日本）派遣使节前来唐帝国（这是第一次“遣唐使”：犬上御田锹、药师惠日等，于去年〔六三〇〕八月五日由日本出发）。

李世民派新州（广东省新兴县）州长高表仁，“持节”，前往倭国（日本）安抚。高表仁跟倭国国王对见面时的礼节不能达成协议，于是不肯宣读中国皇帝的诏书，返回（当是高表仁要倭国国王下跪叩头，倭国国王拒绝如此卑屈）。

17 十一月二十一日，李世民到圆形神坛上祭祀天神。

18 十二月，畜牧部主任秘书（太仆寺丞）李世南，开拓党项部落（四川省西北部）土地，共设十六州、四十七县。

19 李世民对侍从官员们说："因为死刑是最重的刑，所以我规定必须经过三次复奏，才可以执行（参考本年〔六三一〕八月），就是希望主管官员，深思熟虑。却想不到，一会工夫，三次复奏全部完毕。同时，古代诛杀人民，君王都要为这件事撤除乐队，减少菜饭。我进食时没有常设的乐队，但遇到这种事件，也常不吃酒肉，只不过没有加以明文规定罢了。同时，有关单位审判，只知道根据法律条文，即令人情上可以原谅，也不敢违背法条，其中难道没有冤枉？"

十二月二日，李世民下令："已判决确定死刑的囚犯，在执行前二日之内，要五次奏报；由州政府执行的，行刑之前，要三次奏报。行刑那一天，宫廷总管府膳食局（尚食）不准在餐桌上摆设酒肉；后宫歌舞团（内教坊。属祭祀部〔太常寺〕皇家音乐局〔太乐署〕）及祭祀部（太常）不准演奏音乐；一律由监督院（门下）检查督促。在法律上应该处死，但情有可原的，应专案奏报。"因此，保全很多人性命。五次复奏的，在处决前一二日复奏，而在处决当天，再作三次复奏；但犯"恶逆"大罪的，只复奏一次（"恶逆"：十恶"不赦"中的第四恶：指殴打或谋杀祖父母、父母；谋杀伯父母、叔父母、姑妈、老哥、儿子、外祖父母、丈夫、丈夫的祖父母、父母。丈夫谋杀妻子，不属"恶逆"，只是普通杀人罪）。

20 十二月十四日，地方政府进京朝见特使（朝集使）利州军区（总部设四川省广元市）总司令（利州都督）武士彟等，再一次联名上疏，请李世民"封禅"（泰山上添土祭祀天神称"封"，梁父山下辟场祭祀地神称"禅"），李世民拒绝。

21 十二月十七日，李世民前往骊山温泉（陕西省西安市临潼区东南）。十二月二十三日，李世民返宫。

22 李世民对当权官员说："我一直害怕受喜怒哀乐的影响，而滥用赏罚，所以渴望你们毫不留情的指出我的错误。而你们也应该受别人的指摘，不可以因为自己有某种想法，而厌恶别人冒犯。假如你自己都不能接受别人的劝告，又怎么能去劝告别人！"

23 康国（中亚撒马尔汗）请求做唐帝国臣属，李世民说："前代帝王喜爱招徕绝远地区的国家，以求获得使绝远国家都臣服的美名，实际上对自己毫无裨益，而又使人民财枯力竭。而今，康国归降，万一他们发生紧急灾难，在道义上不能不往救援。大军跋涉万里，岂不疲惫劳苦。压榨人民而只为了一个虚名，我决不做。"遂不接受康国请求。

李世民对侍从官员说："治国好像治病，虽然病已痊愈，但仍需要呵护休养。如果毫不在意，行为放纵，生活靡烂，病势一旦再发，就无法挽救。如今，大唐幸运天下太平，四方蛮夷全都臣服，确实是自古以来少见的现象。然而，我却一天比一天谨慎，深怕不能永远保持，所以始终盼望听到你们的劝告。"魏徵回答说："国内国外，一派太平景象，我并不觉得兴奋，觉得兴奋的是陛下身在温暖舒适的生活中，却仍考虑到未来可能发生的危机。"

李世民曾经跟侍从官员讨论司法的公正性，魏徵说："隋王朝杨广在位时，曾经有过一桩强盗抢案，杨广命于士澄搜捕，只要稍微涉及到一点嫌疑的，全都在苦刑拷打下，自动招认，坦承不讳，结果强盗集团扩大到二千余人，杨广下令一律斩首。最高法院主任秘书（大理丞）张元济对竟然有这么多强盗，感到奇怪，试探着作深入调查，发现其中只有五个人确实当过强盗，其他的全是无辜平民。可是，他竟不敢据实奏报，最后仍是全部处决（此案《资治通鉴》没有记载。于士澄，参考六二一年五月十三日）。”李世民说：“这岂止是杨广昏暴，事实上当臣属的也并没有尽忠。君王臣属都是如此，怎么能够不亡！各位要引以为戒。”

李世民责备张元济没有尽忠，他忘了仅只四个月之前，张蕴古就是为了尽忠，在发现冤狱后，上奏申诉，被李世民诛杀。责备别人容易，自己作难。

24 本年（六三一），高州军区（总部设广东省阳江市）总司令（高州总管）冯盎，前往首都长安（陕西省西安市）朝见。

没有多久，窦州（南扶州改，广东省信宜市）罗窦山区（罗窦洞，信宜市南）獠部落聚众起兵，李世民下令冯盎率部落军二万人，担任中央讨伐大军前锋进击。獠部落数万人，据守山隘险要，中央军无法推进。冯盎手拿弓箭，对左右侍从说：“把我手中的箭射完，就可以看出胜负。”一连发射七箭，射中七人，獠部落一齐向后撤退。冯盎指挥大军追击，杀一千余人。李世民嘉许冯盎的功劳，对他所作赏赐，数量之多，前后无法计算。

冯盎辖区势力范围方圆二千华里，奴仆婢女有一万余人，珍贵珠宝及各种物资，堆满仓库。但是冯盎治理他的辖区，勤快公正，部属都对他爱戴。

25 新罗王国（首都金城〔朝鲜半岛庆州市〕）国王（二十六任真平王）金真平逝世，没有儿子，贵族拥护他的女儿金善德继任国王（二十七任善德女王）。

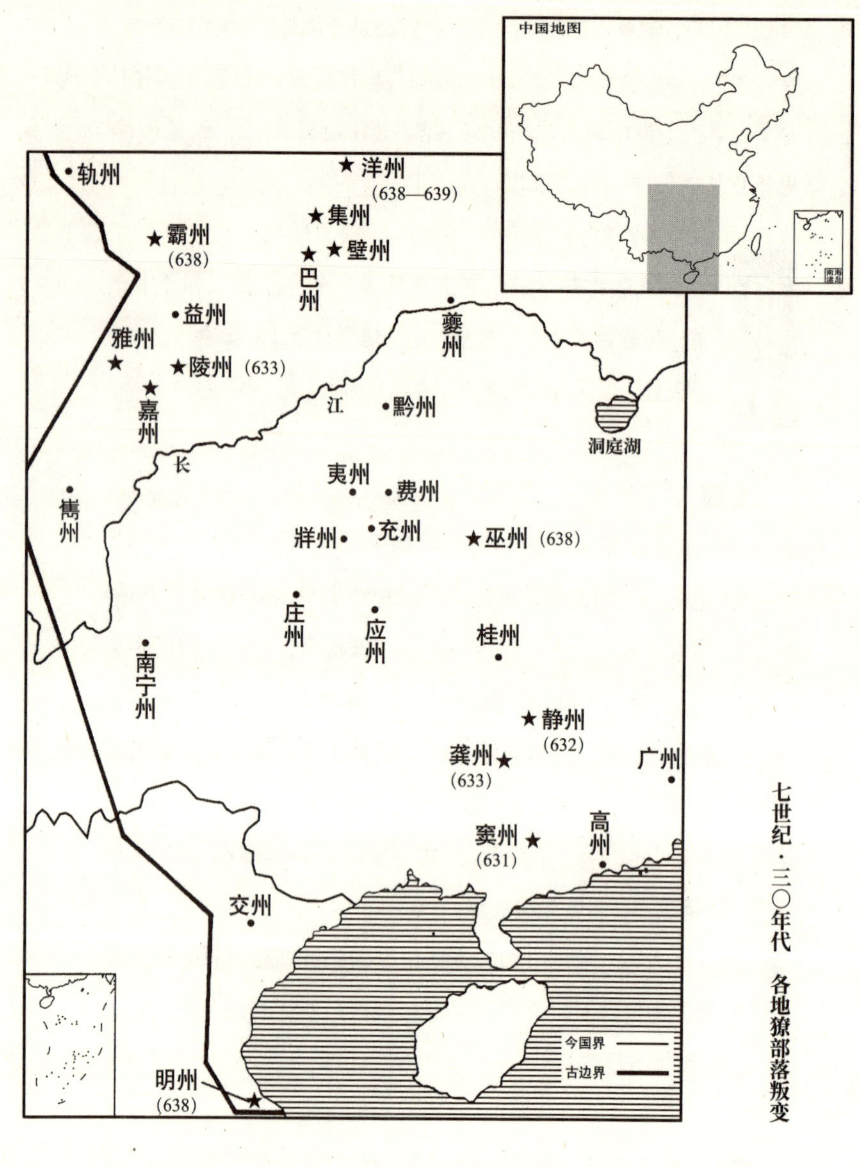

七世纪·三〇年代 各地獠部落叛变

六三二年 壬辰

唐　贞观　六年

1 春季，正月一日，日蚀。

2 正月十九日，静州獠（广西昭平县獠部落）聚众起兵，将军李子和（郭子和）把他们击平。

3 唐政府（首都长安〔陕西省西安市〕）文武官员再度请求皇帝（二任太宗）李世民（本年三十五岁）“封禅”（泰山上添土祭祀天神称“封”，梁父山下辟场祭祀地神称“禅”），李世民说：“你们这些人都认为‘封禅’是当帝王的巅峰盛事，我认为并不如此。如果社会安定，家家户户，衣食丰足，君王就是不到泰山添土祭祀天神，不到梁父山辟场祭祀地神，又有什么伤害？从前，嬴政（秦王朝一任帝）'封禅'（参考前二一九年），而刘恒（西汉王朝五任帝）不'封禅'，后世人民难道认为刘恒不如嬴政？而且，祭祀天地神灵，又何必攀登到泰山顶峰，添几尺泥土，然后才能展示自己的诚心敬意！"

可是，文武官员不断的请求，李世民软化，打算接受。魏徵单独反对，李世民问："你不赞成我'封禅'，是不是因为我的功劳不够高？"魏徵说："够高。"李世民问："我的品德不够厚？"魏徵说："够厚。"李世民问："中国还不够安定？"魏徵说："够安定。"李世民问："四方蛮夷还没有臣服？"魏徵说："已经臣服。"李世民问："连年的庄稼没有丰收？"魏徵说："已经丰收。"李世民问："祥瑞吉兆还没有呈现？"魏徵说："已经呈现。"李世民问："既然如此，为什么还不能'封禅'？"魏徵回答说："陛下虽然在这六项上都有成就，可是，我们现在继承的是隋王朝末期天下大乱后遗留下来的残局，户口凋零，还没有恢复，仓库粮食，仍然空虚。陛下向东巡视（往泰山封禅），成千上万的车辆马匹，每到一处所需要的供应，地方政府很难负担。而且，陛下'封禅'大典，万邦首领，都会集合，远方蛮夷酋长，也要随从左右，可是，今天的情况是：从伊水、洛水开始，向东直到大海（东海）、岱山（泰山），村落稀少，人烟难得一见，荒草野蔓，望不到边际，这正是把蛮夷迎接到我们心脏地带，却向他暴露我们虚弱。何况，即令有大量的赏赐，也未必使远方的人满意；即令免除人民很多年田赋捐税差役，也不能弥补他们的损失。只不过博得一个'封禅'虚名，却实际受到伤害，对陛下有什么用？"

正巧，黄河南北很多州发生水灾，"封禅"的事遂不再提及。

4 李世民打算前往九成宫（仁寿宫，陕西省麟游县境），中级顾问官（通直散骑常侍）姚思廉劝阻，李世民说："我有气喘病，夏天更加严重，只是为了逃避它的发作。"赏赐姚思廉绸缎五十匹。

行政监察官（监察御史）马周上疏，说："东宫（太子宫）位于首都长安城中央，大安宫（太上皇李渊住处）又在皇宫之西，庭殿房舍的格局规模，比起陛下寝宫，都较简陋狭小，四方的感观，似乎认为是一件憾事。所以对于大安宫，应特别增高扩大，满足中外人民的盼望。同时，太上皇（李渊）年龄已高，陛下应该早晚陪伴，侍候饮食。而今，九成宫距京师（首都长安）三百余华里（二地航空距离一百二十公里），太上皇（李渊）有时候忽然思念陛下，陛下怎么赶得回来？而且，陛下这一趟，目的在于避暑，却没有想到，太上皇（李渊）仍留在燠热之中，陛下单独住在凉爽地方，对于照顾父母冷暖的儿女之情，恐怕于心不安。现在，出发的准备工作已经完成，不可能中途停止，只盼望陛下迅速告知圣驾的返回日期，消除大家的忧虑。另一方面，王长通、白明达，都是音乐师，韦槃提、斛斯正，只会驯马，即令他们的技能出类拔萃，赏赐他们金钱绸缎就足够了，怎么可以超越正常管道，授给他们官职爵位，使他们身佩璧玉，脚登朝靴，跟正式官员、正人君子，并肩而坐，同桌而食！我深感到羞耻。"李世民深为同意。

5 李世民因新颁的官制（参考六二四年三月）没有"三师"（太师、太傅、太保）。

二月二日，李世民下诏设置"三师"（均为正一品）。

6 三月十五日，李世民前往九成宫（陕西省麟游县境）。

7 三月十七日，吐谷浑汗国（青海省）攻击兰州（甘肃省兰州市），州政府军把他们击退。

8 长乐公主（名不详）准备出嫁（夫婿长孙冲），李世民因这个女儿是长孙皇后亲生，特别宠爱，下令有关单位：陪送的嫁妆，要超过皇妹永嘉公主（先嫁窦奉节，后嫁贺兰僧伽），魏徵劝阻说："从前，刘阳（东汉王朝二任帝）打算封皇子时，说：'我的儿子怎么能跟老爹（东汉一任帝刘秀）的儿子比！'皇子们的封国，只有楚国（楚王刘英）、淮阳国（淮阳王刘乂）的一半大（参考七二年）。而今皇女的嫁妆，超过皇妹两倍，岂不是跟刘阳的看法不一样！"李世民深感同意，进宫告诉长孙皇后，长孙皇后叹息说："我屡次听你称赞魏徵，不知道内情，现在观察他依照礼义大节，克制人主的私情，才知道他才真正是国家的栋梁。我跟你是结发夫妇，蒙受很多恩惠宠爱，可是我每次跟你谈话，总要先察看你的脸色，不敢轻率的冒犯威严。何况臣属部下，距离更为疏远，而魏徵能够如此直言，你不可以不接受。"遂征得李世民同意，派宦官携带钱四百贯、绸缎四百匹，赏赐给魏徵，并且吩咐说："听说你公正体直，今天终于见到，所以作此赏赐。你应该一直保持这份正直，不要改变。"

有一天，李世民退朝回宫，脸色铁青，咆哮说："看我找个机会杀掉这个乡巴佬！"长孙皇后问乡巴佬是谁，李世民说："就是魏徵，他总在金銮宝殿上当着大家的面侮辱我！"长孙皇后遂退回寝殿，穿上正式的皇后官服，严肃的站在大庭之中，准备朝拜，李世民大吃一惊，问她什么缘故，长孙皇后说："我曾经听说：君王英明，臣属正直。魏徵如此正直，因为陛下是一位英明的君王的缘故，我怎么能不庆贺！"李世民才高兴起来。

9 夏季，四月八日，襄州军区（总部设湖北省襄阳市）总司令（襄州都督）邹公爵（襄公）张公谨逝世（年三十九岁）。第二天（四月九日），李世民出宫举行哀思，主管单位奏报说："'辰'日禁止哭泣。"（四月九日是"壬辰"。胡三省注："彭祖百忌，辰不哭泣。"辰日不哭，应是当时风俗。）李世民说："君王和臣属，犹如父子，内心哀痛，怎么能避开辰日！"于是为张公谨一哭。

10 六月十七日，金州（陕西省安康市）州长、酆王（悼王）李元亨（一任帝李渊子）逝世。

六月二十九日，江王李嚣（李世民子）逝世。

11 秋季，七月四日，焉耆王国（新疆焉耆县）国王龙突骑支，派使节前来大唐进贡。

最初，焉耆王国跟中原来往，一向都穿过沙漠；隋王朝时，沙漠交通阻塞关闭，改经高昌王国（新疆吐鲁番市东，裴矩所开三道的"中道"，参考六〇七年九月注）。现在，龙突骑支请求解除沙漠封锁，使来往更为便利，李世民批准。因此，高昌王国愤恨，派军袭击焉耆王国，大肆劫掠而去。

焉耆王国宁愿经过危机四伏的沙漠，而不愿经过繁荣舒适的高昌王国，可推测焉耆使节经过高昌时，所受的是什么待遇，一定比沙漠更要可怕。可能包括：应付不完的勒索抢劫，甚至身陷牢狱，备受苦刑。

高昌的激烈反应——派军大肆劫掠，证明我们的推测无误，如果焉耆使节团可以带来财富，成为高昌王国争取对象的话，高昌为什么不用诚恳亲切的服务争取？在把客人吓走了之后，为什么不检讨自己的缺失，却用凶暴手段追求必须用温和手段才可以建立的感情？结果一定落空，而且带来恰恰相反的后遗症，更加憎恨。可是，直到二十世纪，我们仍看到无数高昌模式的英雄好汉，向别人诟骂出击，去争取自己所渴望的友谊。

12 七月十九日，李世民在丹霄殿设筵宴请三品以上高官，轻松气氛中，李世民说："中外一派升平，都是各位的贡献。回顾过去，杨广（隋王朝二任帝）的威望，震动中国及四方蛮夷，阿史那咄苾（东突厥十三任大可汗）横跨北方沙漠，阿史那统（西突厥三任大可汗）雄踞西域（新疆及中亚东部），而今，全都覆亡，这是我跟各位都看见的人物，千万不要自夸今天强大，而心满意足！"

13 西突厥汗国（新疆北部及中亚东部）肆叶护可汗（五任大可汗）阿史那咥力，出动大军攻击薛延陀部落（蒙古国西南部），被薛延陀部落击败。

阿史那咥力凶狠猜忌，听信谗言，有一位乙利可汗（小可汗），功劳最多，阿史那咥力因他不是突厥人，竟把他诛杀；因此，各部落人心惶惶。阿史那咥力又嫉妒将军阿史那莫贺的儿子阿史那泥孰，打算暗中下手谋害，阿史那泥孰得到消息，逃奔焉耆王国（新疆焉耆县）。后来，设卑达官部落（今地不详）及弩失毕（"弩失毕"并非部落名，而是西突厥防区名称，位碎叶城西。参考六三八年十二月）攻击王庭，阿史那咥力不能抵抗，率少数骑兵，逃奔康居王国（即康国，中亚撒马尔汗），不久逝世（阿史那咥力称大可汗事，参考前年〔六三〇〕十二月）。西突厥贵族前往焉耆迎接阿史那泥孰返国，拥护他登极，称咄陆可汗（六任大可汗）；阿史那泥孰派人到大唐请求归附。

八月十六日（原文误置于七月，据《册府元龟·卷九六四》改），唐政府派藩属事务部副部长（鸿胪少卿）刘善因，前往加封阿史那泥孰为奚利邲咄陆可汗。

14 闰八月四日，李世民在丹霄殿设筵宴请经常接近的一些官员，开府仪同三司（文散官一级，从一品）长孙无忌说：“王珪、魏徵，从前都是我们的对头仇敌（王珪、魏徵都是李建成部属，建议拒抗李世民，参考六二二年十一月），想不到今天能够同桌欢宴？”李世民说：“王珪、魏徵忠心事奉他们的主人，所以我用他们。有一个问题是，魏徵每次向我进言，我如果不接受，再跟他讨论那个问题时，他就毫无反应，是什么缘故？”魏徵说：“我认为事情不可以那样做，所以劝阻陛下；陛下既不接受，我却继续参与讨论实行细则，事情就会成为定案，付诸实施，所以不敢说话。”李世民说：“你参与继续讨论之后，仍可以再行劝阻，又有什么关系？”魏徵说：“从前，姚重华（黄帝王朝七任帝舜帝）曾警告文武百官：‘你们不要当面顺从，背后却发表反对议论。’我心里明知那是错的，却在口头上敷衍陛下，这正是‘当面顺从’，岂是姬弃、子契事奉姚重华的榜样！”李世民大笑说：“人们都说魏徵举止言谈，是个粗线条，我却看他妩媚，就是现在这种情形。”魏徵起立，叩头致谢说：“陛下鼓励进言规劝，所以我才得以知无不言。如果陛下拒不接受，我怎么敢屡次冒犯天颜！”

15 闰八月十七日，皇家图书院副院长（秘书少监）虞世南，呈递《圣德论》，李世民手写诏书回答说：“你把我捧得太高，我怎么敢比上古君王，只不过比近代君王稍好一点而已。然而，你只看到开头不错，还没有看到最后情景。我如果能始终如一，大著《圣德论》才会流传，如果结局相反，恐怕徒使后代人对你讥笑。”

16 九月二十九日，李世民前往庆善宫（陕西省武功县境）；李世民在此诞生，遂跟皇亲国戚聚会欢宴，吟诗作赋。皇家生活记录官（起居郎）清平（山东省临清市东）人吕才，把这些诗赋谱成乐章，用乐器演奏，命名《功成庆善乐》，用儿童六十四人，排成“八佾”（佾，音yì〔义〕。八佾，参考二一三年五月注），跳“九功之舞”。每当盛大宴会时，连同“破阵舞”，在悠扬乐声中，一齐演出。

同州（陕西省大荔县）州长尉迟敬德参加宴会，有一个人（《唐历》说是宇文士及）座位放在尉迟敬德之上，尉迟敬德大怒说：“你有什么功劳，坐在我上边！”任城王李道宗座位在尉迟敬德之下，急忙劝解，尉迟敬德暴跳如雷，挥拳殴打李道宗，几乎把李道宗眼睛打瞎。李世民大不高兴，筵席仓猝结束，李世民警告尉迟敬德说：“我过去对刘邦屠杀功臣，深为痛恨，所以打算跟你们大家同保富贵，共享荣华，子子孙孙，世代不绝。可是你身为政府官员，却不断犯法，我才发现，韩信、彭越被剁成肉酱（参考前一九六年正月及三月），不是刘邦的罪过。国家秩序完全靠‘赏’‘罚’维持，对你过分的恩典，不可能常有，你要好好检讨勉励，不要弄得后悔已来不及。”尉迟敬德这才感到恐惧，竭力自我克制。

17 冬季，十月五日，李世民返回京师（首都长安）。李世民在大安宫陪伴老爹李渊欢宴，李世民及长孙皇后都亲自敬酒夹菜，并照顾老爹冷暖衣裳，直到深夜才散。李世民亲自把老爹的轿子抬到殿门，李渊不准，命太子李承乾代替。

18 右卫（卫军第二军）大将军（正三品）前东突厥颉利可汗（十三任大可汗）阿史那咄苾，自被俘虏到唐帝国之后，心情烦躁，一直忧闷不欢，跟家人聚在一起时，时常悲哀哭泣，以致身体衰弱，面貌憔悴。李世民见到，深为怜悯，认为虢州（河南省灵宝市）地区多的是麋鹿，可以游逛狩猎，于是任命阿史那咄苾当虢州州长；可是阿史那咄苾坚决辞让，不愿前往。

十月癸未日（十月辛亥朔，没有癸未），李世民再命阿史那咄苾当右卫（卫军第二军）大将军（正三品）。

19 十一月二日，契苾部落（蒙古国乌兰巴托市南）酋长契苾何力，率部众六千余家，向沙州（甘肃省敦煌市）州政府投降。李世民下诏把契苾部落安置在甘州（甘肃省张掖市）与凉州（甘肃省武威市）之间；任命契苾何力当左领军（卫军第七军）将军（从三品）。

20 十一月十一日，唐政府任命左光禄大夫（文散官三级，从二品）陈叔达当国务院教育部长（礼部尚书）。李世民告诉陈叔达："你在二〇年代时，有过正直的建言（陈叔达阻止李渊对李世民采取行动，参考六二六年六月），所以给你这个官职，作为回报。"陈叔达答复说："我亲眼看到隋王朝杨姓皇家父子自相残杀，以致把国家引入混乱灭亡。当时那一段话，并不是为了陛下，而是为了帝国利益。"

21 十二月四日，李世民跟侍从官员讨论帝国的安全和危险，根本关键何在，最高立法长（中书令）温彦博说："多么盼望陛下能一直像登极初期那样，就尽善尽美。"李世民说："我最近是不是有点懈怠？"魏徵说："陛下登极初期，立志节约勤俭，要求官员进言规劝，不可厌倦。可是近来土木工程的兴建稍微增加，而进言的人有很多受到斥责，这是跟从前不同的地方。”李世民拍掌大笑说：“确实有这种情形。”

22 十二月二十二日，李世民亲自审问囚犯，看到处决死刑的人，心中怜悯，下令释放他们回家，约定明年（六三三）秋后回来接受处决。

于是，又下令全国把死囚一律释放，使在限期之日，前来京师（首都长安）集合。

23 本年（六三二），党项羌（四川省西北部羌部落）前后归附唐帝国的有三十万人。

24 三公及部长级官员，再请求李世民前往泰山上添土祭祀天神、梁父山下辟场祭祀地神（封禅），前后不断。李世民回答说：

"我素有气喘毛病，一旦登高，恐怕加重，各位不要再谈这件事。"

25 李世民对侍从官员说："我最近裁决的事情，很多地方违背法令；你们认为不过是些小事，不再规劝。凡是错误，没有一件不是由小变大，这是危亡的开端。从前关龙逄因为忠言报主，竟被诛杀，我感到痛心（关龙逄事，参考前一二年十二月注）。杨广骄傲凶暴，因而覆灭，各位亲眼看到。你们应常常为我想到杨广之亡，我也应常常为你们想到关龙逄之死，何必担心君王和臣属不能两全！"

26 李世民对魏徵说："为官职选择人才，不可以苟且将就；用一个正人君子，正人君子都到；用一个卑劣小人物，所有的卑劣小人物会挤破门。"魏徵回答说："是的。天下大乱时，用人只看他的才能，不管他的品德；天下太平之后，除非是才能和品德兼备的人，否则不可以用。"

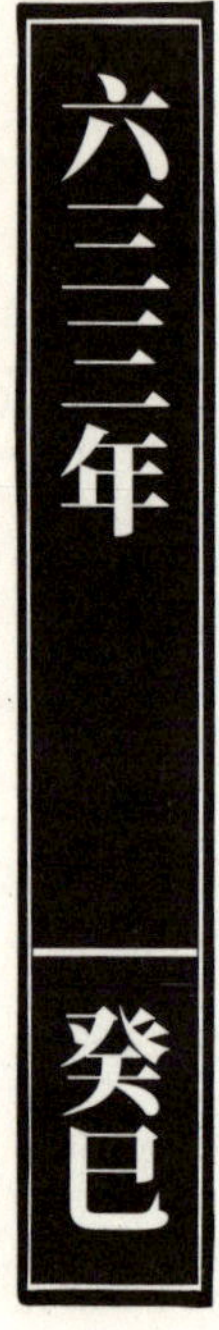

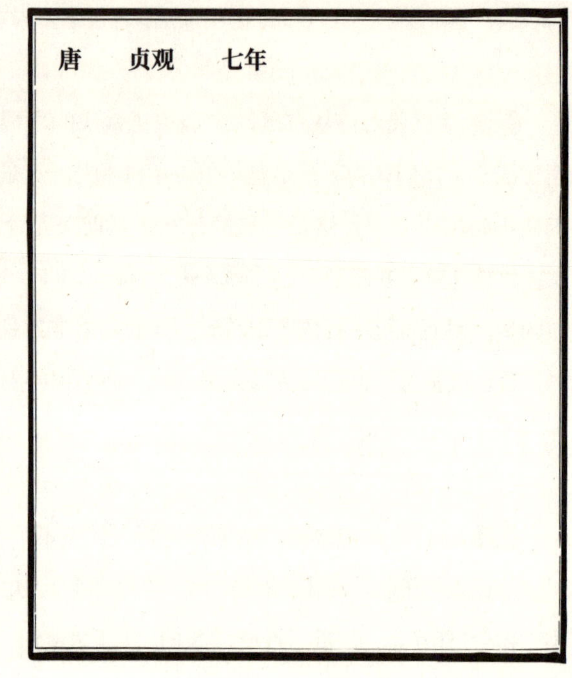

1 春季，正月，唐王朝（首都长安〔陕西省西安市〕）皇帝（二任太宗）李世民（本年三十六岁），把“破阵乐”改名“七德舞”。（《左传》前五九七年：楚王国六任王〔庄王〕芈侣说：“武有七德：禁暴、戢兵、保大、定功、安民、和众、丰财。”）

正月十五日，李世民在玄武门设筵款待中央政府三品以上高官及各州州长和偏远地区酋长，演出“七德”“九功”歌舞。祭祀部长（太常卿）萧瑀上疏说：“‘七德舞’赞美皇上的战功，还有不够的地方，请用歌舞演出擒获刘武周、薛仁果、窦建德、王世充时的情景（以上四人中，刘武周并没有被唐政府擒获，参考六二〇年四月，其余三人则被李世民生擒）。”李世民说：“这些人事实上都是一代英雄豪杰，现在政府官员中，很多人曾当过他们的部属，如果看到故主屈辱情形，岂不使他们伤心！”萧瑀道歉说：“我愚昧的没有考虑到这一点。”

魏徵希望李世民不再发动战争，全力加强文化建设，所以每次应召参加宴会，逢到“七德舞”就低头不看，逢到“九功舞”就全神贯注欣赏。

2 三月十一日，最高监督长（侍中）王珪，被指控泄漏皇宫中言语，贬黜当同州（陕西省大荔县）州长。

三月十三日，擢升皇家图书院长（秘书监）魏徵当最高监督长（侍中）。

3 天文台常设官（直太史）雍县（岐州州政府所在县，陕西省宝鸡市凤翔区）人李淳风，奏称：“天文台仪器，制造粗糙，只能观察赤道，请另行制造‘浑天仪’，观察黄道。”（古人认为太阳绕地球运转，这个假想轨道，称“黄道”）李世民批准。

三月十六日，制造完成，奏报备案。

4 夏季，五月七日，李世民前往九成宫（陕西省麟游县境）。

5 雅州兵团（四川省雅安市）总司令（雅州道行军总管）张士贵，攻击獠部落变民军，把他们击破。

6 秋季，八月二十日，左屯卫（卫军第九军）大将军（正三品）谯公爵（敬公）周范逝世。李世民出巡四方时，常命周范跟国务院左最高执行长（左仆射）房玄龄，一文一武，留守京师（首都长安）。周范忠心耿耿，严明正直，病势已很沉重，却不肯外出回家，终于死在宫内，临断气时，跟房玄龄相抱诀别说："只恨不能再继续侍候皇上。"

7 八月二十六日，李世民任命张士贵为龚州兵团（广西平南县）总司令（龚州道行军总管），命他攻击獠部落变民军。

8 九月，山东（崤山以东）、河南（黄河以南）四十余州大水成灾。李世民派使节前往赈济。

9 去年（六三二），全国所释放的死刑囚犯，共三百九十人，没有人督促，也没有人领导，而都遵照约定日期，到京师（首都长安）集合，没有一个人逃亡；李世民下令全部赦免。

信义只有君子才能遵守，而刑罚诛杀，是为了对付小人。夺取性命，使人死亡，罪大恶极，凶手更是小人中的小人。宁愿为义而死，不愿为不义而苟且偷生，视死如归，却是连君子都很难做到。

唐王朝皇帝李世民登极的第六年（六三二），审理已被定案的死刑犯三百余人，释放他们回家，约定日期，要他们自动回来受死。这是连君子都做不到的事，却希望小人中的小人做到。问题是，到了约定期限，他们竟然真的全都回来，没有一人失约，很明显的，君子很难做到的，小人却轻易做到，岂是人之常情！

或许有人说："罪大恶极，固然是小人，可是用恩德感化，可以使他变成君子。只因恩德深入人心，对气质改变的迅速，就产生这种效果。”我认为并不如此，李世民之所以这么做，只不过为了建立更高的形象。是君王预测囚犯一定回来，为的是希望获得赦免机会，才把他们释放？还是囚犯预测如果自动回来，一定可以获得赦免，才肯回来？预测囚犯一定回来而释放，是在上位的人揣摩下情；预测一定可以获得赦免而回来，是下面的人揣摩在上位的人心理，所以我认为是上下互相揣摩，才完成这项美名，其中哪有所谓上施恩德、下守信义这回事。

不然的话，李世民施恩德于天下，已经六年，不能使小人不罪大恶极，而一天的恩德，竟能使他们视死如归，履行信义，这又是一种不通的理论。那么，怎样才可以？我的意见是：释放死囚们回家，等他们归来，诛杀他们而不赦免。然后再释放一批死囚，如果他们在约定时期真的又再归来，这才可以确定他们已受恩德的感化。然而，天下绝对没有这回事。

释放死囚而予以赦免，可以偶尔做一次，如果经常这样做，则杀人凶手都可以不死，岂可当作国家正常法则？如果并不正常，就不是圣人的法则。所以伊祁放勋（尧帝）、姚重华（舜帝），以及三王（夏王朝一任帝姒文命、商王朝一任帝子天乙、周王朝一任王姬发）治理天下，一定依据人之常情，不认为标新立异是高明，所以从不用违反人性的手段去博取赞誉。

10 冬季，十月十六日，李世民返京（首都长安）。

11 十一月十八日，任命开府仪同三司（文散官一级，从一品）长孙无忌当司空（三公之三），长孙无忌坚决辞让，说：“我身是皇亲国戚，恐怕天下认为陛下怀有私心。”李世民不准，说：“我是为官职物色适当人选，只看才能。如果愚昧，再近的亲戚我都不会任用，襄邑王李神符就是一例（《新唐书·李神符传》记载：李神符没有威严，部属对他都不畏惧，而走路又跛，所以没有担任武职官）；如果他有才能，即令是仇人，我也决不舍弃，魏徵就是一例。今天发布的人事命令，不因为你是我的亲戚。”

12 十二月十一日，李世民前往芙蓉园（隋王朝的离宫，长安城东南）。

十二月十三日，李世民在少陵原（长安城南）围猎。

十二月十五日，李世民回宫，随从太上皇李渊前去西汉王朝故未央宫，设筵欢宴。李渊命阿史那咄苾（故东突厥汗国十三任大可汗）起来跳舞，又命南方蛮夷酋长冯智戴吟诗，笑说：“胡（北方蛮夷）越（南方蛮夷）成了一家，自古以来还没有过！”李世民向老爹敬酒祝福，说：“而今，四方蛮夷向大唐臣服，都由于陛下的英明领导，不是仅靠我的智慧能力所能完成。从前，刘邦（西汉王朝一任帝）也曾经在此宫摆设筵席，侍奉太上皇（刘执嘉）欢宴，却自以为伟大（刘邦向老爹敬酒说：“从前你一直认为我是一个无赖，不会生产，不如我老哥，现在，我的产业，比我老哥怎么样？”）我不愿效法。”李渊大为高兴，殿上官员齐喊“万岁”！

13 李世民告诉太子宫政务署长（左庶子）于志宁、事务署长（右庶子）杜正伦说：“我十八岁的时候，仍是一个平民，平民的痛苦和实际情形，全部知道。等坐上宝座，处理日常世事，有时仍犯错误。何况皇太子生在深宫之中，平民们的艰难，他既没有听说过，更没有看见过，怎么能不骄傲放纵？你们不可不竭力矫正规劝！”太子李承乾喜爱游戏，很多行为违背礼义，触犯法律，于志宁和事务署长（右庶子）孔颖达屡次直言规劝，李世民听到后，十分嘉许，赏赐给每人黄金一斤，绸缎五百匹。

14 国务院工程部长（工部尚书）段纶上疏请求召见高科技工程师杨思齐，李世民命先行呈献他的作品。段纶命杨思齐制造木偶（傀儡），李世民说：“高科技工程师应该投入国家建设，你却先教他制造游戏道具，岂是‘所有工匠，都不应制造奇技淫巧’的本意！”贬降段纶的官阶（国务院工程部长〔工部尚书〕正三品）。

15 嘉州（四川省乐山市）、陵州（四川省仁寿县）獠部落聚众起兵，李世民命邗江征兵府司令（邗江府统军）牛进达攻击，把獠部落击破（邗，音hán〔韩〕。邗江府是扬州〔江苏省扬州市〕境内的一个平民征兵府）。

16 李世民问最高监督长（侍中）魏徵说：“文武官员上疏时，提出很好的意见，可是一旦召见面谈，却很多人语无伦次，什么原因？”魏徵回答说：“我仔细观察，各单位官员奏事，常常思考好几天，可是等到了皇上面前，心情紧张，要说的话说不出三分之一。何况建言规劝，反对皇上意见，冒犯皇上禁忌，除非皇上面色言辞特别温和，否则，谁能畅所欲言！”

从此，李世民接见文武官员，面色及言辞，越发温和，曾经说：“杨广最猜疑嫉妒，主持朝会时，面对文武百官，往往不说一句话（《资治通鉴》记载杨广主持朝会时，态度严肃，参考六一〇年正月）。我跟他恰恰相反，跟文武官员见面，亲近如同家人。”

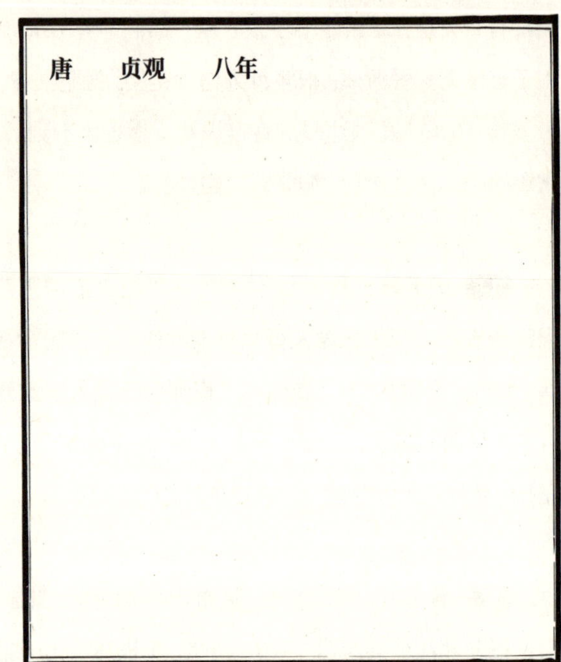

1 春季，正月十日，右卫（卫军第二军）大将军（正三品）前东突厥汗国颉利可汗（十三任大可汗）阿史那咄苾逝世。

唐王朝（首都长安〔陕西省西安市〕）皇帝（二任太宗）李世民（本年三十七岁）命依照突厥风俗，予以火葬。

2 正月二十八日，龚州兵团（广西平南县）总司令（龚州道行军总管）张士贵，攻击东王洞及西王洞獠部落变民军，平定。

3 李世民打算分别派出高级官员当“擢升罢黜特使”（诸道黜陟大使），分别前往各道考察政绩，一时物色不到适当人选。国务院右最高执行长（右仆射）李靖，推荐监督院最高监督长（侍中）魏徵，李世民说：“魏徵要随时指出我的过失，不可一天离开。”于是命李靖及祭祀部长（太常卿）萧瑀等十三人，分别巡视天下（此时全国只有十道，不知何以派十三人），李世民交给他们的任务是：“察看州长县长是贤能或是愚劣？调查人民痛苦困难，礼敬老人，对贫穷施以赈济，选拔怀才不遇的人士，特使所到之处，如我亲临。”

4 三月八日，李世民前往九成宫（陕西省麟游县境）。

5 夏季，五月一日，日蚀。

6 最初，吐谷浑汗国（青海省）步萨钵可汗（十七任）慕容伏允，派使节到唐帝国进贡，使节还没有回去，吐谷浑军队却攻击鄯州（青海省海东市乐都区），大肆抢掠而去。李世民派钦差大臣前往责备，征召慕容伏允前来京师（首都长安）朝见；慕容伏允声称患病，不肯前来，但他却仍替他的儿子慕容尊王，求娶唐朝公主；李世民允许，命慕容尊王亲自到长安（陕西省西安市）迎亲，慕容尊王不肯到长安，李世民命解除婚约。

慕容伏允又派军攻击兰州（甘肃省兰州市）、廓州（青海省化隆县）。慕容伏允年纪已老，信任他的高级幕僚天柱王，采纳天柱王的建议，不断攻击唐帝国边疆，并且扣留唐王朝使节赵德楷。李世民再派使节前往解释安慰，来回十次。又接见吐谷浑使节，李世民亲自向他分析利害祸福，慕容伏允丝毫没有悔意。

六月，李世民派左骁卫（卫军第五军）大将军（正三品）段志玄，当西海兵团总司令（西海道行军总管）；左骁卫（卫军第五军）将军（从三品）樊兴，当赤水兵团总司令（赤水道行军总管）；分别率边防军，及契苾部落军、党项部落军，攻击吐谷浑。

7 秋季，七月，山东（崤山以东）、河南（黄河以南）、淮海（淮河下游）之间，大水成灾。

8 李世民屡次请太上皇李渊到九成宫（陕西省麟游县境）避暑；李渊因隋王朝一任帝杨坚死在那里（参考六〇四年七月），心里厌恶。

冬季，十月，李世民下令另建大明宫（皇城东北），作为太上皇李渊避暑离宫；可是，大明宫还没有落成，李渊即染病卧床，不能前往居住。

9 十月二日，段志玄开始进攻吐谷浑汗国，击败吐谷浑军，追逐八百余华里，直到距青海湖三十余华里；吐谷浑军驱赶马匹牛羊牲畜逃走。

10 十月二十五日，李世民返京（首都长安）。

11 国务院右最高执行长（右仆射）李靖，因病重辞职，李世民批准。

十一月三日，李世民任命李靖当特进（文散官二级，正二品）；爵位仍然保留，俸禄、赏赐，及官属，全都依旧，等病情稍轻，每隔三两天，前往宰相联合办公处处理国家大事（原文："每三两日至门下中书平章政事。”平章，处理之意。从此，凡加这种含有“平章”官衔的，都是实质宰相）。

12 十一月十六日，吐蕃王国（首都逻些城〔西藏拉萨市〕）国王（三十二任）勃窣野（窣，音sū〔苏〕）弃宗弄赞（勃窣野，三字姓），派使节前来大唐进贡，并且请求娶唐朝公主。

吐蕃王国位于吐谷浑汗国（青海省）西南，七世纪以来，逐渐强盛，不断吞并邻近其他国家，疆土广大，可以随时作战的军队有数十万人，然而从没有跟唐帝国来往，国王称“赞普”，人民习惯上没有姓，皇族称“论”，贵族称“尚”。弃宗弄赞勇敢而有谋略，四邻对他都很畏惧。李世民派使节冯德遐前往慰问安抚（勃窣野三字姓太长而又难记，以后遇到国王时，只称名，不称姓。这就跟对清王朝统治者一样，简直无法每人都写出他们的姓）。

13 十一月十九日，吐谷浑汗国攻击凉州（甘肃省武威市）。

十一月二十一日，李世民下诏发动大规模军事行动，讨伐吐谷浑。李世民打算命李靖当大军统帅，但因李靖年纪太老（其实李靖本年仅六十四岁），不愿再劳动他。李靖听到消息，自己请求前往；李世民大为高兴。

十二月三日，李世民任命李靖当西海兵团总司令官（西海道行军大总管），指挥各军。国务院国防部长（兵部尚书）侯君集，当积石兵团总司令（积石道行军总管）；国务院司法部长（刑部尚书）任城王李道宗，当鄯善兵团总司令（鄯善道行军总管）；凉州军区（总部设甘肃省武威市）总司令李大亮，当且末兵团总司令（且末道行军总管）；岷州军区（总部设甘肃省岷县）总司令李道彦，当赤水兵团总司令（赤水道行军总管）；利州（四川省广元市）州长高甑生，当盐泽兵团总司令（盐泽道行军总管）；连同突厥部落军、契苾部落军，共同进击吐谷浑。

14 李世民遴选隋王朝助理立法官（通事舍人）郑仁基的女儿，入宫当“充华”级小老婆（唐王朝小老婆群编制没有“充华”，隋王朝时“充华”则为第十二级），诏书已经发布，前往郑家宣布此项决定的使节，就要出发，最高监督长（侍中）魏徵听说郑家女儿已受聘知识分子陆爽为妻，立即上疏劝阻。李世民看到，大吃一惊，亲写诏书，深刻自我责备，命立即停止册封。国务院左最高执行长（左仆射）房玄龄等上奏说：“郑家女儿许配给陆家，并没有正式聘礼，诏书既已颁布，不可中止。”陆爽也上疏声明当初跟郑家女儿根本没有婚约。李世民问魏徵说：“官员或许想拍马屁，可是连陆爽自己也这么说，为什么？”魏徵说：“他认为陛下表面上虽然放弃，或许会暗中报复，加他一个罪名，不得不忍痛如此。”李世民笑说：“他们可能有这种想法，我的话怎么竟不能使人深信不疑！”

15 中牟（河南省中牟县）县政府主任秘书（丞，上县从八品下）皇甫德参，上疏说：“修建洛阳宫，使人民劳苦；征收农田赋税，是一种搜刮；民间妇女喜欢把发髻梳得那么高，乃是皇宫误导。”李世民大怒，对国务院左最高执行长（左仆射）房玄龄等说：“皇甫德参打算使政府不差使一个人，不收一斗米，宫女们都没有头发，才觉得称心快意！”打算用诽谤罪处罚。最高监督长（侍中）魏徵劝阻说：“贾谊在刘恒（西汉王朝五任帝）时代，上疏说：‘我认为天下大势，应该痛哭的有一件，应该流涕的有两件。’（参考前一七四年）。自古以来，上疏给君王，如果不激烈，就不能打动君王的心意。皇甫德参不过胡说八道，希望陛下明察。”李世民说：“我如果处罚他，以后谁还敢说话！”赏赐皇甫德参绸缎二十匹。

过了几天，魏徵上奏说：“陛下最近不太能接受真切的言论，虽然勉强包容，但已没有以前那种从内心发出的开阔宽厚气度。”李世民更加重赏赐，擢升皇甫德参当行政监察官（监察御史）。

16 立法院立法官（中书舍人）高季辅上疏说：“地方政府低阶层官员，还没有薪俸，饥寒交迫下，无法保持清廉。而今，国家粮食库存丰富，对他们应该从优发给，然后才可以要求他们不要贪污，才可以制定严厉的处罚条款。密王李元晓等，都是陛下的老弟，最近，看到皇子们叩拜各位叔父，各位叔父也用叩拜答礼，使辈分混乱，应该依照礼教行事。”奏章呈上后，李世民称许。

17 西突厥汗国（新疆北部及中亚东部）咄陆可汗（六任大可汗）阿史那泥孰逝世，老弟阿史那同娥将军继位，称沙钵罗咥利失可汗（七任大可汗）。

六三五年 乙未

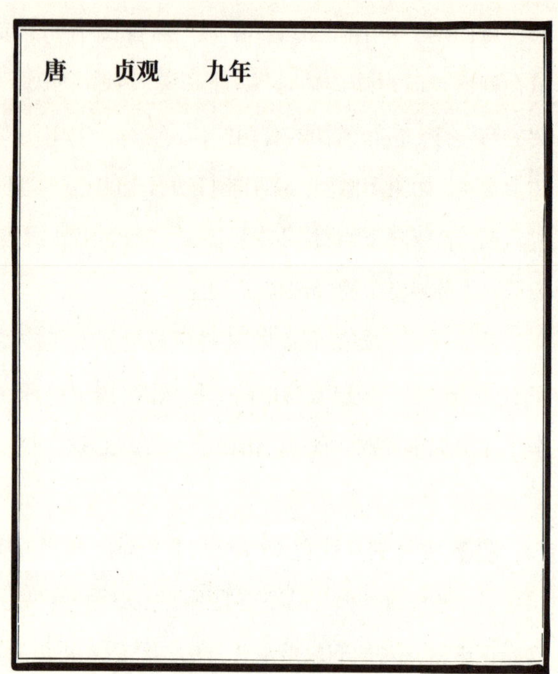

1 春季，正月，党项部落（四川省西北部）早先归附并迁到内地的部众，同时叛变，投奔吐谷浑汗国（青海省）。

三月十四日，洮州（甘肃省临潭县）羌部落，聚众起兵，诛杀州长孔长秀，逃入吐谷浑汗国。

2 三月二十六日，唐政府赦免天下。

3 三月十九日，盐泽兵团总司令（盐泽道行军总管）高甑生，攻击羌部落变民军，把羌部落变民军击破。

4 三月二十四日，唐王朝皇帝（二任太宗）李世民（本年三十八岁）下诏说：依照财产把人民分为三等（上中下），不够精确，应分为九等（上中下再各分上中下。《唐会要·定户等第》："六二三年三月，命评估人民的财产，定为三等。"但《资治通鉴》的记载，一开始便是九等，参考六二四年四月）。

5 李世民告诉最高监督长（侍中）魏徵说："高纬（北齐帝国五任帝）和宇文赟（北周帝国四任帝），对人民都压榨的很重，自己却豪华奢侈，结果人民精力枯竭，国家也跟着灭亡。就好像馋嘴的人吃自己的肉，肉吃光了，人也死了，是何等的愚蠢！然而，两个人比较，哪一个较好？哪一个较坏？"魏徵回答说："高纬胆小如鼠，政府中每一个官员都是一个山头。宇文赟骄傲凶暴，作威作福，随心所欲。虽然同是亡国之君，高纬尤其恶劣。"

6 夏季，闰四月八日，任城王、鄯善兵团总司令（鄯善道行军总管）李道宗，在库山（今地不详）击败吐谷浑军；步萨钵可汗（十七任）慕容伏允纵火焚烧全部野草，率轻装备部队逃入沙漠石砾地带（可能是青海省西北部柴达木盆地）。唐朝远征军各将领认为："沿途缺少草料，战马疲惫瘦弱，不可以深入追击。"积石兵团总司令（积石道行军总管）侯君集说："不然。上一次，段志玄撤退时，刚刚回到鄯州（青海省海东市乐都区），吐谷浑反攻部队，已抵达城下。因他们的实力仍然完整，命令仍然贯彻。这次吐谷浑只不过在一次战役中挫败，却像老鼠飞鸟一样，向四面八方逃亡，甚至连斥候都没有留下。君臣离心，父子互不相顾，说明他们已无法作有组织的抵抗，征服他们，比捡起一根芥菜还要容易。如不抓住这个机会，一定后悔。”西海兵团总司令官（西海道行军大总管）李靖同意，于是兵分两路：李靖与沃沮兵团副总司令（沃沮道行军副总管）薛万均、且末兵团总司令（且末道行军总管）李大亮，由北路挺进；侯君集与任城王李道宗，由南路挺进。

闰四月二十三日，李靖部将薛孤儿在曼头山（青海省西宁市西北），击败吐谷浑军，诛杀吐谷浑著名亲王，捕获大量牲畜，充当军粮。

闰四月二十八日，李靖等在牛心堆（西宁市西北）击败吐谷浑军，又在赤水源（今地不详）再击败吐谷浑军。侯君集、任城王李道宗率军西进，深入二千余华里，如入无人之境，地势高亢，盛夏仍然降霜。远征军队穿过破逻真谷（可能在青海湖东南），该地没有水，人吃冰，马吃雪。

五月，唐朝远征军追击慕容伏允，追到乌海（喀拉湖），双方会战，大破吐谷浑军，俘虏吐谷浑著名亲王。薛万均及贵族征兵府司令（统军）薛万彻，又在赤海（青海省兴海县）击败吐谷浑的智囊天柱王。

7 太上皇李渊于去年（六三四）中风。

五月六日，李渊在垂拱殿逝世（年七十岁）。

五月十日，文武官员请求皇帝李世民遵守李渊的遗诏，继续主持军国大事，李世民不允许（李世民要为老爹服三年之丧，三年之丧几乎成了检验儿女孝不孝的唯一标准，李世民不敢违背）。

五月十一日，李世民命太子李承乾在太子宫（东宫）裁决国家大事（本年，李承乾十八岁）。

8 赤水（青海省兴海县）之战，薛万均、薛万彻，率少数轻装备骑兵前进，被吐谷浑汗国军包围，兄弟都身中枪伤，失去战马，二人徒步战斗，所率领的部队死亡达十分之六七；左领军（卫军第七军）将军（从三品）契苾何力（契苾，复姓），率骑兵数百人援救，奋勇攻击，所向无敌，薛万均、薛万彻因此得以逃出一命。李大亮在蜀浑山（今地不详）击败吐谷浑军，俘虏吐谷浑著名亲王二十人。将军执失思力在居茹川（可能是格尔木河）击败吐谷浑军。

远征军西海兵团总司令官（西海道行军大总管）李靖，率各军穿过积石山、黄河发源地，抵达且末（新疆且末县），直到吐谷浑汗国最西边境。得到情报说：慕容伏允躲在突伦川（今地不详），打算向西投奔于阗王国（新疆和田市）；契苾何力打算追赶袭击，薛万均鉴于赤水之战的挫败，坚决反对，契苾何力说：“蛮虏并没有城池，随着水草流动迁徙，如果不趁他们聚集在一起的时候，一举歼灭，一旦四散逃走，有什么办法捣毁他们的巢穴！”径自挑选骁勇骑兵一千余人，直向突伦川（今地不详）进发，薛万均无奈，只好率军随从。沙漠中无水，将士们刺马出血，饮血解渴。抵达突伦川（今地不详），袭击慕容伏允御帐，击破，杀数千人，俘获牲畜二十余万头，慕容伏允脱身逃走，唐朝远征军生擒他的皇后及王子。

侯君集等向南挺进，越过星宿川（黄河源头星宿海），抵达柏海（青海省玛多县西鄂陵湖）；折返，跟李靖军会师。

大宁王慕容顺，是隋王朝的外甥（隋王朝光化公主的儿子）、可汗慕容伏允的嫡长子，到隋王朝当人质，长时期不能回去，慕容伏允遂另封其他儿子当太子。后来，慕容顺终于返国（参考六一九年二月），心中一直闷闷不乐。现在，李靖击破吐谷浑汗国，汗国贵族们处境悲惨，走投无路，怨恨天柱王。慕容顺顺应民心，斩天柱王，献出汗国投降。

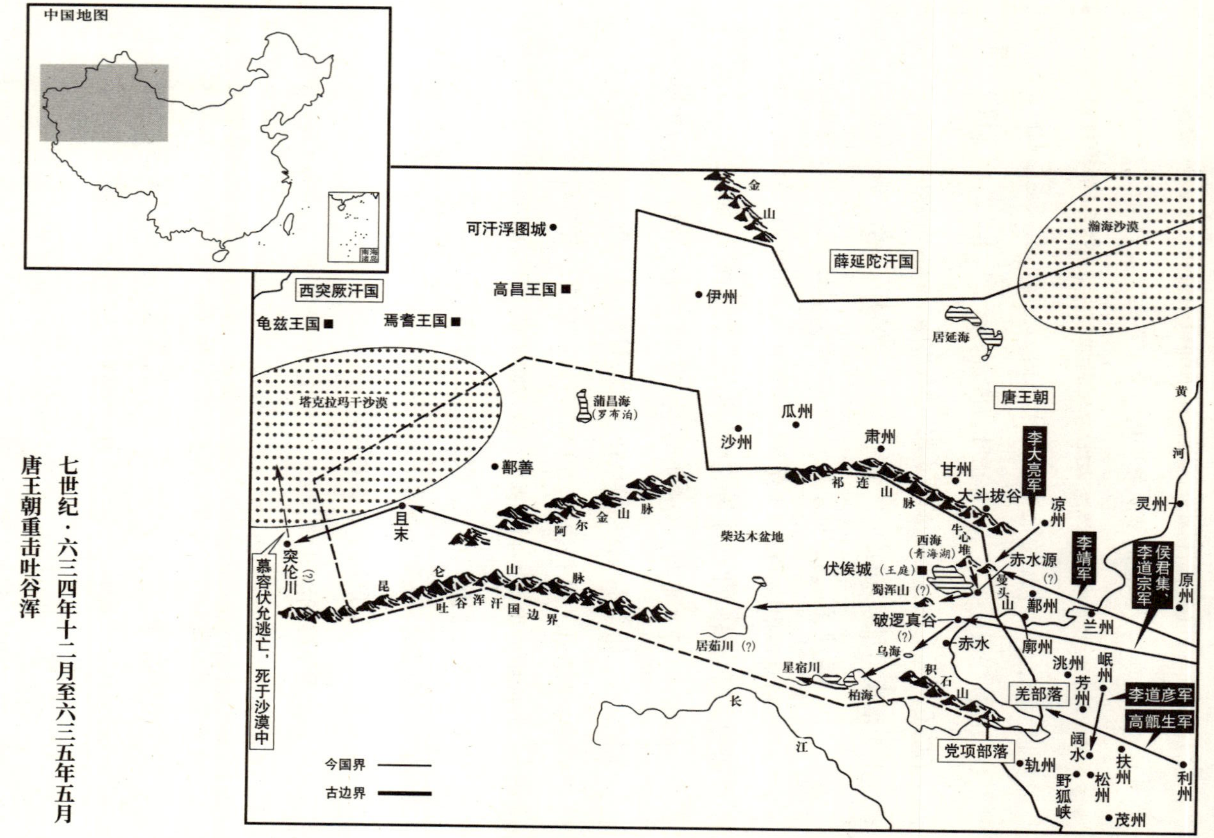

七世纪·六三四年十二月至六三五年五月
唐王朝重击吐谷浑

慕容伏允率一千余骑兵，逃到沙漠中，十余天后，部众几乎全部逃光，左右侍从遂斩慕容伏允（慕容伏允在位三十九年，当权时间太久而又横挑强邻，二者都是毁灭因子）。贵族们拥护慕容顺继位可汗。

五月十八日，李靖上疏报告征服吐谷浑汗国。

五月二十一日，李世民下诏，特准吐谷浑恢复建国，封慕容顺当西平郡王、趉胡吕乌甘豆可汗（十八任）。李世民忧虑慕容顺未必能获得他的部众效忠，命李大亮率精兵数千人，前往支援。

9 六月二十五日，唐政府文武官员再一次请求李世民节哀，恢复主持国政，李世民批准；但较小的事情，仍交太子李承乾，李承乾相当有分析决断的能力。

自此以后，李世民每次出京（首都长安）视察，都命李承乾留守主持中央政府。

10 秋季，七月七日，盐泽兵团副总司令（盐泽道副总管）刘德敏，攻击羌部落变民军，把他们击破。

11 七月二十四日，李世民下诏："太上皇（李渊）坟墓，应依照长陵（西汉王朝一任帝刘邦墓）模式，务求高大。"可是期限太短，无法完成。皇家图书院长（秘书监）虞世南上疏说："圣人用简单的陪葬物，安葬他的双亲，并不是不孝，而是经过深思远虑，认为高大的坟墓和丰富的陪葬物，恰恰连累地下的双亲受害，所以不愿去做。从前，张释之有句话：'假使坟墓中藏有人们渴望得到的东西，就是铜墙铁壁的南山，也会被凿出缝隙。'（参考前一七七年）刘更生（刘向）曾经说过：'死亡不会停止，可是王朝政权却有兴有废，张释之的话，眼光长远。’（参考前一六年）深刻切实，合乎情理。我们深知陛下的神圣品德，远超过伊祁放勋（唐尧）、姚重华（虞舜），但豪华奢侈的安葬，陛下却效法秦汉王朝，我认为这是一项错误的选择。虽然不再陪葬金银宝玉，但后世人民看见坟墓如此高大，怎么知道其中并没有金银宝玉？而且，陛下脱下丧服，完全比照刘恒（西汉王朝五任帝）当初规定（刘恒遗诏：三十七日脱下丧服，参考前一五七年六月），但在坟墓建筑上，却比照刘邦（西汉王朝一任帝），恐怕并不合适。盼望参照《白虎通》（班固等编撰《白虎通义》，参考七九年十一月）规定，坟墓只高两丈一尺（三仞），陪葬器物，一律从俭。但仍在坟墓之旁立碑，把陪葬器物一一刻在上面，然后重抄一份，藏在皇家祖庙，作为子孙永久效法的榜样。”奏章呈上去后，没有消息。

虞世南再上疏，说：“两汉王朝天子，登极的那一天就开始修建自己的坟墓，有的长达五十余年（指西汉王朝七任帝刘彻。设置茂陵县，参考前一三九年四月；修建坟墓，直至刘彻死时〔前八七年二月〕，历时五十三年）。而今，却打算用几个月的时间，去完成数十年的工程，恐怕人的能力有限。”李世民遂把虞世南的前后奏章，交给有关单位，命详细商议讨论。国务院左最高执行长（左仆射）房玄龄等会商结果，奏报说：“长陵（西汉一任帝刘邦墓）高九丈，原陵（东汉一任帝刘秀墓）高六丈。现在，九丈太高，二丈一尺太低，请准予依照原陵制度（高六丈）。”

李世民批准。

12 七月十八日，李世民下诏说：“帝国刚刚建立，皇家祖庙还不完备。而今将要举行祔祭大典（祔，音fù〔付〕。祔祭：新死者跟祖先合享香火之祭。也就是使新死者的灵魂，归于祖先之祭。止哭的第二天，把死者的牌位送到祖庙之祭，称“祔祭”，祭后仍把牌位捧回家，等两周年〔大祥〕，才正式迁入祖庙），负责礼仪的官员，应详细商议。”高级顾问官（谏议大夫）朱子奢，建议只立“三昭”“三穆”庙，太祖庙暂时不设（太祖即始祖，二、四、六世庙位太祖庙左方，称“昭”；一、三、五世庙位太祖庙右方，称“穆”；参考五五七年正月）。于是扩建皇家祖庙，把五世祖李重耳，和一任帝李渊的牌位，一齐送进去，连同四个旧有的祖先牌位，共有六个祭室（唐王朝李姓皇族追溯世系：七世祖李暠〔西凉王国一任王〕，六世祖李歆〔西凉王国二任王〕，五世祖李重耳〔北魏帝国弘农郡郡长〕，高祖父李熙〔北魏帝国金门镇将，定居武川〕，曾祖父李天锡〔北魏帝国警卫区指挥官，幢主〕，祖父李虎〔北周帝国唐公爵〕，父李昞〔北周帝国柱国大将军〕，唐王朝一任帝李渊）。

房玄龄等建议：将西凉王国一任王李暠尊为始祖；太子宫政务署长（左庶子）于志宁参与会议，认为事实上帝国的权力不来自李暠，不可以当始祖；李世民同意。

13 党项部落（四川省西北部）攻击叠州（甘肃省迭部县）。

14 唐朝远征军统帅、西海兵团总司令官（西海道行军大总管）李靖，西击吐谷浑汗国时，用重金贿赂党项部落（四川省西北部），请做向导。党项酋长拓跋赤辞前来大营，对唐政府军各将领说：“隋政府无信无义，喜欢对我们凶暴掠夺。现在，唐政府王师如果不是诈欺的话，我不但愿当向导，还可以供应粮秣。你们如果也无信无义，我就封锁险要，切断你们的交通要道。”各将领跟拓跋赤辞焚香盟誓，送他回去。

赤水兵团总司令（赤水道行军总管）李道彦，行军到阔水（四川省松潘县北），发现拓跋赤辞的党项部落军没有戒备，遂发动袭击，俘获牛羊数千头。于是所有羌人（党项是羌人部落）怨恨忿怒，起而据守野狐峡（松潘县西），李道彦不能前进；拓跋赤辞反击，李道彦大败，政府军被杀数万人，李道彦退守松州（四川省松潘县）。左骁卫（卫军第五军）将军（从三品）樊兴，逗留不前，在指定时间没有抵达目的地，士卒逃亡太多。

七月二十二日，李道彦、樊兴，都判“死刑减一等”（减死）刑罚，放逐边疆。

李世民派使节前往大斗拔谷（甘肃省民乐县东南），慰劳远征军将士，薛万均诋毁曾救他一命的契苾何力，认为都是自己的功劳。契苾何力按不住心头忿怒，拔刀而起，直砍薛万均，各将领急行阻拦，总算拦住。李世民得到报告，责备契苾何力，契苾何力把赤水战役经过情形，据实报告，李世民大怒，打算免除薛万均的官职，转授给契苾何力，契苾何力坚决辞让，说：“陛下因为我的缘故，撤销薛万均的官职，外籍兵团士卒没有知识，会误认为陛下重视外族人而轻视中华人，因而辗转诬告，互相排挤，为数一定增加；而且外籍兵团士卒更可能认为中华人将领都跟薛万均一样，可能产生轻视中华人心理。”李世民很是称许，中止进行。

不久，命契苾何力驻防玄武门，摄理城门防卫大营司令（检校屯营事），娶皇族女儿临洮县主（公爵女儿称县主）。

15 岷州军区（总部设甘肃省岷县）总司令（岷州都督）、盐泽兵团总司令（盐泽道行军总管）高甑生，不能在军令指定日期抵达目的地；远征军西海兵团总司令官（西海道行军大总管）李靖加以责备。高甑生深恨李靖，于是控告李靖阴谋叛变；经过调查，没有证据。

八月十七日，高甑生被判“死刑减一等”，放逐边疆。有人向李世民求情，说：“高甑生是秦王府的功臣，应给予宽恕。”李世民说:“高甑生违背李靖命令，又诬告李靖谋反，如果连这种行为都可以宽恕，法律还有什么人遵守？而且，帝国政权在晋阳（山西省太原市）起义时，功臣太多了，如果高甑生可以免罪，以后恐怕人人犯法，怎能禁止！我对于旧时功臣，从来不忘，因此也不敢赦免，免得鼓励他们犯法。”

然而，李靖却从此关上家门，不再接见宾客，即令是亲戚，也不随便会面。

16 李世民打算亲自前往视察老爹李渊墓地，文武官员因李世民悲伤过度，身体瘦弱，一致劝阻，李世民才停止。

17 冬季，十月十二日，处月部落（新疆新源县境）第一次派使节到唐帝国进贡。处月部落、处密部落（新疆塔城市境），都是西突厥汗国所属的一个支派。

18 十月二十七日，把一任帝李渊的尸体安葬献陵（陕西省富平县南），祭庙称高祖（绰号太武皇帝）；与亡妻窦女士（穆皇后）合葬，尊窦女士绰号太穆皇后。

19 十一月十八日，李世民下诏在太原（山西省太原市）兴建“高祖庙”（李渊庙）。皇家图书院长（秘书监）颜师古认为：“祭庙应立在京师（首都长安），两汉王朝都在郡或封国建立祭庙（参考前一五六年十月），违反礼教。”李世民才停止。

20 十一月二十六日，擢升光禄大夫（文散官三级，从二品）萧瑀当特进（文散官二级，正二品）、实质宰相（参预政事。萧瑀免实质宰相事，参考六三〇年七月）。

李世民说："六二三年以后，高祖（一任帝李渊）有废掉太子（李建成）的意思，但一直没有决定。我受兄弟们的排斥，心里有一种'功高不赏'的恐惧。而萧瑀这个人，不受利益诱惑，不怕死亡威胁，是国家的栋梁。"因此，写一首诗送给萧瑀："疾风知劲草／板荡识诚臣。"（狂风之下才知道哪一根草坚强，动乱时代才看出谁诚心诚意忠于国家。）又对萧瑀说："你的忠心和正直，连古代圣人都超不过你。可是，你善恶太过分明，有时也不免使人无法忍受。"萧瑀叩头谢恩。

最高监督长（侍中）魏徵说："萧瑀和大众对抗，身心孤立，只有陛下知道他忠贞坚强。他如果没有遇到圣明，而想免祸，恐怕困难。"

21 特进（文散官二级，正三品）李靖，上疏请求李世民遵照太上皇（李渊）的遗诏，脱下丧服，改穿平常衣裳，驾临正殿主持朝会；李世民不许。

22 吐谷浑汗国甘豆可汗（十八任）慕容顺，因在唐帝国当人质太久，贵族们对他心里不服，竟被部属刺死。儿子燕王慕容诺曷钵继位（十九任）。慕容诺曷钵年幼，高级官员争权，汗国大乱。

十二月，李世民下诏派国务院国防部长（兵部尚书）侯君集等，率军增援慕容诺曷钵；一面先派使节前往沟通调解，对不肯听从的部落，出军讨伐。

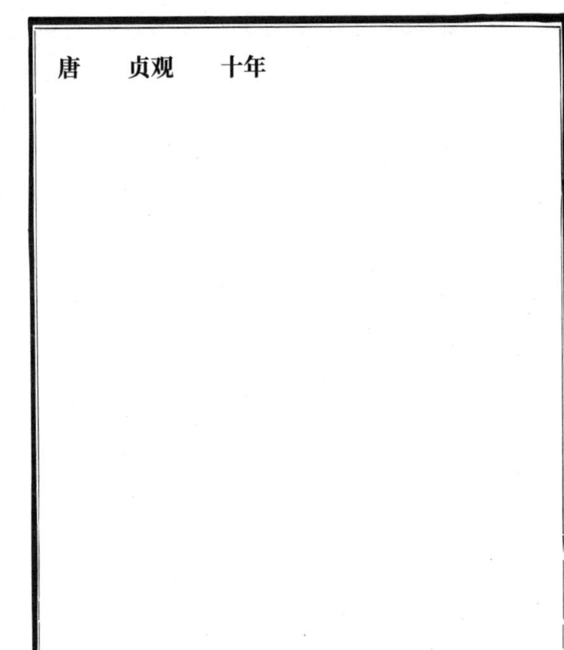

1 春季，正月三日，唐王朝（首都长安〔陕西省西安市〕）皇帝（二任太宗）李世民（本年三十九岁）开始亲临主持国政。

2 正月十日，李世民命前东突厥汗国大将军（拓设）阿史那社尔，当左骁卫（卫军第五军）大将军（正三品）。

阿史那社尔，是处罗可汗（十二任大可汗）阿史那俟利弗的儿子。十一岁时，就以智谋及见识，受人注意。老爹命他担任大将军（拓设），在瀚海沙漠群北部，建立王庭（在今蒙古国哈拉和林市），和将军（设）阿史那欲谷，分别统治敕勒（铁勒）各部落；当大将军（拓设）十年之久，从不贪污搜刮。其他将军们都瞧不起他，认为他不知道聚敛财产，追求富贵，阿史那社尔说："只要部落富裕，我已经满足。"各将军都惭愧敬佩。后来，薛延陀部落叛离，击破将军阿史那欲谷（参考六二七年十二月），阿史那社尔军也同时溃败，率残余部众逃走，据守汗国西疆。颉利可汗（十三任）阿史那咄苾不久败亡（参考六三〇年三月），西突厥汗国陷于混乱，咄陆可汗（西突厥六任大可汗）阿史那泥孰兄弟们夺权（参考六三〇年十二月），阿史那社尔前往诈降，乘势向西突厥发动突袭，几乎夺取西突厥一半国土，拥有部众十余万，自称都布可汗（小可汗）。阿史那社尔对各部落说："首先叛乱击破我国的，是薛延陀，我要替先可汗（阿史那咄苾）报仇，把他们从大地上消灭。"各部落酋长一致反对说："最近才夺到西方疆域，最好先定下来镇压安抚。如果仓猝把它抛弃，向遥远的东方进击，西突厥一定来收复故土。"阿史那社尔不接受，在沙漠北攻击薛延陀，缠斗一百余天。这时，西突厥咥利失可汗（七任大可汗）阿史那同娥登极（参考前年〔六三四〕十二月），而阿史那社尔的部众，不能忍受长期作战的悲苦，很多人抛弃阿史那社尔，逃奔阿史那同娥；薛延陀乘机出动大军反击，阿史那社尔大败，投奔高昌王国（新疆吐鲁番市东），手下部众才一万余家；又畏惧西突厥汗国的逼近，遂率领他的部众，向唐王朝投降（以上追述）。

李世民下令把阿史那社尔的部众安置在灵州（宁夏灵武市）以北，而把阿史那社尔留在长安（陕西省西安市），命他娶皇妹南阳长公主，率领城门防卫军（屯兵），驻防皇家林园之内。

3 正月二十二日，李世民下令：赵王李元景改封荆王、鲁王李元昌改封汉王、郑王李元礼改封徐王、徐王李元嘉改封韩王、荆王李元则改封彭王、滕王李元懿改封郑王、吴王李元轨改封霍王、豳王李元凤改封虢王、陈王李元庆改封道王、魏王李灵夔改封燕王（以上都是李世民的老弟）。蜀王李恪改封吴王、越王李泰改封魏王、燕王李祐改封齐王、梁王李愔改封蜀王、郯王李恽改封蒋王、汉王李贞改封越王、申王李慎改封纪王（以上都是李世民的儿子）。

二月四日，李世民任命荆王李元景当荆州军区（总部设湖北省江陵县）总司令（荆州都督）、汉王李元昌当梁州军区（总部设陕西省汉中市）总司令（梁州都督）、徐王李元礼当徐州军区（总部设江苏省徐州市）总司令（徐州都督）、韩王李元嘉当潞州军区（总部设山西省长治市）总司令（潞州都督）、彭王李元则当遂州军区（总部设四川省遂宁市）总司令（遂州都督）、燕王李灵夔当幽州军区（总部设北京市）总司令（幽州都督）；吴王李恪当潭州军区（总部设湖南省长沙市）总司令（潭州都督）、魏王李泰当相州军区（总部设河南省安阳市）总司令（相州都督）、齐王李祐当齐州军区（总部设山东省济南市）总司令（齐州都督）、蜀王李愔当益州军区（总部设四川省成都市）总司令（益州都督）、蒋王李恽当安州军区（总部设湖北省安陆市）总司令（安州都督）、越王李贞当扬州军区（总部设江苏省扬州市）总司令（扬州都督。改封各亲王，当为使其采邑跟所驻守之军区总部相近）。

只魏王李泰仍留京师（首都长安），不前往到差，李世民另命金紫光禄大夫（文散官四级，正三品）张亮当秘书长（长史），代理总司令（行都督事）。李世民因李泰喜爱文学，接待知识分子彬彬有礼，特下令魏王府设立“文学馆”，随李泰的意招待延聘学士（研究官）。

4 三月七日，吐谷浑汗国（青海省）可汗（十九任）慕容诺曷钵，派使节前来唐帝国，请求颁发日历及年号（这就是“奉正朔”，表示臣服），

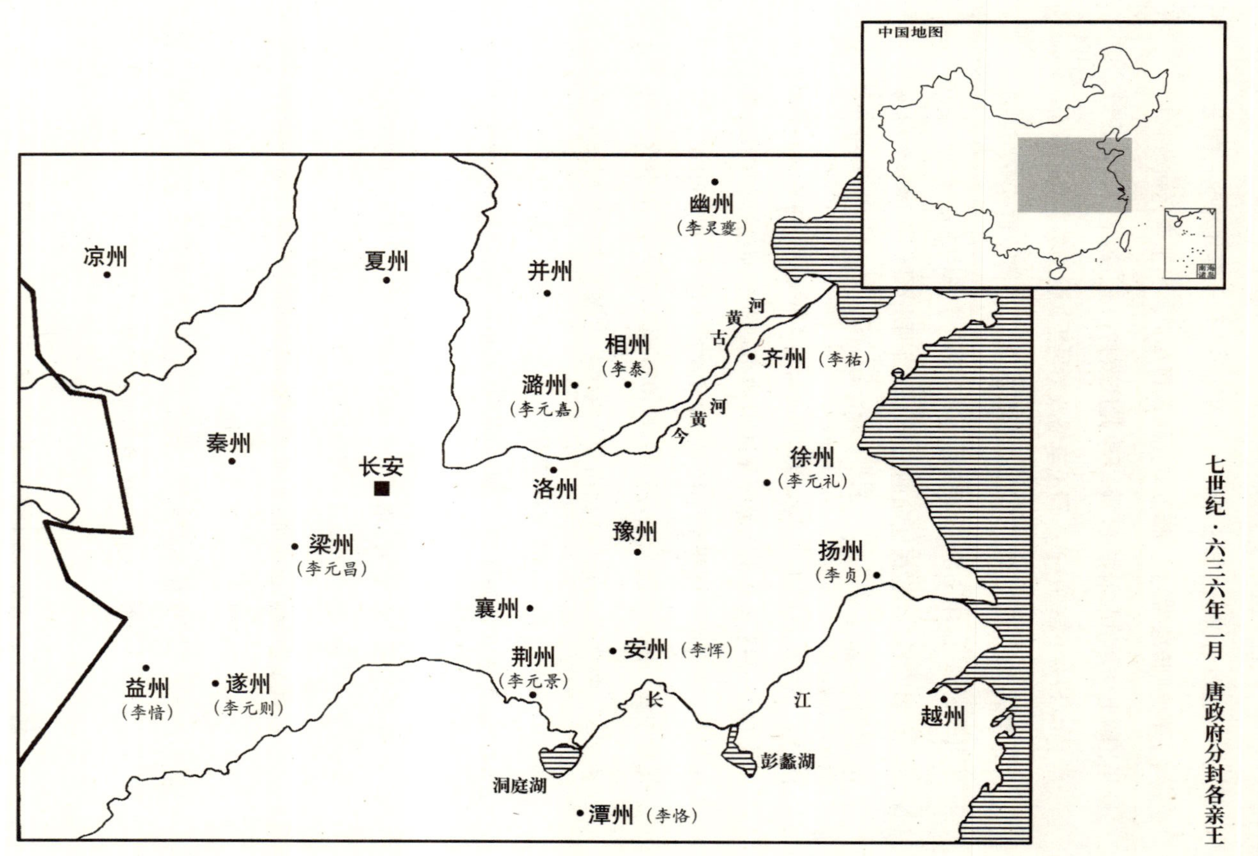

七世纪·六三六年二月　唐政府分封各亲王

并请求派子弟到唐帝国充当人质；李世民全都批准。

三月十七日，李世民封慕容诺曷钵当河源郡王、乌地也拔勤豆可汗。

5 三月二十三日，各亲王前往各军区就职，李世民跟他们道别，说："兄弟之情，岂不希望经常聚在一起。可是，帝国大业重要，不得不派你们出去。儿子死亡，还可以再生；兄弟死亡，就不会再有！"流下眼泪，呜咽不能停止。

6 夏季，六月十四日，李世民命最高立法长（中书令）温彦博当国务院右最高执行长（右仆射），祭祀部长（太常卿）杨师道当最高监督长（侍中）。

7 最高监督长（侍中）魏徵，因眼睛有病，不断请求调任散官，李世民不得已，调魏徵担任特进（文散官二级，正二品），但仍代理监督院事务（知门下事），对法令规章，随时纠正错误，对犯流刑以上的罪行，有权提出异议，奏报皇帝。魏徵的薪俸、赏赐、部属，跟实官相同。

8 长孙皇后性情仁慈孝顺，节俭朴素，喜爱读书，时常趁李世民闲暇时候，谈论历史往事，乘机提出建议，对国家有很大贡献。李世民有时会无缘无故怪罪宦官宫女，长孙皇后总是也跟着假装大怒，要求亲自审问，因此把囚犯羁押监狱；等到李世民怒气平息后，再慢慢替宦官宫女申理；因此宫廷之中，没有滥刑乱杀惨事。豫章公主（李世民的女儿）娘亲早死，长孙皇后收养她，爱她胜过亲生（豫章公主后来嫁给唐义识）。李世民的小老婆群以及宫女生病，长孙皇后都亲自安抚探望，减少自己的医药和膳食费用，资助她们医疗，宫中对她没有人不爱戴。长孙皇后教训所有皇子，强调谦卑、节俭，认为应最先做到。太子李承乾的奶娘遂安夫人（唐王朝制度：太子乳母封“郡级夫人”）曾经报告长孙皇后，说太子宫使用的东西太少，请奏报皇上增加，长孙皇后不同意，说：“身为太子，忧虑的应是品德不高、名声不好，为什么忧虑东西不够用！”

李世民染病，经年没有痊愈，长孙皇后在病床前侍候，昼夜不肯离开，经常把毒药夹在衣带上，说：“皇上如果有什么三长两短，我不能独自活命。”长孙皇后一向有气喘病，前年，随李世民前往九成宫（陕西省麟游县境），谯国公爵柴绍等在半夜紧急密告急变（这是一件大事，必定事出有因，史书却无记载），李世民全副武装出来询问情势，长孙皇后带病跟从，左右侍从劝阻。长孙皇后说：“皇上震惊，我怎么能够心安！”但也因此，病势转重。太子李承乾向娘亲建议：“医药已竭尽全力，病仍不能痊愈，请奏报老爹赦免天下，并且广开善门，超度凡夫俗子皈依佛道两教，也许可以获得冥冥中神灵保佑！”长孙皇后说：“生死有命，不是人力所能改变。如果说行善一定有福，我从来没有做过坏事；如果不是这样，胡乱祈求，有什么益处！赦免罪犯，是国家大事，不可以屡次施行。佛教、道教之事，皇上一向都不那么做，怎能为了我一个妇女，去做他从不肯做的事，一定要照你的话做，我还不如早死。”

李承乾不敢直接奏报老爹，暗中告诉国务院左最高执行长（左仆射）房玄龄，房玄龄报告李世民，李世民既哀又怜，打算为长孙皇后举办一次大赦，长孙皇后坚决阻止。

现在，长孙皇后病势危急，跟李世民诀别。此时房玄龄因受李世民的谴责，免职返回私宅，长孙皇后对李世民说："房玄龄事奉陛下，时日已久，小心谨慎，所有神奇的谋略和隐秘的诡计，从来没有泄漏过一句，假定没有特别原因，希望不要把他抛弃。至于我们长孙家，借着婚姻关系，纷纷享受薪俸，身居高位，既不是由于有高尚的品德，自然容易崩塌摧折，为了保全长孙家子孙后代，千万不要把他们安置在权要官位，能够以皇亲国戚身份，每月初一、十五入朝晋见，就十分满足。我活着的时候对人民没有贡献，死了之后怎么可以贻害人民，希望不要为了兴筑坟墓，使人民劳动、天下消耗，只要把山当作坟墓，陪葬的器物都用瓦的或木质的。盼望陛下继续亲近君子，疏远卑劣小人；接受忠言，摒弃奸邪的谗言，减少劳役，停止狩猎，我虽在九泉之下，也死而无恨。儿女们不必教他们回来，看见他们悲哀哭泣，空乱心意。"遂取出衣带上的毒药，拿给李世民看，说："我在陛下卧病的那些日子，誓言自杀追随你到地下，不愿居于吕雉的地位（吕雉事，参考前一八〇年七月）。"

六月二十一日，长孙皇后在立政殿逝世（年三十六岁）。

长孙皇后曾经收集古代妇女得失重要事迹，编著《女则》三十卷；也曾经撰写论文，批评东汉王朝明德皇后马女士（东汉二任帝刘阳正妻）说："不能摒退娘家人，反而使他们在政府中掌握权柄、享受富贵；仅只警告他们家门前不可以车如流水马如龙（参考七七年），是一种掘开灾祸泉源，而去堵塞灾祸末流的方法。"长孙皇后死后，皇宫有关单位（胡三省注，认为是礼仪局教学官〔尚仪局司籍〕），将此项评论，连同《女则》，一并呈奏。李世民阅读后，哀恸不已，拿给亲近的臣属观看，说："皇后这本书，足以作万世模范，我并不是不知道天命，去做于事无补的悲痛，只是进宫之后，再听不到劝告的声音，失去一位优良的辅佐，不能忘怀！”召见房玄龄，命他官复原职。

9 秋季，八月十九日，李世民对文武官员说：“我开拓正直批判这条路，是希望对国家有所裨益；可是近来呈递的‘亲启密奏’，都是些人身攻击小事！今后如果再发生这种现象，我就认为他陷害忠良，给予处罚。”

10 冬季，十一月四日（原文“庚午”，据《旧唐书》改），把长孙皇后（文德皇后）安葬昭陵（陕西省礼泉县北）。左骁卫（卫军第五军）将军（从三品）段志玄、宫廷总管（殿中监）宇文士及，分别率军出肃章门（内宫城门）布防。李世民于夜间派宦官到二人营地，宇文士及开营接入，而段志玄拒绝，说：“军营重地，不可以夜间开门。”使节说：“我有皇上的手令。”段志玄说：“夜间分辨不出真假！”竟把使节羁留到天亮。李世民听到消息，叹息说：“这才是真将军。”

李世民又撰文刻石立碑，说：“长孙皇后节俭，临终遗言，务要简单安葬，认为：‘盗墓贼的目的，不过搜刮金银珍宝，墓中既没有金银珍宝，他还搜刮什么！’我本来的意思，也是如此。君王把天下当作家庭，何至于非把金银珍宝放到坟墓之中，才算作自己所有！现在，就在九嵕山（陕西省礼泉县北）修筑坟墓，凿石工人才一百余人，数十天就完工。墓中不陪葬黄金璧玉，人马、器具都用陶器木器，具备形式而已，也许可以使盗墓贼死了这条心，死者或生者，都不受伤害。百世子孙，均应效法奉行。”

李世民思念长孙皇后，不能自制，在皇家林园中兴筑了一座很多层的高楼，用来眺望长孙皇后的葬身之所——昭陵。有一天，带着特进（文散官二级，正二品）魏徵，一同上去，命魏徵眺望，魏徵仔细看了很久，说：“我眼睛昏花，怎么看都看不见。”李世民指给他，魏徵说：“我以为陛下遥望的是献陵（一任帝李渊墓），如果遥望的是昭陵（长孙皇后墓），早已看到。”李世民流泪，命拆毁高楼。

11 十二月二十二日，朱俱波王国（新疆叶城县）、甘棠王国（今地不详），派使节前来唐帝国进贡。朱俱波王国在葱岭（帕米尔高原）之北，距瓜州（甘肃省瓜州县）二千八百华里（二地航空距离一千六百公里），甘棠王国在大海（不知是什么海）之南。

李世民说：“大唐政治安定，四方蛮夷自然顺服。然而，我不能不恐惧，从前嬴政（秦王朝一任帝）声威震撼胡（北方蛮夷）越（南方蛮夷），可是两代就亡，现在只有盼望文武官员帮助我，改正我的失误。”

12 魏王李泰深受老爹李世民的宠爱，有人打小报告说：很多三品以上高官，轻视李泰。李世民大怒，召集三品以上高官，脸色铁青，斥责说：“杨坚（隋王朝一任帝）时代，一品以下官员，都受过亲王们当面殴打挫辱（参考五九〇年四月），那些亲王难道不是皇帝的儿子？我只是不准皇子们为非作歹而已。听说，三品以上高官全瞧不起魏王（李泰），我如果不管他，他岂不是照样可以殴打挫辱你们！”房玄龄等全都惊惶恐惧，汗流浃背，不停的叩头请求宽恕。只魏徵严肃的回答说：“我认为，现在所有文武官员，绝对没有人敢轻视魏王（李泰）。在礼仪上，臣属和儿子居于同等地位。《春秋》记载：君王所派的使节，官位虽低，但排班顺序，却在封国国君之上（《春秋》前六五二年：鲁国国君〔十九任僖公〕姬申，邀请周王代表，以及齐国国君姜小白、宋国国君子御说、卫国国君卫毁……在洮城〔河南省濮阳市东南〕盟誓）。三品以上都是三公及部长级以上高官，陛下对他们十分尊重礼敬。如果天理国法已经败坏，那当然什么话都不用说了。而今，圣明在位，魏王（李泰）绝对没有殴打挫辱文武官员的道理。杨坚放纵他的儿子，使他们做出很多残暴无理之事，最后被屠杀一光，怎么可以效法！”李世民大为高兴说：“理由充分，使人不能不服。我私心溺爱，忘记公义。刚才我那种忿怒，自认为理直气壮，等听到魏徵的话，才知道理屈。领袖人物发言，怎么可以轻率出口。”

13 李世民说：“法律规章，不可以屡屡改变。屡屡改变则烦琐繁多，官员无法全部记住。而且前后有不同之处，小职员就玩弄条文，从中作奸犯科。自今以后，凡是修订法律规章，都要仔细谨慎去做。”

14 副总监察官（治书侍御史）权万纪，上疏说：“宣州（安徽省宣城市宣州区）、饶州（江西省鄱阳县）发现银矿，派人开采，陛下每年可收入数百万贯钱。”李世民说：“我以天子之尊，所缺的不是钱，而是有利于人民的忠言。与其每年多收入数百万贯钱，不如每年多延揽一位人才。你从来没有推荐过一个人才，也没有斥退过一个不称职的官员，而只谈论开矿抽税的好处。从前，伊祁放勋（尧）、姚重华（舜），把璧玉抛到山上，把明珠投入山谷；东汉王朝的刘志（十一任桓帝）、刘宏（十二任灵帝），才大肆聚敛，当作自己的私房钱，你莫非把我当作刘志、刘宏（刘志并没有大肆聚敛；刘宏则有，参考一七八年十二月）！”

当天，免除权万纪官职，命他返回私宅。

15 本年（六三六），把“统军”改作“折冲都尉”（“统军”原译为“平民征兵府司令”，虽改为“折冲都尉”，因为实质不变，译名也不变），“别将”改为“果毅都尉”（平民征兵府副司令）。

全国分十道，共设六百三十四个征兵府，关内（陕西省中部）另设二百六十一个征兵府，全隶属各卫军及太子宫六个侍卫军（东宫六率）。

征兵府分上中下三等，上等征兵府士卒一千二百人，中等征兵府士卒一千人，下等征兵府士卒八百人。三百人称“团”，团有团长（校尉）；五十人称“队”，队有队长（正）；十人称班（火），班有班长（火长）。士卒的铠甲粮食，都有规定数量，由士卒自备，送缴征兵府仓库，等到征召士卒入营时，再由征兵府发给。

人民年满二十岁，开始服国民兵役，六十岁免役（唐王朝服役年龄之争，参考六二六年十二月）。能够骑马射箭的，另行编组，称为“越骑”，其他全属步兵。

每年年终，平民征兵府司令（折冲都尉）召集所有年满二十岁的役男，实施军事训练；自己携带马匹入伍的，由征兵府用现款收购马匹。凡轮派到京师（首都长安）编入卫军、禁军的，都由国务院国防部（兵部），按照道路远近，安排次数，远地轮派的次数少，近地轮派的次数多，但在京师服役的时间都是一个月。

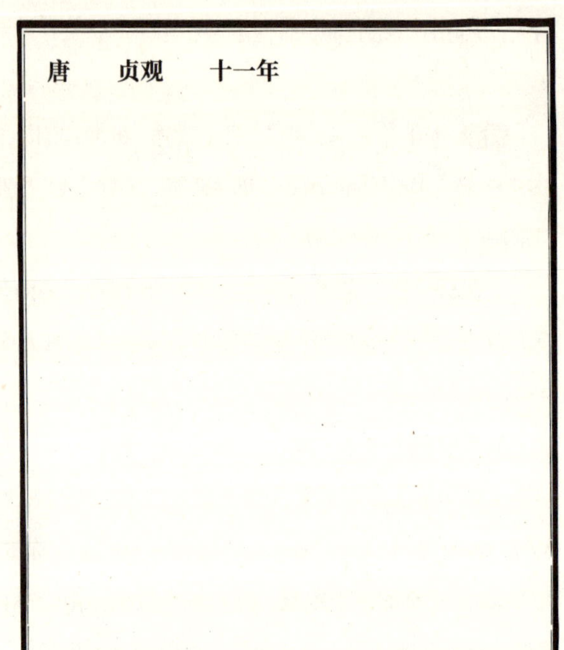

1 春季，正月，唐政府（首都长安〔陕西省西安市〕）改封郐王李元裕当邓王、谯王李元名当舒王。

2 正月五日，唐帝（二任太宗）李世民（本年四十岁）命吴王李恪当安州军区（总部设湖北省安陆市）总司令（安州都督），晋王李治当并州军区（总部设山西省太原市）总司令（并州都督），纪王李慎当秦州军区（总部设甘肃省天水市）总司令（秦州都督）。

各亲王将要出发到差，李世民写信给他们，警告说："我本来要送给你们一些珍贵玩物，恐怕你们会更骄傲奢侈，不如送你们这段赠言。"

3 李世民修建飞山宫(洛阳境)。

正月十四日，特进(文散官二级，正二品)魏徵上疏，认为："杨广(隋王朝二任帝)仗恃他的富裕强大，不考虑后果，穷极豪华，人欲横流，使人民陷于穷困，以至身死别人之手，帝国变成一座废墟。陛下铲除祸乱，恢复秩序，最好是多考虑到隋王朝为什么失败，我们为什么胜利，必须撤除高大的房屋，安心居住低小的宫殿。如果是就旧有基地扩建，或就旧有建筑物装潢，则正是用乱换乱，灾殃一定临头。政权难以夺取，却容易失去，怎么能不深思！"

4 国务院左最高执行长(左仆射)房玄龄等，早先奉李世民之命，修订法律规章，现在奏报："旧法：兄弟已分开遗产，各在各家，官势庇荫，互不相及；可是遇到一人谋反，另一人却受到连坐，一律死刑；祖父官荫可到孙儿身上，祖父谋反，孙儿也只不过处罚流刑，发配边远。无论依照礼教，或根据人情，兄弟连坐，都不恰当。现在修正为：祖父与孙儿，兄长与老弟，受到连坐处分时，一律改判苦役。"李世民批准。从此，比照古代法律，死罪部分，减少大半；天下称赞，人民受到实惠。

房玄龄等制定法律五百条，罪行二十级(笞打五级〔自五板到五十板〕、杖打五级〔自六十棍到一百棍〕、有期徒刑五级〔自一年到三年〕、流刑三级〔自一千华里到三千华里〕、死刑二级〔绞死及斩首〕)，比起隋王朝法律，死刑减少九十二条，流刑改徒刑七十一条。删掉烦琐，废除弊端，把重刑变成轻刑的条文，多到无法细记；又制定“施行细则”一千五百九十余条。

七世纪二〇年代，一任帝李渊在位时制度：国立中央大学（太学）祭祀神灵时，尊姬旦（周公）当“先圣”，孔丘牌位在旁配享。现在，房玄龄等建议，不再祭祀姬旦，而尊孔丘当“先圣”，由颜回配享。

同时，删订唐王朝建立以来，已成为法律的皇帝手令，只留七百条，也颁布实施（一任帝李渊时所定之法律，参考六二四年四月）。

同时，规定枷、手铐、铁链、铁锁、棍杖、竹板（笞）的长短宽窄，成为制度（杖分三种：刑杖〔拷打时用〕：大头直径三分二百厘，小头直径二分二厘。常杖〔平常镇压时用〕：大头直径二分七厘，小头直径一分七厘、笞杖〔执行处罚用〕：大头直径二分，小头直径一分半）。

自从最高法院主任秘书（大理丞）张蕴古死后（参考六三一年八月），法官互相警惕，无论对什么罪都不敢轻判；或无罪判刑，或轻罪判处重刑，上级也从不追究。李世民曾经问最高法院院长（大理卿）刘德威，说：“最近刑法稍微严厉，什么原因？”刘德威回答说：“原因在君王，不在臣下。君王喜爱宽大，法官自然宽大；君王喜爱严厉，法官自然严厉。法律规定：对判刑过重的法官，减三等处罚；对判刑过轻的法官，减五等处罚。事实上判刑过重没有处罚，判刑过轻反而受到处罚，而且，比规定的处罚还重。法官为了自求免祸，只好用各种条文，判处重刑，并没有人教他这样，只是畏惧受罚。陛下只要一切依照法律行事，风气立刻就会改变。”李世民高兴，采纳他的意见，因此，司法判罪开始公平（刘德威原是李密部将，投降唐政府，参考六一八年十月）。

5 两汉王朝皇帝，登极之日就预筑坟墓。李世民为了免除子孙仓猝之间，劳动人民，浪费国库，认为预筑坟墓是一项好办法，但是有志提倡节俭，恐怕预筑坟墓将使子孙追随风俗，奢侈过度。

二月二日，李世民脱下为老爹所穿的丧服，就在山上挖一个洞，作为自己的坟墓，仅只容纳一个棺材而已。

6 二月九日，李世民前往洛阳宫。

7 李世民前往显仁宫（河南省宜阳县东南，杨广六〇五年三月建），地方官员有的因事先准备不够充分，受到处罚。特进（文散官二级，正二品）魏徵劝阻说："陛下因准备不足而处罚官吏，我恐怕大家见风转舵，将大肆聚敛，将来有一天，人民终将无法活命，这绝不是陛下出巡的本意。从前，杨广暗示郡县呈献饮食，看它的丰富或不丰富，作为赏罚标准（参考六一六年十二月），所以全国叛变，这是陛下亲眼见到的事，怎么反去效法！"李世民大惊说："除了你，没有人告诉我这种话。"遂对司空（三公之三）长孙无忌等说："我从前经过这里，买饭充饥，租屋居住，今天受到如此供应，怎么能不知足！"

8 三月一日，日蚀。

9 三月十五日，李世民在洛阳宫西苑，摆下筵席，又在积翠池划船，对侍从官员说："杨广修筑洛阳宫和西苑，人民对他怨恨入骨（参考六〇五年三月），而今全部归我所有。正由于宇文述、虞世基、裴蕴之辈，在内拍杨广的马屁，在外蒙蔽杨广的耳目，怎么能不惊惕！”

10 房玄龄、魏徵呈报厘定的《新礼》一百三十八篇（又名《贞观礼》。之前沿用《隋礼》）。

三月二十一日，李世民下诏实施。

11 李世民任命国务院教育部长（礼部尚书）王珪，当魏王李泰的师傅（师，从三品）。李世民告诉李泰说：“尊敬王珪，就跟尊敬我一样。”李泰见到王珪，一定先跪下叩头，王珪也以师傅的身份自居。

王珪的儿子王敬直，娶李世民的女儿南平公主。之前，公主结婚后，从不跟平常媳妇一样，侍奉公婆。王珪说：“而今，领袖英明，一举一动，都遵守礼法。我接受公主谒见，岂是为了争我个人的荣耀，也是成全皇家的美好声誉。”乃跟他的妻子端坐上席，命南平公主在旁捧上装水果的竹篮，和洗手用的水盆。以后，唐王朝公主才以媳妇的身份，向公婆行礼。而这项礼节，由王珪开始。

12 文武官员再一次请求李世民“封禅”（泰山上添土祭祀天神，梁父山下辟场祭祀地神）。李世民命皇家图书院长（秘书监）颜师古等，讨论封禅礼仪，由房玄龄裁定。

13 夏季，四月二十五日，特进（文散官二级，正二品）魏徵上疏，说：“政治领袖建立大业，有好开始的多，而能一直维持到底的少；难道是夺取政权容易，保护政权困难？只因开始时心怀忧患，一定竭诚对待部下；等到大功告成，生活安乐，自然骄傲放纵，态度轻佻怠慢。竭尽诚心对待部下，胡人（北方蛮夷）越人（南方蛮夷）都可以同心合力；态度傲慢，则六亲都会叛离，即令使出权威和震怒，加以镇压裹挟，大家也不过表面顺从，心却不服。

“政治领袖在兴起贪念时，要想到知足；在兴起土木工程时，要想到停止；为了防止自己身处危险高位时，要想到谦卑；每逢自己洋洋得意时，要想到自我克制；喜爱安逸享受时，要想到节约用钱；在快乐时，要想到后患；避免受人蒙蔽时，要想到接受别人的劝告建议；厌恶奸邪陷害忠良时，要想到增进自己的品德；实施奖赏时，要想到会因喜爱而重赏；实施惩罚时，要想到会因气愤而重罚。

“综合上述的十思，再授权给有才干能力的人，则陛下即令不做什么事，天下也可以太平。又何必劳苦精神，消耗体力，去代理文武官员的职务。”

魏徵的《十思疏》，名震天下，是政治史上一篇重要的文献，受后世敬佩称赞。然而，仔细阅读，也不过一篇疲软的诤谏八股。没有突破性的建议，也没有震撼性的警告。只是泛泛的综合若干现象，用最不起眼的简单文字写出，盼望君王内省。

问题在于：如果君王在面对十项“要想到”问题，却拒绝去“想”，应该怎么办？想到了之后，发现都是别人的错，又该怎么办？传统知识分子没有一个人提出具体方法，解开这个结！遂使中国政治，一直在原地盘旋，不能提升。

14 五月壬申日（五月乙酉朔，没有壬申），魏徵再上疏，说：

“陛下力求改革的志向，已不如从前；而听到过失一定改正的现象，也比从前稍微减少。相反的，斥责处罚，却逐渐增加，发威动怒，也较为严厉。古人所说：‘尊贵之后，自会骄傲；富有之后，自会奢侈。’（《书经·周官》：“贵不期骄，富不期侈。”）并不是空话。以隋王朝仓库、粮食、人口、军队、武器的丰富精良，用今天去比，简直无法比。然而隋王朝虽然富强，只因不断动乱，陷于危险；我们虽然微弱，只因长期和平，以致国泰民安。安危的道理，至为明显。从前，隋王朝没有乱时，当权人物自认为绝对不会乱；还没有灭亡时，当权人物自认为绝对不会灭亡。所以赋税差役无穷无尽，征战讨伐永不停息，以至大祸就要临头，还不觉悟。

“要观察一个完整的形象，最好是面对一盆平静的水，要观察一个国家的失败覆亡，最好是察看一个失败覆亡的国家。但愿把隋王朝当作镜子，摒弃奢侈，力行节约，亲近忠良，疏远奸佞。以现在天下太平的局面，而像过去那么谨慎节俭，就可以尽善尽美，使人简直没有词汇可以颂赞。夺取政权非常困难，保护政权却十分容易，陛下已夺到难以夺到的天下，怎么不能保护容易保护的政权！”

15 六月，国务院右最高执行长（右仆射）、虞公爵（恭公）温彦博逝世（年六十四岁）。

温彦博长久以来处理政府机要，凡是所了解的事务，无不全力去做。李世民对侍从说：“彦博对国事操劳过度，筋疲力尽，我发现他不能支持，已有两年，后悔不让他安安逸逸度过他的余生，而竟早死。”

16 六月四日，李世民前往明德宫（洛阳境）。

17 六月六日，李世民下诏：荆州军区（总部设湖北省江陵县）总司令（荆州都督）荆王李元景等二十一位亲王担任的州长职务，都由子孙世袭（李世民大封各亲王州长职务，参考去年〔六三六〕正月）。

六月十五日，李世民任命开国功勋长孙无忌等十四人，分别担任州长，也都由子孙世袭，除非有特别事件，不可免职。

18 六月十六日，改封许王李元祥（一任帝李渊子）为江王。

19 秋季，七月一日，天降大雨；谷水（涧河）、洛水泛滥，冲进洛阳宫；毁坏政府机关及民宅，淹死六千余人。

20 魏徵上疏，说：

"《文子》（作者文子跟孔丘同时）说：'双方同意的承诺，在承诺之前，已经互信。政府法令条文得以执行，在条文之外，定有诚意。'陛下登极已十余年（六二六年迄今十二年），而道德教化还不能提升到最高境界，原因在于陛下对待臣民的心情，不够诚信。现今，治理帝国使达到太平盛世，必然把事情委托给君子；万一发生差错，有时难免询问小人的意见。陛下现在的态度是：对待君子，虽然尊重，但感情疏远。对待小人，虽然轻视，却感情亲密；疏远，下情不能上达，亲密，什么话都可以说。

"一个中等才能的普通人，怎么会没有小聪明？只是限于先天的格局，才能无法治理国家，思虑无法深远，即令确是一片忠诚，全心全意，还不能避免失败；何况他们心怀奸诈，所造成的灾难，岂不更为严重！即令是君子，也不能不犯小错，只要不伤害正道，就应原谅。既认为某人是君子，而又怀疑他，不信任他，跟竖起一根直棍，而怀疑它的影子弯曲，有什么分别！陛下只要真的能谨慎遴选君子，尊敬他、信任他，何必忧虑帝国败坏！不然的话，危亡的日子，不能保证不来。”

李世民亲写诏书，褒扬魏徵，说：“从前，司马炎（晋王朝一任帝）征服东吴帝国之后，骄傲怠慢（参考二八一年三月）。何曾高居宰相之职，不能直言规劝，反而私下警告子孙，表示他有先见之明（何曾预言晋亡事，参考三〇九年三月），这是不忠之中最大的不忠。看到你的劝告，我才知道我的过失，当放在桌案之上，随时改正。”

---

21 七月十三日，李世民回洛阳（自明德宫回洛阳），下诏说：“洛阳宫被水淹毁部分，稍微加以修建，只要可以居住就行。剩下的建筑器材，一律发给洛阳城中房舍损毁的人家。文武百官应分别呈递‘亲启密奏’，尽量指责我的过失。”

七月二十日，拆除明德宫及飞山宫的玄圃院，把建筑器材发给受到水灾的人家。

22 八月十二日，李世民对侍从官员说：“呈递‘亲启密奏’的人，都说我游猎的次数太多。而今，天下太平，军事训练不可忘记，我常跟左右侍从在皇家后苑打猎，没有一件事骚扰民间，有什么关系！”魏徵说：“从前的君王，唯恐怕听不到自己的过失，陛下既鼓励大家呈递‘亲启密奏’，就应让他们畅所欲言，只要有一句话可以听从，就对国家有益；如果连一句可取的话都没有，对国家也无所损。”李世民说：“你说的有理。”对上疏的官员，一一慰勉。

23 监察官（侍御史）马周上疏，认为：

“三代（夏商周）及两汉王朝，寿命长的有八百年（周王朝），寿命短的，也不少于四百年（此指东西两汉王朝相加而言，事实上两汉王朝是两个王朝，不过一个招牌而已），只因恩德深在人心，人不能忘。自此之后的政权，寿命长的六十年，寿命短的二十余年，都因对人民没有恩德，基础不稳。陛下当发扬姒文命（夏王朝一任帝）、子天乙（商王朝一任帝）、姬昌（文王）、姬发（周王朝一任王）的伟大事业，为子孙建立万代根基，岂仅是只看眼前三寸而已。现在，全国人口还不到隋王朝的十分之一（唐王朝政府统一全国已十年，人口还不到隋王朝的十分之一，可看出隋末唐初屠杀之惨），而受到差役的劳工，哥哥报到之后，弟弟才被放回，道路上疲于奔命的人，来往不绝。陛下虽然颁布恩德诏书，命官员们减少征调，可是，陛下大兴土木既不停止，人民怎么能够安静休息！以至空有皇恩浩荡的文书，却没有皇恩浩荡的事实。

“从前，西汉王朝皇帝刘恒（五任帝）、刘启（六任帝），虔敬节俭，爱护人民；刘彻（七任帝）继承他们遗留下的丰富物资，才能够极端奢侈，放纵无穷，而不至于天下大乱。倘若刘邦（一任帝）死后，把帝位传给刘彻，西汉王朝怎么能够长存！京师（首都长安）及四方制造的车轿器具，以及各亲王、嫔妃、公主的衣裳饰物，大家都认为并不俭朴。古人教训说：‘早早起床工作，可以得到荣耀！’后世还会懈怠，陛下从小生活在民间，深知人民痛苦，尚且是今天这个样子，何况皇太子（李承乾）生长深宫之中，对外界全不了解；陛下逝世之后的事，最应该忧虑。

“我观察自古到今，把人民逼得愁苦怨恨，走投无路，聚集成群，当起强盗的政府，没有不覆灭的；政治领袖即令竭力改革，也无法保全。所以，应该在大局还可以改革的时候，发动改革，不可以拖到亡国之后，再去后悔。姬宫涅（周王朝十二任王幽王）、姬胡（周王朝十任王厉王)，曾经讥笑过姒履癸(夏王朝十九任帝桀帝)、子受辛(商王朝三十一任帝纣帝)，而杨广同样也曾经讥笑过北周帝国和北齐帝国(《资治通鉴》没有记载)；我们要特别警惕，不可使后人讥笑我们，好像我们今天讥笑杨广。二〇年代末期，人民饥馑，庄稼歉收，一匹绸缎只能换到一斗米，而人民并不怨恨，因为深知陛下为人民忧心，不忘人民痛苦。

“而今，连年丰收，一匹绸缎能换一百余斗米，人民却怨声载道，因为深知陛下已不再管人民死活，反而急切的去营建并不需要急切营建的工程。自古以来，王朝的覆灭，不在于国库充不充实，而在于人民悲不悲苦。用最近的事作为例证：隋王朝把粮食储满洛水仓(即洛口仓，河南省巩义市东)，反被李密利用(参考六一七年三月)；东都(洛阳)绸缎堆积如山，反被王世充利用(参考六一九年正月)；西京(首都大兴)仓库里的东西，也白白供应我们唐王朝政府(指永丰仓，参考六一七年九月十日)，直到如今，都没有用完。国库固不可不充实，仓库固不可不储存，但要在人民有剩余力量时，再去征收，不可以强征暴敛，弄到最后，都送给敌人仇寇。

“节俭可以使人民获得休息，陛下在二〇年代末期，曾经亲自实践，如果今天再开始实践，应不太难。陛下想为帝国拟订长程计划，不必远追上古，只要能恢复二〇年代末期的精神，天下人民都会有福。陛下宠爱各亲王，有的太过优厚(指魏王李泰)，陛下身后会发生什么事，不可以不深谋远虑。曹操深爱他的儿子曹植，等到曹丕(曹植的老哥)登上帝位(曹魏帝国一任帝)，软禁所有亲王，只差一点没有关进监狱而已(参考二二二年四月)；说明曹操爱他的儿子，恰恰是害他的儿子。

“人民能够平安，全看州长、县长，州长、县长的人选适当，陛下就可以袖手高坐，不必做什么事。可是今天的情形是：陛下只看重中央，而轻视地方，州长很多由军人担任，或者中央官有失职守，被贬成地方官；边疆远域的地方官，人选更差。人民不能安心，原因大概在此。”

奏章呈上，李世民披阅，称赞不已，对侍从官员说：“州长，我亲自遴选；县长，应命中央官五品以上，各推荐一人。”

24 冬季，十月二日，李世民下诏，命开国功臣及皇亲国戚，逝世之后，都陪葬皇帝坟墓之旁（左葬文官，右葬武官）。

25 李世民在洛阳皇家林苑（洛阳城西）打猎，一群野猪突然冲出树林，李世民连射四箭，射死四只野猪，另一只野猪直扑面前，几乎撞上李世民的马镫，国务院财政部长（民部尚书）唐俭，跳下马背，空手搏斗。李世民急拔剑刺杀那只野猪，回头对唐俭说：“天策府秘书长（天策长史），有没有看见过天策上将杀贼英姿！怎么怕成这个样子？”（六二一年十月，一任帝李渊命李世民当天策上将，唐俭当于那时担任秘书长。）唐俭回答说：“刘邦（西汉王朝一任帝）在马背上夺取天下，但不在马背上治理天下，陛下用神奇的武功，扫平四方，怎么只求在一只野兽身上，显示雄心万丈！”李世民大喜，为此停止狩猎。

不久，加授唐俭光禄大夫（文散官三级，从二品）。

26 安州军区（总部设湖北省安陆市）总司令（安州都督）吴王李恪，不断出游打猎，对人民造成很大伤害，监察官（侍御史）柳范上疏弹劾。

十月二十六日，李恪被免职，削减采邑三百家。李世民说：

“秘书长（长史）权万纪事奉我儿，不能纠正，罪该处死。”柳范说：“房玄龄事奉陛下，还不能阻止陛下打猎，怎么可以单独怪罪权万纪！”李世民大怒，一拂袍袖，转身入宫。很久之后，单独召见柳范，问说：“你为什么当面羞辱我！”柳范回答说：“陛下仁爱英明，做臣属的不敢不贡献愚昧正直！”李世民大为高兴。

27 十一月十一日，李世民前往怀州（河南省沁阳市）。

十一月二十六日，李世民回洛阳宫（河南省洛阳市）。

28 已故荆州军区（总部设湖北省江陵县）总司令（故荆州都督）武士护（参考六一七年六月十四日）的女儿武曌，本年十四岁，李世民听说她貌美如花，召进皇宫当小老婆才人（“才人”是小老婆群第十级。这是一则“引狼入室”的现实寓言，二十年后，这个小女孩开始夺取政权，屠杀李姓皇族）。

唐　贞观　十二年

1 春季，正月十五日，唐王朝（首都长安〔陕西省西安市〕）国务院教育部长（礼部尚书）王珪奏称："三品以上官员，途中遇到亲王，都要下车叩见，不合礼仪。"唐帝（二任太宗）李世民（本年四十一岁）说："你们自认为自己已很高贵，看不起我的儿子，是不是？"特进（文散官二级，正二品）魏徵说："各亲王的官阶，都在三公之下，而今，直属部长（九卿）和国务院'八座'（左右最高执行长〔仆射〕及六部部长〔尚书〕），都是三品官员，遇到亲王却要下车叩见，确实并不恰当。"李世民说："人生寿命长短，难以预料，万一太子（李承乾）不幸死亡，怎么知道别的亲王哪一天不当你们的主人，岂敢如此轻视！"（李世民已有废李承乾而立李泰之意，所以才脱口说出这种怪话。）魏徵回答说："自从周王朝以来，君王宝座，都是父子继承，没有兄弟的份，为的是根绝庶子的夺嫡阴谋，堵塞祸乱的泉源。国家元首，最该警惕。"李世民遂批准王珪的奏章。

2 国务院文官部长（吏部尚书）高士廉、监督院副监督长（黄门侍郎）韦挺、国务院教育部副部长（礼部侍郎）令狐德棻（令狐，复姓）、立法院副立法长（中书侍郎）岑文本，编撰《氏族志》完成，奏报。

从前，山东（崤山以东）的高门豪族：崔、卢、李、郑等大姓，喜爱夸耀他们的门第，虽然多少代以来，已经衰微凋零，但仍保持世家声势，其他家族假如想跟他们通婚，他们一定狠狠敲上一记——索取大批金银绸缎，作为聘礼。有些平民甚至抹杀自己的乡里，假装是名门之后，有的本是同胞兄弟，因妻族是名门，甚至欺压骨肉手足（崔、卢、李、郑四姓，都是北魏帝国时的"国姓"，参考四九六年正月）。李世民对这种现象，十分厌恶，因命高士廉等搜集全国家谱或政府人事命令，再考查史书记载，研究真伪，分辨辈分，厘定等级顺序，褒扬忠孝贤良，排斥奸邪叛逆，遂把全国姓氏，分为九等。高士廉等认为监督院副监督长（黄门侍郎）崔民干的崔姓，应是第一等高门。

李世民驳回，说："刘邦（西汉王朝一任帝）跟萧何、曹参、樊哙、灌婴，都是贫贱出身，你们至今都敬重推崇，认为是英雄贤才，为什么非世代当官不可！北齐帝国局限山东（崤山以东），南梁帝国、陈帝国，偏安江南（长江以南），即令有什么人物，也不值得一提，何况他们的子孙，才能品行，都一天不如一天，官爵地位，也逐渐衰落，而仍然以他们的门第骄傲。虽然已沦落到做小生意维生的地步，但仍投靠富贵人家，寡廉鲜耻，不知道世人为什么还认定他们仍然高贵？而今三品以上官员，有的因为德行、有的因为功劳、有的因为有文学素养，才擢升到显明高位。而那些破落户，究竟有什么可羡慕的？尤其是希望跟他们通婚，即令送再多的金银绸缎，仍被他们认为寒酸。我不知道用什么理由解释！现在我要改正这项错误，舍弃虚名，只取实际，你们竟然仍认为崔民干是第一等姓氏，是瞧不起我的官阶爵位，而对世俗随波逐流。”下令重新厘定，以唐王朝现任官员的等级作为标准。

于是皇家李姓领先，皇亲国戚其次，把崔民干降到第三，共二百九十三姓、一千六百五十一家，颁布天下。

3 二月五日，李世民启程返首都长安。

二月十三日，李世民前往河北（山西省平陆县），参观砥柱（黄河河道中石峰，河南省三门峡市北）。

4 二月十四日，巫州獠（湖南省洪江市獠部落）背叛中央，夔州军区（总部设重庆市奉节县）总司令（夔州都督）齐善行，击败獠部落军，俘虏男女三千余人。

5 二月十五日，李世民祭祀姒文命庙（禹庙）。

二月十七日，李世民前往柳谷（山西省夏县东南），参观盐池（山西省运城市南解池）。

二月二十日，李世民前往蒲州（山西省永济市），蒲州州长赵元楷命父老们黄纱单衣，迎接圣驾，并大肆装潢亭台楼阁，又饲养一百余只羊、数百条鱼，用来赠送权贵和皇亲国戚。李世民责备他说："我巡视黄河、洛水，有什么需要，都由国库供应。你的所作所为，乃是使隋王朝灭亡的办法。"

二月二十四日，李世民抵达长春宫（陕西省大荔县东）。

6 二月二十八日，李世民下诏，说："隋王朝故鹰击指挥官（鹰击郎将）尧君素，虽然跟姒履癸（桀）的狗一样，狂吠伊祁放勋（尧），不知道阵前起义（参考六一七年九月十八日至六一八年十二月六日），但是，大风起时显示劲草，国势危险时看出坚贞。现在，追赠他当蒲州（山西省永济市）州长，有关单位应调查他的子孙最近情况，奏报中央。"

7 闰二月一日，日蚀。

8 闰二月二十八日，李世民抵达首都长安。

9 三月二日，皇家图书院（秘书省）助理编撰官（著作佐郎）邓世隆，上疏请求李世民把所写的文章整理出版选集。李世民说："我的言论、文章，对人民有益的，史书上会记载下来，足可以不朽。如果对人民无益，出册选集，有什么意思？萧衍（南梁帝国一任帝）父子、陈叔宝（陈帝国五任帝）、杨广（隋王朝二任帝），都有选集流行于世，并不能拯救他们的国家于不亡。当一个政治领袖，应只担心对人民没有恩德，不必担心言论文章不受敬重！"不准。

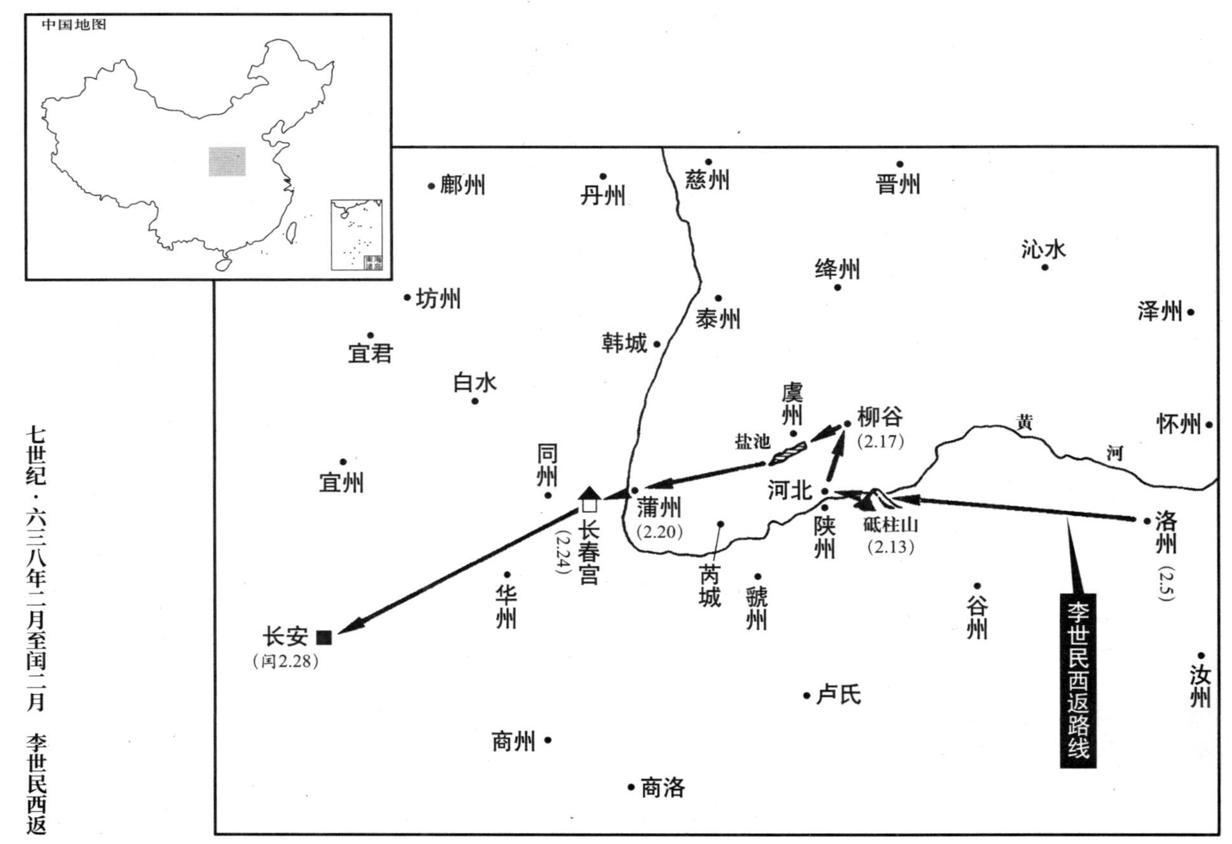

七世纪·六三八年二月至闰二月　李世民西返

柏杨曰

李世民七世纪时的真知灼见，直到二十世纪，仍有些政治头目如希特勒等，硬是想不通，一个个不但要成为当代人物，还要成为光芒万丈的历史人物，企图集文学家、政治家、教育家、军事家、哲学家、物理学家、革命理论家，和其他乱七八糟的什么家于一身，自信靠他那点“窝里捧”资本，就能一枝独秀，名垂不朽。

我们希望这种闹剧，不要再演，希望每一位政治领袖，都有李世民的智慧，不再浪费世上的森林资源。

10 三月二十七日，李世民因皇孙诞生，在东宫（太子宫）宴请五品以上官员。李世民说：“我登极之前，追随我夺取天下，是房玄龄的功劳。登极之后，不断纠正我过失的，是魏徵的功劳。”分别赏赐他们一把佩刀。

李世民问魏徵说：“我治理帝国的效果和成绩，比从前怎么样？”魏徵回答说：“威严恩德，比从前有很多提升；但人民心悦诚服的程度，则不如从前。”李世民说：“畏惧威严，仰慕恩德，人民才心悦诚服，如果人民不能心悦诚服，威严恩德怎么能够提升？”魏徵说：“陛下过去一直忧虑帝国安全没有保障，所以仁义道德不断增进，而今天下太平，做出的事情，遂不如往年。”李世民说：“可是我今天所作所为，仍跟往年一样，并没有分别？”魏徵说：“陛下二〇年代末期，唯恐怕部属不批评政府，时常鼓励他们发言，如果有中肯的意见，你就欣喜接受。现在大不相同，虽然勉强接受，态度却非常勉强；这就是最大分别。”李世民说：“能不能举一个例子？”魏徵回答说：“从前，陛下打算诛杀元律师，孙伏伽认为依照法律，不应处死；陛下把兰陵公主（李世民的女儿）的花园赏赐给孙伏伽，价值一百万钱，有人说：‘赏赐太厚。’陛下说：‘我登极以来，从没有人规劝过我，孙伏伽是第一个，所以重赏。’这是鼓励部属发言。户籍官（司户）柳雄，在铨叙官阶时，异想天开的把隋王朝时的经历也算进去（柳雄事迹不详），陛下打算杀他，后来采纳戴胄的建议才停止，这是欣喜接受部属的规劝。近来，皇甫德参上疏劝阻重修洛阳宫，陛下十分生气，也打算杀他，虽然接受我的反对而停止，却是勉强得很。”李世民说：“除非是你，别人说不出这样的话。人，最糟的事就是不知道自己所犯的错误。”

11 夏季，五月二十五日，皇家研究院（弘文馆）研究官（学士）永兴公爵（文懿公）虞世南逝世（年八十一岁），李世民哭泣至为哀痛。

虞世南外表温和柔顺，但内心忠实正直，李世民曾经称赞虞世南有五绝：一、德行，二、忠直，三、博学，四、文章，五、书法。

12 秋季，七月二十七日，唐政府擢升国务院文官部长（吏部尚书）高士廉当国务院右最高执行长（右仆射）。

13 七月二十九日，吐蕃王国（首都逻些城〔西藏拉萨市〕）攻击松州（四川省松潘县）。

14 八月，霸州（重庆市东）山獠部落叛变，烧死州长向邵陵，及烧毁官民一百余家。

15 最初，李世民派使节冯德遐，前往吐蕃王国（首都逻些城〔西藏拉萨市〕）安抚，吐蕃国王（三十二任）弃宗弄赞，听说东突厥可汗、

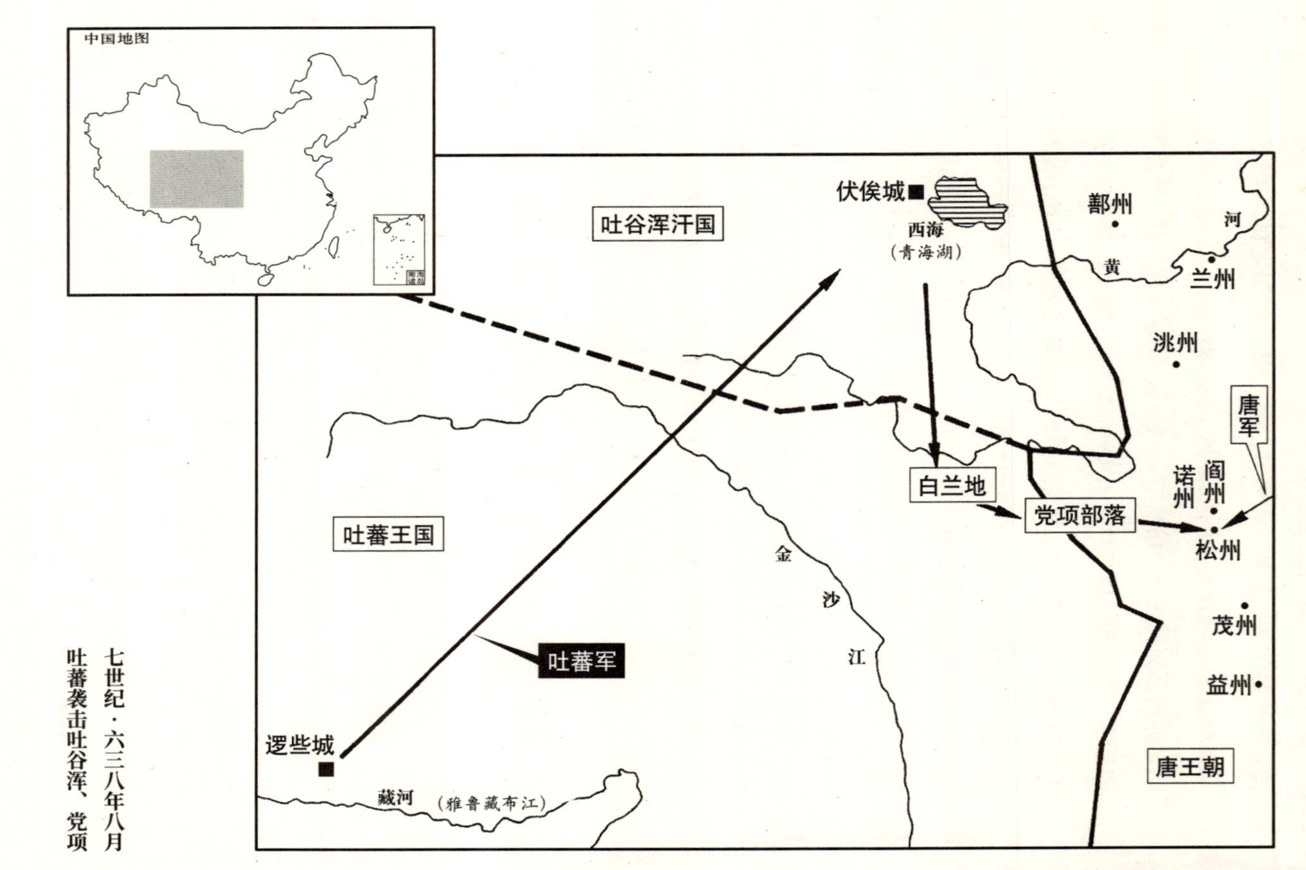

七世纪·六三八年八月
吐蕃袭击吐谷浑、党项

吐谷浑可汗都娶唐朝公主，遂派使节陪伴冯德遐，前来唐帝国朝见，携带大量金银珠宝，也上疏请求娶唐朝公主；李世民不许。吐蕃使节回国，报告弃宗弄赞说："我刚到唐朝时，大唐待我非常优厚，答应大王可娶公主。可是，偏偏吐谷浑可汗到大唐朝见，从中挑拨离间，大唐对我的礼遇才渐渐淡薄，终于拒绝通婚。"弃宗弄赞大怒，遂出军攻击吐谷浑。吐谷浑不能支持，逃往青海湖之北，人民牲畜很多被吐蕃王国俘虏。

吐蕃军进击党项（四川省西北部）、白兰（青海省东南部）地区各羌民族部落，率部众二十余万人，进入松州（四川省松潘县）西境，派使节携带金银绸缎，到首都长安进贡，声称迎接公主。不久，吐蕃军即进攻松州，攻击松州军区总司令（松州都督）韩威。羌民族部落酋长、阎州（松潘县北）州长别丛卧施（别丛，复姓），诺州（松潘西北）州长把利步利（把利，复姓），同时献出州城，投降吐蕃。战争连年不停，吐蕃王国高级官员建议国王休兵，都被拒绝，因而上吊身死的，有八人之多。

唐政府反击。

八月二十七日，任命国务院文官部长（吏部尚书）侯君集，当西征大军当弥兵团总司令官（当弥道行军大总管）。

八月二十九日，任命右领军（卫军第八军）大将军（正三品）执失思力当白兰兵团大军作战司令，左武卫（卫军第三军）将军（从三品）牛进达当阔水兵团大军作战司令，左领军（卫军第七军）将军（从三品）刘简当洮河兵团大军作战司令（行军总管）；率步骑兵五万人，迎战吐蕃军。吐蕃军攻松州城（四川省松潘县）十余天；唐政府军由牛进达担任先锋。

九月六日，牛进达乘吐蕃军不备，就在松州城下把吐蕃军击败，杀一千余人。吐蕃国王弃宗弄赞恐惧，率军撤退，派使节前来大唐道歉，但仍请求娶唐朝公主，李世民同意。

16 九月九日，李世民问侍从官员说："开创大业和保持成果，哪一个艰难？"房玄龄说："天下大乱之时，群雄并起，要一一搏斗，使他们臣服，开创大业要难得多。"魏徵说："自古以来，帝王创业，没有不艰难困苦；而最后都从安逸享乐中，失去政权；保持成果要难得多。"李世民说："房玄龄跟我共同夺取天下，百死一生，所以知道创业艰难。魏徵和我共同安定天下，常怕富贵产生骄傲奢侈，在怠慢忽略中发生灾祸，所以深信保持成果艰难。现在，开创大业的艰难，已经过去，保持成果的艰难，我跟各位都应谨慎。"房玄龄等叩头说："陛下这种话，是全国人民之福。"

17 最初，东突厥汗国（瀚海沙漠群）瓦解，北方陷于真空，薛延陀汗国真珠可汗（二任大可汗）乙失夷男，率领他的部落，在都尉犍山（即郁督军山，蒙古国杭爱山）之北、独逻水（蒙古国色楞格河）之南，建立王庭（中央政府）；可以随时作战的军队有二十万人，命他的两个儿子：乙失拔酌、乙失颉利苾，分别管理汗国南北两部。

李世民眼看薛延陀日渐强盛，恐怕以后难以控制。

九月十八日，封乙失夷男两个儿子都当小可汗，分别赏赐给他们仪队（鼓纛）。表面上是给他们荣耀，实际上是破坏二人的团结。

18 冬季，十月一日，巴州（四川省巴中市）獠部落叛变。

19 十月五日，李世民在始平（陕西省兴平市）打猎。

十月二十一日，李世民返回京师（首都长安）。

20 钧州（今地不详）獠部落叛变，唐政府派桂州军区（总部设广西桂林市）总司令（桂州都督）张宝德，击平獠部落变民军。

21 十一月三日，唐政府开始在宫城玄武门左右防卫大营，设立“飞骑”，命各将军当他们的司令。在“飞骑”中再挑选力大无穷、骁勇善战，精于骑马射箭的勇士，号称“百骑”，穿五色袍、乘骏马、用虎皮制作鞍垫。皇帝出游时，“百骑”追随侍奉左右（唐王朝“卫军”之外，另设“禁军”，自此开始）。

22 十一月二十五日，明州（越南河静省）獠部落叛变，唐政府派交州军区（总部设越南河内市）总司令（交州都督）李道彦，把他们击平。

23 十二月七日，左武候（卫军第十一军）将军（从三品）上官怀仁，在壁州（四川省通江县）攻击獠部落变民军，大破獠部落，俘虏男女一万余人。

24 本年（六三八），唐政府调派御前监督官（给事中）马周当立法院立法官（中书舍人）。

马周机警而有辩才，副立法长（中书侍郎）岑文本常说：“马周评论事情，旁征博引，举古援今，提纲挈领，条理分明，恰到好处，一个字不可增加，也一个字不可减少，娓娓动听，使人忘记疲倦。”

25 霍王李元轨，喜爱读书，谦恭谨慎，严守本分，一举一动都遵守礼法；当徐州（江苏省徐州市）州长，跟隐居的知识分子刘玄平，结成平民朋友。有人向刘玄平探听李元轨的长处，刘玄平说："没有长处。"问的人大为奇怪，刘玄平说："人，有短处才显出长处，至于霍王（李元轨），因为没有短处，我怎能说出他的长处！"

26 最初，西突厥汗国（新疆北部及中亚东部）咥利失可汗（七任大可汗）阿史那同娥，把汗国分作十部，每部设酋长一人，赐给每个酋长一支箭，因称"十箭"。又分左、右翼（厢）；左翼（左厢）划五个防区（咄陆），设置五个总指挥官（大啜），居碎叶城（中亚伊赛克湖西北托克马克）以东；右翼（右厢）划五个专区（弩失毕），设置五个总司令官（大俟斤），居碎叶城以西。这十个单位，通常称为"十姓"。

阿史那同娥失去人心，被他的部属、总督（吐屯）阿史那统袭击，阿史那同娥战败，跟老弟阿史那步利将军（设），逃往焉耆（新疆焉耆县）据守。阿史那统等打算拥护阿史那欲谷将军当大可汗，正巧，阿史那统被人谋杀，阿史那欲谷将军的军队也被击败，于是，大可汗阿史那同娥重新收回故土。

现在，汗国西部终于拥护阿史那欲谷将军当乙毗咄陆可汗（八任大可汗）。阿史那欲谷遂称大可汗，跟阿史那同娥连连大战，双方伤亡惨重，遂把汗国从中间分割，伊列水（伊犁河）以北属阿史那欲谷，伊列水（伊犁河）以南属阿史那同娥。

27 处月部落（新疆新源县境）、处密部落（新疆塔城市境），联合高昌王国（新疆吐鲁番市东），共同攻占焉耆王国五个城池，掳掠男女一千五百人，焚毁焉耆王国的房舍，然后撤走。

唐　贞观　十三年

1 春季，正月一日，唐王朝（首都长安〔陕西省西安市〕）皇帝（二任太宗）李世民（本年四十二岁），前往献陵（老爹李渊坟墓，陕西省富平县南）祭祀。

正月三日，李世民回宫。

2 正月十四日，李世民加授国务院左最高执行长（左仆射）房玄龄：太子少师（太子三少之一）。房玄龄因自己位居文武百官首长，历时十五年（房玄龄任最高立法长〔中书令〕，参考六二六年七月；迄今十四年）；儿子房遗爱娶李世民的女儿高阳公主，女儿嫁给韩王李元嘉（一任帝李渊的儿子）当王妃，深恐地位太高，权势太大，上疏请求辞职，李世民不许。房玄龄不断请求，李世民命宫门拒绝接受他的奏章，房玄龄万不得已，只好继续视事。太子李承乾打算叩拜房玄龄，设立仪队等待，房玄龄得到消息，不敢谒见，半途而返，当时的人赞美他的谦让。房玄龄因物资调节（度支）关系全国人民利益，有一次，国务院财政部会计司司长（度支郎中）出缺，一时物色不到适当人选，于是房玄龄自己兼任（唐王朝中叶之后，宰相往往直接主管物资调节）。

3 国务院教育部长（礼部尚书）永宁公爵（懿公）王珪逝世（年六十九岁）。王珪性情宽厚，生活十分简单朴素。依照当时法令，三品以上高官，都应兴建家庙。王珪显贵已久，却只在私宅祭祀祖先；司法官员弹劾，李世民不予追究，而只命有关单位替王珪兴建一座家庙，使他羞愧。

4 二月七日，李世民命光禄大夫（文散官三级，从二品）尉迟敬德，当鄜州军区（总部设陕西省富县）总司令（鄜州都督）。

李世民曾经告诉尉迟敬德说：“常有些人说你要叛变，怎么回事？”尉迟敬德回答说：“我承认我要叛变！我追随陛下东征西讨，身经百战，今天的血肉之躯，都是刀锋箭头下的残余。现在，天下已经平定，却竟然疑心我要叛变！”遂脱下衣服扔到地上，露出满身伤疤；李世民也为他流泪，说：“快点穿上，我不怀疑你，所以才告诉你，你还抱怨什么！”

李世民又曾经告诉尉迟敬德，说：“我打算把女儿嫁给你，你意下如何？”尉迟敬德叩头道歉说：“我的妻子虽然出身低微，但我们贫贱夫妻，共同生活已久。我虽然没有受过教育，但听说过，古人富贵之后，不更换妻子。娶公主一事，不是我的愿望。”李世民才中止。

5 二月二十五日，国务院（尚书）奏称：“近世以来，遴选宫女，有的出身微贱，没有礼仪家教；有的因父兄犯罪，身被没收，满腹积怨。请求自今而后，皇宫或东宫（太子宫）如缺少宫女，都应遴选良家而有才德的女儿充任，依照民间规定，致送金钱绸缎，作为聘礼。凡是没收入宫的女子，或出身微贱的女子，都不可递补。”李世民批准。

6 李世民早已下诏，命皇族及功臣，世袭州长（参考前年〔六三七〕六月）。太子宫政务署长（左庶子）于志宁认为古今时代不同，恐怕不是导致长久安宁的制度，上疏反对。监察官（侍御史）马周也上疏反对，认为：“伊祁放勋（尧）、姚重华（舜）那样的老爹，还有伊祁丹朱、姚商均那样的儿子。假如有一天，一个顽童继任州长，万一他既骄傲又愚昧，千万人民都要受他的伤害，帝国也要被他败坏。芈侣（楚王国六任王庄王）打算屠灭斗椒家族，但因斗椒的伯父斗子文对楚王国有功，而斗家子孙得以保存（参考前六六年八月注）。晋国很想保存栾姓家族，可是栾黡已恶贯满盈，终于全族屠灭。（《左传》前五五九年：秦国国君问士鞅说：“晋国大夫，哪一家先亡？”士鞅回答说：“应是栾家。栾黡暴虐，已经过分，或许逃过，但灾难可能落到栾盈头上。”秦国国君又问：“什么原因？”回答说：“栾书的恩德，深在民间。栾黡逝世，栾盈的恩德还没有使人民受益；栾书的恩德已经消失，栾黡的恶行早已显露，民怨势将爆发到栾盈身上。”）与其让活着的人受伤害，不如对死去的部属割爱，道理至为明显。本来是宠爱他，结果反而是害了他。我认为对皇亲国戚或开国功臣，最好是封给他采邑，增加奉养他们的户口；一定要有品行、有才能，然后依照他的资格，再授官职，使他们真正的得以享受恩典，子孙们也能永远荣华富贵。"

正巧，司空（三公之三）、赵州（河北省赵县）州长长孙无忌等，都不愿前往封国，上疏坚决辞让，说："自从人事命令发布之后，我们顿觉得孤单无依，好像踩在春冰之上，家人忧愁恐惧，犹如置身在水深火热之中。追念三代（夏商周）分封各国，在于中央政府力量不足以控制天下，不得不顺应时势，缔造世袭之局，那些烦琐的礼乐仪式，多半不是他们自己制定。两汉王朝时，撤销封国，设立郡长（指七国之乱后，中央政府缩小各封国的面积，并收回亲王对封国的管治权），因而免除从前弊端，深合时代要求。而今，为了我们的缘故，再加变更，深怕紊乱帝国的法纪。并且，后代中万一有愚昧恶劣的子孙，或许违犯政府大法，自取灭亡；无限延长的奖赏，将造成全族屠杀的灾祸，使人哀痛。希望收回成命，改赐使我们得以保全性命的恩典。"长孙无忌又命他的儿媳长乐公主一再向李世民请求（长乐公主嫁长孙无忌的儿子长孙冲），甚至说："我千辛万苦，事奉陛下，现在天下太平，却为什么把我们抛到外州！这跟贬谪放逐，有什么分别！"李世民说："分割国土，封给功臣，自古迄今，方法相同，用意在于使你们的后裔，辅佐我的后裔，代代相传。可是你们却怨声载道，我怎么能强迫你们接受封土！"

二月二十七日，李世民下诏，停止州长世袭制度。

7 高昌王国（新疆吐鲁番市东）国王（十五任）麴文泰，不断阻截西域（新疆及中亚东部）各国前来唐帝国朝贡的使节。伊吾王国（新疆哈密市）先前向西突厥汗国称臣，后来又归附唐帝国（参考六三〇年九月）。高昌遂跟西突厥联军向伊吾攻击。李世民下诏严厉责备麴文泰，征召他的高级干部阿史那矩，前来唐帝国，共同商讨两国双边关系，麴文泰拒绝遣送，而另派秘书长（长史）麴雍前来唐帝国道歉。东突厥汗国覆亡时（参考六三〇年二月），境内唐朝人有些逃奔高昌，李世民命麴文泰把他们送回唐帝国，麴文泰包庇不肯，同时又跟西突厥汗国联军击破焉耆王国（新疆焉耆县），焉耆向唐政府控诉。

李世民派国务院工程部山林司司长（虞部郎中）李道裕前往调查，指示李道裕说："高昌近几年来，很少朝见进贡，不遵守藩属国的礼节，政府所用官称，完全仿效大唐，增高城墙，挖深城壕，准备发动战争。我派使节到那里，麴文泰告诉使节说：'苍鹰在天上飞翔，野鸡在荒草之中躲藏，猫在亭台楼阁上游戏，老鼠在洞穴里啃吃东西，各有各的天地，难道不能独立生存！'又派使节去薛延陀（蒙古国西南部），说：'你既然已当可汗，就跟大唐皇帝平起平坐，为什么还向他们的使节叩头？'对大唐傲慢无礼，又挑拨其他国家跟大唐之间的感情，如果不加以惩罚，用什么鼓励别人去做善事！明年（六四〇），当出军征讨！"

三月，薛延陀汗国真珠可汗（二任大可汗）乙失夷男派使节呈递奏章，说："我身受大恩，时常思念回报，请准我出动我的军队，作为向导，攻击高昌（新疆吐鲁番市东）。"李世民派国务院财政部长（户部尚书）唐俭、右领军（卫军第八军）大将军（正三品）执失思力，携带绸缎前往薛延陀，讨论两国联军作战计划。

8 夏季，四月五日，李世民前往九成宫（陕西省麟游县境）。

最初，东突厥汗国突利可汗（小可汗）阿史那什钵苾的老弟阿史那结社率，随从老哥归降唐帝国（参考六二九年十二月），曾经当过贵族征兵府司令（中郎将），生活靡烂，品行卑劣，怨恨老哥对他教训斥责，就诬告老哥谋反；李世民因此看不起他，很久不给他升官。阿史那结社率遂秘密集结旧日部众，共四十余人，阴谋趁晋王李治，于四更（凌晨一至三时）出宫，大开宫门，排列卫队时，冲进宫门，直扑皇帝住所，企图建立惊天动地的大功。

四月十一日，会同阿史那什钵苾的儿子阿史那贺逻鹘，在夜色掩护下，埋伏宫外。不巧，大风陡起，晋王李治凌晨没有出宫，阿史那结社率恐怕天亮后行迹败露，遂开始攻击，冲过四层防线，流箭飞石向四方乱射，皇家卫士数十人战死。平民征兵府司令（折冲）孙武开等，率部众奋勇截击，很久之后，阿史那结社率知道不能成功，才向后撤退，闯到御马厩，强行取走御马二十余匹，向北逃走，渡过渭水（应是渡过泾水），打算投奔突厥人部落。政府军追捕，把他们捉住，斩首。但特别赦免阿史那贺逻鹘，贬窜到岭表（南岭以南）。

9 四月十七日，唐政府派左武候（卫军第十一军）将军（从三品）上官怀仁，攻击巴州（四川省巴中市）、壁州（四川省通江县）、洋州（陕西省西乡县）、集州（四川省南江县）等四州獠部落变民军，全部平定，俘虏男女六千余人。

10 五月，旱灾。

五月十二日，李世民下诏命五品以上官员呈递“亲启密奏”。特进（文散官二级，正二品）魏徵上疏说：“陛下的志向和功业，比起二〇年代末期，渐渐不能保持的，共有十项。”其中一项是：“连年以来，随便使用民力，居然还有理论根据，说：‘人民没事做就会骄傲放荡；使他们生活劳苦，才容易驱使。’自古迄今，从来没有一个王朝政府因人民生活安逸而灭亡，生活劳苦反而安定，这恐怕不是使帝国兴隆的名言。”李世民赞美叹息，说：“你的话已写到屏风上，早晚阅读，并抄下来交付国史馆。”赏赐魏徵黄金十斤、御马二匹。

11 六月，渝州（重庆市）人侯弘仁，从牂柯（贵州省瓮安县）开山辟路，经过西赵（贵州省望谟县），穿出邕州（广西南宁市），直通桂州（广西桂林市）、交州（越南河内市）。各蛮夷及俚部落归降政府的，有二万八千余家。

12 六月二十五日，李世民封皇弟李元婴当滕王。

13 自阿史那结社率叛变，关心国事的人大多认为把突厥人留在河南（黄河河套以南），对帝国没有益处。

秋季，七月九日，李世民下诏封右武候（卫军第十二军）大将军（正三品）化州军区（总部陕西省榆林市北）总司令（化州都督）、怀化郡王李思摩（阿史那思摩），当乙弥泥孰俟利苾可汗，赐给他大旗巨鼓组成的仪队，命安置在各州的突厥人及匈奴人，一律随他渡黄河北上，回到旧有牧地，重建东突厥汗国，世世代代，做中国屏藩，永保边疆平安。可是突厥人已被薛延陀汗国吓得心胆俱裂，都不肯出塞。李世民派农林部长（司农卿）郭嗣本，携带下达给薛延陀汗国的诏书，说：“阿史那咄苾（东突厥十三任大可汗）溃败后，所属部落纷纷归化大

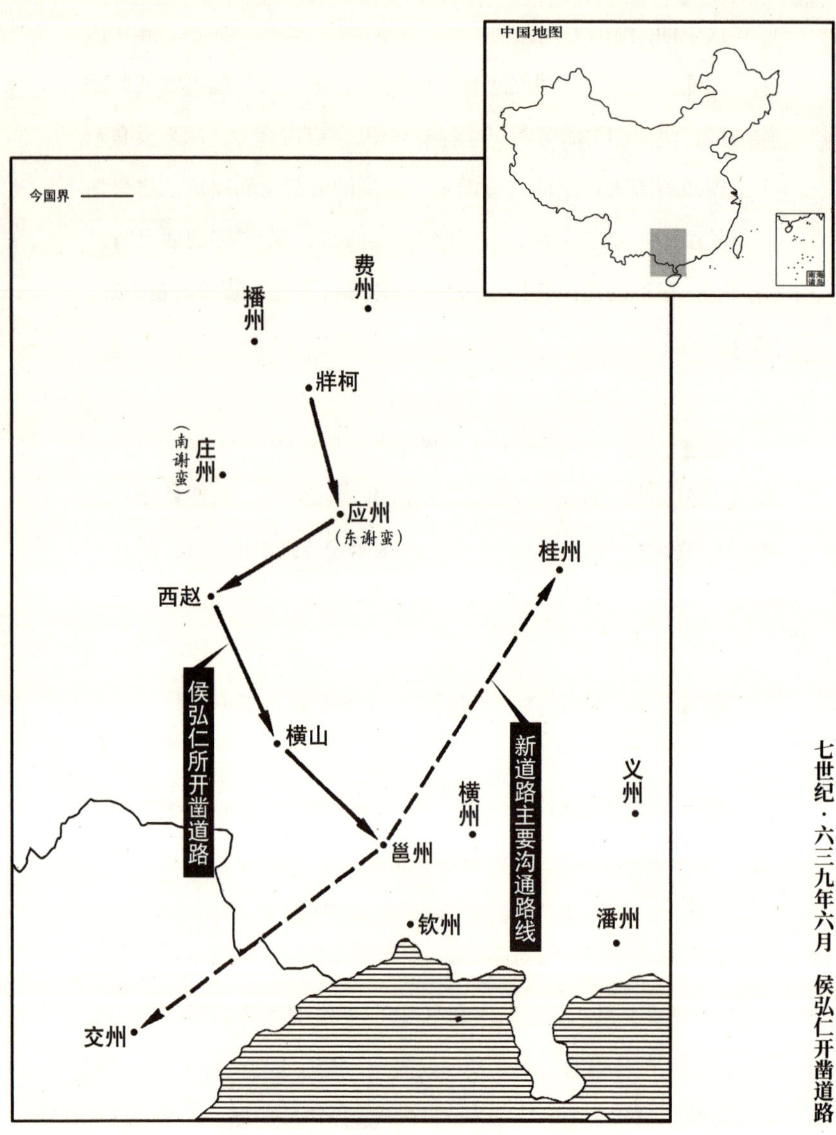

七世纪·六三九年六月　侯弘仁开凿道路

唐，我原谅他们从前的错误，嘉许他们改过向善，待他们的官员像是我从前的旧部，把他们的部众看作我的人民。中国崇尚礼义，从不灭亡别人的国家。击破东突厥，只为阻止阿史那咄苾一人残害人民，不但不贪图他们的土地，夺取他们的牲畜男女，还一直考虑为他们再选择一位可汗，所以把所有归降的部众，都安置在河南（黄河河套以南），随意放牧。而今户口增加，我心中十分欣慰。既然承诺为他们选择可汗，就不可失信。秋季之后，就要遣送突厥人北渡黄河，返回他们故土，重建家园。薛延陀可汗受封在前（参考六二八年十二月），东突厥可汗受封在后，后封的是小国，前封的是大国。你住瀚海沙漠北，他住瀚海沙漠南。各守各的疆土，各抚各的部落。如果越过界限，互相抄袭劫掠，我就派军分别问罪。”薛延陀汗国遵命。

李世民于是派李思摩（阿史那思摩）率所有部众，在河北（黄河河套以北）建立王庭（中央政府）。李世民登齐政殿，给他饯行，李思摩（阿史那思摩）流泪哭泣，举杯向李世民祝福说：“我们破败之余，本应化为灰尘土壤，幸蒙陛下恩典，保存残生，再封作可汗，愿万世子孙，永远侍奉陛下。”李世民再派国务院教育部长（礼部尚书）赵郡王李孝恭，携带诏书，到突厥王庭，在黄河岸上兴建高坛，正式册封。李世民对侍从官员说：“中国是主干，蛮夷是枝叶，伤害主干去滋养枝叶，大树怎么能够成长茂盛！我不采纳魏徵的警告（参考六三〇年四月），几乎受害（指阿史那结社率之变）。”又任命左屯卫（卫军第九军）将军（从三品）阿史那忠当东突厥汗国左贤王，左武卫（卫军第十一军）将军（从三品）阿史那泥孰当右贤王。阿史那忠，是阿史那苏尼失（参考六三〇年三月）的儿子，李世民待阿史那忠十分优厚，把皇族女儿嫁给他。阿史那忠出塞后，想念唐帝国，每次看到唐朝使节，都流泪请求返回京师（首都长安），最后，李世民下诏允许。

14 八月一日，日蚀。

15 李世民下诏，说：“身体头发，以及肌肤，都来自父母，不可以随意毁伤（《孝经》孔丘语）。最近到法院诉讼的人，有的竟自己凿伤耳朵眼睛，今后再有人这样做，先打四十大板，然后再审问案情。”

16 冬季，十月十五日，李世民返首都长安（由九成宫返）。

17 十一月十三日，李世民任命最高监督长（侍中）杨师道，当最高立法长（中书令）。

18 十一月三十日，李世民任命国务院左秘书长（尚书左丞）刘洎，当监督院副监督长（黄门侍郎）、三级实质宰相（参知政事）。

19 李世民仍盼望高昌王国（新疆吐鲁番市东）国王（十五仁）麴文泰改变对唐帝国的强硬立场，再下诏书，分析利害祸福，命他前来朝见，麴文泰声称有病，拒绝启程。

十二月四日，李世民派交河兵团（交河城，新疆吐鲁番市）总司令官（交河行军大总管，这是新授官职）、国务院文官部长（吏部尚书）侯君集，副总司令兼左屯卫（卫军第九军）大将军（正三品）薛万均等，率军远征高昌。

20 十二月七日，李世民封皇子李福当赵王。

21 十二月二十一日，吐谷浑汗国（青海省）乌地也拔勒豆可汗（十九任）慕容诺曷钵，前来唐帝国朝见，李世民封皇族一位女儿当弘化公主，嫁给慕容诺曷钵。

22 十二月二十四日，李世民在咸阳（陕西省咸阳市）打猎。

十二月二十五日，李世民回宫。

23 皇太子李承乾因游猎过度，荒废学业，太子宫事务署长（右庶子）张玄素规劝，李承乾拒不接受（本年李承乾二十二岁）。

24 本年（六三九），唐帝国共有三百五十八州、一千五百一十一县。

25 天文台长（太史令）傅奕，精通阴阳五行，但他始终不信。有病时，也不请医生诊断。一位佛教高僧从西域（新疆及中亚东部）前来唐帝国，会念咒语，能使人立刻死亡，也能用咒语使他复活。李世民在"飞骑"（禁军）中遴选勇士试验，果然如此，遂告诉傅奕。傅奕说："这是妖术！我听说过：邪不胜正，请陛下命他咒我，他一定失败。"李世民遂命高僧诅咒傅奕，傅奕根本没有感觉。一会工夫，高僧忽然倒地，好像受到什么东西攻击，竟然死亡，不能再醒。

又有婆罗门（印度教）高僧，宣称得到佛祖一颗牙齿，可以击碎任何坚硬的东西。长安市上男女，团团围住观看，傅奕当时躺床养病，对他的儿子说："我听说，有一种金钢钻石，最是坚硬，没有一件东西可以伤它，只有羚羊角可以破解，你不妨前去一试。"傅家儿子遂去参观，拿出羚羊角往佛牙上一敲，一下子就把佛牙敲碎，参观的人才停止（羚羊角击碎金钢钻乃是奇闻，可能那颗佛牙不是金钢钻）。

傅奕临死，告诫他的儿子，不可以学习佛经；死时年八十五岁。生前曾收集曹魏帝国、晋帝国以来，驳斥佛教的文章，合成《高识传》十卷，流行于世。

26 西突厥汗国（新疆北部及中亚东部）咥利失可汗（七任大可汗）阿史那同娥的部属俟利发，跟乙毗咄陆可汗（八任大可汗）阿史那欲谷私通，阴谋政变，阿史那同娥束手无策，逃到钹汗（中亚纳曼干市），逝世；西翼防区（弩失毕）各部落迎接他的侄儿阿史那薄布公爵继任可汗，称乙毗沙钵罗叶护可汗（九任大可汗）。阿史那薄布公爵登极后，在虽合水（新疆焉耆县北）建立中央政府，称“南庭”，龟兹（新疆库车市）、鄯善（新疆若羌县）、且末（新疆且末县）、吐火罗（阿富汗北部汗阿巴德）、焉耆（新疆焉耆县）、石国（中亚塔什干市）、史国（中亚沙赫里夏勃兹）、何国（中亚撒马尔罕西北雅特斯城）、穆国（中亚查尔朱城）、康国（撒马尔罕）等国归附。而阿史那欲谷（八任大可汗）则在镞曷山（假定是新疆塔城市）西，建立中央政府，称“北庭”，厥越失（今地不详）、拔悉弥（蒙古国西部科布多盆地）、驳马（西伯利亚叶尼塞河中游）、结骨（西伯利亚萨彦岭北）、火炽（中亚纽库斯）、触水昆（今地不详）等国归附（且末、鄯善二城本属吐谷浑汗国〔青海省〕，当是唐政府重击吐谷浑后〔参考六三五年闰四月〕，二城转投西突厥；结骨、拔悉弥本是漠北铁勒其中二部，当在薛延陀脱离东突厥后不久，改投西突厥）。

南北庭以伊列水（伊犁河）作为边界（去年〔六三八〕已是如此，参考该年十二月）。

七世纪·六三九年　西突厥分裂南北二庭

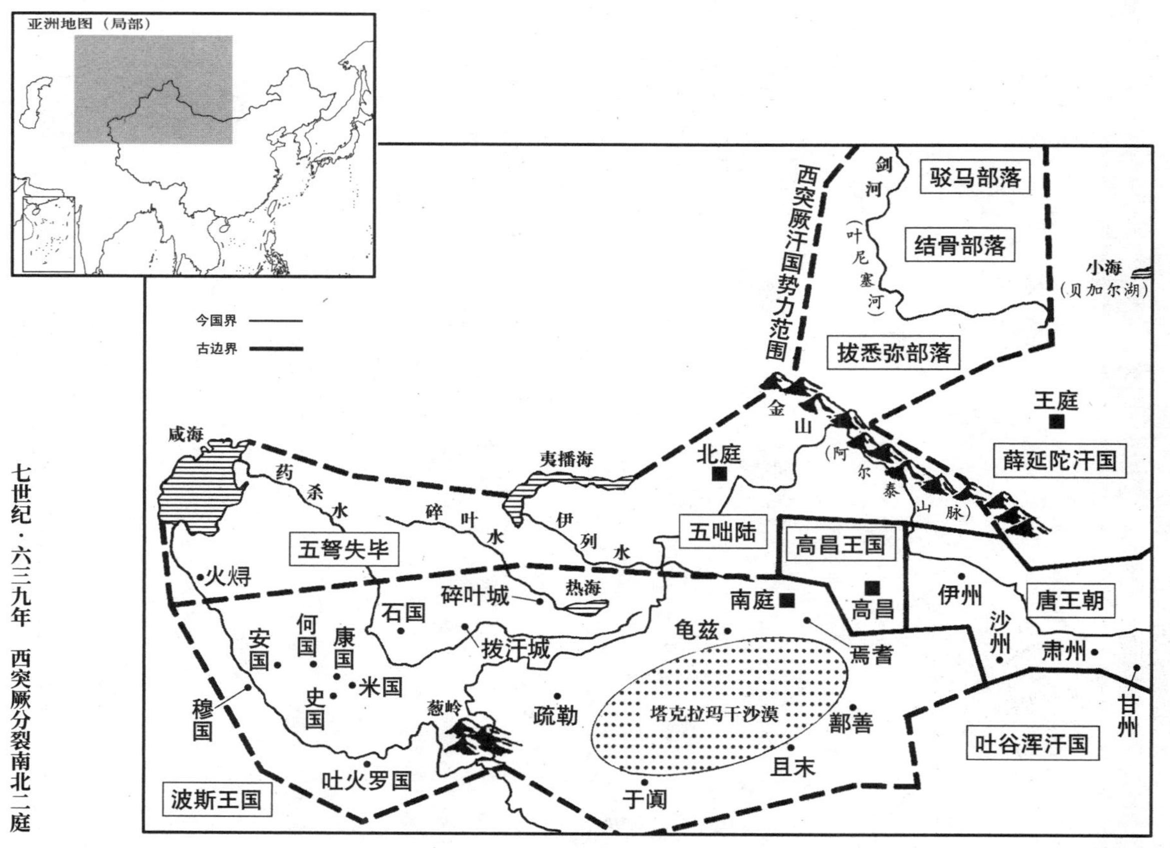

唐王朝

- 唐灭高昌王国。
- 文成公主嫁吐蕃国王弃宗弄赞。
- 唐帝李世民画功臣像于凌烟阁。
- 太子李承乾被废，立李治当太子。

- 印度摩揭国王尊中国高僧玄奘，开讲经大会。戒日王开“无遮大会”。
- 阿拉伯军攻占埃及。

六四〇年
庚子

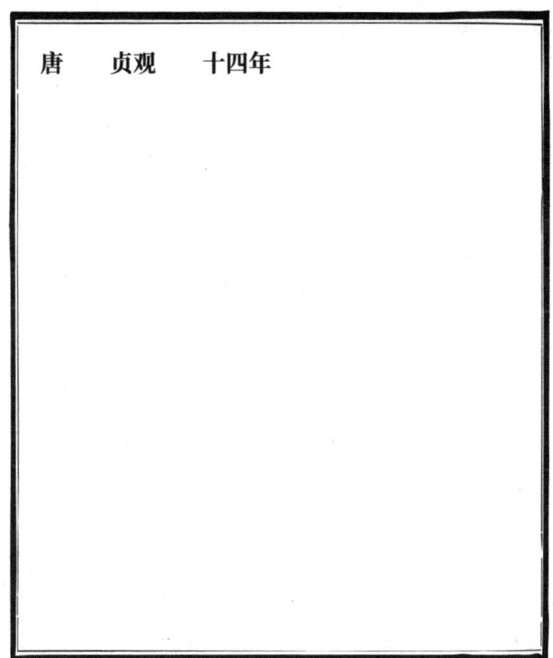
唐　贞观　十四年

1 春季，正月十六日，唐王朝（首都长安〔陕西省西安市〕）皇帝（二任太宗）李世民（本年四十三岁）前往魏王李泰家宅，赦免京畿卫戍区（雍州）长安县死刑以下囚犯，免除延康里居民今年赋税，分别等级赏赐魏王府官属及延康里老人（李泰家住长安县延康里。首都长安城内，有二直属县：长安县、万年县，县政府都设在首都长安城中，长安县在西，万年县在东，延康里属长安县，所以只赦长安囚犯）。

2 二月十日，李世民前往国立贵族大学（国子监），参观祭祀孔丘大典，命国立贵族大学校长（祭酒）孔颖达讲解《孝经》，依着官阶赏赐，上自校长，下到成绩优良的大学生。

当时，李世民扩大征召天下著名的儒家学派知识分子当教师，他自己也很多次前往国立贵族大学（国子监），听他们讲解谈论，学生中只要了解“大经”一部以上的，都可以当官（唐王朝时代，《礼记》《春秋左氏传》称“大经”，《诗经》《仪礼》《周礼》称“中经”，《易经》《尚书》《春秋公羊传》《春秋谷梁传》称“小经”）。增建学生宿舍一千二百间，学生多达二千二百六十人。连城门防卫大营（屯营）、飞骑（禁军）也派有教师，为官兵讲解儒家学派经典，官兵中有通达一部经典的，就允许他们参加“贡举”（州县政府向中央保荐人才，称“贡举”）。于是全国各地学者专家，纷纷集中京师（首都长安），甚至高句骊王国（首都平壤〔朝鲜半岛平壤市〕）、百济王国（首都泗沘〔朝鲜半岛扶余市〕）、新罗王国（首都金城〔朝鲜半岛庆州市〕）、高昌王国（新疆吐鲁番市东）、吐蕃王国（首都逻些城〔西藏拉萨市〕），也都派遣皇族子弟到唐帝国留学，听讲的达八千余人。

李世民因教师们对儒家学派经典，各有各的解释，注解既繁又多；于是命孔颖达跟各学者共同撰写五经注解，名《五经正义》，作为标准课本，命学生学习。

3 二月十五日，李世民前往骊山温泉（陕西省西安市临潼区东南）。二月二十四日，李世民回宫。

4 二月二十八日，李世民下诏调查近代著名知识分子：诸如南梁帝国皇甫侃、褚仲都，北周帝国熊安生、沈重，陈帝国沈文阿、周弘正、张讥，隋王朝何妥、刘炫等人的子孙，专案呈报，分别任用或擢升（熊安生，参考五七七年正月；周弘正，参考五四七年二月；何妥，参考五八九年八月；刘炫，参考六〇一年六月。其余各人，《资治通鉴》没有记载）。

5 三月，窦州兵团（广东省信宜市）总司令（窦州道行军总管）党仁弘，攻击罗窦（即罗窦洞，信宜市南）獠部落变民军，把变民军击破，俘获七千余人（罗窦洞民变，参考六三一年十二月）。

6 三月四日，流鬼国（可能在俄罗斯乌苏里江及黑龙江口伯力城以北）派使节佘志（佘，音shé〔蛇〕）前来唐帝国进贡。流鬼国距长安一万五千华里，临近北海，南边是靺鞨部落（黑龙江下游），跟唐帝国从来没有交往，此次派出使节，要经过三次翻译。

李世民任命佘志当骑兵司令（骑都尉）。

7 三月十九日，设立突厥协防司令（宁朔大使），负责保护新恢复的东突厥汗国（瀚海沙漠群）。

8 夏季，五月六日，改封燕王李灵夔当鲁王。

9 李世民将去洛阳（河南省洛阳市），派建筑部长（将作大匠）阎立德前往调查可以避暑的地方。

秋季，八月五日，在汝州（河南省汝州市）西山兴建襄城宫。阎立德，是阎立本的老哥（阎立本，参考六二一年十月）。

10 高昌王国（新疆吐鲁番市东）国王麹文泰，听到唐朝远征军出发消息，对国人说：“长安（陕西省西安市）距我们七千华里，沙漠和碎石地带就有二千华里，地上无水无草，冷风如同刀割，热风好像火烧，这种地方，大军怎么可以通过！上次我到京师（首都长安）朝见（参考六三〇年十二月），亲眼看到秦（陕西省）陇（甘肃省）北部，一片荒凉，城郭萧条，根本不能和隋王朝相比。现在前来对我们攻击，军队太多则粮食运输来不及；三万人以下，我们有力量把他们制服。用安逸对抗劳苦，坐在这里看他们倒毙。他们如果屯兵城下，最多二十天，粮食吃完，一定撤走，我们就尾随追击，把他们俘虏，用不着忧虑！”可是，不久听到唐朝远征军已到沙漠口岸，忧愁恐惧，不知道如何才好，一病而死。儿子麴智盛继位（十六任）。

唐朝远征军抵达柳谷（新疆哈密市东），侦探报告说：“麴文泰将定期安葬，贵族们都集合高昌城。”各将领请求发动奇袭，交河兵团总司令官（交河行军大总管）侯君集说：“不行，天子因高昌王行动无礼，才命我讨伐，如今却在麴文泰坟地上袭击他们，不是吊民伐罪的王师。”于是，擂动战鼓，向西挺进，抵达田城（即田地城，在高昌城东南），劝守军投降，守军拒绝，远征军于第二天发动拂晓攻击，中午就把城攻克，俘获男女七千余人。侯君集命贵族征兵府司令（中郎将）辛獠儿当前锋，夜晚，向首都高昌城（吐鲁番市东）进发，高昌军迎战失败；远征军主力到达，就在城下构筑营阵。

麴智盛写信给侯君集说：“是我的老爹得罪天子，上天对他惩罚，使他身死，我继位没有多久，唯求部长察看下情，赐予怜悯！”侯君集回信说：“你如果能后悔改过，应绑住双手，到营门报到。”麴智盛不肯接受。侯君集下令填平护城壕沟，开始攻城，射出的箭和抛出的石头，像倾盆大雨，城中高昌人都躲在房中，不敢出来。侯君集使用“巢车”（攻城武器之一），高十丈，俯看城中，指示攻击目标，路上出现行人或飞石击中的地方，巢车上勇士都一一高声报导。

之前，高昌王国跟西突厥汗国缔结同盟条约：当一国受到攻击时，另一国有援助的义务；沙钵罗叶护可汗（九任大可汗）阏史那薄布派一个亲王（叶护）率军进驻可汗浮图城（新疆吉木萨尔县），遥作声援。可是，等唐朝远征军抵达高昌城下，阿史那薄布大为恐惧，向西逃走一千余华里，而驻防可汗浮图城（新疆吉木萨尔县）的那位西突厥亲王，因恐惧过度，献出城池，向远征军投降。

麴智盛走投无路。

八月八日，麴智盛开城投降（高昌王国自阚伯周于四六〇年建立王国，立国一百八十一年，共十六任王，至本年〔六四〇〕灭亡）。侯君集派军队出去分别夺取土地，共接收二十二城、八千零四十六户、一万七千七百人；面积东西八百华里，南北五百华里。

李世民打算将高昌王国土地收入版图，设立州县。特进（文散官二级，正二品）魏徵警告说："陛下刚登极时，麴文泰夫妇首先前来朝见（参考六三〇年十二月），后来态度稍露傲慢，所以陛下才把他处死，这项惩罚，应到麴文泰身上为止。最好是安抚他们的人民，保存他们的王国，由麴文泰的儿子继位；如此，声威恩德将永播荒远，四方蛮夷自都心悦诚服。今天如果贪图他的土地，设立州县，则势必常派一千余人驻守，数年调防一次，一来一往，死亡将占十分之三四；既要供应他们衣服粮食，他们又要远离家人亲戚。十年之后，陇右（甘肃省）人民将陷于穷苦。而陛下却不能从高昌得到一把米或一尺布，来帮助大唐，这正是把有用的东西，用到无用的事物上，我看不出它的可行性。"李世民不同意。

九月，李世民把高昌王国故地改称西州，而在可汗浮图城（新疆吉木萨尔县）另设庭州，各有属县。

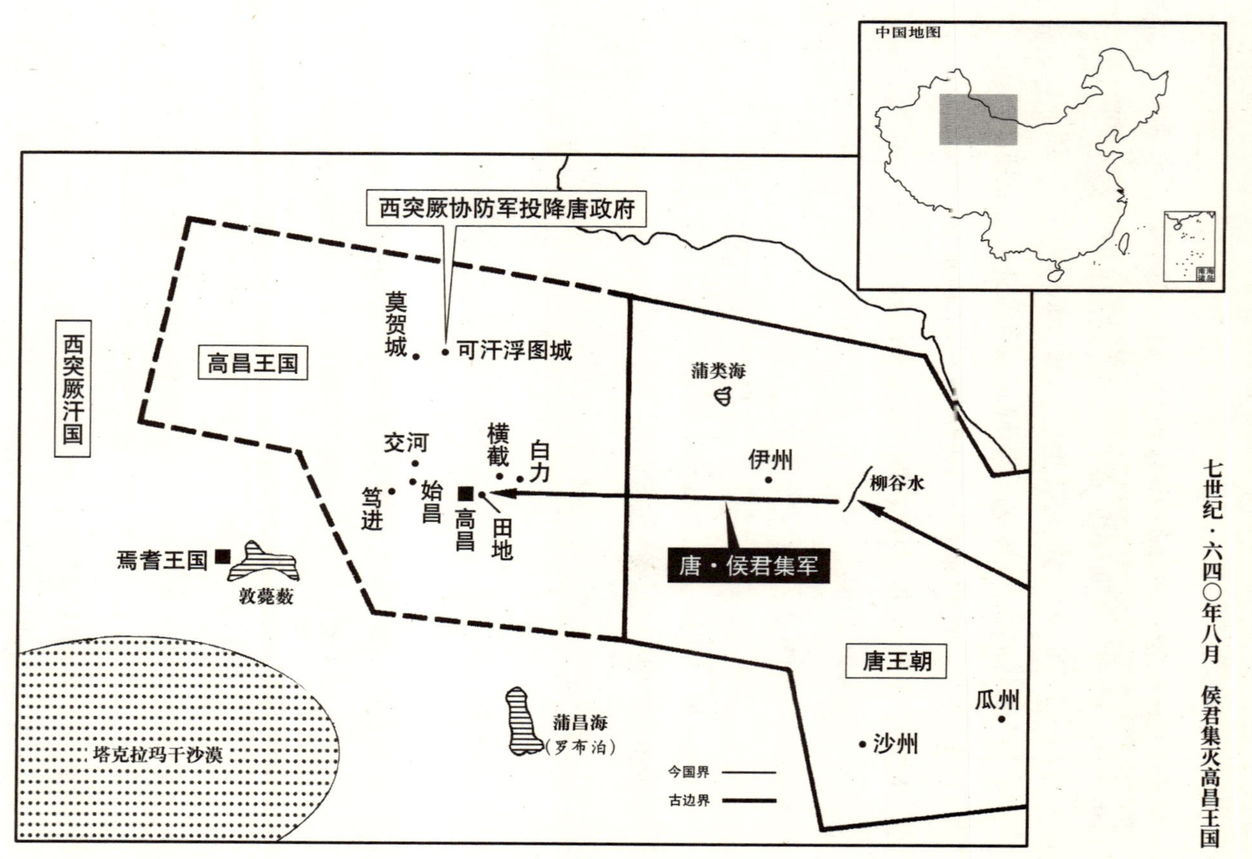

七世纪·六四〇年八月　侯君集灭高昌王国

九月二十一日，在交河城（新疆吐鲁番市）设置安西总督府（安西都护府），留军镇守。

侯君集押解高昌王麴智盛，以及他的文武官员和民间士绅等，率军东返。七世纪四〇年代唐王朝国土，东到东海，西到焉耆王国（新疆焉耆县），南到林邑王国（越南中部），北到瀚海沙漠群；全都设立州县，东西九千五百一十华里，南北一万九百一十八华里。

唐朝远征军攻击高昌时，派使节邀请焉耆王国（新疆焉耆县）配合，前后夹击；焉耆大喜过望，接受命令。等高昌灭亡，焉耆王前往远征军营门晋见侯君集，并说明高昌曾经夺取焉耆三座城池（参考六三二年七月），侯君集奏报中央，连同高昌所掳获的焉耆人，一并归还焉耆。

11 冬季，十月十日，荆王李元景等，再上疏请求李世民到泰山添土祭祀天神、梁父山辟场祭祀地神（封禅）；李世民不许。

12 最初，陈仓（陕西省宝鸡市东陈仓镇）平民征兵府司令（折冲都尉）鲁宁，因控案被羁押监狱，自认为官阶崇高（上府正四品上，中府从四品下，下府正五品下），对陈仓县政府防卫员（县尉，次畿县正九品下）刘仁轨，侮辱诟骂，刘仁轨把鲁宁乱棍打死，州政府奏报中央，李世民大怒，下令斩刘仁轨，但仍然大惑不解，说：“什么防卫员（县尉），胆敢打死我的征兵府司令（折冲）！”命押解长安，当面亲自询问。刘仁轨回答说：“鲁宁当着我治下人民，竟对我凌辱到这种程度，我实在怒不可遏，把他打死。”脸色言辞，非常平静。魏徵正在身旁，说：“陛下知道隋王朝所以灭亡的原因？”李世民说：“什么原因？”魏徵说：“隋王朝末年，人民强悍，凌辱政府官员，像鲁宁这种人

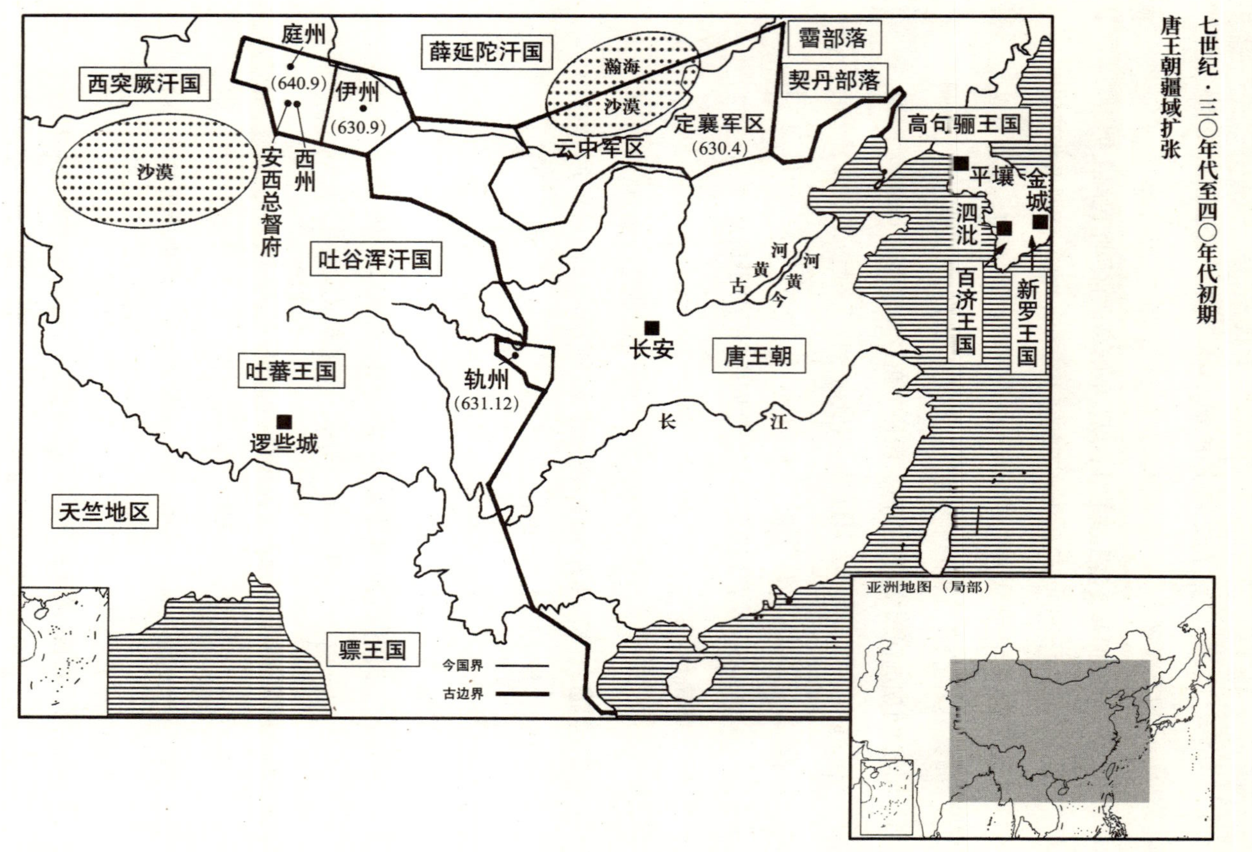

七世纪·三〇年代至四〇年代初期
唐王朝疆域扩张

就是。”李世民高兴，擢升刘仁轨当栎阳（陕西省西安市临潼区北栎阳街道）县政府主任秘书（县丞，畿县正八品下）。

李世民将到同州（陕西省大荔县）围猎，刘仁轨上疏，说：“今年秋季，庄稼丰收，但民间仅收割十分之一二；就在这个时候，差遣他们准备围猎种种事宜，诸如整理道路，修补桥梁，动不动就要一二万人，对农村的伤害至大。我盼望陛下延后十天出发，等到农民收割完毕，公私两利。”李世民采纳这项建议，用诏书嘉勉。不久，擢升刘仁轨当新安（河南省新安县）县长。

闰十月二日，李世民前往同州（陕西省大荔县）。

闰十月十七日，李世民回宫。

13 闰十月二十三日，吐蕃王国（首都逻些城〔西藏拉萨市〕）国王（三十二任）弃宗弄赞，派他的宰相禄东赞，向唐帝国进贡黄金五千两，及珠宝珍玩数百种，请求通婚。

李世民封皇族一位女儿当文成公主，准备出嫁。

14 十一月一日，冬至，李世民前往首都长安南郊，祭祀天神。

当时实施的是《戊寅历》（参考六一八年九月），一日不是“甲子”，而是“癸亥”。宣议郎（文散官二十一级，从七品下）李淳风上疏，说：“古代，两天的分界线在子时的一半，本年十一月一日，正逢甲子，也是冬至季节。故天文台长（太史令）傅仁均，减除多余之数，把子时前当作为初一日，所以相差三刻，不是正常之规，请求再加考定。”（事关历法，不懂。）有关官员商议，认为傅仁均的计算，有些微差错；而李淳风校订精密，建议采取李淳风的历法；李世民批准。

15 十一月四日，国务院教育部（礼部）官员上疏，请求批准：高祖父母逝世，穿生粗布缝边丧服五个月（原为三个月），嫡子妇穿粗生麻布缝边丧服一年（原为粗熟麻布丧服九个月）。嫂嫂、小叔、弟妇、大伯（夫兄）、小舅（妻弟）逝世，穿较细熟麻布丧服五个月（原为穿细麻布三个月。参考五七四年五月附表）；李世民同意。

16 十一月十三日，文武百官再度请求李世民前往泰山添土祭祀天神、梁父山辟场祭祀地神（封禅），李世民接受。下令各儒家学者详细拟定仪式，命祭祀部长（太常卿）韦挺等，为“封禅特使”。

17 国务院司法部关卡稽查司副司长（司门员外郎）韦元方，发给奉命出差宦官的通行证，过于迟缓，宦官奏报李世民，李世民大怒，贬韦元方当华阴（陕西省华阴市）县长，魏徵劝告说：“君王的震怒，不可以随意发作。前些时为了派宦官出差，深夜宣布诏书，好像发生紧急军事情况，谁不惊惶恐惧？何况宦官这种人，自古以来，最难管理，如果轻易的为他们说话，容易产生后患。尤其派一个人前往远地，更不适宜，不应使这种现象渐渐成长，应特别谨慎。”李世民接受。

18 国务院左秘书长（尚书左丞）韦悰，调查农林部（司农）所卖木材，每“橦”单价比民间的单价要高（橦，古代木材计量单位，三十五立方寸为一“橦”），上疏弹劾农林部（司农）浮报价款。李世民召见最高法院院长（大理卿）孙伏伽，草拟农林部长（司农）的罪状。孙伏伽说：“农林部长（司农）没有罪。”李世民奇怪，问他缘故，孙伏伽回答说：“正因为农林部（司农）卖的价钱比较贵，所以才显出民间卖的价钱比较贱。

假如政府卖的价钱贱，人民就陷于绝境，想贱卖都不可能了。我只看出农林部长（司农）为人民着想，不知道他有什么过失。”李世民醒悟，不断点头称赞，回头对韦悰说：“你的见识不如孙伏伽太远。”

19 十二月五日，侯君集在观德殿呈献远征军的俘虏，李世民摆下凯旋庆功大宴，准天下人民吃肉饮酒狂欢三天。不久，任命麹智盛当左武卫（卫军第三军）将军，封金城郡公爵。把所俘虏的高昌王国的音乐师，分派给祭祀部（太常），使祭祀部（太常）的乐队，由九队增加到十队。

侯君集击破高昌王国时，私自盗取奇珍异宝；将士们得到消息，遂大肆偷窃抢掠，侯君集无法制止。现在，有关官员提出弹劾，李世民逮捕侯君集等，囚禁监狱。立法院副立法长（中书侍郎）岑文本上疏说：“高昌王昏乱迷失，陛下派侯君集等讨伐，已经征服。凯旋归来，还没有超过十天，就把他们交付军法审判。虽然，这是侯君集等自己触犯法网，可是恐怕全国人民都会疑心陛下只记得他们的过失，而忘掉他们的功勋。我曾经听说：派遣大将出征，最重要的要求，是要他克制敌人，假如能克制敌人，即令贪污，照样也要赏赐；如果战败，即令廉洁如水，也应诛杀。所以，西汉王朝的李广利（参考前一〇一年）、陈汤（参考前三三年），晋王朝的王濬（参考二八〇年），隋王朝的韩擒虎（参考五八九年），都身负重罪，应受惩罚，而君王却认为他们对国有功，全都封爵赏赐。由前人事迹观察，将领们谨慎清廉的少，贪婪钱财的多，所以黄石公《军势篇》说：‘用他的智慧，用他的勇敢，用他的贪婪，用他的愚昧。智慧的人愿意为国家建立功勋，勇敢的人喜爱发泄他内心的天性，贪婪的人急切追求金银财宝，愚昧的人不计较生死。’但愿陛下记念侯君集等所立的微功，而宽恕他们的大过。使侯君集能重新排入朝见行列，再受驱使。他虽不是一个清明廉洁的官员，却是一个贪婪愚昧的将领，陛下虽然违法，而恩德更为显著，侯君集等虽然蒙受赦免，可是过失更加清晰。”李世民下令把侯君集释放。

又有人控告薛万均强奸高昌王国妇女，薛万均不肯承认，李世民下令把没收到皇宫中的高昌妇女，移交最高法院（大理），跟薛万均在法庭上对质，魏徵上疏劝阻，说：“我曾经听说：‘君王用礼貌对待臣属，臣属用忠心事奉君王。’（《论语》孔丘语）而今，命帝国上将，跟亡国妇女，在大庭广众之中，辩论男女床上私情；如果事情是真，所得的十分轻微，如果事情是假，损失可十分重大。从前，嬴任好（春秋时代秦国九任国君穆公）赐给盗马贼美酒（嬴任好御马逃走，岐山下约有三百野人把马吃掉，官员跟踪而至，逮捕野人，打算惩罚，嬴任好说：“君子不会为了牲畜而去害人，我听说：吃马肉而不饮酒的，将受内伤。”命赏给他们美酒。后来，嬴任好攻击晋国，陷入重围，岌岌可危，三百野人救出嬴任好，作为吃马饮酒回报）；芈侣（楚王国六任王庄王）赦免被扯下帽缨者的罪过（芈侣设宴款待文武官员，天晚，大家都已半醉，而蜡烛忽然熄灭，有人暗中拉一下一位美女的衣裳，美女顺手把他的帽缨扯下，报告芈侣急速燃烛，看谁没有帽缨。芈侣说：“赏赐给人美酒，使他饮醉失去控制，怎么可以为了显示一个妇女的节操，而使一个战士受到羞辱！”于是下令说：“今天我们都要大醉，不摘去帽缨，就不能狂欢。”文武官员都摘去自己帽缨，然后再燃烛火，君臣尽欢而散）。何况陛下的道德高过伊祁放勋（尧）、姚重华（舜），难道行为还不如嬴任好、芈侣！”李世民立即释放薛万均。

侯君集的马，前额长疮生蛆，兵团总司令（行军总管）赵元楷亲自用手指沾脓来嗅，监察官（御史）弹劾赵元楷谄媚无耻，贬赵元楷当栝州（浙江省丽水市）州长。

高昌王国灭亡，各将领都受赏赐，兵团总司令（行军总管）阿史那社尔，因没有接到皇帝的训令，独自拒绝。后来，训令颁下，才肯接受，但也只取老弱人口及破旧器物而已。李世民嘉许他的清廉谨慎，赏赐给他战利品高昌宝刀和杂色绸缎一千段。

20 十二月十一日，李世民在樊川（陕西省西安市长安区南）狩猎。十二月十三日，李世民回宫。

21 特进（文散官二级，正二品）魏徵上疏，认为："政府中掌握权柄的文武官员，负责帝国枢机大任，责任虽重，可是陛下对他们的信任，却并不充分；所以他们心怀疑惧，只好敷衍推托。陛下对大事宽恕，对小罪严厉，随时会爆发雷霆之怒，对人谴责，未免显出心里偏爱或某种忌恨。一般情形是，把大事交给高级干部，把小事交给低级干部，这是治理国家的正道。而今，陛下在职务上敬重高级官员，忽略低级官员；可是遇到事情，陛下则信任低官，而怀疑高官。信任忽略的，怀疑敬重的，却打算要求政治纳入轨道，怎么可能！任命一个人担任高官，却去挑剔他细微的过失，鲨鱼群望着政治风向，随便找出几条法律，加以扭曲，就可以构成高官的罪状。当事人自己分辩，陛下认为他坚不吐实，空言狡诈。当事人不作说明，陛下又认为他所被控的罪，全是实情。进退两难，没有办法表明心迹。于是只好因循苟且，但求免除灾祸；虚假作伪，遂成为一时风俗。"李世民采纳。

22 李世民对侍从官员说："我虽然夺取到天下，但是认为保持天下更难。"魏徵回答说："我曾经听说，战胜容易，保持战果难。陛下说出这种话，是皇庙和国家之福。"

23 李世民听说太子宫事务署长（右庶子）张玄素在东宫（太子宫）不断的苦苦规劝太子李承乾，擢升张玄素当银青光禄大夫（文散官五级，从三品），代理太子宫政务署长（行左庶子）。

李承乾曾经在太子宫中播鼓作戏，张玄素亲到阁前规劝，李承乾把鼓拿出来，在张玄素面前摧毁。李承乾长久不出来接见太子宫官属，张玄素劝告说："政府遴选俊杰贤能的学者，辅佐太子，而今，动不动一月半月，不接见太子宫官属，怎么能对你有万分之一的帮助？宫中全是妇女，不知道有没有第二个樊姬（参考前一八年八月注）！"李承乾不理。

张玄素少年时曾当国务院司法部法务司管理员（刑部令史，官阶低微，在文官最低阶"从九品下"之下，俗称"不入流"或"流外"），有一天，李世民当着文武百官，问张玄素说："你在隋王朝当什么官？"张玄素回答说："县政府防卫员（县尉，从九品）。"李世民又问："县政府防卫员（县尉）之前，当什么官？"张玄素回答说："流外。"李世民又问："在哪个单位？"张玄素至为羞惭，沮丧恍惚，出阁门时几乎迈不动脚步，面色如同死灰。高级顾问官（谏议大夫）褚遂良上疏，说："君王能体恤他的部属，部属才能竭尽忠心。张玄素虽然出身寒微，陛下敬重他的才能，擢升到三品高位，辅佐皇储（太子李承乾），怎么可以对着文武百官，穷追他的门第！抛弃从前的恩德，使他霎时间羞愧得无地自容，痛苦椎心，怎么能要求他为节义而死！"李世民说："我也后悔问这些话，你的奏章深合我心。"褚遂良，是褚亮的儿子（褚亮，参考六一七年十二月十七日）。

最高法院院长（大理卿）孙伏伽跟张玄素在隋王朝时，都当管理员（令史），孙伏伽往往在大庭广众中，述说他的往事，毫不避讳。

柏杨曰

"尘沙一入成灰烬，断金千锤色益红。"只有英雄豪杰，才能保持本色；只有胸襟开阔，才能保持一贯；只有仁慈宽厚，才能保持童心；只有自我肯定，才能不在乎贫贱，尤其是过去的贫贱。

24 戴州（山东省成武县）州长贾崇，因他的部属中有人犯"十恶"大罪（《唐律》十恶：一、谋反，二、谋大逆，三、谋叛，四、谋恶逆，五、不道，六、大不敬，七、不孝，八、不睦，九、不义，一〇、内乱），监察官（御史）对贾崇提出弹劾。李世民说："从前，伊祁放勋（唐）、姚重华（虞）都是伟大的圣王，又居天子尊贵的宝座，却不能感化他们的儿子。何况贾崇不过一个州长，怎么能感化他部属家家户户都有善行！如果因这种事被贬，则以后州县互相掩护，将让真正罪犯受到包庇。自今以后，各州人民有犯十恶大罪的，不可以弹劾州长，只要求州长严明调查审理，依法惩罪，希望能够肃清邪恶。"

25 李世民亲自检阅军队，发现部伍行阵，凌乱不整，命大将军（正三品）张士贵，责打贵族征兵府司令（中郎将）等，认为打得太轻，逮捕张士贵囚禁监狱。魏徵劝阻说："将军的职务，是充当帝国的爪牙，用来保卫国土，命他责打罪人，已不足以使后世效法，更何况因他责打得太轻，而去定罪！"李世民急下令释放。

26 很多关心国事的人，请求李世民亲自批阅奏章，用以防止蒙蔽。李世民询问魏徵的意见。魏徵回答说："这些人不知道大体，一定要陛下亲自批阅每一份奏章，那么，不仅是中央，连州县的事陛下也要亲自处理了。"

六四一年 辛丑

1 春季，正月十二日，唐王朝（首都长安〔陕西省西安市〕）皇帝（二任太宗）李世民（本年四十四岁），任命吐蕃王国（首都逻些城〔西藏拉萨市〕）宰相禄东赞，当右卫（卫军第二军）大将军（禄东赞出使事，参考去年〔六四〇〕闰十月）。

李世民对禄东赞外交礼节的熟练和得体的应对，十分欣赏，决定把琅邪公主的外孙段女士嫁给他，禄东赞推辞说：“我在本国早有妻子，是父母为我聘娶，不敢遗弃。而且国王还没有见公主，身为使节，怎么可以先娶？”李世民越发认为他贤明，然而为了帝国利益，必须用深厚的恩情笼络，仍勉强禄东赞接受。

正月十五日，李世民命国务院教育部长（礼部尚书）江夏王李道宗，“持节”，护送文成公主前往吐蕃王国（首都逻些城〔西藏拉萨市〕）。国王（三十二任）弃宗弄赞大喜，以唐朝女婿的礼节，叩见李道宗，羡慕唐朝衣服和仪卫队的豪华盛大，特别替文成公主兴筑一座城池宫殿，让她居住，而自己也改穿绸缎衣服，才和公主见面。吐蕃风俗，喜爱把红颜料涂到脸上，文成公主厌恶，弃宗弄赞为她下令禁止，而他自己的凶暴猜忌性格，也逐渐革除，还派遣皇家子弟前来唐朝国立贵族大学留学，研读儒家学派经典。

2 正月十三日，东突厥汗国（瀚海沙漠群）俟利苾可汗（十四任大可汗）李思摩（阿史那思摩），开始率部众北渡黄河（河套处的黄河），把御帐设置在定襄故城（内蒙古和林格尔县），有三万户人家，四万人战斗部队，九万匹战马。上疏唐朝政府，说：“我受分外的恩德，身为一个部落的酋长，但愿子子孙孙，永远是大唐大门外的一条狗，守卫大唐门户。只因目前力量仍十分薄弱，如果薛延陀（蒙古国西南部）侵略进逼，恐怕不能抵抗，请准许我退进长城。”李世民批准。

3 李世民将往洛阳（河南省洛阳市），命太子李承乾监督国事，留守首都长安；命国务院右最高执行长（右仆射）高士廉辅佐。

正月十九日，李世民抵达温泉（陕西省西安市临潼区东南），皇家卫士崔卿、刁文懿，畏惧长途跋涉（长安至温泉航空距离二十公里），希望李世民在受到惊吓后中止行程，于是，就在深夜，向行宫发射乱箭，射进李世民寝帐的共有五支；崔卿、刁文懿都被控比照大逆定罪（大逆，十恶之二：阴谋毁坏皇家祭庙、皇家坟墓及宫殿）。

三月七日，李世民前往襄城宫（河南省汝州市境），天气闷热，又多毒蛇。

三月九日，撤除襄城宫，把建筑材料分别赏赐给附近人民，免除建筑部长（将作大匠）阎立德官职（阎立德建襄城宫，参考去年〔六四〇〕八月）。

4 夏季，四月一日，李世民下诏宣布明年（六四二）二月前往泰山添土祭祀天神、梁父山辟场祭祀地神（封禅）。

5 李世民认为，近世阴阳占卜法术等杂书，错误最多，命祭祀部礼仪官（大常博士，从七品上）吕才，跟各派学者，共同校订可以流传于世的著作，共四十七卷。

四月十九日，吕才等校订完成，奏报李世民。每书之前，吕才都撰写序言，引用儒家经典考证。《宅经 · 序》说："近世巫法师，毫无根据的选出五个姓氏，如'张''王'二姓属于'商'，'武''庾'二姓属于'羽'，好像故意押韵，至于认为'柳'姓属于'宫'，'赵'姓属于'角'，又好像不是押韵。有时同出于一个姓，却分属'宫''商'；有时复姓有好几个字，就根本无法分辨'徵''羽'。这种事不能在古书中找到论据，所以事理荒唐。"《禄命 · 序》（"禄"指盛衰兴亡，"命"指富贵贫贱）说："探讨人生盛衰贵贱预言的书太多了，有时偶尔也会测中，因此有人相信。然而，长平（山西省高平市）坑杀降卒四十万（参考前二六〇年），没有听说四十万人都触犯'三刑'（三刑，道家的一种诡秘学说："寅刑巳，巳刑申，申刑寅；丑刑戌，戌刑未，未刑丑；子刑卯，卯刑子，是谓相刑；辰刑辰，午刑午，酉刑酉，亥刑亥，是谓自刑。"玄而又玄，完全不懂)，刘秀当了皇帝（东汉王朝一任帝），南阳郡（河南省南阳市）人跟着富贵，难道命运都是'六合'（六合："子与丑合，寅与亥合，卯与戌合，辰与酉合，巳与申合，午与未合。"干支怎么相合，相合后怎么就生出福气，完全不懂）！现在就有同年同命，而贵贱不一样的情形；也有同命甚至同胎，而一个长寿，一个早夭的现象。依照诡秘书所说，姬同（鲁国十六任国君庄公）命中要贫穷卑贱，而且身体弱小，但姬同寿命很长（事实上死时仅四十五岁）；嬴政（秦王朝一任帝始皇帝）命中仅是一介平民，没有官爵，即令可以领取薪俸，也很少奴婢，做事没有毅力，有始无终；刘彻（西汉王朝七任帝）、元宏（北魏帝国七任帝），依照诡秘书所说，命中都没有官职爵位；刘骏（南宋帝国五任帝）更糟，命中官爵富贵寿命，全逢'空亡'（甲己申酉，乙庚午未，丙辛辰巳，丁壬寅卯，戊癸子丑戌亥，谓之"截路空亡"。甲子旬戌亥，甲戌旬申酉，甲申旬午未，甲午旬辰巳，甲辰旬寅卯，甲寅旬子丑，谓之"旬中空亡"。完全不懂），他最好是长子，如果他是次子，一定早死（事实上刘骏不是长子）。这都是《禄命学》不灵验的明证。"《葬书·序》说："《孝经》说：'选择墓穴，安葬灵柩。'人生终于进入长夜，只求骨骸永安，而城市的变迁，泉水的浸蚀，将来如何变化，无法预先知道，于是祈灵于占卜算卦。近年以来，有的人选择埋葬年月，有的人勘察埋葬墓地，大家认为只要有一项不妥，灾难就会临头，立见生死。《礼经》规定：天子、封国国君、政务官（大夫）埋葬，都是以月计数，证明古人并不挑选某一特定的月份（天子死七月而葬，封国国君死五月而葬，政务官〔大夫〕死三月而葬）。《春秋》说：'九月九日，安葬国君姬宋（二十七任定公），因天降雨，无法安葬；延到九月十日下午安葬。'证明古人并不选择某一特定的日子！郑国埋葬他们的国君（二十任简公）姬嘉，坟墓管理员的房子正阻挡通路，如果拆除，灵柩早上便可入土，如果不拆除，则要到中午才可入土，姬产决定不拆除，证明古人并不选择某一特定的时辰！古代死者都安葬在都城以北，坟墓都有固定的处所，证明古人并不选择某一特定的地方。现在《葬书》却认为子孙的富贵贫贱，以及寿命长短，全看选择的是什么墓地，和安葬时是什么时辰。从前，斗于文当宰相，三次被停职；柳下惠当教育官（士师），三次被罢黜。察看他们的祖墓，并没有改动。荒村山野的人没有知识，巫婆巫师又故弄玄虚，有些人在父母逝世，痛哭流泪，呼天抢地之际，竟去选择埋葬的墓地，希望自己能升官晋爵；而巫婆巫师也趁丧家痛不欲生之时，代他们选时择地，用以谋取钱财。有人说'辰日'不可哭泣，丧家遂用微笑招待前来祭悼的吊客；有人说生肖相同的人不可到墓地，就发生身穿吉祥衣裳而拒绝给亲人送葬的现象。伤害教化，败坏礼义，没有比此更为严重。"

巫婆巫师都厌恶吕才的话，而有见识的人则认为是真知灼见。

6 四月二十七日，平民征兵府副司令（果毅都尉）席君买，率精锐骑兵一百二十人，袭击吐谷浑汗国（青海省）丞相宣王（名不详），击破抵抗，斩宣王和他的兄弟三人。

最初，宰相宣王独揽大权，阴谋袭击弘化公主（弘化公主嫁吐谷浑可汗慕容诺曷钵事，参考前年〔六三九〕十二月），劫持可汗慕容诺曷钵投奔吐蕃王国。慕容诺曷钵得到消息，仓猝骑马逃到鄯善城（新疆若羌县），部属威信王派军迎接；席君买乘机出兵支援，斩宣王。但汗国人民仍惊恐不安，李世民派国务院财政部长（户部尚书）唐俭等，前往安抚慰劳。

7 五月十二日，并州（山西省太原市）居民代表前往首都长安（陕西省西安市）宫门，请求李世民于泰山添土祭祀天神、梁父山辟场祭祀地神（封禅）之后，回京途中，路过晋阳（并州州政府所在县）；李世民允许。

8 五月十六日，百济王国（首都泗沘〔朝鲜半岛扶余市〕）使节抵达中国，报告国王（三十任武王）扶余璋逝世消息。

李世民派使节前去百济，封太子扶余义慈继承王位（三十一任王）。

9 六月十九日（原文误置于五月，据《新唐书》改），太微星旁出现孛星，天文台长（太史令）薛颐上疏，警告说不可以往泰山添土祭祀天神、梁父山辟场祭祀地神（封禅）。

六月二十一日，皇家生活记录官（起居郎）褚遂良也上疏劝阻。

六月二十六日，李世民下诏停止封禅。

10 太子宫总管（太子詹事）于志宁的娘亲逝世，不久恢复原职（依照儒家主张，要守丧三年）。太子李承乾兴建宫殿，征召农民充当差役，妨碍农耕；而又喜欢淫荡音乐；于志宁劝告，李承乾拒不接受。李承乾又亲近和宠爱宦官，命他们常跟在自己左右；于志宁上疏警告说："自从易牙以来，历史上亡国的宦官，不止一人（易牙并非宦官，充当宦官的是竖刁，参考前一三〇年七月注）。而今，殿下亲近宠爱宦官，使他们欺凌知识分子，风气不可增长。"太子宫驾车员（太子役使司驭）等，半年不准轮班休息（太子宫驾车员〔驾士〕三十人）；李承乾又私自命突厥人达哥友到太子宫；于志宁苦苦规劝，李承乾大怒，派杀手张思政、纥干承基前往行刺，二人进入于志宁家宅，看见于志宁仍在为娘亲守丧，竟不忍心下手。

11 西突厥汗国（新疆东北部及中亚东部）南庭沙钵罗叶护可汗（九任大可汗）阿史那薄布，屡次派人前来唐帝国朝贡。

秋季，七月十五日，李世民命左领军（卫军第七军）将军（从三品）张人师，“持节”，就阿史那薄布已有的称号，封他当西突厥大可汗，赏赐巨鼓大旗。李世民又派使节携带大量金银绸缎，前往西方各国购买良马，特进（文散官二级，正二品）魏徵劝阻说：“可汗还没有册封，我们就出去买马，他一定认为陛下的目的原来只在买马，封他当可汗不过是顺水人情。即令接受册封，感激也很淡薄，如果竟没有册封，怨恨更深。各国听到消息，也对大唐轻视，买马或许买不到，买到的也可能不是良马。只要能保护阿史那薄布安全，各国的马，不必去买，自会送来。”李世民大喜，停止。

北庭乙毗咄陆可汗（八任大可汗）阿史那欲谷，跟阿史那薄布互相攻击，阿史那欲谷逐渐强盛，西域（新疆及中亚东部）各国都向他归附。不久，阿史那欲谷命石国（中亚塔什干市）总督（吐屯）攻击阿史那薄布，把阿史那薄布生擒而归，斩首（西突厥南北二庭重归统一，分裂事，参考前年〔六三九〕十二月）。

12 七月十七日，李世民指着宫殿房舍对侍从官员说：“治理帝国就好像兴建这个房屋，既然落成，就不要经常更改搬动。即令换一根椽柱，改一片屋瓦，脚踩到上面，都会造成损害。如果希望建立特别功勋，改变法令制度，不能常守美德，骚扰人民的事一定很多。”

柏杨曰

历代的国家领袖，包括英明的李世民，和邪恶的朱元璋，在儒家学派保守心态的浸蚀下，都认为自己已尽善尽美，唯恐怕子孙改革。于是，用教条、用刑法、用哀求、用恐吓等，用各式各样手段，阻止别人变更他们创立的美法良制。文化潮流在政治铁闸下，遂逐渐沉淀为一潭死水，几十几百年下来，当全民必须奋起改革时，已经因缺氧过久而四肢无力。

这正是二十世纪时，中国人必须要付出比西方国家更加倍的努力，而仍难达到现代化水平的原因，使人扼腕。

13 李世民派国务院国防部图籍司司长（职方郎中）陈大德，出使高句骊王国（首都平壤〔朝鲜半岛平壤市〕）。

八月十日，陈大德从高句骊返首都长安（陕西省西安市）。

陈大德初到高句骊王国时，为了侦察山川形势及民俗人情，所经过的城池，都送给城主绫罗绸缎，说："我平生最爱游山玩水，贵城有什么名胜，我很想观光。"城主喜悦，充任他的向导，四处游览，走遍所属各地，经常看到中国人，中国人告诉他："家在某郡，隋王朝末年时从军，被高句骊俘虏，高句骊把游荡的女子嫁给我们为妻，跟高句骊人混杂住在一起，人数将跟高句骊人相等。"顺便向陈大德询问亲人消息，陈大德安慰他们说："都平安无事！"大家流泪哭泣，辗转相告。几天之后，中国人面向他号哭的，布满郊野（杨广最后一次东征高句骊王国，在六一四年，迄今二十七年；六一四年二十岁，本年已四十七岁，亲人永隔，再难一见，能不恸哭）。陈大德报告李世民说："高句骊听到高昌（新疆吐鲁番市东）灭亡，大为恐惧，宾馆的招待，加倍殷勤。"李世民说："高句骊本是西汉王朝的四个郡（高句骊领土沿革，参考六一〇年十二月注)，我只要动员数万士卒攻击辽东（辽宁省辽阳市)，他们一定倾全国之力救援，然后我派舰队自东莱（莱州，山东省莱州市）出发，从海路直扑他们的首都平壤（朝鲜半岛平壤市)，海陆夹攻，征服他们并不困难。只是，山东（崤山以东）各州县人民穷困凋疲，还没有复原，我不愿再使他们劳苦！”

14 八月十六日，李世民对侍从官员说：“我为两件事高兴，也为一件事恐惧。连年农民丰收，长安（唐首都，陕西省西安市）一斗米才三四钱，是第一件高兴的事；东突厥长久以来臣服，边疆平安，用不着担忧，是第二件高兴的事。然而，正因为这种安全感，反而容易产生骄傲奢侈；而骄傲奢侈是危亡立刻临头的先兆，心中因这件事恐惧。”

15 冬季，十月三日，李世民在伊阙（洛阳城南）比赛狩猎。

十月四日，李世民前往嵩阳（河南省登封市)。

十月十三日，李世民回洛阳宫。

16 并州军区（总部设山西省太原市）总司令部政务秘书长（并州大都督长史）李世勣（徐世勣)，在并州十六年，有令必行，有禁必止，汉人及蛮夷全都感怀恩德，诚心归服。李世民说：“杨广劳苦人民，兴建长城，防备突厥南下侵略，并抵挡不住。我只要把李世勣（徐世勣）安置到晋阳（并州州政府所在县，山西省太原市)，沿边一带，连尘土都不飞扬，他这个长城，岂不壮观。”

十一月三日，唐政府擢升李世勣（徐世勣）当国务院国防部长（兵部尚书)。

17 十一月十五日，李世民返首都长安（陕西省西安市）。

18 薛延陀汗国（蒙古国西南部）真珠可汗（二任大可汗）乙失夷男，听到李世民将往东方在泰山上添土祭祀天神、梁父山下辟场祭祀地神（封禅），对他的部属说："天子东封泰山，武装部队都要跟从，边防力量一定削弱，利用这个机会，消灭阿史那思摩（李思摩，东突厥十六任俟利苾大可汗），如同摧毁枯木，拉倒朽屋。"任命他的长子乙失大度将军，征调同罗部落（蒙古国乌兰巴托市北）、仆骨部落（蒙古国东部）、回纥部落（蒙古国哈拉和林市西北）、靺鞨部落（黑龙江上游）、霫部落（辽河以北）等部众，共计二十万人，渡过瀚海沙漠，驻扎白道川（内蒙古呼和浩特市北），占领善阳岭（山西省朔州市北），攻击东突厥部众。俟利苾可汗（十六任大可汗）阿史那思摩抵抗不住，率所有部落退入长城，据守朔州（山西省朔州市），派人向中央政府紧急求救。

十一月十六日，李世民命营州军区（总部设辽宁省朝阳市）总司令（营州都督）张俭，率所属骑兵及奚部落（滦河上游）、霫部落（辽河以北）、契丹部落（辽河上游），攻击薛延陀东方边境。任命国务院国防部长（兵部尚书）李世勣（徐世勣）当朔州兵团（山西省朔州市）总司令（朔州道行军总管）；率步兵六万人、骑兵一千二百人，进驻朔州（山西省朔州市）；右卫（卫军第二军）大将军李大亮，当灵州兵团（宁夏灵武市）总司令（灵州，道行军总管），率步兵四万人、骑兵五千人，驻防灵武（灵州，宁夏灵武市）；右屯卫（卫军第十军）大将军张士贵，率步兵一万七千人，当庆州兵团（甘肃省庆阳市）总司令（庆州道行军总管），从云中（内蒙古乌兰察布市）出发；凉州军区（总部设甘肃省武威市）总司令（凉州都督）李袭誉，当凉州兵团总司令（凉州道行军总管），攻击薛延陀西方边境。

各将领辞行，李世民警告说："薛延陀很得意自己的强盛，横越瀚海沙漠南下，行军数千华里，马已疲惫，而且枯瘦。战争的最高指导原则是：顺利时就前进，不顺利时就迅速脱离战场。薛延陀不能趁阿史那思摩不备，发动猛击；在阿史那思摩既已退入长城，薛延陀军又不知道迅速撤退。我已下令阿史那思摩烧毁铲除所有野草，薛延陀携带的粮食日渐吃完，野地又劫掠不到任何东西。刚才谍报人员回来，说薛延陀战马几乎把林里的树皮啃光。你们当跟阿史那思摩遥相支援，不必马上决战，等薛延陀军将要撤退时，各军同时发动激烈攻击，一定能把他们击破。”

19 十二月一日，李世民抵达京师（首都长安）。

20 十二月十二日，薛延陀汗国派使节前来唐帝国晋见，表示愿跟东突厥汗国和解。

十二月十七日，李世勣（徐世勣）在诺真水（内蒙古达尔罕茂明安联合旗艾不盖河）击败薛延陀军。

最初，薛延陀攻击西突厥汗国（新疆东北部及中亚东部）沙钵罗可汗（七任大可汗）阿史那同娥，及唐王朝左骁卫（卫军第五军）将军阿史那社尔时，都靠步兵取胜；这次攻击东突厥汗国，事先严格训练士卒步兵战术，命五人组成一伍，一人牵马五匹，四人作战，战胜后则纷纷上马追击。现在，乙失大度将军率三万人骑兵，逼近长城，打算攻击东突厥，而阿史那思摩早已逃入长城，乙失大度知道不能达到目的，就派人登上长城诟骂。正巧李世勣（徐世勣）率唐朝远征军抵达，尘土满天，乙失大度恐惧，率军自赤柯泺（山西省大同市西北）向北撤退，李世勣（徐世勣）遴选部下和东突厥精锐骑兵六千人，迅速追击，越过白道川（内蒙古呼和浩特市北），在青山（阴山山脉东段大青山）追到。乙失大度连日跋涉，抵达诺真水（内蒙古达尔罕茂明安联合旗艾不盖河），重新整顿，回军迎战，营阵横亘十华里。东突厥军先行攻击，不能取胜，撤退，乙失大度乘胜追赶，遇到唐朝远征军，薛延陀军万弓齐发，箭如雨下，唐朝远征军战马多半被射死。李世勣（徐世勣）命士卒全部下马，改用长矛，肉搏冲锋，薛延陀军霎时崩溃；唐朝远征军副作战司令（副总管）薛万彻率数千名骑兵，专攻击薛延陀牵马士卒，一扫而光；薛延陀军失去战马，惊慌恐惧，不知道如何是好，唐朝远征军攻击猛烈，杀三千余人，生擒五万余人。乙失大度将军脱身逃走，薛万彻追赶不及。薛延陀残兵败将逃到瀚海沙漠以北，正逢天降大雪，士卒牲畜冻死十分之八九。

李世勣（徐世勣）回军，驻扎定襄（内蒙古和林格尔县）；居住五台（山西省五台县）的东突厥思结部落，叛变逃走，代州（山西省代县）州政府军（五台县属代州）追赶，正巧遇到李世勣（徐世勣）班师，前后夹击，思结部落被屠杀罄尽。

十二月十九日，薛延陀汗国使节北返，李世民告诉他说："我跟你们约定，贵国与东突厥之间，以瀚海沙漠作为边界，谁发动侵略，我就讨伐谁。你们却仗恃自己强大，越过沙漠攻击东突厥。李世勣（徐世勣）的军队，才数千名骑兵而已，你们已经狼狈成这个样子！回去后告诉你们可汗，动静利害，要好好选择。"

21 李世民问魏徵说："近来政府官员为什么不再批评国事？"魏徵回答说："陛下只要能虚心采纳批评，就一定会有人批评。当一个官员，愿意为国牺牲的少，爱护自己性命的多，他们畏惧陛下惩罚，所以闭口。"李世民说："是的，官员们说话冒犯，动

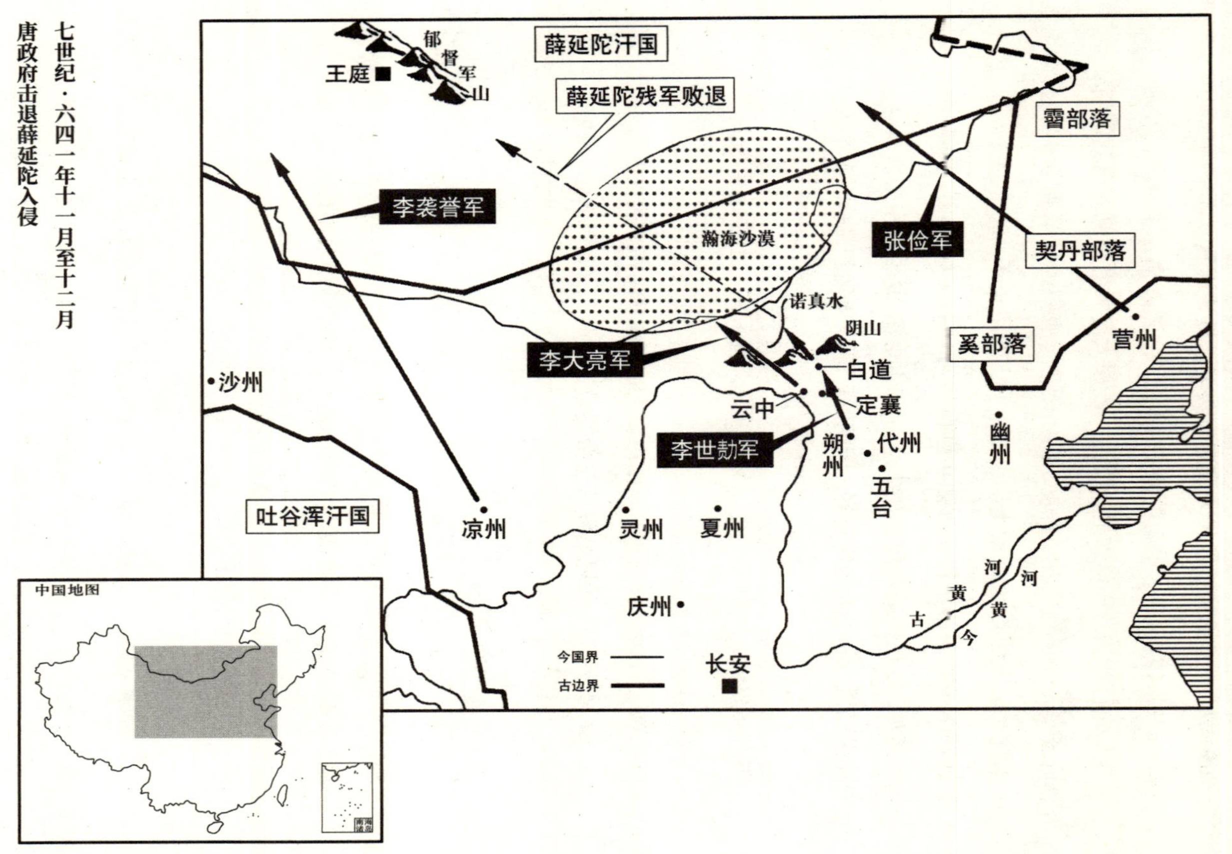

七世纪·六四一年十一月至十二月
唐政府击退薛延陀入侵

不动就是诛杀，向君王进言规劝，跟战士疆场上赴汤蹈火，用肉身和利刀相搏，有什么差异！姒文命（禹）听到批评的话就下拜（《书经·三谟》语），就是这个缘故。”

国务院左最高执行长（左仆射）房玄龄、右最高执行长（右仆射）高士廉，在路上遇到宫廷供应署副总监（少府少监）窦德素，问说：“北门（玄武门）最近兴建些什么？”窦德素报告李世民，李世民大怒，责备房玄龄等说：“你只管你南衙（政府机关）的事就够了，北门（宫廷机构）一点小工程，跟你什么相干？”房玄龄等叩头承认错误。魏徵规劝说：“我不知道陛下为什么责备房玄龄等，也不知道房玄龄等为什么叩头认错。房玄龄等是陛下的四肢耳目，无论中外事情，哪有不应知道之理。如果应该兴建，当辅佐陛下完成；如果不应该兴建，当请陛下下令停止。询问主管官员，理所当然，不知他们犯了什么罪要责备，也不知他们为了什么罪而认错。”李世民很是惭愧。

22 李世民曾经在金銮宝殿上对侍从官员说：“我虽然是帝国最高领袖，却时常兼做宰相和元帅的事。”朝会后，御前监督官（给事中）张行成上疏，说：“姒文命（禹）从不夸耀自己，而天下从没有人认为能超过他。陛下削平灾乱，安定国家，文武百官诚然不及陛下千万之一，然而陛下也不必在金銮宝殿上公然宣布。陛下以万邦元首的尊贵，而跟部属比较谁的功劳大，谁的能力强，我认为并不恰当。”李世民非常同意。

六四二年 壬寅

唐 贞观 十六年

1 春季，正月九日，唐王朝（首都长安〔陕西省西安市〕）魏王李泰呈献《括地志》。李泰喜爱读书，军务秘书长（司马）苏勖建议李泰：古代贤明的亲王都延揽知识分子，著作图书；所以李泰奏报老爹皇帝（二任太宗）李世民（本年四十五岁）批准，开始编撰（李泰延揽的学者有萧德言、颜胤、蒋亚卿、许偃等，在魏王府开馆。《括地志》是七世纪初叶唐王朝各州地理志，又名《坤元录》，五百五十卷，原书已失）。于是扩大招待所，向各方聘请知名之士，才俊毕集，门庭热闹得如同市场。李泰每月的薪俸津贴，都超过太子李承乾。高级顾问官（谏议大夫）褚遂良上疏，说："在圣人创造的体制下，嫡子尊贵，庶子卑微。嫡子所用的东西没有限制，跟君王一样（其实并不如此，《周礼》：君王和太子只在饮食上共享，其他衣服用具等费用，太子跟君王不同），庶子虽然受到宠爱，不可以超过嫡子，为的是阻止夺嫡的意念，铲除祸乱的根源。如果应该亲密的反而疏远，应该尊贵的反而卑微，则伶俐投机的邪恶分子，就会利用机会发动夺嫡阴谋。从前，西汉王朝窦太后宠爱梁王（孝王）刘武（参考前一四八年），而刘武终于忧愁过度而死。刘病已（西汉王朝十任帝）宠爱淮南王（宪王）刘钦（参考前五三年），几乎败坏国事。而今，魏王（李泰）刚搬出皇宫，应该告诉他礼义法令，勉励他谦虚节俭，才能成为栋梁，这就是：'圣人教导下，虽不严格要求，也会有成果。'（《孝经》孔丘语）"李世民接受（从以后事情的发展观察，李世民只是口头接受，实际并不接受）。

李世民又命李泰迁居武德殿，特进（文散官二级，正二品）魏徵上书劝阻，说："陛下宠爱魏王（李泰），应该使他永远平安，最好是压制他的骄傲奢侈，不把他放到一个使人猜忌的位置。而今，命他迁居武德殿，而武德殿在东宫（太子宫）的西侧，海陵王（李元吉）曾经住过，当时就有人反对（当时，一任帝李渊与太子李建成、秦王李世民、齐王李元吉毗邻而居，参考六二二年十一月）。虽然时代不同，事件不同，但是我恐怕魏王（李泰）自己也不会安心。"李世民说："几乎又做了错事。"立即命李泰迁回王府。

2 正月十五日，李世民把全国死刑犯全部贬逐到西州（新疆吐鲁番市东），充实那里的户口。流刑犯则编入西州卫戍部队服役，服役时间以判刑时间为准。

3 李世民手令，命调查天下没有户籍的人口，限明年（六四三）年底以前，设立户籍。

4 李世民任命兼任副立法长（兼中书侍郎）岑文本，当专任副立法长，负责机密要件（立法院副立法长〔中书侍郎〕二人，今专用岑文本一人）。

5 夏季，四月二十七日，李世民问高级顾问官（谏议大夫）褚遂良说："你仍然代理皇家生活记录官（知起居注），所作的记载，是不是可以一看？"褚遂良说："负责史书的官员，记载君王的一言一行，不管是善是恶，总希望君王不敢为非作歹，还没有听说君王自己要看一下的！"李世民说："我如果做了坏事，你是不是也据实记载？"褚遂良回答说："我的职责就是记载陛下一言一行，怎么敢不做。"副监督长（黄门侍郎）刘洎说："即令褚遂良不记，天下人都会记！"李世民说："诚然如此。"

6 六月六日，李世民下诏：息王（隐王）李建成，恢复皇太子称号；海陵王（剌王）李元吉改封巢王（息王、海陵王，都是李世民登极后追封，参考六二六年十月），绰号依旧。

7 六月二十日，李世民下诏：今后皇太子李承乾动用国库经费，有关单位不要限制。于是李承乾更加挥霍无度。太子宫政务署长（左庶子）张玄素上书劝阻说："宇文邕（北周帝国三任帝）平定山东（指北齐帝国），杨坚（隋王朝一任帝）统一江南（指陈帝国），勤俭爱民，都是英明的政治领袖；可是儿子卑劣，不成材料，终于亡国破家。圣上（李世民）跟殿下的关系，是至亲父子，而又治理同一国家，所以对殿下所要的东西，认为不必加以限制，恩典发布还不到两个月，殿下消费已超过七万钱，骄纵奢侈，都达到顶点，谁能超过！何况，太子宫正直的官员，都不在你身旁，而一群淫荡灵巧的侍从，却在深宫跟你亲近。身在宫外，我已看出这种倾向；隐藏在里面的事情，更难以揣测。苦口的药可以治愈疾病，难听的话可以帮助德行，但愿殿下身居平安之境时，想到后患危机，应一天比一天谨慎。”

李承乾对这份报告，不能忍受，派出家奴埋伏，趁张玄素早朝时，暗中用大号马鞭攻击，几乎把张玄素打死。

8 秋季，七月五日，李世民擢升司空（三公之三）长孙无忌当司徒（三公之二），国务院左最高执行长（左仆射）房玄龄当司空（三公之三）。

9 七月七日，李世民下令：“从今以后，有人把自己身体伤害残废的，依法加重惩罚，而且仍不免除田赋、差役。”

隋王朝末年，因赋税差役太重，人民无力负担，往往自己砍断四肢，称之为“福手”“福脚”，直到现在仍有这种风气，所以禁止。

10 特进（文散官二级，正二品）魏徵有病，李世民亲笔写诏书慰问，并且说：“几天不见，我又有了很多过失。我本来要亲自去看你，恐怕更增加你的劳动。如果有什么建议，请用密封奏章。”魏徵上疏说：“近来学生凌辱教师，奴婢轻视主人，部属很多看不起长官，都有它的原因，不应使它继续恶化。”又说：“陛下主持朝会，宣称是如何的大公无私，可是退朝之后，对事情的处理，却未免有偏。为了怕别人知道内情，提出批评规劝，往往突然间大发雷霆，用来堵别人的嘴，想不到真相反而因此更为显明，如此做究竟有什么益处！”魏徵家没有厅堂，李世民正在兴筑一座小殿，命把小殿的建材移建厅堂（魏徵家在长安永兴坊），五天即告落成。李世民更赏赐给魏徵素色屏风、素色被褥、茶几、拐杖等，希望他能欢喜。魏徵上疏谢恩，李世民亲笔写诏说：“我如此敬重你，只是为了人民与帝国，岂只单独为你一人，有什么好谢的。”

11 八月十四日，李世民说：“当前，哪一件事最是紧急？”高级顾问官（谏议大夫）褚遂良说：“而今天下太平，只有太子和亲王之间的名分，应该确定。”李世民说：“这话说得对。”当时，太子李承乾行为不检，魏王李泰受到宠爱，文武官员每天议论纷纷，李世民得到报告，十分厌恶，对侍从官员说：“现在政府官员中，最忠心正直的，没有人比得上魏徵，我教他当太子师傅，根绝天下的猜疑。”

九月四日，任命魏徵当太子太师（太子三师之一）。魏徵病势稍稍好转，到金銮宝殿上疏辞让，李世民亲写诏书回答说：“姬宫涅（周王朝十二任王幽王）、姬诡诸（晋国十九任国君献公），罢黜嫡子，援立庶子，结果家破国亡（姬宫涅罢黜嫡子姬宜臼，援立庶子姬伯服事，参考二八四年正月注。姬诡诸罢黜嫡子姬申生，援立庶子姬奚齐事，参考二五〇年注）。刘邦（西汉王朝一任帝）几乎废弃嫡子，幸而得到‘四皓’的支持，转危为安（参考前一九六年七月。四皓，商山四位白发隐士：东园公、甪里先生、绮里季、夏黄公〔甪，音心·路〕；在戚姬夺嫡最烈时，出任太子刘盈的辅佐，而故意让刘邦发现，刘邦大为震惊，说：“我找你们多少年，你们避不见面，今天为什么和我儿在一起？”四隐士说：“你瞧不起知识分子，动不动就破口大骂，我们不愿受这种侮辱。听说太子〔刘盈〕仁爱慈祥，孝顺谦卑，天下没有人不愿为他效死，所以我们才来。”刘邦一直看到四隐士告辞出门，对戚姬指着四人背影说：“我打算改换太子，但他们四人出来辅佐，翅膀已经坚硬，羽毛已经丰满，难以摇动，吕雉真是你的主人。”戚姬悲哭，刘邦说：“你为我跳楚国土风舞，我为你唱歌。”歌词是：“鸿雁高飞／一飞千里。羽毛已丰／横掠四海。现在我要怎么办／虽有利箭／我要向哪里发射。”唱了几段，戚夫人呜咽流泪)。我今天依靠你，你跟四位白发隐士，意义相同。我知道你有病，请你躺在床上照顾。”魏徵才接受任命。

12 九月十日，薛延陀汗国真珠可汗（二任大可汗）乙失夷男，派他的叔父沙钵罗司令官（俟斤）乙失泥熟，到唐帝国求婚，呈献骏马三千匹，貂皮三万八千件，玛瑙镜一个。

13 九月二十日，任命凉州军区（总部设甘肃省武威市）总司令（凉州都督）郭孝恪，代理安西总督（总督府设交河城〔新疆吐鲁番市〕），兼西州（新疆吐鲁番市东）州长。高昌王国（新疆吐鲁番市东）遗民、驻防军士卒，以及从内地贬逐到那里的罪犯（参考正月），混杂住在一起，郭孝恪诚心诚意安抚统御，都能得到他们的拥护。

14 西突厥汗国（新疆东北部及中亚东部）乙毗咄陆可汗（八任大可汗）阿史那欲谷，诛杀沙钵罗叶护可汗（九任大可汗）阿史那薄布之后，吞并他的部众，又攻击吐火罗王国（阿富汗北部汗阿巴德），加以征服；于是自认为已够强大，遂骄傲不可一世，开始拘捕唐王朝派往西域（新疆及中亚东部）的使节，对西域各国又十分凶暴，并派军进击唐王朝伊州（新疆哈密市），郭孝恪率轻装备骑兵二千人，自乌骨（今地不详）出动阻截，击败西突厥军。阿史那欲谷又命处月部落（新疆新源县境）

及处密部落（新疆塔城市境），包围天山（新疆托克逊县），郭孝恪再把他们击退，乘胜进军，攻克处月司令官（俟斤）所据守的城池，追击到遏索山（天山支脉萨阿明尔山），接受处密部落投降，班师。

最初，唐王朝吞并高昌王国（新疆吐鲁番市东），每年派出一千余名占领军，前往驻防。高级顾问官（谏议大夫）褚遂良上疏，认为："圣明的君王治理国家，先照顾汉人，后照顾蛮夷。陛下出军夺取高昌，西部几个州都受影响，一片萧条，数年不能恢复原状，每年调派一千余人担任防务，远离家乡，这些士卒倾家荡产，才能筹出生活费用（唐王朝采府兵制，武器服装及伙食，都由士卒自备）。加上那些被贬逐到该地的罪犯，都是地痞流氓，只能骚扰边疆，岂能协助作战！而边防军、罪犯，又很多人逃亡，徒增政府追捕缉拿的麻烦。再加上西行路上，沙漠石砾地带有一千华里之遥，冬季冷如刀割，夏季热如火炉，行人往来，遇到这种天气，大多死亡。假如张掖（甘肃省张掖市）、酒泉（甘肃省酒泉市）一旦发生战争，陛下岂能从高昌得到一个人，或一斗米的支援！最后仍不得不动员陇右（甘肃省中部西部及青海省东部）各州军队粮秣前往。由此看出，河西（甘肃省河西走廊）才是中国的心脏，高昌不过是别人的手脚。为什么陛下要糟蹋心脏，而去经营没有用的土地！并且，陛下过去征服东突厥（瀚海沙漠群）、吐谷浑（青海省），都不贪图他们的土地，仍为他们另行选立君王管理，高昌却为什么单单不能跟他们相比！叛变就捕获归案，臣服就加授封号，才是最大阻吓和最大恩德。我建议在高昌皇族子弟中，为他们选立一个首领，管理他的国家，则子子孙孙感激陛下大恩，永作大唐屏藩，内外都可安宁，岂不妥当。"李世民不接受。等到西突厥攻击伊州（新疆哈密市），李世民后悔，说："魏徵、褚遂良劝我使高昌复国，我没有采纳，今天教人悔恨。"

乙毗咄陆可汗（八任大可汗）阿史那欲谷，向西开疆拓土，攻击康居王国（即康国，中亚撒马尔罕），经过米国（撒马尔罕东南朱马巴札尔），顺便把米国击破，掳获大量战利品，却不肯分一部分给属下，他的部将、指挥官（啜）阿史那泥熟遂强行夺取；阿史那欲谷大怒，斩阿史那泥熟示众，各将领全都忿怒怨恨。阿史那泥熟的部将胡禄屋发动攻击，阿史那欲谷部众纷纷逃走，退守白水胡城（中亚锡尔河流域契木干）。于是西部防区（弩失毕）各部落，以及阿史那欲谷的部属、指挥官（啜）阿史那屋利等，分别派遣使节前来唐帝国，要求罢黜阿史那欲谷，另选大可汗。李世民派使节携带诏书，封阿史那莫贺咄（四任屈利俟毗大可汗，参考六二八年十二月）的儿子（名不详）当乙毗射匮可汗（十任大可汗）。乙毗射匮可汗既被唐政府册封，把阿史那欲谷过去所拘留的唐朝使节，全都礼貌的送回国，率部众攻击阿史那欲谷据守的白水胡城，阿史那欲谷迎战，乙毗射匮可汗大败。阿史那欲谷乘战胜余威，派使节向他的旧部招降，旧部发誓说："即令我们一千人都死，只一人还活着，也不再服你！"阿史那欲谷自知众叛亲离，遂向西投奔吐火罗王国（阿富汗北部汗阿巴德）。

15 冬季，十月十四日，宫廷总管（殿中监）郢公爵（纵公）宇文士及逝世。

李世民曾经站在一棵树下，对那棵树十分喜爱，宇文士及跟着就对那棵树不断称赞。李世民拉下面孔，说："魏徵时常劝我远离马屁精，我不知道谁是马屁精，心里怀疑可能是你，今天证实果然不错。"宇文士及叩头认罪。

16 李世民对侍从官员说："薛延陀（蒙古国西南部）在大漠以

北，态度顽强，对付它只有两个办法，假如不出军把它消灭，那么只有把公主嫁过去安抚，这两个办法哪一个好？”房玄龄回答说：“大唐刚刚安定，刀箭凶恶，战争危险，我认为缔结姻亲是上等策略。”李世民说：“对的。我身为天下人民的父母，只要能对人民有利，我怎么会单爱一个女儿！”最初，左领军（卫军第七军）将军契苾何力的娘亲姑臧夫人，和老弟、贺兰州军区（总部所在不详）总司令（贺兰州都督）契苾沙门，全家住在凉州（甘肃省武威市）。李世民命契苾何力返凉州探望娘亲，并安抚他的旧部（契苾何力归附，参考六三二年十二月）。当时，薛延陀汗国正强，契苾部落都打算前往归附，契苾何力大惊说：“皇上待我恩重如山，为什么非要做一个叛徒不可？”他的部属说：“太夫人和总司令（契苾沙门）都先去了那里，你为什么不去？”契苾何力说：“我老弟孝顺娘亲，我尽忠君王，决不听你的！”他的部属竟把他强行绑架到薛延陀汗国，安置在真珠可汗（二任大可汗）乙失夷男御帐前面，契苾何力微伸双腿，像簸箕一样坐在那里，拔出佩刀，向东方大呼说：“大唐烈士，怎么能在蛮虏营帐里，受他们凌辱！天地日月，明察我一片忠心。”举刀割下左耳，作为誓证。乙失夷男打算把契苾何力诛杀，被皇后劝阻。

李世民接到契苾何力叛变消息，说：“一定不是契苾何力的本意。”左右侍从官员说：“蛮夷气味相投，契苾何力到薛延陀，如鱼得水。”李世民说：“不然。契苾何力的忠心像铁石一样，决不会背叛！”正巧，有使节从薛延陀汗国前来，把契苾何力的情况，详细报告，李世民为他呜咽流泪，对左右侍从官员说：“契苾何力终于如何？”即刻派国务院国防部副部长（兵部侍郎）崔敦礼，“持节”，前往薛延陀谈判，承诺新兴公主下嫁，用来交换契苾何力，契苾何力因此得以返回国。李世民擢升契苾何力当右骁卫（卫军第六军）大将军。

17 十一月四日，李世民前往武功（陕西省武功县西）围猎。

18 十一月五日，营州军区（总部设辽宁省朝阳市）总司令（营州都督）张俭奏报说，高句骊王国（首都平壤〔朝鲜半岛平壤市〕）东部总监官（东部大人）渊盖苏文（渊盖，复姓），谋杀国王（二十七任荣留王）高建武。

渊盖苏文性情凶暴，违法乱纪，国王高建武和政府高级官员商议把他除掉。渊盖苏文得到消息，秘密集结所有武装部队，宣称要举行一次大规模校阅，同时在首都平壤城南，摆下大量酒席，邀请各高级官员一同阅兵，然后发动突击，把高级官员全部屠灭，死一百余人。然后闯进王宫，亲手杀死高建武，把尸体砍成数段，抛到水沟，而拥护高建武的侄儿高藏继位（二十八任宝藏王）；渊盖苏文自称中央执政官（莫离支），好像唐朝国务院文官部长兼国防部长（吏部尚书兼兵部尚书）。于是向远近发号施令，置整个国家于控制之下。

渊盖苏文身材高大，豪迈奔放，身带五把佩刀，左右侍从不敢抬头看他。上马下马，常命高官贵族或军事将领，趴在地下，渊盖苏文脚踩到他们背上，当作马蹬。出门时一定派出军队，在前面开道，与前导仪队一路高声呼喊，人民都要纷纷躲避，有时被逼得无路可走，只好投入山谷，于是路上行人断绝，人民痛苦不堪。

19 十一月十日，李世民在岐阳（陕西省岐山县东北）围猎。顺便前往庆善宫（陕西省武功县境），邀请从前的故旧老友前辈，颁发馈赏，宴会在大家尽情欢乐中结束。

十一月十八日，李世民回京（首都长安）。

20 十一月二十日，李世民说：“我是亿万人民的政治领袖，希望每个人都能富贵。教给他礼义，使年轻的敬重年长的，妻子敬重丈夫，大家都有荣耀。减少差役赋税，使人专心经营他的事业，大家都成富翁。只要家家户户能自给自足，我虽然不听音乐，心里也充满快乐。”

21 亳州（安徽省亳州市）州长裴行庄，上疏建议攻击高句骊王国（首都平壤〔朝鲜半岛平壤市〕），李世民说：“高句骊国王（二十七任荣留王）高建武，向中国进贡，从没有断绝，而竟被叛徒杀死，我非常哀悼，永不能忘（自六二一年起，高建武便向唐政府进贡，一直不断。参考该年〔六二一〕七月十日）。但是，乘他们国家丧乱之际，进军夺取，即令夺取到手，也没有什么了不起。而且，山东（崤山以东）地方，人民穷苦，我不忍心说出兵的话。”

22 当初，一任帝（高祖）李渊进入关中（陕西省中部），隋王朝武勇指挥官（武勇郎将）冯翊郡（陕西省大荔县）人党仁弘，率军二千余人前往蒲阪（山西省永济市）投效，随李渊攻克京师（首都大兴）。不久，党仁弘被任命当陕州军区（总部设河南省三门峡市）总司令（陕州总管），李世民大军攻击郑帝王世充（首都洛阳）时，党仁弘负责后勤，粮秣薪俸从没有断绝，后来历任南宁州军区（总部设云南省曲靖市）、戎州军区（总部设四川省宜宾市南溪区西）、广州军区（总部设广东省广州市）总司令（都督）。

党仁弘有才干谋略，所到之处有很好的声望和政绩，李世民对他很是器重（党仁弘刚平定罗窦之叛，参考前年〔六四〇〕三月）。然而，他性情贪婪，解除广州军区总司令职务时，被人控告贪污，赃款高达一百余万，依法应该处死。李世民对侍从官员说："我昨天看到最高法院（大理寺）第五次上奏诛杀党仁弘（死囚三日五复奏，参考六三一年十二月），心怜他白发苍苍，竟被斩首。当时正吃晚饭，不能下咽，就命把餐桌搬开。我试着为他寻找活命的理由，却始终寻找不到，只好不讲法律，向你们求情。"

十二月一日，李世民在太极殿前，召集五品以上所有官员，宣告说："国法，是君王接受天命制定的，不可因为私情，失去信誉。而今，我偏袒党仁弘，打算赦免他，是破坏国法，辜负上天。我准备到城南郊野，睡在草席上，每天只吃一餐蔬菜，一连三天，请求上天宽恕。"司空（三公之三）房玄龄等都说："生杀大权，是元首享有的特权，为什么要自责到如此程度！"李世民坚持要去南郊，文武百官在殿上一再叩头请求，从早晨僵持到午后，李世民才亲写诏书，宣称："我有三罪：一是对人认识不够深刻，二是因私情破坏国法，三是欣赏善行却没有赏赐，讨厌恶行却不能诛杀。因你们一再劝阻，姑且依照你们的请求。"于是剥夺党仁弘的官爵，贬作平民，放逐到钦州（广西钦州市）。

23 十二月二十二日，李世民前往骊山温泉（陕西省西安市临潼区东南）。

十二月二十三日，李世民在骊山打猎。

李世民登山时，发现围场有个地方中断，回头对侍从官员说："我看到围场有如此重大的缺失，而不处罚，是破坏军法。如果处罚，是我爬到高处去挑剔别人的毛病！”借口说道路危险，拨转马头，进入山谷，避免看到。

十二月二十四日，李世民回宫。

24 国务院司法部（刑部）上奏，认为：“叛逆连坐法，规定兄弟仅没入官府当奴，处刑似乎太轻，应改为一律斩首。”李世民交“八座”讨论（唐王朝的八座是：国务院左右最高执行长〔左右仆射〕、六部部长〔尚书〕。“八座”之称，始于晋王朝，参考二八三年正月），参与讨论的人都认为：“秦、两汉、曹魏、晋等王朝法律，凡是叛逆，一律屠杀三族，而今应批准司法部（刑部）建议。”御前监督官（给事中）崔仁师反驳说：“真正古代的法律，父子兄弟犯罪，互不关联，为什么援用使秦王朝灭亡的酷法，而改变使周王朝、两汉王朝兴盛的律令（《周礼 · 秋官》：“父子兄弟罪不相及。”）诛杀叛徒的老爹或儿子，足以阻吓。他如果连老爹儿子都不在乎，难道还在乎他的兄弟！”李世民同意。

25 李世民问侍从官员说：“自古以来，有时候君王昏乱，臣属却能使国家治理，有时候君王使国家治理，而臣属却昏乱，两者哪一个比较好？”太子太师（太子三师之一）魏徵回答说：“君王英明，赏罚一定恰当。臣属怎么有能力昏乱？只君王才有能力昏乱！君王昏乱，一定暴虐刚愎，不接受任何劝告，即令臣属贤能，也没有用！”李世民说：“高洋（北齐帝国一任帝）得到杨愔辅佐，岂不是君王昏乱，臣属却使天下治理（杨愔辅助高洋，参考五五六年六月）？”魏徵回答说：“他们不过仅仅免于灭亡而已，怎么谈得上能使国家治理！”

六四三年 癸卯

唐　贞观　十七年

1 春季，正月十五日，唐王朝（首都长安〔陕西省西安市〕）皇帝（二任太宗）李世民（本年四十六岁）对文武官员说："听说外面的人认为太子（李承乾）脚有毛病（李承乾似是一个跛子），而魏王（李泰）聪明，领悟力又高，时常随我出游，遂议论纷纷，投机分子野心家已有人开始攀龙附凤。太子（李承乾）虽然脚有毛病，但并不是不能走路。而且《礼记》记载分明：嫡子死亡，则嫡孙继位。太子（李承乾）的男孩已经五岁，我绝对不会使庶子接替嫡子，打开夺嫡祸源！"

2 太子太师（太子三师之一）、郑公爵（文贞公）魏徵病重，李世民派出慰问以及赏赐药品的使节，在路上奔走不断，又派贵族征兵府司令（中郎将）李安俨，住在魏徵家里，有关魏徵病情变化，随时奏报。李世民又携带太子李承乾，一同前往魏徵私宅，指着衡山公主，承诺嫁给魏徵的儿子魏叔玉。

正月十七日，魏徵逝世（年六十四岁）。

李世民命九品以上文武百官，都要参加魏徵的丧礼，特别赏赐羽毛仪仗队（羽葆，把羽毛插在刀枪头上，显示威武）及军乐仪仗队，陪葬昭陵（李世民生时预建的坟墓）。魏徵妻子裴女士说："魏徵平生节俭朴素，而今用正一品高官安葬时才可以使用的羽毛仪队（魏徵官阶从一品），不是亡夫的意愿。"一律辞让，不肯接受，只用有篷盖围幛的车，装上灵柩安葬。李世民登皇家禁苑西楼，遥望送葬行列，悲哭不已。李世民又撰写碑文，亲自提笔书写。李世民无限思念魏徵，对侍从官员说："用铜当作镜子（玻璃及水银发明前，用铜作镜），可使人的衣帽整齐；用历史当作镜子，可使人看出时势的兴衰；用人当作镜子，可知道什么是对，什么是错。魏徵逝世，我失去一面镜子。"

我曾经阅读《汉书·刘更生传》，看到他上疏皇帝，评论王姓皇亲专权行为，深恐促使西汉政府覆亡，刘骜（西汉王朝十二任帝）却不能醒悟（参考前八年十二月）。刘更生（刘向）苦闷徘徊，不顾后患，仍提出严厉尖锐警告，他怎么竟如此尽忠！与刘更生同时，规劝皇帝的人很多，像谷永、杨兴的直言上疏，反而有利于奸邪，被贼臣误导利用；梅福、王吉所作的抨击，虽然和古人要求的道理接近，但不切实际。君王听取批评，任用贤能，岂是一件容易的事（谷永，参考前九年；杨兴，参考前四三年；梅福，参考前一四年；王吉，参考前七四年）。

我曾经阅读魏徵过去的言论事迹，跟皇帝李世民讨论政治，诘问辩难，前后有数十万言，他劝告君王改正过失，违抗君王不法命令，都能就眼前事件，引作例证，渊博精细，十分贴切，前代所有直言官员，都做不到。其实，魏徵立足于道义之上，发出规劝君王的声音，持身严正，心怀公平，上不辜负君王，下不阿谀权势，中不偏袒亲属，外不结党营私。不因受到宠爱而改变节操，不因得到官位而故意表演忠贞。本书（《旧唐书》）所记载的四篇奏章，可以作万代君王应遵守的法则，即令是西汉王朝的刘更生、曹魏帝国的徐邈（参考二二八年四月）、晋王朝的山涛（参考二七四年七月）、南宋帝国的谢朏（参考四七八年九月），他们的才能确是非凡，但跟魏徵的成就相比，相差太远，直到今天（九四五年），所有的谏诤官员中，只有魏徵一人而已。

3 鄠县（陕西省西安市鄠邑区）县政府防卫员（县尉）游文芝，检举代州军区（总部设山西省代县）总司令（代州都督）刘兰成叛变。

正月十七日（原文“戊申”，据《旧唐书》改），刘兰成定罪，腰斩。右武候（卫军第十二军）将军丘行恭挖出刘兰成的心肝吃掉。李世民听到消息，责备他说：“刘兰成叛变，国家有正常的法令，加以惩罚，何至残忍到这种程度！如果需要用这种行为表示忠孝，则太子和各亲王早先吃了，怎么会轮到你！”丘行恭大为羞惭，叩头请求宽恕。

4 二月二日，李世民问高级顾问官（谏议大夫）褚遂良说：“姚重华（舜帝）制造油漆器具，进言劝阻的有十余人（《说苑》：姚重华用木材制作饮酒用的器具，把它漆黑，封国国君们认为他太奢侈，不再臣服的有十三国），弄不懂这件小事有什么值得大惊小怪的！”褚遂良回答说：

“奢侈豪华是危亡的泉源。漆器用久了，就会改用金银璧玉。忠臣爱护君王，必须防止祸源逐渐扩张，如果大祸已经临头，便用不着规劝了。”李世民说：“是的，我有过失的话，你也应该在没有成大祸时，赶紧规劝。我见从前帝王拒绝劝告时，总是说：‘已成定案！’或说：‘已经应许！’终不肯改正。这个样子，要想平安，怎能得到！”

当时，皇子当军区总司令（都督）、州长的，年纪都很幼小，褚遂良上疏，认为：“刘病已（西汉王朝十任帝）说：‘跟我共同治理天下的，岂不全靠地方政府首长！’（参考前六八年）而今皇子的年龄还都太小，不能执行职务，不如使他们仍留在京师（首都长安），学习儒家学派理论，等长大成人后，再教他们前去就职。”李世民认为合理。

5 二月十二日，李世民任命太子宫总管（太子詹事）张亮，当洛州军区（总部洛阳）总司令（洛州都督）。国务院文官部长（吏部尚书）侯君集自认为有很高功劳，却被逮捕入狱（参考六四〇年十二月），因此十分怨恨，生出二心，张亮被调到洛州（河南省洛阳市），侯君集故意刺激他，问说：“什么人排挤你？”张亮说：“除了你，还有谁！”侯君集说：“我征服一个国家（指高昌王国），却碰上他（指李世民）发起比屋子还大的脾气，我有什么力量排挤你！”于是卷起袖子吼叫说：“我烦闷得简直不想活，你要不要反？我跟你一起反！”张亮秘密告发。李世民说：“你跟侯君集都是开国功臣，而且侯君集说这种话时，旁边没有别人，如果交付司法机关调查，他一定不肯承认。僵持下来，事情如何发展，难以预料，你暂且不要提这件事。”对待侯君集跟过去一样。

6 鄜州军区（总部设陕西省富县）总司令（鄜州都督）尉迟敬德，上疏请求辞职退休。

二月二十五日，李世民任命尉迟敬德当开府仪同三司（文散官一级，从一品），每隔五天参加一次金銮宝殿上的朝会。

7 二月二十七日，李世民说："政治领袖只有一颗心，可是把它当作目标，努力争取的太多，有些人用勇敢，有些人靠辩才，有些人凭仗他的马屁功，有些人使用他的邪恶奸诈，有些人用满足领袖嗜好欲望的方法，从四面八方，围绕着它，奋勇攻击，每个人都贩卖自己的特长，希望领袖人物购买，借以升官发财。当领袖的人，只要心里稍稍有一点松懈，接受其中的一项，国家危亡就跟随在后面，立刻来临；领袖人物的真正困难在此。"

8 二月二十八日，李世民下令把开国功臣的肖像，画在凌烟阁上：赵公爵长孙无忌、赵郡王（元王）李孝恭（已故）、莱公爵（成公）杜如晦（已故）、郑公爵（文贞公）魏徵（已故）、梁公爵房玄龄、申公爵高士廉、鄂公爵尉迟敬德、卫公爵李靖、宋公爵萧瑀、褒公爵（忠壮公）段志玄（已故）、夔公爵刘弘基、蒋公爵（忠公）屈突通（已故）、郧公爵（节公）殷开山（已故）、谯公爵（襄公）柴绍（已故）、邳公爵（襄公）长孙顺德（已故）、郧公爵张亮、陈公爵侯君集、郯公爵（襄公）张公谨（已故）、卢公爵程知节、永兴公爵（文懿公）虞世南（已故）、渝公爵（襄公）刘政会（已故）、莒公爵唐俭、英公爵李世勣（徐世勣）、胡公爵（壮公）秦叔宝（已故）。（共二十四人。此类似东汉王朝云台三十二将肖像画，参考六〇年二月。）

9 齐州军区（总部设山东省济南市）总司令（齐州都督）齐王李祐

（李世民第五子），性情轻浮急躁，他的舅父、皇宫御马管理局副管理官（尚乘直长，正七品上）阴弘智劝告他说："大王兄弟太多（李世民共十四子），陛下（李世民）千秋万岁（逝世）之后，你应该有勇士保护自己的安全。"李祐相信。阴弘智因此推荐妻兄燕弘信，李祐十分高兴，赏赐燕弘信大量金银财宝，使他秘密集结勇士。

李世民遴选刚烈正直的人辅佐各亲王，分别担任政务秘书长（长史）、军务秘书长（司马），各亲王有过失时，就奏报皇帝。李祐跟一群卑鄙的小人物十分亲密，喜爱打猎。政务秘书长（长史）权万纪屡次劝告，李祐都不接受，招募来的勇士昝君谟（昝，音zǎn〔攒〕）、梁猛彪等，很受李祐宠爱，权万纪对他们提出弹劾，李世民下令把二人逐出王府，李祐却暗中接他们回来，宠爱更甚。李世民不断写信给李祐，严厉责备，权万纪恐怕将来牵连自己，就对李祐说："大王如果能改过自新，我愿到中央为大王分辩。"于是条条列出李祐所犯的错误，强迫李祐上疏自己承认，李祐心怀恐惧，照他的话去做。权万纪抵达京师（首都长安），报告说：李祐一定可以改过，李世民很是高兴，一面勉励权万纪，一面细数李祐过去的错误，下诏告诫。李祐得到消息，暴跳起来说："秘书长（权万纪）出卖我，教我自己承认过失，却以劝告我改过作为他的功劳，我一定杀掉他。"李世民因王府警卫团长（校尉，从六品上）京兆（首都长安〔此时没有京兆郡〕）人韦文振，谨慎正直，擢升他当王府警卫司令（典军，正五品上）。韦文振不断劝告，李祐对他也十分厌恶。

权万纪性情褊狭，对李祐刻薄寡情，处处拘束，李祐想出城都不准，还把李祐打猎用的苍鹰猎犬全都释放；驱逐昝君谟、梁猛彪，不准他们见到李祐。正巧，有土块于夜晚落到权万纪家里，权万纪认为是昝君谟、梁猛彪谋杀自己，于是把二人逮捕囚禁，用驿马车送递奏章到京师（首都长安），弹劾跟李祐在一起为非作歹的同党数十人，李世民派国务院司法部长（刑部尚书）刘德威，前往调查，权万纪所检举的犯罪行为，很多都有证据，李世民命李祐跟权万纪一同进京（首都长安）。

李祐长久以来积压心头的忿怒，终于爆发，遂跟燕弘信的老哥燕弘亮等，阴谋诛杀权万纪。权万纪接到诏书后已经先行动身，李祐派燕弘亮等二十余名骑兵追捕，把权万纪射死。李祐党羽共逼韦文振参与叛变，韦文振拒绝，飞骑逃走，奔驰数华里，李祐的追兵追到，诛杀。李祐的部属被恐惧抓住，一个个两腿颤抖，叩头碰地，连眼睛都不敢仰视。李祐遂发表人事命令，任命上柱国（勋官一级，正二品）、开府（文散官一级，从一品）等官，大开仓库，取出财物赏赐，驱逐郊区居民进城，磨利武器，增修城墙，设置拓东王、拓西王等爵位。官民人等抛妻弃子，于夜晚用绳索缒出城外，纷纷逃亡，李祐无法阻止。

三月六日，李世民下诏派国务院国防部长（兵部尚书）李世勣（徐世勣）等，动员怀州（河南省沁阳市）、洛州（河南省洛阳市）、汴州（河南省开封市）、宋州（河南省商丘市）、潞州（山西省长治市）、滑州（河南省滑县）、济州（山东省聊城市茌平区西南）、郓州（山东省东平县）、海州（江苏省连云港市）共九个州的武装部队，共同讨伐。李世民亲自写信给李祐说："我时常告诫你不要和卑劣的小人物亲近，正是为了避免发生今天这种情形。"

李祐命燕弘亮等五人住进他的卧室，其余党羽分别率领士卒，巡逻守城。李祐每晚跟燕弘亮等，和王妃一起欢宴饮酒，自认为已经称心如意，戏谑谈笑之际，说到中央军动向，燕弘亮等说："大王不必担心，我右手拿酒杯，左手为大王挥刀，把他们打得落荒而逃！"李祐大喜，认为真的如此；传令所属各县，各县全不接受。

当时，李世勣（徐世勣）所率中央军还没有到达，可是青州（山东省青州市）、淄州（山东省淄博市）等几州的军队，已分别进入齐州（山东省济南市）。齐王府军务官（齐府兵曹参军，正七品上）杜行敏等，阴谋生擒李祐，李祐左右侍从，以及官民中不是李祐同党的，全都参与。

三月十日，夜晚，齐王府四周忽然鼓声震天，喊声动地，声传数十华里之遥。李祐党羽有住在外面的，都被大家乱刀砍死。李祐在王府里惊问是什么声音，左右骗他说："英公爵（李世勣）率骑兵到达，已爬上城墙。"杜行敏派一部分军队把王府墙垣凿出洞穴，一涌而入。李祐和燕弘亮等身披铠甲，手拿武器，躲到卧室，紧闭门窗抵抗，杜行敏等一千余人团团围住，从早晨到中午，无法攻破。杜行敏对李祐说："你从前是皇子，今天却是国贼，如果不快快投降，立刻就化成灰尘。"遂命四周堆起木柴，打算纵火焚烧。李祐从窗缝中对杜行敏说："我马上就开门，但恐怕燕弘亮兄弟会死！"杜行敏说："我保证他们不死。"李祐等才出来。出来即被逮捕，有人挖出燕弘亮的眼珠，把眼珠投到地上，所有同党都先被打断双腿，然后斩首。把李祐牵出王府前向官民展示，再牵回王府，锁到东厢房。齐州变乱，完全平息。

三月十五日，李世民下令李世勣（徐世勣）等回军。李祐到京师（首都长安），李世民命他在宦官总管府（内侍省）自杀，党羽被处决的共四十四人，其他的人不再追究。李祐当初聚众起兵时，齐州（山东省济南市）人罗石头，当面条条斥责李祐的过错，拿枪向前，打算刺死李祐，被燕弘亮诛杀。李祐率骑兵攻击高村（当是济南市附近村落），村人高君状远远的斥责李祐说："主上（李世民）手提三尺宝剑，平定天下，亿万人民蒙受恩德，仰望他如同仰望天神。大王忽然驱使城里数百人，竟打算叛变，去冒犯君王老爹，这跟用一只手摇撼泰

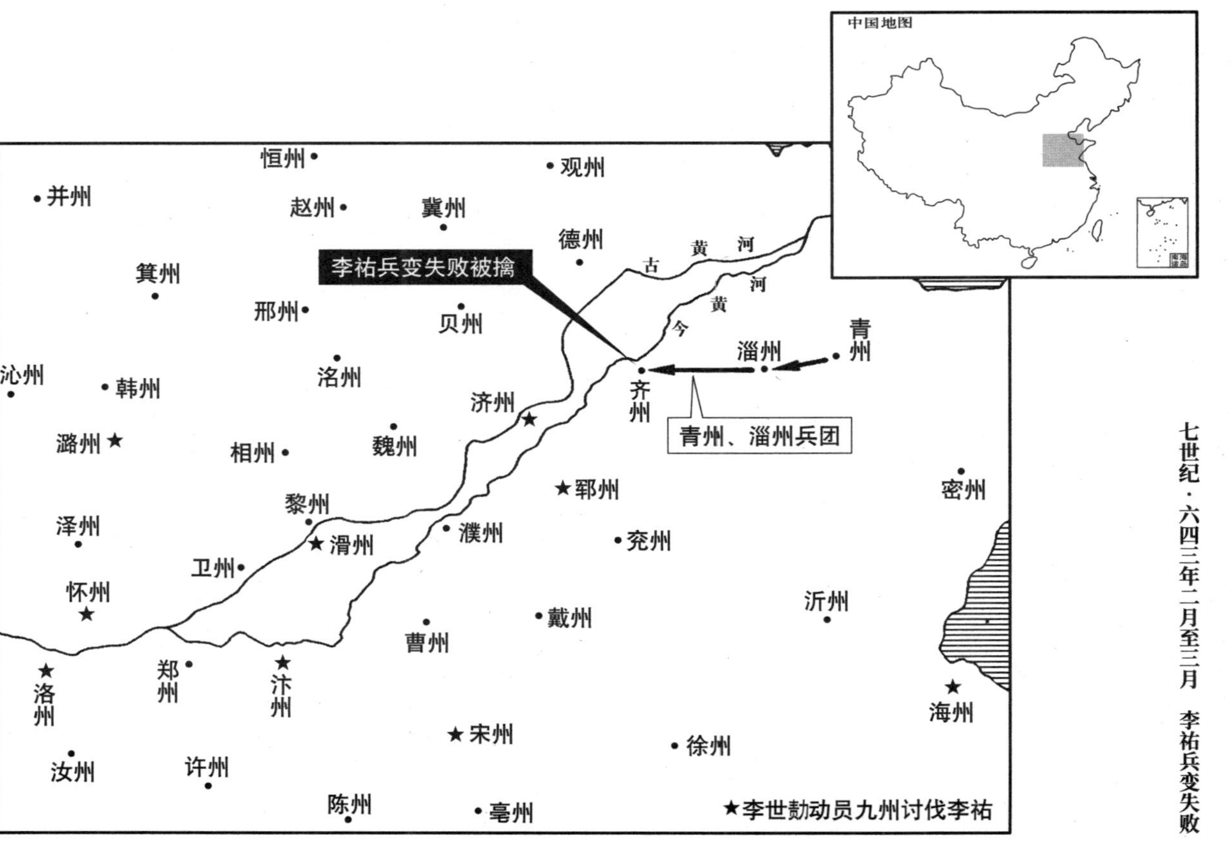

七世纪·六四三年二月至三月　李祐兵变失败

山，没有分别，怎么会不自量力到如此严重程度！”李祐发军攻击，把高君状生擒，但内心羞惭，无法下手诛杀。李世民下令追赠罗石头当亳州（安徽省亳州市）州长，任命高君状当榆社（山西省榆社县）县长，杜行敏当巴州（四川省巴中市）州长，封南阳郡公爵；参与生擒李祐的勇士，以功劳大小为等级，分别任官奖赏。

李世民检查李祐家文书，发现记录官（记室）郏城（河南省郏县）人孙处约所写的规劝信件，一面看一面赞叹，擢升孙处约当立法院立法官（中书舍人）。

三月二十日，追赠权万纪为齐州军区总司令（齐州都督），封武都郡公爵，绰号敬公；韦文振为左武卫（卫军第三军）将军，封襄阳县公爵。

10 最初，太子李承乾喜爱音乐、美女，以及打猎，所作所为，奢侈靡烂，唯恐怕老爹李世民知道，所以普通日子，面对太子宫官员，常常谈论忠孝道理，谈到深刻之处，甚至泪流满面；可是回到宫里，就跟一群卑劣的小人物混在一起，淫乱猥亵，无所不为。官员们有打算规劝的，李承乾知道他的来意，总是表示非常感激，亲自迎接叩头，表情严肃，态度虔敬，坐在那里，承认错误，对自己痛加责备，口才敏捷，道理充分，官员们连回答都来不及。寝宫之内的秘密，外人都不知道，所以当时对李承乾的评论，一致认为他是一位贤能的储君。

李承乾铸造八尺高的铜炉和六只脚的大锅，雇用逃亡的政府奴隶，偷盗民间马牛，李承乾亲自烹饪，跟他宠爱的差役，共同吞吃。李承乾又喜爱说突厥语、穿突厥衣服，特别遴选面貌像突厥的侍从，每五人组成一个迷你部落，把头发梳作小辫，身穿羊皮，到草地上牧羊；所用旗帜，上画五个狼头，又剪裁长方形幡旗，架设篷帐，李承乾亲自住在篷帐里，捕捉羊只，宰杀煮熟，拔出佩刀割肉，跟大家分享。他常对左右说：“我假装是可汗，现在翘了辫子，你们仿效突厥的风俗，来办葬事。”遂像死人一样躺到地上，大家一起放声大哭，骑到马上，环绕着“尸体”奔走，并依照突厥风俗，用刀割破自己的脸。很久之后，李承乾才高兴的跳起来，宣布说：“有朝一日我统治帝国，定要率数万骑兵，到金城（甘肃省兰州市）以西打猎，然后把头发解开（华人束发），去当突厥人，投靠李思摩（阿史那思摩，故东突厥十六任大可汗），如果给我一个将军（设），那就不会落到别人后面了。”

太子宫政务署长（左庶子）于志宁、事务署长（右庶子）孔颖达，不断劝告李承乾，李世民对二人十分嘉勉，赏赐金银绸缎，用以鼓励他们辅佐李承乾，于是擢升于志宁当太子宫总管（詹事）。于志宁跟新任太子宫政务署长（左庶子）张玄素，不断上疏规劝，李承乾暗中派杀手打算把二人杀掉，没有成功（于志宁于前年已擢升太子宫总管，参考前年〔六四一〕六月。李承乾刺死张玄素事，参考前年〔六四一〕五月。本段乃追述往事，用以保持叙述的完整性）。

汉王、梁州军区（总部设陕西省汉中市）总司令（梁州都督）李元昌（李世民的老弟），所作所为，时常违犯法令，李世民几次派人前去谴责，李元昌遂心怀怨恨，希望局势改变。李承乾跟他这位叔父感情亲密，无论早晚，都一块出去游玩。把左右侍从官员及卫士，分作两队，二人各率一队，大家身披毛毡缝制的铠甲，手拿竹枪竹刀，扎营列阵，大声嘶喊，冲锋厮杀，枪刺刀砍，往往流血受伤，当作娱乐。有不听从命令的，就命他张开手脚，抱住大树，加以毒打，甚至打死。李承乾说：“假使我今天当皇帝，明天就在御花园设一个万人营，跟汉王（李元昌）分别指挥，观赏他们肉搏战斗，岂不快乐！”又说：“我当皇帝，定要尽情享受所有乐趣，有人规劝，立即诛杀，顶多杀数百人，大家就会自动停止。”

魏王李泰多才多艺，受李世民宠爱，看到老哥李承乾脚有毛病，暗中有夺嫡的企图；对待知识分子，态度谦恭，用来博取舆论的称赞。李世民派监督院副监督长（黄门侍郎）韦挺摄理李泰王府事务，后来又命国务院工程部长（工部尚书）杜楚客接替，二人都替李泰穿针引线，大量结交政府官员；杜楚客有时候甚至带着巨金，向当权贵官行贿；宣传李泰天纵英明，最适合当帝位继承人；政府文武官员遂分为两派，一派归附李承乾，一派靠拢李泰。李承乾深感压迫，暗中派人冒充李泰王府收发官（典签），向李世民呈递“亲启密奏”，指控李泰种种罪恶，李世民下令逮捕收发官（典签），逮捕不到。

李承乾鸡奸祭祀部乐队男童（太常乐童）称心（《旧唐书·李承乾传》：称心，姓名均不详，年十余岁，姿容美丽，会歌会舞，李承乾叫他“称心”），二人同起同睡。道士秦英、韦灵符，因有旁门左道方术，深受李承乾宠爱。李世民得到消息，怒不可遏，把称心等一网打尽，全部诛杀，受牵连被斩首的有好几个人；对李承乾讥诮责骂，十分严厉。李承乾认为是李泰告密，更怨恨忿怒，如火上加油。尤其思念称心，就在太子宫辟出一个房间，竖起称心塑像，早晚焚香祭奠，徘徊不去，哭泣流泪，又把称心的尸体埋葬在花园里，暗中追赠官位，树立墓碑。

李世民越来越不愉快，李承乾也知道老爹生气，遂声称有病，往往几个月不进宫朝见；一面秘密雇用杀手纥干承基等以及勇士一百余人，阴谋刺死魏王李泰。

国务院文官部长（吏部尚书）侯君集的女婿贺兰楚石（贺兰，复姓），当太子宫贴身带刀卫士（东宫千牛）。李承乾知道侯君集忿怒怨恨，不断要贺兰楚石邀请侯君集到东宫（太子宫），向侯君集请教自保平安的方法。侯君集看出李承乾愚昧恶劣，打算等待以后再对他下手，遂劝他发动政变，举手对李承乾说："这双好手，呈献给殿下使用。"又说："魏王（李泰）得到皇上（李世民）宠爱，恐怕你会召来杨勇那种大祸（杨勇事，参考六〇〇年十月）。如果皇上召见，你应该秘密戒备。"李承乾深为同意。李承乾致送厚重的金银财宝给侯君集，以及左屯卫军（卫军第九军）贵族征兵府司令（中郎将）顿丘（河南省内黄县东南）人李安俨，命他探听李世民的意向，一举一动，都暗中通知。李安俨从前曾当过太子李建成的部属，玄武门事变时（参考六二六年六月），李建成已死，但李安俨仍竭力战斗，李世民认为他有忠心，所以很是亲信，派他负责皇城安全（左右武卫军担任皇城及京师〔首都长安〕南区护卫）。李安俨主动投靠太子李承乾。

汉王李元昌也鼓励李承乾发动政变，强调说："最近看见皇上身旁有位美女，琵琶弹得极好，事情成功之后，请把她赏给我。"李承乾许诺。洋州（陕西省西乡县）州长、开化公爵赵节，是赵慈景的儿子（赵慈景攻击河东时，被尧君素诛杀，参考六一八年十一月），娘亲长广公主（李世民的姐姐）。驸马（驸马都尉）杜荷（唐王朝之后，公主的丈夫，都被任命当"驸马都尉"，而"驸马都尉"也只由公主的丈夫担任，于是遂成为公主丈夫的代名词，简称"驸马"），是杜如晦的儿子，娶城阳公主（李世民的女儿），都是太子李承乾的亲信，也参预政变计划。同谋的人都割破手臂，用绸缎擦血，烧成灰烬，和在酒里饮下，发誓同生同死，准备率军进入皇宫。杜荷对李承乾说："天象发生变化，应立即用行动响应，你只要声称忽然得到急病，生命垂危，皇上一定亲自前来探视，我们的谋略就可以成功。"李承乾听到齐王李祐在齐州（山东省济南市）叛变，对纥干承基等说:“太子宫的西墙,距皇宫只不过二十步,跟你共同创造大业,齐王(李祐)怎能相比?”

正巧追查李祐叛乱集团党羽,牵连到纥干承基,纥干承基因此被捕,囚禁最高法院监狱(大理狱),依法判处死刑。

夏季,四月一日,纥干承基向皇帝李世民呈递紧急告密奏章,检举太子(李承乾)谋反。李世民大为震骇,立即指定司徒(三公之二)长孙无忌、司空(三公之三)房玄龄、特进(文散官二级,正二品)萧瑀、国务院国防部长(兵部尚书)李世勣(徐世勣),会同最高法院院长(大理)、立法院最高立法长(中书)、监督院最高监督长(门下),组成联合法庭,调查审判,认定谋反证据确实。李世民问侍从官员说:“怎么处置李承乾?”没有人敢回答,助理立法官(通事舍人)来济建议说:“陛下得以仍是慈父,太子(李承乾)得以终其天年,当属最好的结局。”李世民同意。来济,是来护儿的儿子(来护儿被宇文化及诛杀,参考六一八年三月)。

四月六日,李世民下诏罢黜太子李承乾,贬作平民,囚禁右领军(卫军第七军)司令部。李世民打算赦免汉王李元昌一死,文武官员竭力反对,于是命李元昌在家服毒自杀,但赦免他的娘亲(孙嫔)、妻子、儿女。侯君集、李安俨、赵节、杜荷等,一律斩首。太子宫政务署长(左庶子)张玄素、事务署长(右庶子)赵弘智、令狐德棻等,被控没有尽到规劝责任,贬作平民。其他依法应该连坐的人,全部赦免。太子宫总管(詹事)于志宁因不断劝诫,只他受到嘉勉。擢升纥干承基当佑川(甘肃省岷县东南)平民征兵府司令(佑川府折冲都尉),封平棘县公爵。

侯君集被捕后,贺兰楚石立刻前往宫门揭发他岳父的阴谋,李世民传见侯君集问说:“我不要那些玩弄刀笔的法官侮辱你,所以我亲自审问。”侯君集起初誓不承认，于是传讯贺兰楚石，说出参与阴谋的经过，又把他跟李承乾来往信件提示给侯君集过目，侯君集无话可说，只好承认。李世民对左右侍从说：“君集有大功劳，我打算饶他一命，是不是可以？”文武官员反对。李世民乃告诉侯君集说：“我和你从此永别！”忍不住流下眼泪。侯君集也自行扑倒在地，遂即被押解到街市斩首。侯君集临死，对监刑官说：“我一误再误，竟到如此地步！然而，当陛下仍是秦王的时候，我就侍奉左右，征服两个国家（高昌王国及吐谷浑汗国），乞求留下一个儿子，继承侯家一脉烟火。”李世民赦免侯君集的妻子及儿女，贬逐岭南（南岭以南）。没收侯君集的家产，发现有两位美女，从小只吃人乳，不吃其他食物。

最初，李世民命李靖传授侯君集兵法，侯君集报告李世民说：“李靖快要叛变了。”李世民问他缘故，侯君集说：“李靖只教给我一些粗略大纲，而把精密部分隐藏不露，由此可知。”李世民询问李靖，李靖回答说：“这恰恰是侯君集要谋反的证据，而今，天下安定，全国统一，我所教给他的军事知识，足可以克制四方蛮夷；而侯君集一定要我全部教给他，不是为了谋反，是为了什么！”江夏王李道宗曾经在很融洽的气氛中，报告李世民说：“侯君集的欲望太大，而智谋太小，对他那点功劳，自觉是了不起的贡献，认为位在房玄龄、李靖之下，是一种耻辱，虽然当国务院文官部长（吏部尚书），并不满意。以我的观察，他一定会出乱子。”李世民说：“侯君集有很高的才干，任何一个职务都可以胜任，我并不是不肯命他升到高位，只是在顺序上还没有轮到他，怎么可以揣测他要谋反，横生猜忌！”等侯君集伏诛，李世民向李道宗道歉说：“果然应验了你的观察。”

侯君集摧毁恶徒，克制强敌，对国家的贡献很多。然而，他却仗恃功劳，傲慢骄狠，野蛮粗鲁，不知道检点自己，不但把从前的功勋，全部抛弃，而且招来无穷后患。不过是一个贪婪愚昧的普通带兵官而已，情形至为明显。

李安俨的老爹年九十余岁，李世民怜悯他，赏赐奴婢侍候奉养。

11 太子李承乾既被定罪，魏王李泰每天进宫侍奉李世民，李世民当面允许立他当太子；副立法长（中书侍郎）岑文本、副监督长（黄门侍郎）刘洎，也向李世民作这项建议。只司徒（三公之二）长孙无忌，坚决请求封晋王李治。李世民对侍从官员说："昨天，青雀（李泰乳名）投到我怀里说：'我到今天才终于成为你的儿子，是我再生之日。我只有一个儿子，当我逝世的那天，一定为陛下的缘故，把他杀掉，传位给弟弟晋王（李治）！'人，谁不爱他的儿子，我看他这种情形，心中怜惜。"高级顾问官（谏议大夫）褚遂良说："陛下说错了话，请再三思考，不要误事。天下哪有陛下千秋万世（逝世）之后，魏王（李泰）君临天下，却肯杀他的爱子，而传位老弟？陛下从前既封李承乾当太子，而又宠爱魏王（李泰），仪式和物资供应，都超过太子，终于造成今天的灾祸。事情相距不远，足可以作为鉴戒。陛下今天命魏王（李泰）当太子，可是必须先要处置晋王（李治），然后才能安全。"李世民呜咽哭泣，说："我办不到。"遂起身，回宫。

魏王李泰恐怕老爹封晋王李治当太子，就警告李治说："你跟李元昌感情最好，李元昌已经处死，你难道不担心？"李治遂满面忧愁，李世民奇怪，问他缘故，李治告诉老爹原因，李世民怅然若失，开始后悔说出封李泰当太子的话。李世民当面责备李承乾，李承乾说："我已经是太子，还要贪图什么！只因李泰暗算，我不得不时常跟臣属商量如何自救，野心分子遂教导我犯上作乱，今天如果封李泰当皇太子，正好跳进他的圈套。”

李承乾既被罢黜，李世民登两仪殿（太极殿之后，俗称内朝殿），朝会已毕，文武百官全都退出，李世民只留下长孙无忌、房玄龄、李世勣（徐世勣）、褚遂良，对他们说：“我三个儿子（齐王李祐、太子李承乾、魏王李泰）、一个弟弟（汉王李元昌），竟做出这种事来，使我心灰意冷。”遂扑倒床上，长孙无忌等争先恐后冲上去扶起，李世民又抽出佩刀，打算向自己猛刺，褚遂良把刀夺下，交给晋王李治。长孙无忌等请李世民说出他心里的想法，李世民说：“我打算封李治当太子。”长孙无忌说：“我们接受命令，有反对的，请准许我镇压。”李世民对李治说：“你的舅父已答应你，还不快快叩谢。”李治遂跪下叩头。李世民对长孙无忌等说：“你们已赞成我的意见，不知道外面人的议论如何！”长孙无忌等回答说：“晋王（李治）仁爱忠厚，孝顺慈祥，天下人从内心里拥护他，为时已久。陛下不妨试探召见文武百官，问问他们，如果有人不同意，就是我欺骗陛下，罪该万死。”李世民遂登太极殿（正殿），召集六品以上政府全体官员，对他们说：“承乾悖逆，李泰凶险，都不可以当太子。我打算在群儿中选择一个人，不知谁适合？你们只管明言。”大家齐声欢呼说：“晋王（李治）仁慈孝顺，应该由他继位皇储。”李世民大为欢喜。当天（四月六日），李泰在数百名骑士随从下，抵达永安门，李世民命城门守卫阻止随从骑士入宫，而只引导李泰一个人进入肃章门，遂即软禁北苑。

四月七日，李世民下诏，封晋王李治当皇太子，李世民登承天门城楼，赦免天下，准许人民大吃大喝三天。李世民对侍从官员说：“我如果教李泰当太子，表示太子这个位置，可以用谋略夺取到手。从今以后，太子无道，亲王钻营，两人同时罢黜；这项办法传给子孙后代，作为处理这种事件的法则。而且，李泰当太子，李承乾和李治都会送命；李治当太子，李承乾和李泰全可平安。”

李世民不把统治天下的帝王宝座，传授给他私心宠爱的儿子，用来堵塞灾祸混乱的根源，可以说是深谋远虑。

12 四月八日，李世民贬黜最高立法长（中书令）杨师道，当国务院文官部长（吏部尚书）。

最初，长广公主（李世民的姐姐）嫁赵慈景，生赵节，后来，赵慈景于河东（山西省永济市）之役被杀（参考六一八年十一月），长广公主再嫁杨师道。杨师道跟长孙无忌等一同审理李承乾时，暗中减轻赵节犯罪程度，被人检举，因此被贬（最高立法长〔中书令〕是实质宰相，国务院文官部长〔吏部尚书〕非实质宰相）。

李世民前去探望长广公主，长广公主叩头碰地，为儿子犯罪道歉，李世民也叩头哭泣说：“赏赐时不躲避仇人，惩罚时不偏袒亲人；这是天下最公平的道理，不敢破坏，因此辜负老姐。”

13 四月十日，李世民下诏任命长孙无忌当太子太师（太子三师之一），房玄龄当太子太傅（太子三师之二），萧瑀当太子太保（太子三师之三）；李世勣（徐世勣）当太子宫总管（詹事）。萧瑀、李世勣（徐世勣），全都加授“同中书门下三品”（实质宰相）。“同中书门下三品”自此出现（中国政治制度官职的混乱，官名的稀奇古怪，从七世纪四〇年代起，更加恶化。中书省首长是正三品，门下省首长也是正三品，萧瑀官位是正二品，李世勣本职特进，也是正二品，却要贬降一级，当作〔视同〕三品，因中书省首长和监督院首长是当然宰相，所以他们的“三品”，非同小可。如不能视同这两个三品，即令官位再高，高到正一品，也没有实权。而到了六六九年二月，“同中书门下平章事”便成了正式官衔）。又任命左卫（卫军第一军）大将军（正三品）李大亮兼太子宫右翼侍卫军司令（领右卫率）；前太子宫总管（詹事）于志宁、立法院副立法长（中书侍郎）马周，一起当太子宫政务署长（左庶子）；国务院文官部副部长（吏部侍郎）苏勖、立法院立法官（中书舍人）高季辅，同当太子宫事务署长（右庶子）；国务院司法部副部长（刑部侍郎）张行成，当太子宫副总管（少詹事）；高级顾问官（谏议大夫）褚遂良，当太子宾客（正三品）。

李世勣（徐世勣）曾经发过急病，秘方上说：“胡须的灰可以治疗。”李世民把自己胡须剪下，烧成灰烬，亲自和到药丸里；李世勣（徐世勣）叩头出血谢恩。李世民说：“我为的是帝国，不是为你，有什么好谢的！”李世勣（徐世勣）有一次参加李世民主持的宴会，气氛融洽，李世民慢慢的说：“我在功臣里挑选可以托付孤儿寡妇的人，没有人比你更为合适，你当年不辜负李密（参考六一八年十一月），以后怎会辜负我！”李世勣（徐世勣）涕泪满面，谢恩立誓，把手指都咬出鲜血。就在筵席上，李世勣（徐世勣）饮酒沉醉，李世民脱下自己的龙袍，为他盖住，免得他受凉。

四月十四日，李世民下诏免除魏王李泰的京畿总卫戍司令（雍州牧）、相州军区（总部设河南省安阳市）总司令（相州都督）、左武候（卫军第十一军）大将军（正三品）等职，降爵，改封东莱郡王。李泰王府官属中，李泰所亲信的人，全部贬逐岭表（南岭以南）。杜楚客因老哥杜如晦是开国功臣，特别赦免死刑，贬作平民。御前监督官（给事中）崔仁师，曾经呈递密奏，请改立魏王李泰当太子，降级当藩属事务部副部长（鸿胪少卿）。

四月二十一日，制定太子晋见太子三师礼仪，由太子亲到殿门外迎接，先行叩头；太子三师则叩头答拜；过门的时候，都要让三师先走，太子在后。三师落座后，太子才能落座。太子写信给三师时，前后都自称名“惶恐”。

五月二十五日，太子李治上疏，说：“李承乾、李泰所携带的，不过随身衣服，饮食粗劣，难以下咽，幽暗忧愁，情至可怜，请求指示主管单位，对二人应充分供应。”李世民批准。

副监督长（黄门侍郎）刘洎上疏说：“皇太子（李治）应加强读书求学，亲近师友。而今，太子（李治）进宫侍奉陛下，动辄十天半月，对师傅以下官员，很少接触。请陛下稍稍克制下倾的儿女之爱，建立远大的长程计划，则是全国之幸。”李世民遂命刘洎、副立法长（中书侍郎）岑文本、太子宾客（正三品）褚遂良，太子宫事务署长（右庶子）马周，隔一天前往东宫（太子宫）一次，跟李治一起游览参观，研究学问。

14 六月一日，日蚀。

15 六月九日，祭祀部主任秘书（太常丞）邓素，出使高句骊王国（首都平壤〔朝鲜半岛平壤市〕）回来，上疏建议增加怀远镇（辽宁省沈阳市辽中区）的边防部队，向高句骊施加压力。李世民说：“‘远处的人不肯归附，我们应提升文化，广施恩德，使他们自行归附。’（《论语》孔丘语）从没有听说一两百名边防军，能在绝远的边疆，发出威力。”

16 六月十九日，国务院右最高执行长（右仆射）高士廉退休，李世民批准，改命当开府仪同三司（文散官一级，从一品），勋位爵位照旧，仍然加授“同门下中书三品”（一级实质宰相），出席宰相联席会议。

17 闰六月四日，李世民对文武官员说：“我自从选定太子（李治）之后，一有机会，就对他教训，见他吃饭，就说：‘你只要知道农耕的艰苦，你就永远有饭可吃。’见他骑马，就说：‘你只要知道它的劳动情形，不榨尽它的力量，你就永远有马可骑。’见他乘船，就说：‘水可以使船浮起来，也可以使船翻覆。人民是水，君王是船。’见他在树下休息，就说：‘木材在画线之后才能锯直，君王在正直人的规劝之下才能成为圣哲。’”

18 闰六月十日，李世民下诏，命太子李治主管左、右城门防卫大营（左右屯营）兵马，卫军大将军以下，全部由李治指挥。

19 薛延陀汗国（蒙古国西南部）真珠可汗（二任大可汗）乙失夷男，派他的侄儿乙失突利将军，前来唐帝国呈递聘金：马五万匹、牛及骆驼一万头、羊十万头。

闰六月十三日，乙失突利摆设盛大筵席，李世民亲到相思殿，率领文武百官，出席盛宴，用十部乐伴奏。乙失突利叩头敬酒，李世民赏赐他至为丰富。

右骁卫（卫军第六军）大将军契苾何力上疏，力言：“不可跟薛延陀通婚！”李世民说：“我已经答应这门亲事，身为天子，怎么可以把说出的话吞下去！”契苾何力说：“我不是请求陛下马上拒绝，而只是盼望把婚期往后拖延。我曾经听说，古代有新郎前往岳父家迎娶新娘的礼节，如果命乙失夷男亲自来迎，即令不到京师（首都长安），也应到灵州（宁夏灵武市），他一定不敢，则拒绝他就名正言顺。乙失夷男性情刚愎凶暴，一旦没有大唐婚姻的支持，他的部属又三心二意，我预测不过一二年，他一定死亡；死亡后两个儿子争夺可汗宝座，我们就可以坐在这里把他们制服。”李世民接受这项建议，下令乙失夷男亲迎公主，并下诏将亲送公主到灵州（宁夏灵武市）跟乙失夷男会面。乙失夷男大喜，打算亲往灵州（宁夏灵武市）。他的部属警告说：“万一被唐朝扣留，后悔就来不及。”乙失夷男说：“我听说唐王朝皇帝有圣人的德性，我这一生能亲眼看到，即令是死也没有遗恨。何况，大漠（瀚海沙漠群）以北，一定要有主人，我决心前往，不要多话。”李世民派出三路使节，分别接受乙失夷男所呈献的牲畜。而薛延陀汗国本来没有仓库、马厩设施，有需要时，就向各部落临时征收，往返有万里之遥，还要通过沙漠和石砾地带，艰苦跋涉，没有水草，牲畜死亡消耗，将近一半，而且超过约定时间，还不能抵达。唐政府有关官员，认为聘礼没有齐备而仍让公主下嫁，将使蛮夷看不起大唐。李世民遂下诏撤销这项婚事，停止前往灵州（宁夏灵武市），命三路使节返国。

褚遂良反对，上疏说：“乙失夷男不过一个普通的司令官（俟斤），陛下扫荡塞北大漠（指灭东突厥汗国），万里萧条，人民穷困，残余的盗匪，四处流窜，需要有一个酋长统治，于是颁发诏书，赏赐乙失夷男巨鼓大旗，封他当大可汗（参考六二八年十二月）。近来更为亲近，允许他娶公主（参考去年〔六四二〕十月），而且把这项决定，西方告知吐蕃王国（首都逻些城〔西藏拉萨市〕），北方告知中兴的东突厥汗国（瀚海沙漠以南），大唐境内连儿童幼婴，全都知道。陛下亲登北门，接受他们的喜宴，文武百官及四方蛮夷，欢宴整天，大家一致认为，陛下为了使人民平安，不惜牺牲一个女儿，无论男女老幼，谁不感激恩德。而今，忽然之间，有退缩之意，生后悔之心，我深恐帝国形象受到伤害，所得到的少，所损失的多。而且，既已结下怨仇，一定为边疆招来灾难；薛延陀汗国因受欺骗，势将怒不可遏，我们人民却因撕毁盟誓，而心怀惭愧，这决不能使远方蛮夷敬服，更不足训勉战士。陛下统治帝国十七年，一向用仁爱团结平民，用信义怀柔蛮夷，他们都心悦诚服。欺骗这些人，对大唐没有益处，为什么不能有始有终！龙沙（瀚海沙漠群）以北，有无数部落，大唐杀了又杀，怎么也无法杀光；唯一应做的是用恩德安抚，使做坏事的人是蛮夷而不是大唐，失信忘恩的人也是蛮夷而不是大唐，则伊祁放勋（尧）、姚重华（舜）、姒文命（禹）、子天乙（汤），不如陛下很远。”李世民不接受。

当时，文武百官多认为：“帝国既然承诺结亲，接受他们的聘金，不应该欺骗蛮夷，再触发边疆战争。”李世民说：“你们只知道古代，不知道现代。西汉王朝时，匈奴汗国强大，中国衰弱，所以不得不打扮女儿，再送上金银绸缎，使他们满足，处理十分恰当。而今，大唐强大，蛮夷衰弱，我们一千人步兵，可以击破蛮虏的数万骑兵。乙失夷男所以如此匍匐跪下叩头，随我们摆布，不敢骄傲怠慢，只因他新近才被封可汗，其他部落又都不姓乙失，不是一个种族，他的目的是在假借大唐的威望，使他们臣服而已。汗国内部同罗部落（蒙古国乌兰巴托市北）、仆骨部落（蒙古国东部）、回纥部落（蒙古国哈拉和林市西北）等十余部落，各有军队数万人，如果联合攻击，薛延陀汗国立即破灭；他们所以不敢发动，不过畏惧乙失夷男是大唐所封的可汗罢了。而今把公主嫁给他，他仗恃是大唐的女婿，其他部落谁敢不服！蛮夷人面兽心，一旦稍微不能如他的意，一定反咬一口，成为大唐灾害。我今天解除婚约，降低他的地位，其他部落知道他被大唐抛弃，用不了几天，就会把他的汗国瓜分，你们记住我的话。”

孔丘说：可以不要粮食，可以不要军队，但不可以不要信义（《论语》孔丘语）。李世民明知道不可以跟薛延陀汗国缔结婚姻，当初就不应允许，既然已经允许，却仗恃唐帝国强大，背弃信义，断绝关系。虽然最后将薛延陀击败，但唐政府仍应羞惭。君王每一句话就是一道命令，怎么能不谨慎。

20 李世民说：“盖苏文（渊盖苏文）诛杀他的君王（因“渊”字犯了李渊的名讳，唐王朝上下避而不提），专制他的国家（参考去年〔六四二〕十一月），诚然不能忍受；尤其，以我们今天武装部队的实力，克制他毫不困难，只是我不愿劳动人民，如果只命契丹部落（辽河上游）及靺鞨部落（黑龙江下游）向它发出骚扰性的攻击，如何？”长孙无忌说：“盖苏文（渊盖苏文）自己知道罪大恶极，畏惧大唐讨伐，一定加强守卫，陛下最好是继续稍作忍耐，使他自己感到已经安全，就一定会更骄傲怠慢，恶行越发升高，然后我们再出军讨伐，也不算晚。”李世民说：“这是好办法。”

闰六月二十一日，李世民下诏任命高句骊国王（二十八任宝藏王）高藏，当上柱国（勋官一级，正二品），封辽东郡王、高句骊国王；派使臣“持节”，前往发布。

21 闰六月二十九日，改封东莱王李泰当顺阳王。

22 最初，太子李承乾品行恶劣，李世民秘密吩咐副立法长

(中书侍郎)兼太子宫政务署长(左庶子)杜正伦说:“我儿子脚病倒没有关系,严重的是他疏远贤良,亲近卑劣小人,你要密切注意,如果真的不能教导,再向我报告。”杜正伦屡次劝告李承乾,李承乾不理,杜正伦就把李世民这段话告诉他。李承乾立刻上疏质问老爹,李世民斥责杜正伦泄漏机密,杜正伦分辩说:“我只是用来恐吓他,希望他能改过。”李世民大怒,贬逐杜正伦当谷州(河南省宜阳县西)州长。后来,李承乾被罢黜。

秋季,七月十四日,再贬逐杜正伦当交州军区(总部设越南河内市)总司令(交州都督)。最初,魏徵曾经推荐杜正伦、侯君集有宰相才干,请任命侯君集当国务院最高执行长(仆射),并且强调说:“国家安不忘危,不可以没有大将,京师(首都长安)禁卫部队,应交给侯君集掌管。”李世民因侯君集喜欢夸大,不肯付给他这项重任。现在,杜正伦被贬,侯君集谋反被杀,李世民开始怀疑魏徵私结党羽。正巧,又有人揭发说,魏徵自己抄写前后规劝李世民的话,拿给皇家生活记录官(起居郎)褚遂良,李世民更不高兴,于是解除公主下嫁魏叔玉的婚约,摧毁亲自为魏徵撰写的墓碑。

政治领袖跟高级干部之间的相处之道,十分困难。以魏徵的忠心,李世民的明智,而魏徵身死不久,尸骨未寒(自魏徵之死到撤婚毁碑,仅六个月),猜忌及暗中陷害的小报告,已经发生作用。

魏徵规劝皇帝的话,从开始到离世,累积有数十万言之多,上自正人君子,下到卑劣小人,都未尝没有评论,和反复陈述。奸邪谄媚,具有削弱忠良的杀伤力,所以魏徵虽长期奋斗,对奸邪谄媚,仍不能克制。“雪白的东西容易污染,有棱角的东西难以保全。”这是有史以来沉痛的叹息，唐王朝柳芳说："魏徵逝世，无论认识他或不认识他的人，都深感遗憾悲惜，认为是三代(夏商周)的正直人士。"应是正确评价。

23 最初，李世民问国史馆长（监修国史）房玄龄说（唐王朝制度，国史馆长例由宰相兼任）："前代史官所作的记载，都不让君王见到，什么原因？"房玄龄回答说："史官不作虚假的赞美，也不隐瞒真实的罪恶，君王见到，一定大怒，所以不敢呈献。"李世民说："我的见解跟从前的君王，却不相同。我打算看一下国史的记载，了解过去所做的错事，当作以后的鉴戒，你可以编排奏报。"高级顾问官（谏议大夫）朱子奢上疏说："陛下有神圣品德，行为举止，从没有过失，史官的陈述，理所当然的尽善尽美。但陛下特立独行，要批阅《皇家生活记录》（《起居注》），本来没有关系，可是如果给子孙开了这个先例，曾孙、玄孙的后裔，万一才智达不到某一水准，看了后发现记载自己短处，一旦老羞成怒，史官免不了要受诛杀。于是乎大家就会见风转舵，迎合君王心意，只求保全身家性命，逃避灾害！这样千百年下去，怎么还有信史？前代君王不看国史，原因在此。"李世民不接受。

房玄龄遂跟御前监督官（给事中）许敬宗等，删改《皇家生活记录》（《起居注》），编成高祖实录（《李渊实录》），及《今上实录》（《李世民实录》）。

七月十六日，二书完成呈报。李世民发现，有关六二六年六月六日玄武门事变记载，有很多地方遮盖掩饰，对房玄龄说："姬旦（周公）诛杀姬鲜（管国国君）、姬度（蔡国国君），以保护周王朝安全。姬友毒死姬牙，以保护鲁国安全（参考一三三年六月注）。我所做的事，跟此类似，史官何必避讳！"下令削去一些浮华辞句，有什么，写什么。

24 八月三日，任命洛州军区（总部设河南省洛阳市）总司令（洛州都督）张亮，当国务院司法部长（刑部尚书），三级实质宰相（参预朝政）；任命左卫（卫军第一军）大将军、太子宫右翼侍卫军司令（右卫率）李大亮，当国务院工程部长（工部尚书）。

李大亮身兼三个职务，负责皇宫及太子宫安全，他为人谦恭忠诚，节俭谨慎，每逢入宫值班，通宵达旦，都武装整齐，坐在那里假寐。房玄龄对他至为敬重，常对人说："李大亮有王陵、周勃的节操，可以身居高位。"

最初，李大亮当隋政府将领庞玉的兵籍官（兵曹），被李密军俘虏，同时被俘虏的人全被处死，李密的一位部将张弼，见到李大亮，把他释放，二人遂成为好友（庞玉、李密的洛口之战，参考六一七年九月十一日）。李大亮显贵之后，到处探听张弼消息，打算报恩，张弼当时在建筑部当主任秘书（将作丞），深自隐藏，从不告诉别人。可是有一天，两个人在路上碰见。李大亮认出他是张弼，上前抱住，哭泣流泪，把很多家产馈赠张弼，张弼拒不接受。李大亮奏报李世民，乞求准予把自己的官职爵位，都让给张弼，李世民感动，擢升张弼当贵族征兵府司令（中郎将）。当时的人都赞美李大亮的报恩和张弼的谦卑。

25 九月四日，新罗王国（首都金城〔朝鲜半岛庆州市〕）派使节前来中国，奏报说，百济王国（首都泗沘〔朝鲜半岛扶余市〕）攻击他的国家，占领四十余城池，更跟高句骊王国（首都平壤〔朝鲜半岛平壤市〕）联盟，打算切断新罗向中国朝贡的道路，乞求中国救援。

李世民派农林部主任秘书（司农丞）相里玄奖（相里，复姓）携带诏书，前往通知高句骊说："新罗充当中国藩属，朝见进贡，从来不断。你跟百济应该各自收兵，如果再出军侵略，明年（六四四）将对你讨伐。”

26 九月七日，李世民将前任太子李承乾，放逐黔州（重庆市彭水县）。

九月十八日，将顺阳王李泰，放逐均州（湖北省丹江口市西北）；李世民说：“父子至情，与生俱来，我今天跟泰儿生生离别，此心何忍！然而，我是天下之主，只要人民安宁，私情也同样可以割舍！”又把李泰呈递的奏章，拿给亲近官员观看，说：“泰儿诚然是俊杰人才，我心中思念，你们全都知道，只是为了帝国的缘故，不得不用大义从中斩断，让他远远住在外地，也是为了两全。”

27 从前，各州州长或高级幕僚，每年年初（应是年终），都亲自携带进贡物品，前往京师（首都长安），称“朝贡特使”（朝集使），也称“考绩特使”（考使）。京师没有政府房舍，只好租赁民宅，跟商贩等混杂住在一起。

本年（六四三），李世民命有关单位兴筑各州驻京宾馆。

28 冬季，十一月三日，李世民到圆形祭坛祭祀天神。

29 当初，李世民跟隐太子李建成、巢王（剌王）李元吉，互相仇怨；密公爵（明公）追赠司空（三公之三）封德彝，则两面讨好，杨文干之乱时（参考六二四年六月），唐帝李渊打算罢黜李建成，改封李世民当太子，封德彝坚决反对，李渊才停止行动。这件高度机密，李世民根本不知道，直到封德彝逝世（六二七年六月），才泄漏出来。

十一月十六日，副总监察官（治书侍御史）唐临，追查清楚，提出弹劾，请求剥夺封德彝的官爵。李世民命文武百官讨论，国务院财政部长（民部尚书）唐俭等议定：“封德彝身死之后，罪恶暴露；但身死之前，曾竭力回报恩德；所以历任各官，不必撤销，但请更改绰号。”

李世民下诏，撤销封德彝的赠官（司空），绰号改称缪（缪，意思是名实不符，伤害贤良。原称密明公，以后成为密缪公），削减实封采邑。

30 李世民下令遴选良家美女，充实东宫（太子宫）。

十一月十七日，太子李治派太子宫政务署长（左庶子）于志宁晋见辞让。李世民解释说：“我不打算我的子孙们，出身卑贱，我儿既然不要，当顺从他的意愿。”

李世民怀疑李治性情软弱，秘密对太子太傅（太子三师之二）长孙无忌说：“你劝我立雉奴（李治乳名）当太子，可是雉奴懦弱，恐怕守不住江山，怎么办？吴王李恪英明果决，非常像我，我打算改封李恪，你以为如何？”长孙无忌再三劝阻，认为绝对不可。李世民说：“你莫非是认为李恪不是你的外甥？”长孙无忌说：“太子（李治）仁爱忠厚，是保护帝国的优秀君王，储君地位，至为重要，怎么可以数度改换，请陛下深思熟虑！”李世民才停止。

十二月六日，李世民对吴王李恪说：“父子虽是至亲，可是等到儿子犯罪，国法尊严，做父亲的也不能私心庇护。西汉王朝时，刘弗陵当皇帝（八任昭帝），燕王刘旦反对，暗中图谋夺取政权，霍光一封信，就把他诛杀（参考前八〇年）。作为君王的臣属、父亲的儿子，不可不以此为诫。”

31 十二月十四日，李世民前往骊山温泉（陕西省西安市临潼区东南）。十二月二十四日，李世民回宫。

黄金时代

导读

“贞观之治”为中国带来第二个黄金时代，上距第一个黄金时代，历时一千一百年之久。第二个黄金时代的创造者李世民大帝，是中国有史以来所有帝王中，第一个被人民真心称颂崇拜的人物，固由于他的勋业，也由于他本身具有其他帝王身上难以发现的美德，他治理国家的一言一行，成为以后所有帝王的规范。

黄金时代的经济现象是一年复一年的大丰收，中国人特别强烈的复兴潜力，完全发挥。其次是政治清明，最初全国死刑犯每年不过二十九人，后来也不过增加到二百九十人，这在专制社会中，是一项安和乐利的表征。从前出门旅行要自带行囊衣物，现在凡是有道路的地方，都有旅店。士卒受到政府优厚的照顾，官员大多清廉，具有高度的行政效率，中国人终于把自己提升到一个进步的文明社会。

柏杨　一九八八·六·一五

目录

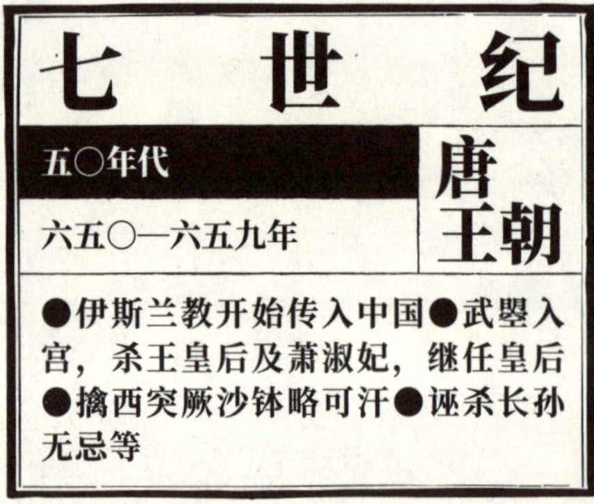

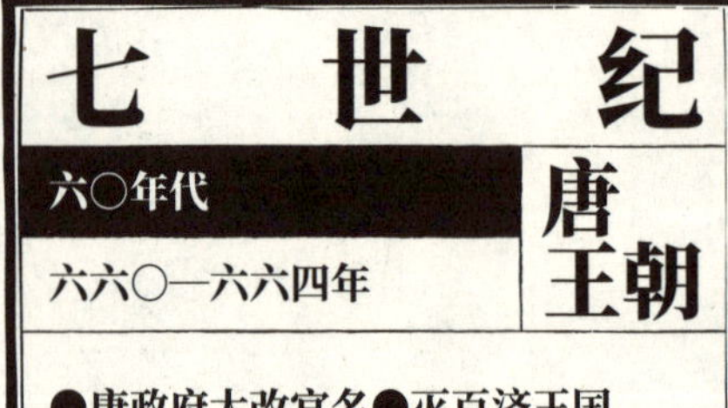

唐王朝

- ◎ 薛延陀汗国亡。
- ◎ 李世民东征高句骊，败回。
- ◎ 李世民诬杀李君羡，不久逝世。

- ◎ 日本“大化改革”。

六四四年 甲辰

唐　贞观　十八年

1 春季，正月二十日，唐王朝（首都长安〔陕西省西安市〕）皇帝（二任太宗）李世民（本年四十七岁），前往钟官城（陕西省西安市鄠邑区北）。

正月二十五日，李世民前往鄠县（陕西省西安市鄠邑区）。

正月二十七日，李世民前往骊山温泉（陕西省西安市临潼区东南）。

2 出使高句骊王国（首都平壤〔朝鲜半岛平壤市〕）的使节相里玄奖（参考去年〔六四三〕九月），抵达平壤，高句骊中央执政官（莫离支）渊盖苏文（渊盖，复姓），正率军攻击新罗王国（首都金城〔朝鲜半岛庆州市〕），已占领两个城池。高句骊国王（二十八任宝藏王）高藏派人召他回军，渊盖苏文才返。相里玄奖吩咐他不要再进攻新罗，渊盖苏文说："从前，中国侵略我们（指隋王朝时代三次东征），新罗乘机下手，占领我国领土五百华里，除非归还土地，恐怕战争不能停止。"相里玄奖说："过去的事，怎么可以追究！辽东（辽宁省）各城，本来都是中国郡县（参考六一〇年十二月注），被你们并吞，中国尚且不说话，你们又怎么可以一定要追回失土？"渊盖苏文终不接受。

二月一日，相里玄奖返抵首都长安（陕西省西安市），据实报告。李世民说："盖苏文（渊盖苏文）谋杀他的君王，残害他的僚属，虐待他的人民，而今又违抗我的命令，侵略邻国，不可以不加讨伐。"高级顾问官（谏议大夫）褚遂良说："陛下手指一挥，中原就清静太平；向四方转头察看，四方蛮夷就全都臣服：声威德望，达到巅峰。而今渡海远征一个小小蛮夷部落，如果马上攻克，传出捷报，当然很好。万一受到挫折，伤害威望，迫使中原再度出动忿怒之师，国家安危，就难以预测。"（杨广三次东击高句骊，全是忿兵，褚遂良担心重蹈覆辙。）李世勣（徐世勣）说："前些时，乙失延陀侵入国土（参考六四一年十二月），陛下打算出军穷追猛打，魏徵劝阻，才算停止，以至留到今天，仍然在边疆制造灾难。当时如果用陛下的策略，北方早已平安无事。"李世民说："果然如此，这是魏徵的失算，我不久就感到后悔，但不愿出口，恐怕阻吓别人呈献良谋好计。"

李世民打算亲自率军攻击高句骊，褚遂良上疏，说："天下犹如一个人的身体，两京（长安及洛阳）犹如心脏，州县犹如四肢，四方蛮夷，乃身外之物。高句骊罪恶重大，诚然应该讨伐，但是派两三位猛将，率四五万兵马，仗恃陛下的声威，击败它易如反掌。而今，太子（李治）刚立，年龄还小（本年李治十七岁），其他担任屏藩的亲王，陛下更都了如指掌（他们的年龄比李治更小），一旦离开金城汤池的京师（首都长安），冒着横渡辽东大海的风险，以天下万王之王的尊贵，轻率的发动绝域战争，实在使我们担忧。”李世民拒不接受。当时，文武官员很多人劝阻讨伐高句骊，李世民说：“八个伊祁放勋（尧）、九个姚重华（舜），以及再多的神圣君王，在冬天都不能耕田播种；可是一个荒村的农夫或孩童，却能在春天耕田播种，使他们生长；什么原因？在于他们掌握恰当时机。上天有一定运转法则，人的行为符合这个运转法则，就能成功。盖苏文（渊盖苏文）欺凌元首，虐待文武百官，人民伸长脖子，盼望有人援救，这正是高句骊亡国的时机，大家议论纷纷，只是看不到这一点。”

3 二月五日，李世民前往灵口（陕西省西安市临潼区东北零口街道）。二月十一日，李世民回宫。

4 三月十七日，李世民任命左卫军（卫军第一军）将军薛万彻，暂任右卫军（卫军第二军）大将军。李世民曾经告诉侍从官员说：“当前著名将领，只剩下李世勣（徐世勣）、李道宗、薛万彻三人而已，李世勣（徐世勣）、李道宗打仗时，不会有惊天动地的胜利，也不会惨败，薛万彻如果不是获得惊天动地的胜利，就一定溃不成军。”

5 夏季，四月，李世民登两仪殿，皇太子李治在旁侍奉。李世民对文武官员说：“太子（李治）的性情作为，外面的人知不知道？”司徒（三公之二）长孙无忌说：“太子（李治）虽然不出宫门，但他的圣贤品行，天下无不钦敬。”李世民说：“我在李治这样年龄时，相当调皮捣蛋，李治从小宽恕敦厚，俗话说：‘儿子性情像狼，犹怕他像羊。’（班昭《女诫》：“生男如狼，犹恐其羊；生女如鼠，犹恐其虎。”重点在于训诫妇女越卑屈越好。）希望长大成人后，能有改变。”长孙无忌回答说：“陛下神明英武，是扫平祸乱的天才；太子（李治）仁爱宽大，具有保护帝国安全的美德。个性志向虽然不同，但分别适合所担任的角色，这正是上天为了爱护唐王朝而降给人民的福分。”

6 四月八日，李世民前往九成宫（陕西省麟游县境）。

四月九日，李世民前往太平宫（陕西省西安市鄠邑区境），对侍从官员说：“臣属听话的多，直言冒犯的少。我今天打算听一听我有什么过失，各位实话实说，不要隐瞒。”长孙无忌等都说：“陛下没有过失。”监督院副监督长（黄门侍郎）刘洎说：“最近有人上疏，稍微不合陛下意思的，陛下就当面盘问到底，没有一个人不惭愧惶恐，狼狈退出，恐怕不能鼓励直言无隐。”立法院副立法长（中书侍郎）马周说：“陛下最近所作的赏罚，有一点点以自己喜怒作标准的倾向，除此之外，看不到其他过失。”李世民全都接受。

李世民喜爱文学，而又口才敏捷，和文武官员讨论政治事务时，李世民常常引古援今，折服他们，很多人无法回答。刘洎上疏劝阻说：“帝王与平民，圣贤跟愚昧，上下差距太大，无法相提并论。我们可以了解，最愚昧的人面对最智慧的人，最卑贱的人面对最尊贵的人，前者即令竭力保持心理平衡，事实上却做不到。陛下纵然颁下温和的圣旨，和颜悦色的谛听臣属陈述，虔敬谦虚的接受部下建议；臣属部下的回答，还不见得有条有理。何况陛下显示神奇的机智，和天赐的口才，用扭曲的理由堵对方的嘴，引用古人的事迹排斥对方的建议；这种情形下，愚昧平民怎么敢回答陛下的问话！而且，记忆太多伤害心神，说话太多伤害原气，心神原气受损，身体和精神自会因外在压力太重，而过度疲劳，最初或许没有感觉，到了后来，定会累倒。陛下须为国自爱，为什么纵情任性，自己伤害自己！嬴政（秦王朝一任帝）强词夺理，自我膨胀，结果失去人心；曹丕（曹魏帝国一任帝）博学多才，因为说了太多虚无浮华的言语，使声望降低，这都是逞口舌之快的毛病，至为明白。”李世民随手用草书写一封信回答，说：“没有思虑，就不能管理部属，没有言语，就不能传达我的思虑，所以最近以来，发言较多。轻视别人，自觉骄傲，恐怕原因在此，但身形精神和心境气息的疲累，却与此无关。今天听到你坦诚直言，当虚心改正。”

四月十六日，李世民前往安仁宫（陕西省眉县境）。

7 李世民将向高句骊王国（首都平壤〔朝鲜半岛平壤市〕）发动攻击。

秋季，七月二十日，李世民下令建筑部长（将作大匠）阎立德等，前往洪州（江西省南昌市）、饶州（江西省鄱阳县）、江州（江西省九江市），建造运输船舰四百艘，装载军粮。

七月二十三日，派营州军区（总部设辽宁省朝阳市）总司令（营州都督）张俭等，率领幽州军区（总部设北京市）及营州军区的军队，并动员契丹部落（辽河上游）、奚部落（滦河上游）、靺鞨部落（黑龙江下游），先在辽东（辽宁省）发动攻击，试探高句骊王国的反应。命祭祀部长（太常卿）韦挺当后勤运输司令（馈运使），国务院财政部副部长（民部侍郎）崔仁师当后勤运输副司令，黄河以北各州，都受韦挺指挥，加授韦挺紧急措施全权。又命畜牧部副部长（太仆少卿）萧锐，负责把黄河以南各州粮食，由海道运往北方。萧锐，是萧瑀的儿子。

8 八月十一日，李世民对司徒（三公之二）长孙无忌等说："人，最苦的是不知道自己的错误，你们要明白见告。"长孙无忌说："陛下的战功和恩德，我们连崇拜都来不及，怎么会有错误！"李世民说："我请你们批评我的过失，你们却曲意的拍马屁，说些使我高兴的话！我打算当面说出你们的长处和短处，用来互相劝诫改正，各位认为如何？"大家叩拜感谢。李世民遂说："长孙无忌动不动就避嫌疑，反应敏捷，决断迅速，连古人都赶不上；但率军作战，不是他的专长。高士廉博古通今，心地光明，再大的灾难都不能使他改变节操，担任官职，从不结党营私；但他的缺点是没有勇气对长官批评建议、提出意见。唐俭有辩才而思虑周到，能够调解人们的纠纷；但事奉我三十年，却没有一句关于国家大计方针的建言。杨师道性情温和纯朴，不会有什么差错和冒犯；但也因为他天生懦弱胆怯，在急难的时候，得不到他的帮助。岑文本个性忠厚，文章华丽，立论正确，不离正道，不会使人失望。刘洎性情坚定笃实，忠贞不移，言行对政府都有贡献；然而重视信义，坚守承诺，偏袒亲友。马周对事情分析十分快捷，忠贞端正，对人的批评，从不忌讳，每次派他办事，多使我满意。褚遂良学问比别人稍好，性情坚定严正，每次上疏规劝，对我的亲切和关心，好像飞鸟投入怀抱，人自怜爱。"

9 八月二十三日，李世民返京师（首都长安）。

10 八月二十六日，任命监督院最高顾问官（散骑常侍）刘洎，当最高监督长（侍中）；代理副立法长（行中书侍郎）岑文本，实任最高立法长（中书令）；太子宫政务署长（左庶子）副立法长（中书侍郎）马周，暂任最高立法长（守中书令）。

岑文本就职后，回到家里，满面愁容，娘亲问他缘故，岑文本说："我既不是功臣，又不是皇上的老友旧部，却蒙受宠爱荣耀，地位高而责任重，所以忧虑恐惧。"亲戚朋友宾客，有来贺喜的，岑文本说："我今天只接受哀悼，不接受祝贺。"

岑文本的老弟岑文昭，当皇家图书院校勘官（校书郎，正九品上），喜爱结交宾客朋友，李世民听到消息，十分不高兴，曾经在闲暇时祥和的对岑文本说："你老弟结交朋友，远超过你，恐怕将来连累你，我打算派他出京（首都长安）当官，你认为怎么样？"岑文本流泪说："我老弟小的时候，老爹去世，所以老母对他特别疼爱，从没有一连两天离开过她身边。今天如果把他放逐到外地，娘亲一定忧愁憔悴。倘若没有这个弟弟，也就等于没有娘亲。"呜咽流涕，不能自止，李世民怜悯他的孝思，停止行动，而只召见岑文昭，当面严厉告诫，岑文昭也一直没有出事。

11 九月，李世民任命高级顾问官（谏议大夫）褚遂良当副监督长（黄门侍郎）、实质宰相（参预朝政）。

12 焉耆王国（新疆焉耆县）背叛西突厥汗国（新疆东北部及中亚东部），西突厥强人、指挥官阿史那屈利，给老弟迎娶焉耆王龙突骑支的女儿（龙，姓），于是焉耆再转向西突厥，而对唐王朝的朝贡，却开始短缺。安西总督（总督府设交河〔新疆吐鲁番市〕）郭孝恪，向中央请求出军攻击，李世民批准，下诏命郭孝恪当西州兵团总司令（西州道行军总管），率步骑兵混合兵团三千人，从银山道（新疆托克逊县西南）进军。正巧焉耆王龙突骑支的老弟龙颉鼻兄弟三人前来西州（新疆吐鲁番市东)，郭孝恪命龙颉鼻的老弟龙栗婆准当向导。

焉耆王国首都焉耆城，四面环水，焉耆军仗恃这项天险，所以没有戒备。郭孝恪急行军加倍速度前进，夜晚，抵达焉耆城下，命官兵武装游泳渡河，等到天色拂晓，唐帝国军队已攀上城墙，生擒国王龙突骑支，另逮捕及斩首七千人，命龙栗婆准管理国事，而郭孝恪率军凯旋。三天后，西突厥指挥官阿史那屈利率军援救焉耆，已来不及，于是囚禁龙栗婆准，另派精锐骑兵五千人，追击郭孝恪，追到银山(新疆托克逊县西南)，郭孝恪反击，把西突厥击破，并追击数十华里。

九月二十一日，李世民对侍从官员说："郭孝恪最近奏报：八月十一日前往攻击焉耆，二十日一定可到，二十二日一定可攻破城池，计算道途远近，告捷使节，今天应该抵达。"话还没有说完，驿马车及时赶到。

西突厥汗国另一指挥官阿史那处那，命他的一位将领当焉耆总督，派使节前来唐帝国朝见进贡。李世民责备他说："我出军攻击焉耆，你们是什么人，却去占领？"焉耆总督大为恐惧，放弃焉耆，返西突厥。焉耆拥护龙栗婆准的堂兄龙薛婆阿那支当国王，仍臣服指挥官阿史那处那。

13 九月二十五日，藩属事务部长(鸿胪卿)奏称："高句骊(首都平壤)中央执政官(莫离支)，盖苏文(渊盖苏文)进贡白金。"副监督长(黄门侍郎)褚遂良说："盖苏文(渊盖苏文)谋杀他的君王，九夷部落群(东方九种蛮夷)都不能容忍。而今，又要出军讨伐，却先接受他的白金，这是'郜鼎'事件的重演(郜，音gào〔告〕。宋国〔河南省商丘市〕灭郜国〔山东省成武县〕，把郜国大鼎运到宋国。鲁国十五任国君〔桓公〕姬允，攻击宋国，

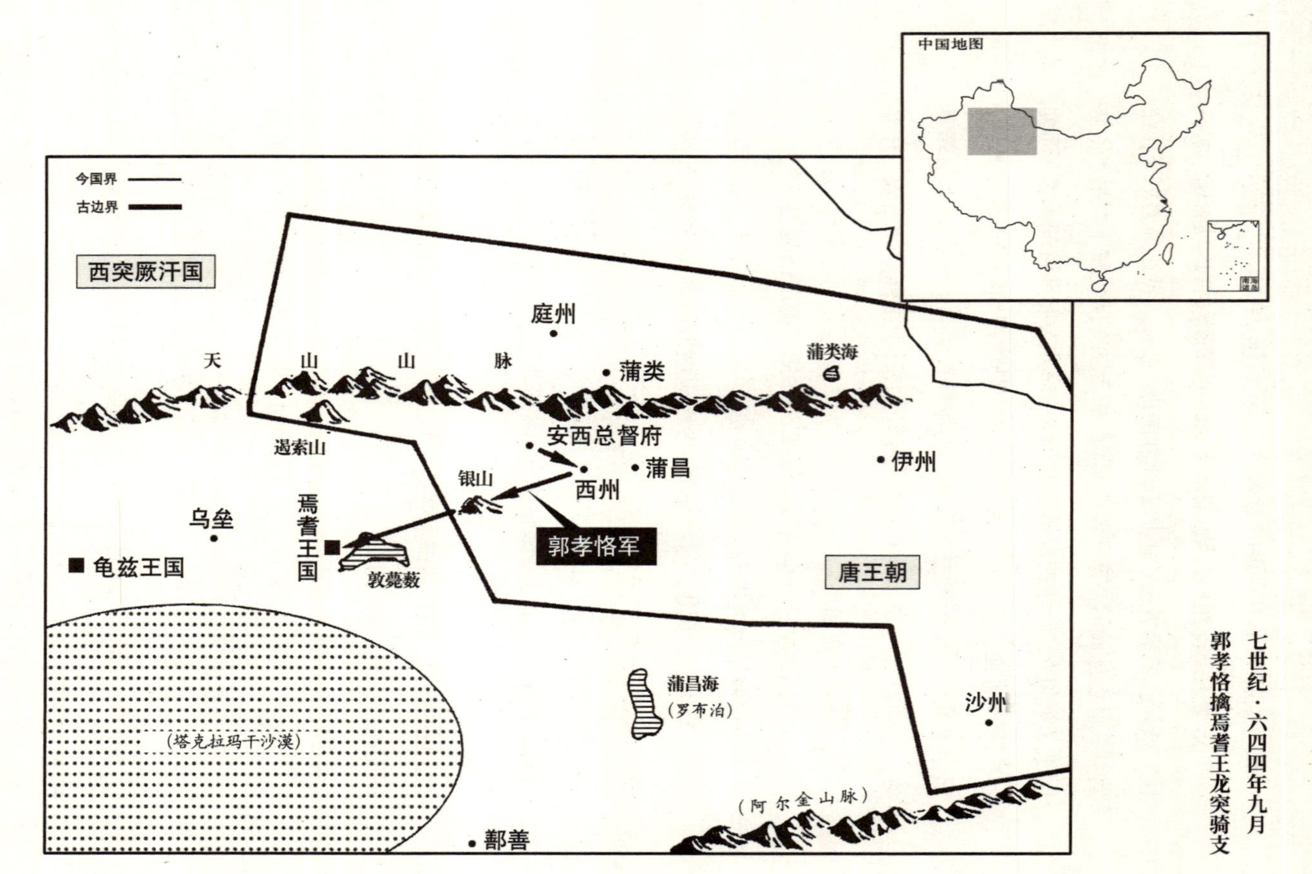

七世纪·六四四年九月
郭孝恪擒焉耆王龙突骑支

夺走郜国大鼎，再运到鲁国皇家祭庙。参考《春秋》前七一〇年)，我认为不可以接受。”李世民同意，对高句骊使节说：“你们事奉国王（二十七任荣留王）高建武，都在他驾前当官受爵。盖苏文（渊盖苏文）叛逆，谋杀国王，你们不但不能给国王复仇，反而出面替盖苏文（渊盖苏文）游说，欺骗我国，这项罪状严重。”把他们全部交付最高法院（大理寺）。

14 冬季，十月一日，日蚀。

15 十月十四日，李世民前往洛阳（河南省洛阳市），命司空（三公之三）房玄龄留守京师（首都长安）；右卫（卫军第二军）大将军兼国务院工程部长（工部尚书）李大亮当副留守官。

16 安西总督（总督府设交河城〔新疆吐鲁番市〕）郭孝恪，用铁链锁住焉耆（新疆焉耆县）国王龙突骑支，连同他的皇后、儿女，押解到皇帝行宫（时李世民在赴洛阳途中），李世民下令赦免释放。

十月十七日，李世民对太子李治说：“龙突骑支不知道任用贤明的辅佐，不接受忠良干部的建议，自己寻找灭亡；铁链拴住脖子，械具铐住双手，漂泊一万华里之遥（长安、焉耆二地航空距离二千一百公里）。人们在这件事上能够警惕的话，就应心怀畏惧。”

十月二十九日，李世民在渑池县（河南省渑池县）的天池打猎（此天池在熊耳山下，当地人称渑池，渑池县因此得名）。

十一月二日，李世民抵达洛阳（河南省洛阳市）。

前宜州（陕西省宜君县）州长郑元琦，已经退休，李世民知道他曾经随隋王朝二任帝杨广，出击过高句骊（郑元琦在隋王朝时，当右武候〔禁军第六军〕大将军，率军东征），特别把他召唤到行宫，问他当年出击情形，郑元瑇回答说："辽东（辽宁省）道路遥远，粮秣运送，艰难危险。东方蛮夷（指高句骊王国）精于防守城池，没有办法马上攻下。"李世民说："今天已不是隋政府时代，你且等待佳音。"

营州军区（总部设辽宁省辽阳市）总司令（营州都督）张俭等，因辽河涨水，大军很久不能渡河，李世民认为张俭胆小懦弱，召唤他返回洛阳。张俭抵达洛阳后，向李世民详细陈述山川情势的险易和水源野草的美恶；李世民大为高兴。

李世民听说洺州（河北省邯郸市永年区东南广府镇）州长程名振是一员战将，召见询问方略，嘉许他的才华敏捷，慰劳勉励，说："你有元帅、宰相的器度，我正要交给你更重大的责任。"程名振怔怔的没有立即叩头谢恩。李世民假装不高兴，满面怒容的责备他，观察他的反应，说："山东（崤山以东）一条粗汉，好不容易当上州长，难道就认为富贵已到极点？竟然胆大包天，在天子面前，说一些不照路的话，而又不向天子下拜！"程名振请求宽恕，说："我来自遥远简陋的地方，从来没有被皇上亲自询问过，刚才心里正在思考如何回答，竟然忘记叩头谢恩。"言谈举止，十分安详，回答皇帝的问话，更流利清晰，李世民感叹说："房玄龄在我左右二十余年，可是每看见我责备别人，他就面色惊慌，六神无主。程名振一辈子没有见过我，我突然向他发怒，他竟然一点也不震恐，言词条理分明，真是奇士！"当天，任命程名振当右骁卫（卫军第六军）将军。

十一月二十四日，任命国务院司法部长（刑部尚书）张亮，当平壤兵团总司令官（平壤道行军大总管），率江淮（华东地区）、岭南（南岭以南）、三峡地区士卒四万人，又在长安、洛阳招募士卒三千人以及战舰五百艘，从莱州（山东省莱州市）出发，横渡黄海，直击高句骊王国首都平壤（朝鲜半岛平壤市）。又命太子宫总管（太子詹事）兼太子宫左翼侍卫军司令（左卫率）李世勣（徐世勣），当辽东兵团总司令官（辽东道行军大总管），率步骑兵六万人及兰州（甘肃省兰州市）、河州（甘肃省临夏市）二州归降的部落，向辽东城（辽宁省辽阳市）进发。海陆两军，分道同时并进（以上“平壤”“辽东”之名，是以敌国城池作军号，与二城人民没有关系）。

十一月三十日，远征军陆军各军，在幽州（北京市）集中。李世民派兵团总司令（行军总管）姜行本、宫廷供应副总监（少府少监）丘行淹，督促工匠在安萝山（辽宁省朝阳市东南）制造各种攻城高梯。当时，远近各地投军当兵的勇士，以及呈献所发明攻城武器的人，多到无法计数，李世民都亲自审查，挑选使用方便、制造容易的；又亲写诏书，向天下解释远征的意义，说：“高句骊盖苏文（渊盖苏文），谋杀君王，虐待人民，这种情形，不能再忍。我现在准备视察幽蓟（河北省北部），讨伐辽碣（辽宁省），所经过驻扎之地，地方政府不必供应。”并且强调：“从前，杨广（隋王朝二任帝）残酷虐待他的部属，高句骊王（二十六任婴阳王高元）爱护他的人民，用渴望叛乱的军队，攻击团结和睦的部众，所以不能成功。今则大不相同，简单的说，至少有五项必胜的因素：一是大国攻击小国，二是正义讨伐叛徒，三是严整征服混乱，四是精力充沛克制筋疲力竭，五是快乐欢欣对付怨声载道，为什么还忧虑不能攻克？通告全体人民，不要怀疑恐惧。”于是，地方供应的费用，减少超过一半。

17 十二月一日，左卫（卫军第一军）大将军、武阳公爵（懿公）李大亮，在首都长安（陕西省西安市）逝世（年五十九岁），遗留奏章，请李世民撤回东方远征大军。李大亮家境清贫，身后只留下米五斛、布三十匹。亲戚中早年丧父的孤儿，被李大亮收留抚养，以丧父的礼节为他服丧三年的，有十五人。

18 十二月二日，故太子李承乾在黔州（重庆市彭水县）逝世（年二十六岁）。

李世民得到报告，停止朝会，用封国级公爵的礼仪，把李承乾安葬。

19 十二月十四日，李世民下诏，命远征各军，及新罗王国军（首都金城〔朝鲜半岛庆州市〕）、百济王国军（首都泗沘〔朝鲜半岛扶余市〕）、奚部落军（滦河上游）、契丹部落军（辽河上游），分道前进，进攻高句骊王国（首都平壤〔朝鲜半岛平壤市〕）。

20 最初，李世民命东突厥俟利苾可汗（十六任大可汗）阿史那思摩（李思摩）渡黄河北上时（参考六三九年六月），乙失延陀汗国（蒙古国西南部）真珠可汗（二任大可汗）乙失夷男，恐怕所属部落投奔东突厥，所以大为厌恶，遂在瀚海沙漠群以北，秘密集结轻装备骑兵，准备攻击。李世民派使节传达手令，禁止乙失夷男行动，乙失夷男回答说："皇上的命令，怎么敢不服从！可是突厥人反复无常，不能对他们抱太大希望。他们亡国之前，每年侵略中国，杀人千万。我认为皇上既把他们制服，就应教他们男当奴、女当婢，赏赐给国人，想不到反而像养育儿子一样养育他们，恩德太过深厚，可是阿史那结社率竟然叛变（参考六三九年四月），人面兽心，怎么可以把他们当人看待。我蒙受皇上太多恩典，无以为报，愿意为唐政府效劳，诛杀突厥。"从此，两汗国互相不断攻击。

阿史那思摩（李思摩）渡黄河北上时，部众有十万人，军队有四万人；但他没有统御才能，以致人心不服。

十二月十八日，所属军队霎时叛变，抛弃阿史那思摩（李思摩），全体渡黄河南下，请求唐政府许他们居住胜州（内蒙古托克托县）、夏州（陕西省靖边县北白城则村）之间（黄河河套跟陕西省北部）；李世民允许。文武官员一致反对，认为："陛下正要远征高句骊，却把突厥人安置在河南（黄河河套），距京师（首都长安）不远（夏州、长安航空距离四百公里），怎么能保证没有后患？盼望陛下留在洛阳（河南省洛阳市）镇守，只命各将领东征。"李世民说："蛮夷也是人，性情跟中原人没有两样，君王只害怕待人的恩德太少，不能因对方跟我们不同种族，就盲目猜忌。只要恩德深入人心，四方蛮夷同样可成一家，盲目猜忌太多，至亲骨肉也会变成仇敌。杨广淫乱暴虐，早已失去人心，辽东（辽宁省）之役，人民都自己砍断手脚，逃避入伍当兵，杨玄感发动运输部队在黎阳（河南省浚县）叛变（参考六一三年六月），这都不是蛮夷制造的灾难。我今天讨伐高句骊，用的是志愿军士卒，招募十个人，竟有一百人报名，招募一百人，竟有一千人报名；没有被录取的，忿怒悲叹，形于脸色，隋政府那种天怒人怨的情形，怎能相比。突厥人贫苦，我收留养育，可以想象到他们的感谢之情，已深入骨髓，怎么会伤害大唐！而且突厥人跟乙失延陀人，风俗习惯大致相同，他们不北上投奔乙失延陀，而南下投奔我国，心意如何，可以一目了然。"因而告诉副监督长（黄门侍郎）褚遂良说："你代理皇家生活记录官（知起居），把我这段话记录下来，从今以后十五年，我保证没有突厥灾难。"

阿史那思摩（李思摩）丧失军队后，只好带着简单的行李及侍从，重回唐帝国。李世民命他当右武卫（卫军第四军）将军（重建不久的东突厥汗国瓦解，自六三九年七月起，历时六年）。

六四五年 乙巳

唐　贞观　十九年

1 春季，正月，唐朝（首都长安〔陕西省西安市〕）远征军后勤运输司令（馈运使）韦挺（参考去年〔六四四〕七月），因没有先行视察运输河道，以致六百艘粮船抵达卢思台（辽宁省朝阳市南）后，因为河床太浅，船只搁浅，不能前进。韦挺被带上械具，押送洛阳（唐帝李世民所在，河南省洛阳市）法办。

正月二十八日，开除韦挺官籍，命建筑部副部长（将作少监）李道裕，接替韦挺职务。后勤运输副司令（馈运副使）崔仁师也因同一原因，免职。

2 沧州（河北省沧州市东南）州长席辩，被控贪赃枉法。

二月二日，唐帝（二任太宗）李世民（本年四十八岁），下令所有地方政府进京朝贡特使（朝集使），都亲往刑场参观斩首。

3 二月十二日，李世民亲自率领远征各军，从洛阳出发，任命特进（文散官二级，正二品）萧瑀当洛阳宫留守长官。

二月十七日，李世民下诏："我自定州（河北省定州市）出发后，命太子（李治）监督国政。"开府仪同三司（文散官一级，从一品）退休的尉迟敬德上疏说："陛下亲征辽东（高句骊王国），太子（李治）驻扎定州（河北省定州市），长安、洛阳心脏地带，守卫空虚，恐怕发生类似杨玄感兵变（参考六一三年六月）。而且边陲一个小小蛮夷部落（指高句骊王国），不值得劳动御驾，请派一支军队前去讨伐，指定日期，就可消灭。"李世民不接受，反而任命尉迟敬德当左翼第一骑兵总司令（左一马军总管），命他随军出发。

4 二月十九日，李世民追赠商王朝太师子干（比国国君）绰号"忠烈"，命有关单位整修他的坟墓（子干墓在河南省卫辉市境，参考四九四年正月注），春秋二季，用少牢（羊猪各一）祭祀；并免除附近五户人家的捐税差役，由他们负责子干坟墓清洁洒扫。

李世民从京师（首都长安）出发时，命房玄龄当留守长官，全权代表皇帝行事，不再奏报请示。有一个人前往留守长官府（留台）声称告密，房玄龄问告谁的密，那人回答说："告你的密。"房玄龄立刻把他用驿马押送行宫。李世民听说京师留守长官用奏章解来告密人，大怒，命刽子手携带长刀侍候，然后出来接见，问告的是谁，那人回答说："房玄龄。"李世民说："果然不错。"喝令把他腰斩。下诏斥责房玄龄不够自信，说："再有这种举动，你可专断独行。"

二月二十五日，李世民抵达邺城（河北省临漳县西南邺城镇），亲写祭文，祭祀东汉王朝丞相曹操，说："阁下面对危机，随机应变，料敌如神，出奇制胜，当一个元帅，智慧绰绰有余，但当一个皇帝，才干不足。"

本月（二），远征军辽东兵团总司令官（辽东道行军大总管）李世勣（徐世勣），率军抵达幽州（北京市）。

三月九日，李世民抵达定州（河北省定州市）。

三月十九日，李世民对左右官员说："辽东（高句骊王国）本是中国领土，隋王朝政府四次出击（五九八年、六一二年、六一三年、六一四年），都不能取胜；我今天东征，打算为中国报子弟被杀之仇，为高句骊雪君王（二十七任高建武）被杀之耻。而且天下一统，四方安泰，只有这个角落，还未平定，所以在我还没有太老之前，用知识分子剩余的精力，把它制服。我自离开洛阳，只吃肉和饭，连春天出产的蔬菜，都不准供应，恐怕扰民！"李世民看到患病士卒，召唤到御座之前，安慰勉励，交付给州县政府负责医疗，士卒没有人不感动喜悦。有些人姓名没有列入远征军名册中，却携带铠甲武器，自愿从军的，数目以千为单位计算，他们说："不要求皇上赏赐官爵，只盼望为帝国战死辽东。"李世民不准。

李世民将从定州（河北省定州市）出发，太子李治数日以来，都悲伤哭泣。李世民说："今天留你镇守定州（河北省定州市），特别遴选俊杰良才，作你的辅佐，打算使天下鉴赏你的风采。治理帝国最重要的事，是擢升贤能、淘汰堕落分子，奖赏善良、惩罚罪恶，凡事都要大公无私，你当努力实践，悲伤哭泣干什么！"命开府仪同三司（文散官一级，从一品）高士廉摄理太子太傅（摄太子太傅，太子三师之二），和最高监督长（侍中）刘洎、暂任最高立法长（守中书令）马周、太子宫副总管（少詹事）张行成、太子宫事务署长（右庶子）高季辅，一同负责机要，辅佐太子李治。司徒（三公之二）长孙无忌、最高立法长（中书令）岑文本，跟国务院文官部长（吏部尚书）杨师道，随李世民御驾出征。

三月二十四日，李世民从定州（河北省定州市）出发，身上佩挂弓箭，亲手把雨衣绑在马鞍之后。命长孙无忌摄理最高监督长（摄侍中），杨师道摄理最高立法长（摄中书令）。

辽东兵团总司令官（辽东道行军大总管）李世勣（徐世勣），率军从柳城（营州州政府所在地，辽宁省朝阳市）出发，虚张声势，声称要穿过怀远镇（辽宁省沈阳市辽中区），却秘密向正北挺进，直指甬道（隋王朝远征军在辽河上搭浮桥，称"甬道"，参考六一二年三月），完全出高句骊军意料之外。

夏季，四月一日，李世勣（徐世勣）从通定镇（辽宁省新民市东）渡过辽河，挺进到玄菟（辽宁省沈阳市）。高句骊王国（首都平壤〔朝鲜半岛平壤市〕）大为震骇，境内所有城池全部关门固守。

四月五日，中国远征军辽东兵团副总司令官（辽东道副大总管）江夏王李道宗，率士卒数千人，抵达新城（辽宁省抚顺市北），平民征兵府司令（折冲都尉）曹三良率十余位骑兵，直抵城门之下，城中高句骊守军惊恐骚动，没有人敢出来应战。营州军区（总部设辽宁省朝阳市）总司令（营州都督）张俭，率蛮夷部落军当前锋，渡过辽河前进，直向建安城（辽宁省盖州市）进发，击破高句骊军，杀数千人。

5 太子李治邀高士廉同坐处理公事，又下令在御座旁为高士廉设置桌案，高士廉坚决辞让。

6 四月十日，李世民从幽州（北京市）出发。

李世民把军中物资、粮秣、武器，以及文书工作等，全都交给岑文本。岑文本夜以继日全心投入，亲自主持细节，手中不离算盘笔墨，体力耗尽，以至说话举止，都跟平常大不一样。李世民看到，十分忧愁，对左右官员说："文本跟我一起出来，恐怕不能跟我一起回去。"当天（四月十日），岑文本突然得病，立即逝世（年五十一岁）。晚上，李世民听到军中击鼓声音，说："文本死亡，不忍再听，教他们停止。"当时，太子宫事务署长（右庶子）许敬宗，留在定州（河北省定州市），跟高士廉等一同负责机要；岑文本逝世后，李世民召唤许敬宗，命他保留本职，摄理立法院副立法长（检校中书侍郎）。

四月十五日，李世勣（徐世勣）、江夏王李道宗，联军进攻高句骊王国盖牟城（辽宁省抚顺市）。

四月二十日，李世民抵达北平（即平州，河北省卢龙县）。

四月二十六日，李世勣（徐世勣）等攻陷盖牟城（辽宁省抚顺市），俘虏二万余人、粮食十余万石。

中国远征军平壤兵团总司令官（平壤道行军大总管）张亮，率舰队从东莱（即莱州，山东省莱州市）开航北上，横渡渤海海峡，袭击卑沙城（辽宁省大连市），卑沙城四面悬崖绝壁，只有西门可以攀登。右骁卫

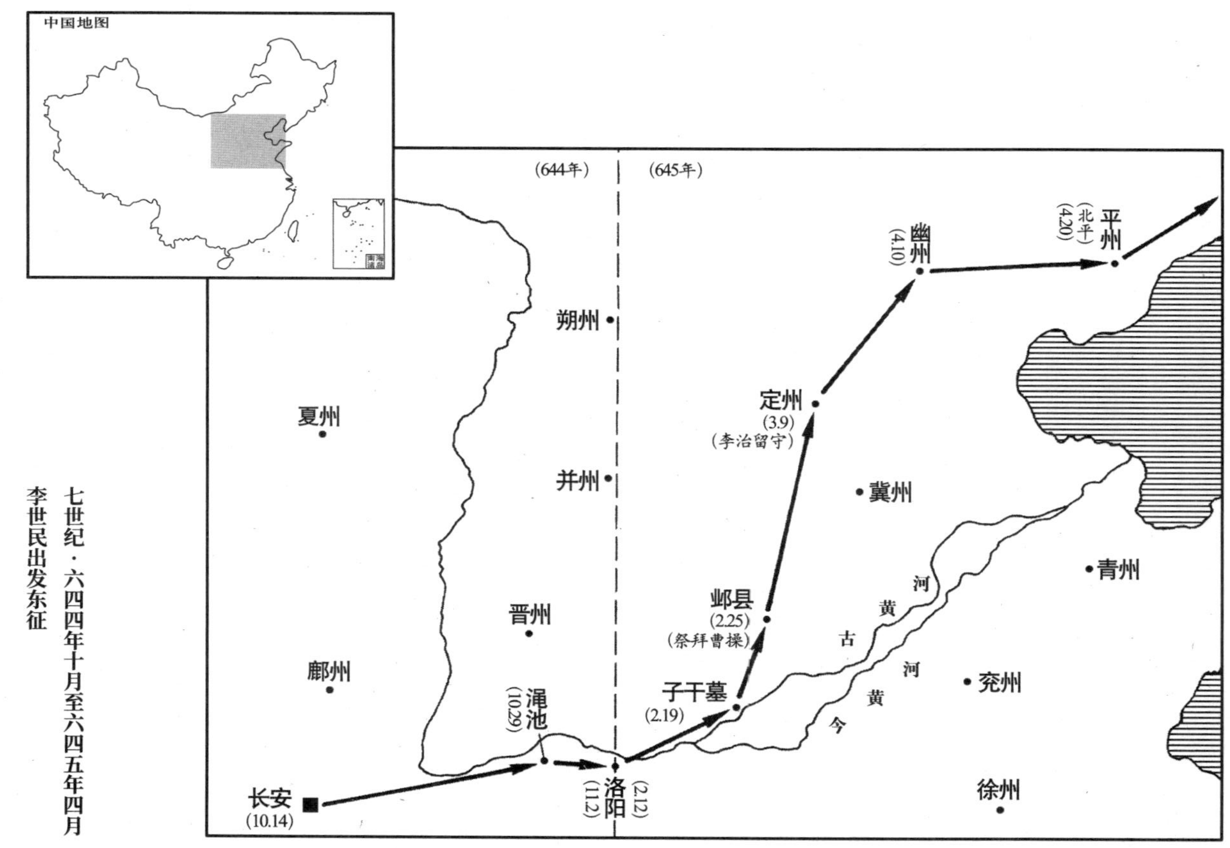

七世纪·六四四年十月至六四五年四月
李世民出发东征

（卫军第六军）将军程名振，率军于夜晚抵达，副总司令（副总管）王文度首先爬城。

五月二日，攻陷沙卑城，俘虏男女八千人。张亮派总司令（总管）丘孝忠等，进抵鸭绿江口，炫耀军威。

李世勣（徐世勣）南下抵达辽东（辽宁省辽阳市）城下。

五月三日，李世民抵达辽泽（辽宁省辽阳市西），进入广达二百余华里的泥沼地带，人马无法通过。建筑部长（将作大匠）阎立德运来干土，铺出一条道路，大军丝毫没有受到阻留。

五月五日，李世民穿过泥沼地带，抵达东岸。

五月八日，高句骊步骑混合兵团四万人，援救辽东（辽宁省辽阳市），江夏王李道宗率骑兵四千人截击；军中都认为兵力悬殊太大，不如挖深壕沟，增高营垒，等候皇上驾到。李道宗说："盗贼（高句骊军）仗恃他们人多，对我们有点轻视，而且远道而来，身心都疲倦不堪；如果迎击，他们一定失败。我们担任前锋，应当扫清道路，等候皇上驾到，怎么能把盗贼（高句骊军）留给君王！"李世勣（徐世勣）同意，平民征兵府副司令（果毅都尉）马文举说："不遇到强大敌人，怎么能显示壮士的勇敢！"鞭打战马，直冲高句骊军营阵，所到之处，敌人纷纷栽倒，远征军人心稍微安定。霎时间，两国大军开始会战，兵团总司令（行军总管）张君乂后退，远征军形势不利。李道宗集合残兵败将，登上高处眺望，发现高句骊营阵大乱，李道宗急率精锐骑兵数十人，奋勇杀入，左冲右突；李世勣（徐世勣）率军支援，高句骊兵团溃败，阵亡一千余人。

五月十日，李世民渡过辽河，撤除桥梁，表示不胜不归，用以激励士气，在马首山（辽宁省辽阳市西）扎营，慰劳赏赐江夏王李道宗，越级擢升马文举当贵族征兵府司令（中郎将），斩张君乂。李世民亲自率骑兵数百人，抵达辽东（辽宁省辽阳市）城下，看到士卒背负泥土，填塞沟壕（护城河），李世民命一位背负最多的士卒，分一部分给自己，载在马上，随从官员于是抢着背负泥土，运到城下。李世勣（徐世勣）下令猛烈攻击，日夜不停，历时十二天，李世民亲自率精锐部队增援，把辽东城（辽宁省辽阳市）包围数百华里，战鼓、呐喊，声震天地。

五月十七日，南风大起，李世民派勇士爬上冲竿顶端，纵火焚烧西南城楼，大火蔓延到内城，远征军将士遂攀登城墙，高句骊军竭力抵抗，但不能阻挡，遂告陷落。高句骊军一万余人被杀，全副武装士卒一万余人及平民四万人被俘。中原政府在辽东城（辽宁省辽阳市）设置辽州。

五月二十八日，远征军进抵白岩城（辽宁省灯塔市西）。

五月二十九日，右卫（卫军第二军）大将军李思摩（阿史那思摩）中箭，李世民亲自为他吸出瘀血；将士们听到这个消息，没有人不感动。高句骊乌骨城（辽宁省凤城市）派军一万余人，北上救援白岩城（辽宁省灯塔市西）；右骁卫（卫军第六军）大将军契苾何力率骁勇骑兵八百名迎击，契苾何力冲锋陷阵，腰部被长矛刺中，宫廷总管府车轿管理官（尚辇奉御，从五品上）薛万备，匹马单枪，杀入敌阵抢救，在千军万马中把契苾何力救出。契苾何力火冒三丈，把伤口裹住，翻身上马再战，随从的骑兵奋勇进攻，遂击破高句骊援军，中国远征军追逐数十华里，杀一千余人。正巧天黑，两国各自收兵。薛万备，是薛万彻的老弟（薛万彻，参考六一八年十二月十三日）。

六月一日，李世勣（徐世勣）进击白岩城（辽宁省灯塔市西）西南城，李世民亲到西北观战。白岩城城防司令（城主）孙代音，秘密派出心腹使节，请求投降，中国远征军抵达城下时，孙代音把刀斧投下来，作为信誓，并且说：“我愿意投降，但城里有人不肯。”李世民把远征军旗帜交给使节，说：“一定投降的话，把它插到城墙上。”孙代音照办，城中守军认为中国军队已经登城，遂全体追随城防司令投降。

李世民攻陷辽东城（辽宁省辽阳市）时，白岩城（辽宁省灯塔市西）首先请求投降，可是不久就又后悔。李世民对这种反复无常的行动，大为忿怒，下令说：“攻破城池，男女老幼、生命财产，全部赏赐给战士！”可是后来，李世民仍是接受他们投降，李世勣（徐世勣）率数十位将领请求说：“士卒所以争先恐后，冒着乱箭飞石，不顾死活，冲锋陷阵，为的是抢夺男女和金银珍宝，而今，城池眼看就要攻克，为什么还要接受他们投降，使战士们失望！”李世民下马道歉说：“将军的话很对，然而，放纵士卒杀人，掳掠他们的妻子儿女，我于心不忍。将军部下有功的，我用国库里的东西赏赐，希望因将军的宽恕，饶过一城生灵。”李世勣（徐世勣）才告退。白岩城男女一万余人，李世民在河旁设立篷帐，接受投降，供应饮食，八十岁以上的老人，更分别等差，赏赐绸缎。其他各地派到白岩城（辽宁省灯塔市西）协防的高句骊军队，李世民都一一安慰，向他们解释中国远征军的任务，发给他们粮食、工具，随他们的意散去。

最初，辽东（辽宁省辽阳市）地方政府秘书长（长史），被部下谋杀；他的侍从官（省事）保护秘书长的妻子儿女，逃奔白岩（辽宁省灯塔市西）。等白岩城投降，李世民怜悯秘书长的遭遇，敬重侍从官（省事）的道义，赏赐给他绸缎五匹，并给秘书长制造柩车，送回平壤（高句骊首都，朝鲜半岛平壤市）。在白岩城设置岩州，命孙代音当州长。

契苾何力伤势严重，李世民亲自给他敷药，在俘虏中找出刺伤契苾何力的高句骊战士高突勃，交付给契苾何力，让他亲自动手报复。契苾何力说："他为他的国家，冒犯刀锋作战，把我刺中，乃是忠勇之士，我们互不相识，并不是出于私人怨恨。"遂将高突勃释放。（像契苾何力，才是英雄！）

最初，高句骊王国中央执政官（莫离支）渊盖苏文，派加尸城（朝鲜半岛平壤市西南）民兵士卒七百人，驻防盖牟城（辽宁省抚顺市），李世勣（徐世勣）把他们全部俘虏，他们请求参加中国远征军，李世民说："你们家人都在加尸城（平壤市西南），如果为中国政府效力，盖苏文（渊盖苏文）一定屠杀你们的妻子儿女，得到一个人的服役，而毁灭一家人的性命，我不忍心。"

六月二日，李世民送给他们粮食，全体遣送回国。

六月三日，李世民在盖牟城（辽宁省抚顺市）设盖州。

六月十一日，李世民从辽东城（辽宁省辽阳市）南下。

六月二十日，李世民抵达安市城（辽宁省海城市），挥军攻城。

六月二十一日，高句骊王国北部总督（耨萨）高延寿、高惠真，率领高句骊军及靺鞨部落军（黑龙江下游）十五万人，向安市城（海城市）增援。李世民对侍从官员说："高延寿有三项选择：一是率军一直前进，和安市城（海城市）联结营垒，据守高山险要，依靠城里的粮食供应，放出靺鞨部落军掠夺我们的牛马。我们进攻不能立即攻克，撤退又受泥沼地带阻隔，势将坐在这里受困，这是上策。其次是救出城中军民，一起撤退，这是中策。如果不衡量自己的智慧能力，打算跟我们在战场上见一高下，将是下策。你们可以观察，他们一定使用下策，我已看见他们被生擒活捉。"

高句骊军的一位行政官（对卢），年纪很老，经验丰富，警告高延寿说：“李世民对内像割草一样，割除群雄，对外使四方蛮夷信服，自己封自己当皇帝，是一位盖世英才，而今又倾全国之力而来，我们无法抵御。依我的建议，最好是固守阵地，避免会战，等拖延一段时间，分别派出奇袭部队，切断他们的运输线，粮食一旦吃光，想作战没有人跟他作战，想退走又没有道路，我们才可以获胜。”高延寿不接受，率军前进，距安市城（辽宁省海城市）四十华里。李世民仍恐怕他逡巡逗留，命左卫（卫军第一军）大将军阿史那社尔，率突厥骑兵一千名，前往诱敌，两军刚刚接触，突厥骑兵即向后逃走。高句骊军互相说：“太容易对付了！”争先恐后乘胜追击，直抵安市城（海城市）东南八华里，紧靠山麓，筑营结阵。

李世民举行扩大军事会议，讨论对策，司徒（三公之二）长孙无忌回答说：“我听说，面对敌人，会战将要开始时，一定要观看士卒的情绪。我刚才经过各营，看见士卒们听说高句骊军抵达，都拔出佩刀，修理旗帜，满脸兴奋喜悦，这是一定可以打胜仗的战士。陛下少年时就投入战场，凡是出奇制胜的谋略，都作英明指示，各将领遵照命令行事而已。今天的情形相同，请陛下吩咐！”李世民笑说：“各位既然如此谦虚，先让我发言，我就跟各位一同研究。”乃跟长孙无忌等，率骑兵数百人，登上高岗眺望，观察山川形势，评估可以设置伏兵及可以发动攻击的通道。高句骊军及靺鞨部落军，联合建立阵地，长达四十华里。江夏王李道宗建议说：“高句骊出动全国兵力抵抗王师，首都平壤（朝鲜半岛平壤市）的防守，一定薄弱，请交给我精锐部队五千人，先行摧毁他们的根据地，则即令是数十万部众，也可以不战而降。”李世民没有反应；派使节告诉高延寿说：“我因为你们国家乱臣贼子谋杀君王，所以兴师问罪。至于两国交战，不是我的本意。大军进入你们国境之后，粮秣来不及供应，不得不夺取几个城池，等你们国家恢复臣属的礼貌，这些城池都会交还。”高延寿相信，不再戒备。

李世民于夜晚召集各军事将领，询问他们的意见，命辽东兵团总司令官（辽东道行军大总管）李世勣（徐世勣）率步骑兵一万五千人，在西岭构筑阵地；长孙无忌率精锐部队一万一千人，负责机动任务，从山北狭谷出击，猛冲高句骊军的后卫；李世民亲率步骑兵四千人，暗中携带战鼓号角，藏起旗帜，登上北山；下令各路兵马听到战鼓号角声响，一起出动攻击，命有关官员在行宫宝殿的旁边，设置受降篷帐。

六月二十二日，高延寿等发现李世勣（徐世勣）构筑阵地，下令紧急备战，打算攻击。李世民看见长孙无忌军扬起灰尘，立即下令擂动战鼓，吹起号角，竖起所有旗帜，各路兵马在震天鼓角声中，嘶叫呐喊，同时并进，高延寿等大为恐惧，打算分兵抵抗，可是营阵已乱，正巧天际响起隆隆巨雷，闪电耀眼，中国远征军战士、龙门（山西省河津市）人薛仁贵，身穿奇形怪状衣服，大声呼号，攻陷敌人营阵，所到之处，没有人能够抵挡，高句骊军纷纷败退，远征军主力乘势投入，高句骊军霎时崩溃，阵亡二万余人。李世民望到薛仁贵表现，即行召见，命他当游击将军（武散官十五级，从五品下）。薛仁贵，是薛安都的六世孙（薛安都，参考四四六年正月），名薛礼，但以别号薛仁贵行世。

高延寿等率残余部众，靠山扎营，加强防守。李世民命各路兵马展开包围，长孙无忌更破坏所有桥梁，断绝高句骊军退路。

六月二十三日，高延寿、高惠真，率部众三万六千八百人，请求投降；高延寿、高惠真等进入军营大门，双膝跪地，爬到御座之前，匍匐叩头，请求宽恕。李世民说："你们这些东方蛮夷少年，在海边横行霸道，倒也威风凛凛，至于摧毁坚强防御工程，战场上一决胜负，当然不如老人！自今以后，还敢不敢跟天子较量！"大家匍匐地面，不能回答。李世民遴选总督（耨萨）以下酋长三千五百人，分别加授给他们中国武职散官，押送中国国内，其他官兵，全部释放，命他们返回平壤（朝鲜半岛平壤市），众人一齐举起双手跪下，用前额叩地，欢呼声音，传到数十华里以外。但对生擒的靺鞨部落军三千三百人，则全部坑杀。中国远征军俘获马五万匹、牛五万头、铠甲一万件，其他战利品跟此相等。高句骊全国震惊，后黄城、银城（二城均在今辽宁省岫岩县北）守军，纷纷弃城逃走，数百华里之间，没有人烟。

李世民用驿马车报捷给太子李治，并写信给高士廉等，说："我当将领，表现如此，怎么样？"把他驻扎的那座山（六山，辽宁省辽阳市西），改名驻跸山。

秋季，七月五日，李世民把御营迁到安市城（辽宁省海城市）东岭。

七月十三日，李世民下诏命在阵亡将士尸体上，做出标志，准备班师时携带同归。

七月二十二日，李世民任命高延寿当藩属事务部长（鸿胪卿），高惠真当农林部长（司农卿）。

平壤兵团总司令官（平壤道行军大总管）张亮，率军经过建安（辽宁省盖州市）城下时，所筑营垒还没有坚固，士卒又很多出去喂马、砍柴，而高句骊军忽然涌到，远征军惊恐骚动，张亮一向胆小如鼠，吓得魂飞天外，呆坐在小凳上，两眼发直，一句话也说不出，将士们看到，误认为他真勇敢。副总司令官（副大总管）张金树等，擂起战鼓，下令紧急戒备，出动迎击，把高句骊军击破。

八月八日，远征军斥候捕获高句骊中央执政官（莫离支）的情报员高竹离，双手绑在背后，押送御营大门。李世民召见，松开他的捆绑，问道："你为什么这样瘦？"高竹离说："在小路上摸索前进，几天没有吃饭。"李世民命赏赐给他饮食，对他说："你既然是情报员，应该迅速回去报告。代我告诉中央执政官（莫离支渊盖苏文），如果想知道军事消息，可以派使节直接到我这里，何必走小路那么辛苦！"高竹离赤着双脚，李世民命发给他草鞋，放他回国。

八月十日，李世民把御营迁到安市城（辽宁省海城市）城南。李世民在高句骊境内，每次扎营，只注意派出大量斥候，而从不兴筑堡垒，挖掘沟壕，即令逼近城池，高句骊军也始终不敢出城反击，士卒来来往往，或在荒野住宿，都是单人匹马，好像在中国境内一样。

7 李世民大规模动员，准备进攻高句骊王国时，乙失延陀汗国（蒙古国西南部）的使节正巧前来进贡，李世民对他说："回去告诉你们可汗，如今，我父子东征高句骊，他如果觉得有能力乘虚而入的话，欢迎他来！"真珠可汗（二任大可汗）乙失夷男惊惶恐惧，再派使节到唐帝国道歉，表示友好，声称愿派军参战，李世民不允许。后来，驻跸山（六山）之役，高句骊军溃散，高句骊中央执政官（莫离支）渊盖苏文（渊盖，复姓）透过靺鞨部落（黑龙江下游），游说乙失夷男南下攻击唐帝国心脏，承诺付给丰富的利益，乙失夷男震于唐王朝声势，不敢发动。

九月七日，乙失夷男逝世，李世民为他举行哀悼大典。

最初，乙失夷男请求唐帝国同意，封他的庶长子乙失曳莽，当突利失可汗（小可汗），驻防汗国东部，统御各种族部落；封他的嫡子乙失拔灼，当肆叶护可汗（小可汗），驻防汗国西部，统御皇家所属的乙失延陀部落；李世民下诏批准，并分别用隆重的仪式册封。乙失曳莽性情暴躁，烦扰不宁，动不动就出动军队，跟乙失拔灼感情不睦。老爹乙失夷男逝世，二人都到王庭（设蒙古国哈拉和林市）奔丧，安葬完毕后，乙失曳莽恐怕老弟乙失拔灼谋害自己，先回东部防区，乙失拔灼追赶袭击，把他诛杀，乙失拔灼遂自称颉利俱利薛沙多弥可汗（三任大可汗）。

8 李世民攻克白岩城（辽宁省灯塔市西）时，对李世勣（徐世勣）说："我听说安市（辽宁省海城市）城池险要，守军精锐，城防司令（城主）智勇双全，盖苏文（渊盖苏文）发动政变时（参考六四二年十一月），这位城防司令拒不承认，盖苏文（渊盖苏文）发动攻击，不能攻克，只好仍由他驻防安市（海城市）。建安（辽宁省盖州市）守军人少势弱，如果出其不意发动袭击，一定可以攻克。你可先攻建安（盖州市），建安攻下，安市（海城市）就被吞在肚子里，这正是《孙子兵法》所说的：'对于城池，有些不必攻击。'"李世勣（徐世勣）回答说："建安（盖州市）在南，安市（海城市）在北，我们的军粮更在东北的辽东（辽宁省辽阳市）。而今越过安市（海城市）进攻建安（盖州市），如果安市（海城市）守军出击，切断我们的运输线，将怎么办？不如先攻安市（海城市），安市攻取后，在战鼓声中南下，就可夺取建安（盖州市）！"李世民说："我任命你当大将，怎么能不尊重你的战略，只要不耽误我的事就行。"李世勣（徐世勣）遂攻安市（海城市）。

安市（海城市）守军望到唐帝国皇帝御用的旗帜，就在城墙上跳起来高声呼喊诟骂，李世民大怒，李世勣（徐世勣）请在攻克城池之后，城中军民男女，全部坑杀。安市（海城市）人听到这个消息，防守更是严密，远征军进攻很久，无法攻克。高延寿、高惠真向李世民建议说："我们既然把性命托付给中国，不敢不献出诚心，盼望天子早日成功，我们也可以跟妻子儿女团聚。安市（海城市）人为了保护他们的家人，每个人誓死奋战，不容易马上攻克。而今，我率高句骊军十余万人，望到远征军旗帜，就沮丧溃败，国人已经心碎胆破。乌骨城（辽宁省凤城市）守军总督（耨萨），年老智昏，决不能坚守到底，如果大军转移阵地，进逼乌骨城（凤城市），早上抵达，晚上就可夺取。剩下来沿途一些小城小镇，一定望风瓦解。然后，接受各城留下来的物资粮秣，擂动战鼓前进，平壤（朝鲜半岛平壤市）决不能守。"文武官员也说："张亮大军在卑沙城（辽宁省大连市），下令调动，两天就可来到（此时各人未知张亮大军已前进至建安〔辽宁省盖州市〕）。趁着高句骊全国震恐之际，倾全力夺取乌骨城（辽宁省凤城市），渡鸭绿江，直扑平壤（朝鲜半岛平壤市），就会在这次行动中成功。"李世民打算接受，只长孙无忌反对，说："天子御驾亲征，跟一个普通将领不同，不可以冒险侥幸。而今，建安（盖州市）、新城（抚顺市北）的蛮虏，仍有十万人之多，如果攻击乌骨（凤城市），两城守军势将抄我们后路。不如先击破安市（海城市），攻取建安（盖州市），然后长驱而入，才是万无一失的谋略。"李世民因此停止。（胡三省注："李世民平定天下，都靠出奇制胜，只辽东战役，打算用万无一失的手段去制服敌人，所以不能成功。"）

远征各军猛烈攻击安市（海城市），李世民听到城里有鸡和猪的叫声，对李世勣（徐世勣）说："围城已久，城里的烟火渐少，而今鸡猪的叫声震耳，定是犒劳战士，准备夜晚出击，应该严密戒备。"

当天夜晚，高句骊守军数百人，从城上缒下，李世民接到报告，亲自抵达城下，集结部队急行攻击，杀数十人，残余的高句骊军退回城中。

江夏王李道宗督促士卒在安市（海城市）东南角，兴筑土山，进逼城池，安市（海城市）守军也增加城墙高度拒抗。远征军士卒轮流出阵，每天有六七次会战，冲锋战车发射出的石炮，击碎城楼，城中守军立即筑起木栅，塞住缺口。李道宗脚部扭伤，李世民亲自为他针灸。远征军土山不断扩张及增高，六十天之久，日夜不停，共用五十万工，土山顶距安市（海城市）城墙数丈，向下眺望城中，一览无遗，李道宗命平民征兵府副司令（果毅）傅伏爱率军驻扎山顶，防备敌人突袭。忽然间，土山崩塌，压到城墙上，城墙跟着崩塌；就在这千钧一发的紧要关头，傅伏爱私自离开部队，高句骊守军数百人，从崩塌缺口杀出，夺取土山，挖掘沟壕，反过来抵抗远征军。李世民大怒，斩傅伏爱示众，下令各将领攻击土山，三天不能攻取。李道宗双脚赤裸，前往御营军旗下，请求处罚。李世民说："你的罪状应该诛杀，但我认为刘彻（西汉王朝七任帝）斩王恢（参考前一三三年），不如嬴任好（秦国九任国君穆公）任用孟明（参考二二一年八月注）；而且你有攻破盖牟（辽宁省抚顺市）、辽东（辽宁省辽阳市）的功劳，所以对你特别赦免。"

李世民发现辽左（辽宁省）严寒气候来临较早，草木枯干，河水结冰，士卒马匹都难久留，而且粮食又快吃完。

九月十八日，李世民下令班师。事先裹挟辽州（辽东城，辽宁省辽阳市）、盖州（盖牟城，辽宁省抚顺市）所有居民，渡过辽河，移居中国。遂在安市（海城市）城下，举行阅兵大典，展示威力，然后撤退。城中守军不敢出战，城防司令（城主）登上城墙叩拜送别。李世民对他抵抗

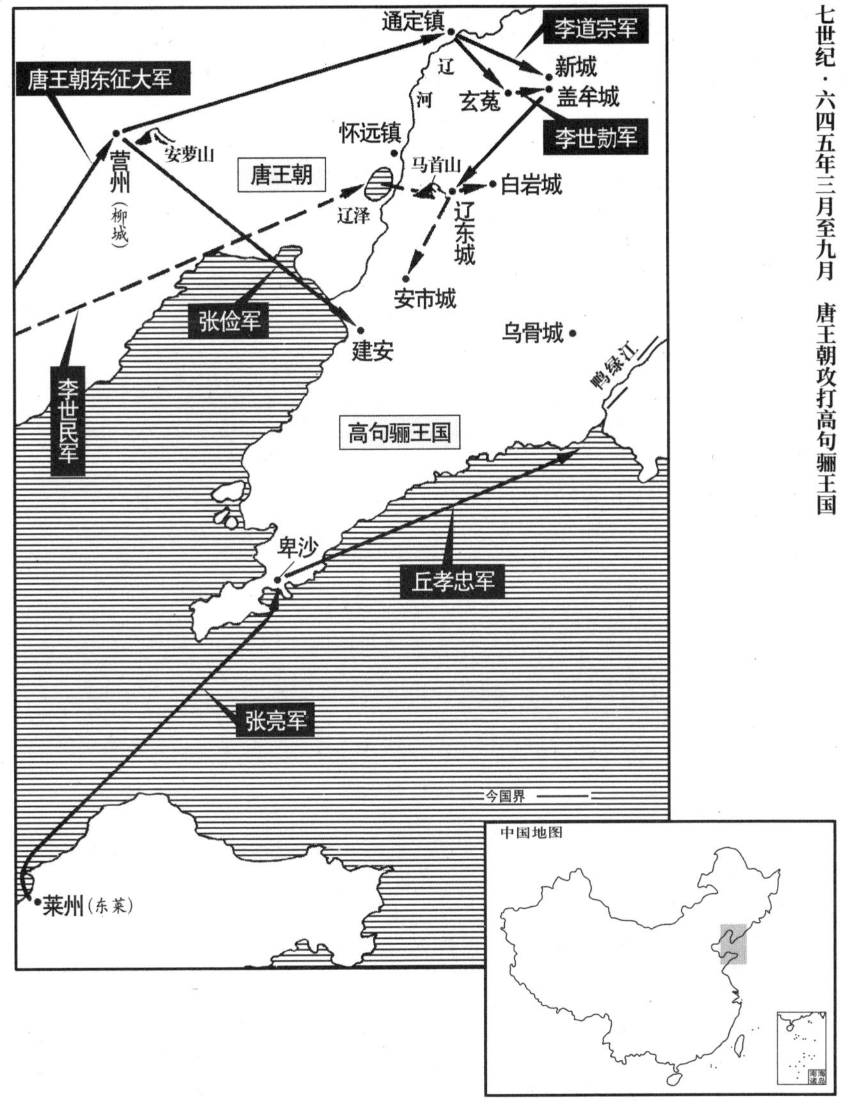

七世纪·六四五年三月至九月　唐王朝攻打高句骊王国

到底，不肯屈服的精神，十分嘉许，特别赏赐他绸缎一百匹，作为对忠心事奉君王的一种勉励。命李世勣（徐世勣）、江夏王李道宗率步骑兵四万人，担任后卫。

柏杨曰

安市城（辽宁省海城市）防守司令（城主）坚毅不拔，史书记载，历历如绘，高句骊王国的野战军主力在驻跸山（六山）之役，已全部瓦解，安市城一旦陷落，高句骊势难不亡。城防司令孤城孤军，奋勇守卫，山崩墙倒之际，正是中国远征军攻城之时，守军却抢先出击，占领土山，反客为主，反败为胜，可看出他的反应，迅如闪电，英勇无匹。

可是无论韩国或中国，对这位伟大的将领，却没有留下姓名。中国史籍上不载，勉强可以理解，韩国史籍上不载，便使人惊疑。难道是，他被高句骊激烈的内斗所吞食！他最先反抗渊盖苏文，在击退中国远征军，立下天地震动的大功之后，渊盖苏文可能用盛大欢迎仪式，把他欢迎到首都平壤，升官晋爵，给他殊荣，稍后再诬以谋反，并从各种记载上抹去他的姓名。从二十世纪中叶，发生在俄国和中国层出不穷的内斗事迹，作此推测，不算离谱。

但我们却在韩国民间记载中，找到这位英雄的名字——他叫杨万春，我们向这位伟大的英雄致敬。

九月二十日，李世民抵达辽东（辽宁省辽阳市）。

九月二十一日，渡过辽河，进入辽泽泥沼地（辽阳市西），车马陷住，不能通过。李世民命长孙无忌率一万人，剪除野草，用干土填道，遇到积水深的地方，就把车辆当作沉箱，在车上架桥，李世民亲自把木柴捆到鞍头，参与铺路工作。

冬季，十月一日，李世民抵达蒲沟（辽泽泥沼地），督促各路兵马渡过渤错水（流经辽泽泥沼地），而气候突变，狂风大雪，温度下降，士卒衣服沾湿，很多人冻死（辽宁省中部冬季室外气温达零下十五度）。李世民下令沿途燃起火把，等待落在大军之后的老弱残兵。

这一次远征高句骊王国，计攻陷玄菟（辽宁省沈阳市）、横山（辽宁省辽阳市东南华表山）、盖牟（辽宁省抚顺市）、磨米（今地不详）、辽东（辽宁省辽阳市）、白岩（辽宁省灯塔市西）、卑沙（辽宁省大连市）、麦谷（今地不详）、银山（今地不详）、后黄（地望在辽宁省岫岩县北）等十城；而辽州（辽东，辽宁省辽阳市）、盖州（盖牟，辽宁省抚顺市）、岩州（白岩，辽宁省灯塔市西）居民迁居中原的有七万人。新城（辽宁省抚顺市北）、建安（辽宁省盖州市）、驻跸山（六山，辽宁省辽阳市西）三大战役，杀高句骊军四万余人，远征军阵亡将士将近二千人，战马死亡达十分之七八。李世民对这次战争竟终于失败，深感懊悔，叹息说："魏徵如果仍在，他不会让我有这次行动。"派使节乘驿马车到魏徵墓前，用少牢（羊猪各一）祭奠，把过去他下令摧毁的石碑（参考前年〔六四三〕七月），重新制作竖立。征召魏徵的妻子儿女到行宫，予以慰问赏赐。

十月十一日，李世民抵达营州（辽宁省朝阳市），下诏收集远征军阵亡将士的骨骸，安葬柳城（营州州政府所在县）东南，命主管单位用太牢（猪羊牛各一）祭奠，亲自撰写祭文哀悼，在典礼上哭泣宣读，十分哀痛。阵亡将士家属听到消息，都说："我儿虽死，天子哭他，还有什么遗恨！"李世民对游击将军（武散官十五级，从五品下）薛仁贵说："我当年手下的将领，都已进入老境，总是想选拔勇士接替，没有人能比得上你。我不喜欢得到辽东（辽宁省辽阳市），喜欢得到你！"

十月二十一日，李世民听说太子李治亲来迎接，就要抵达，于是率领飞骑（禁军，羽林军前身）三千人，飞奔进入临渝关（河北省秦皇岛市抚宁区东榆关镇），在中途和李治相遇。李世民从定州（河北省定州市）出发时，指着所穿深灰色长袍对李治说："等到再看见你，才把它换下。"在辽左（辽宁省）时，即令是盛暑酷夏，满身流汗，也不更换。入秋之后，长袍既破又脏，左右侍从请求换衣服，李世民说："将士们 身破烂，我独自穿上新的，是不是可以？"直到父子见面，李治送上新衣，李世民才更换。

远征军各军所俘虏的高句骊男女一万四千人，先集中幽州（北京市），准备分别赏赐给将士当奴仆婢女，李世民怜悯他们父子夫妻势将离散，指示有关官员依照他们的年龄、体力、面貌，评估价格，由国库出钱或布，把他们购买，然后释放，充当平民。高句骊俘虏欢呼感谢之声，三天不停。

十一月七日，李世民抵达幽州（北京市），高句骊人前往城东迎接，在地上叩头舞蹈，呼号拜谢，尘土飞扬天际，远近都可望见。

十一月十六日，李世民经过易州（河北省易县），州政府军务秘书长（司马）陈元琦命居民利用地窖，燃起温火，种植新鲜蔬菜呈献（北方天寒，冬季只能吃盐腌蔬菜）。李世民厌恶他的谄媚，把陈元琦免职。

十一月二十二日，李世民抵达定州（河北省定州市）。

9 十一月二十三日，国务院文官部长（吏部尚书）杨师道被控所任用的官员，才干都不能胜任，贬降为国务院工程部长（工部尚书）。

10 十一月二十八日，李世民从定州（河北省定州市）出发。

十二月七日，李世民生疮化脓（史书没有记载是什么疮），不能骑马，乘坐皇家软轿前进。

十二月十四日，李世民抵达并州（山西省太原市），太子李治亲自用嘴给老爹吸脓，扶住车辆步行，一连护送好几日。

十二月十七日，李世民痊愈，文武百官一齐祝贺。

11 李世民东征高句骊王国时（首都平壤），派右领军（卫军第八军）大将军执失思力（执失，复姓），率突厥部落军（东突厥降户）驻防夏州（陕西省靖边县北白城则村）之北，防备乙失延陀汗国（蒙古国西南部）。乙失延陀多弥可汗（三任大可汗）乙失拔灼继承宝座后，认为唐帝国皇帝率军远征，还没有回来，遂南下侵入河南（黄河河套地区）。李世民派左武候军（卫军第十一军）贵族征兵府司令（中郎将）长安（首都长安西半城）人田仁会，会同执失思力，联合迎击。执失思力故意派出老弱残兵，一经接触，即行败退，引诱乙失延陀军追击，深入国境，而在夏州（陕西省靖边县北白城则村）境内严阵以待，乙失延陀军遂大败，向北逃走，唐帝国军队奔逐追赶六百余华里，在沙漠北方展示军威，班师。但乙失拔灼不久又出军攻击夏州（陕西省靖边县北白城则村）。

十二月二十五日，李世民训令国务院教育部长（礼部尚书）江夏王李道宗，征召朔州（山西省朔州市）、并州（山西省太原市）、汾州（山西省汾阳市）、箕州（山西省左权县）、岚州（山西省岚县）、代州（山西省代县）、忻州（山西省忻州市）、蔚州（山西省灵丘县）、云州（山西省大同市）等九州民兵，增援朔州（山西省朔州市）；命右卫（卫军第二军）大将军、代州军区（总部设山西省代县）总司令（代州都督）薛万彻及左骁卫（卫军第五军）大将军阿史那社尔，动员胜州（内蒙古托克托县）、夏州（陕西省靖边县北白城则村）、银州（陕西省榆林市东南鱼河镇）、绥州（陕西省绥德县）、丹州（陕西省宜川县）、延州

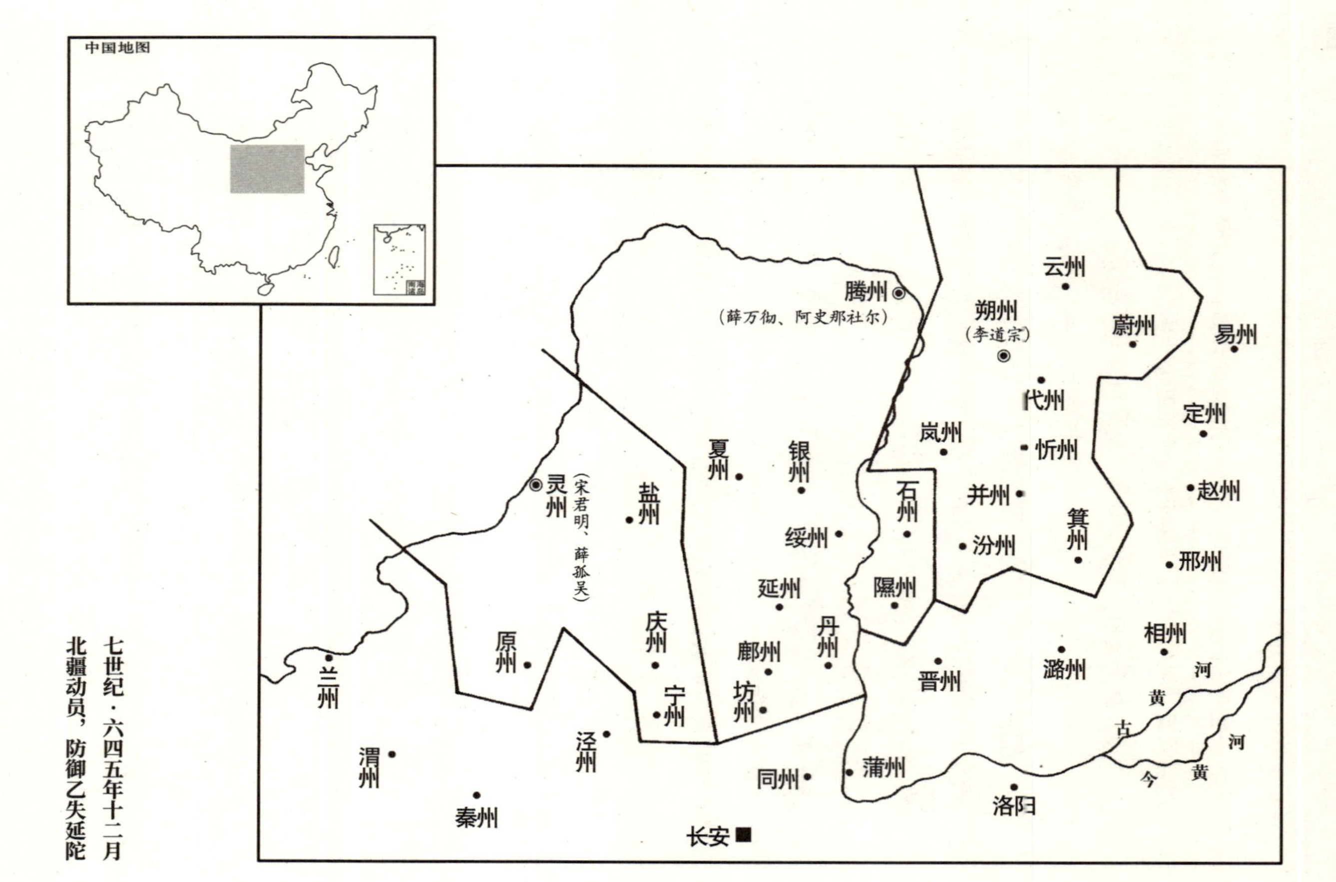

七世纪·六四五年十二月
北疆动员，防御乙失延陀

(陕西省延安市)、鄜州(陕西省富县)、坊州(陕西省黄陵县)、石州(山西省吕梁市离石区)、隰州(山西省隰县)等十州民兵，增援胜州(内蒙古托克托县)；胜州军区(总部设内蒙古托克托县)总司令(胜州都督)宋君明、左武候(卫军第十一军)将军薛孤吴，动员灵州(宁夏灵武市)、原州(宁夏固原市)、宁州(甘肃省宁县)、盐州(陕西省定边县)、庆州(甘肃省庆阳市)五州民兵，增援灵州(宁夏灵武市)。又命执失思力征调灵州(宁夏灵武市)、胜州(内蒙古托克托县)二州境内突厥部落军，跟驻防朔州(山西省朔州市)的李道宗互相呼应。

乙失延陀军抵达长城，发觉中原已严密戒备，不敢逼近。

12 最初，李世民把最高监督长(侍中)刘洎(音j〔计〕)，留在定州(河北省定州市)辅佐太子李治，仍兼太子宫政务署长(兼左庶子)、摄理国务院财政部长(检校民部尚书)，主管文官部(吏部)、教育部(礼部)、财政部(户部〔民部〕)三部业务。李世民将出发时，对刘洎说：“我今天出门远征，你辅佐太子(李治)，国家安危，寄托在你身上，我想你会深刻了解我的心意。”刘洎回答说：“请陛下不要忧虑，高级干部中如果有人犯罪，我会立即诛杀。”李世民对他这种口出狂言的行为，深感奇怪，警告他说：“你粗心大意而又性格刚强，一定在这上面闯出大祸，你要小心。”

后来，李世民患病，刘洎从行宫出来，满面悲凄恐惧，对同僚们说：“皇上病情沉重，使人忧虑！”于是有人向李世民打小报告说：“刘洎说，国家大事没有什么可忧虑的。只需辅佐幼主，依照伊尹、霍光前例，高级干部中有三心二意的，就把他处死，局势自然稳定。”李世民深信不疑。

十二月二十六日，李世民下诏宣称：“刘洎跟别人暗中谈论、窥探我的病情，企图利用万一的机会（指李世民死亡），打算控制政府，自认为他是伊尹、霍光，猜忌高级官员，竟然都要屠灭。最恰当的处分，是命刘洎自杀，家属赦免。”（《实录》《旧唐书》《新唐书》一致记载告密者是褚遂良，刘洎曾请最高立法长〔中书令〕马周作证，但褚遂良坚持，李世民再问马周，马周不敢讲话，刘洎遂死。司马光认为：这种事连中等人都做不出来，褚遂良是忠直之士，而且跟刘洎又没有仇恨，何至下此毒手？因之推测是因许敬宗厌恶褚遂良，在修《实录》时〔参考前年〔六四三〕七月〕栽赃。）

刘洎开始时，因奏章切实正直，受到器重，终于被擢升到显要高位（参考去年〔六四四〕四月）。对天下大事，提纲挈领，上谏皇帝，下献谋略，以国士风范建言，栋梁之材担当。然而，一句话不谨慎，竟被诬陷，虽然君王很是后悔，可是驷马之快，追不回谗言，使人悲叹。

13 最高立法长（中书令）马周，摄理国务院文官部长（摄吏部尚书）。马周认为一年四季都在遴选官员，十分辛劳（四季遴选事，参考六二七年十二月），请求恢复原状，于每年十一月开始遴选，第二年三月完毕；李世民批准。

14 本年（六四五），贵族右亲卫征兵府司令（右亲卫中郎将）裴行方，率军攻击茂州（四川省茂县）羌部落变民军首领黄郎弄，大破变民军，扩大搜捕变民集团党羽，追击到西方乞习山（茂县西）及弱水（大渡河上游大金川），班师。

六四六年 丙午

1 春季，正月八日，唐王朝（首都长安〔陕西省西安市〕）夏州军区（总部设陕西省靖边县北白城则村）总司令（夏州都督）乔师望、右领军（卫军第八军）大将军执失思力等，攻击乙失延陀汗国（蒙古国西南部），大破乙失延陀军，俘虏二千余人。多弥可汗（三任大可汗）乙失拔灼乘快马逃走，汗国内部骚动。

2 正月十四日，唐帝（二任太宗）李世民（本年四十九岁）派最高法院院长（大理卿）孙伏伽等二十二人，授权“六条”，到各地巡查（“六条”，西汉王朝七任帝刘彻，派督道官〔刺史〕到各州，根据六项条款办事，六项条款之外的事不问。参考前一〇六年），对州长、县长以下官员，有很多斥责甚至罢黜的惩罚。

一些受到惩罚的人，纷纷到京师（首都长安）宫城前呼冤请愿，前后不断。李世民命副监督长（黄门侍郎）褚遂良分析报告，李世民亲自裁决：雪冤而擢升的二十人，因罪行重大而判处死刑的七人，流刑以下处分而赦免的将近一千人。

3 二月二日，李世民从并州（山西省太原市）出发。

三月七日，李世民抵达京师（首都长安）。

李世民问李靖道：“我用天下所有力量，却被一个小蛮夷部落（指高句骊王国）困住，是什么原因？”李靖说：“李道宗知道。”李世民转头问李道宗，李道宗陈述在驻跸山（六山，辽宁省辽阳市西）时，所作乘虚直捣平壤（高句骊王国首都，朝鲜半岛平壤市）的建议（参考去年〔六四五〕九月）。李世民怅然说：“当时情势紧急，已记不起这回事。”

4 李世民的病情并没有完全复原，打算安静休养。

三月八日，李世民下诏命军政机要大事，全部交由太子李治裁决。李治每隔一天到东宫（太子宫）处理公务，公务完毕后，就到皇宫侍候老爹的饮食和医药，从不离开左右，李世民命李治暂时出去休息一下，李治说他不愿出去，李世民就在寝殿旁边，另辟一个院落，让李治居住。褚遂良请求命李治每隔十天，回东宫（太子宫）

七世纪·六四五年九月至六四六年三月
唐高战争结束·李世民西返

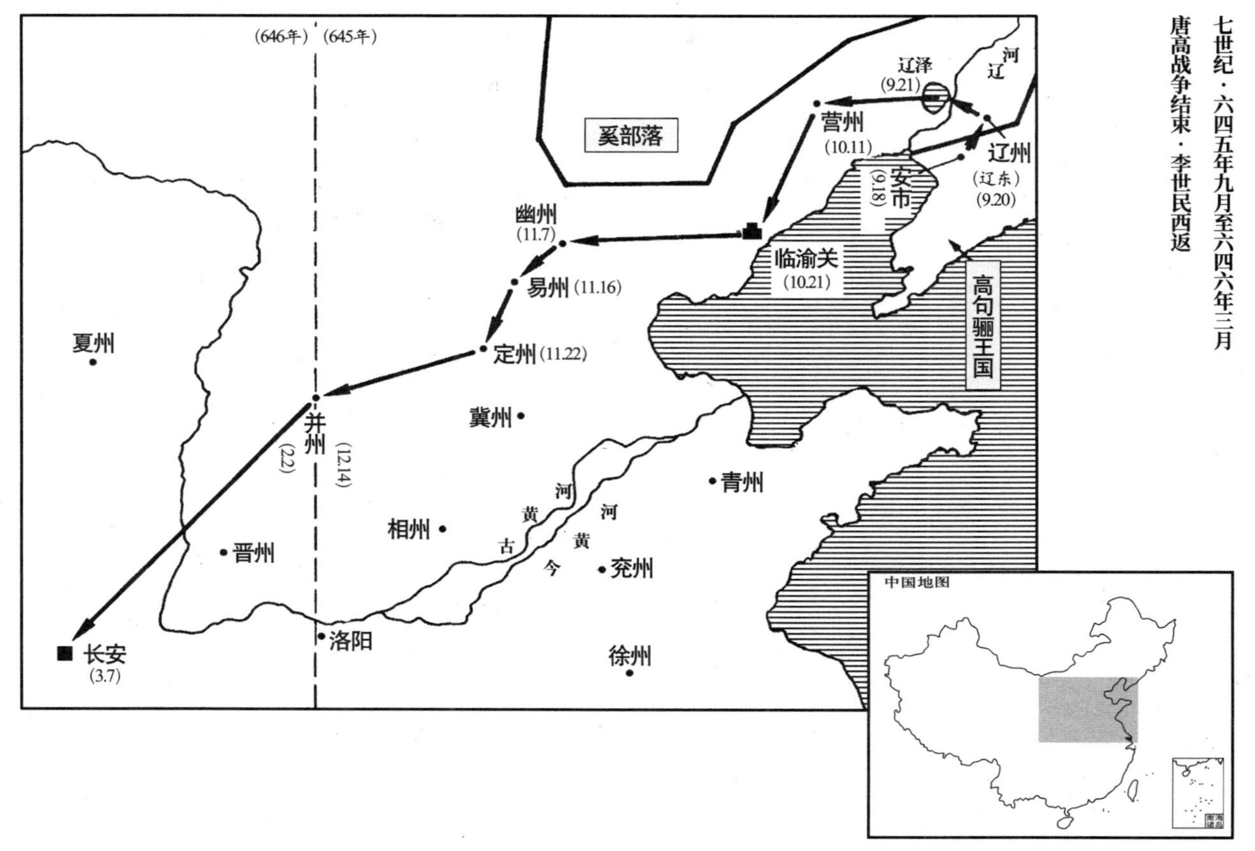

一次，跟教师研究道德学问；李世民同意。

李世民曾经去未央宫（西汉王朝长安城）游赏，前导卫士已经过去，忽然发现一个人腋下携带佩刀，匍匐在乱草丛中；李世民盘问他，那人回答说：“听见前导卫士开道声音，心里恐惧，不敢出来，前导卫士也没有看见，我就躲在这里，一动也不敢动。”李世民立刻折回，转头对李治说：“这件事如果传出去，几个人都会被处死，你在后面迅速放他逃走。”有一次，李世民乘坐高度仅及腰部的小轿，有贵族征兵府（三卫〔亲卫、勋卫、翊卫〕）卫士，一不小心，碰到李世民的衣裳，卫士恐惧，脸色大变。李世民说：“这附近没有监察官（御史），我不会罚你。”

5 陕州（河南省三门峡市）人常德玄，检举国务院司法部长（刑部尚书）张亮，收养义子五百人，跟法术师公孙常谈话时，说：“我的名字写在神秘预言书（图谶）上。”又问法术师程公颖说：“我手臂突然生出一块龙身上才有的那种鳞片，如果聚众起兵，创立大业，可不可以？”

李世民命最高立法长（中书令）马周等调查审讯，张亮不肯承认。李世民说：“张亮仅义子就有五百人，养他们干什么？正是用他们谋反！”命文武官员发表意见，大家一致认为张亮确是叛逆，应当诛杀，只建筑部副部长（将作少匠）李道裕说：“张亮没有谋反的积极证据，罪不应死。”李世民派长孙无忌、房玄龄到监狱跟张亮诀别说：“法律，是天下的公秤，我和你一样，都应遵守。你自己不知道提高警觉，跟凶险的人来往，陷于法网，事到今天，有什么办法？你好好前去！”

三月二十七日，张亮与程公颖都被绑到西市斩首，家产没收，家人入宫为奴。

一年之后，国务院司法部副部长（刑部侍郎）出缺，李世民命宰相遴选恰当人才，宰相签报几个人，李世民都不满意，稍后，李世民忽然想起来，说："我已经找到人了，之前，李道裕讨论张亮案时，说'张亮没有谋反的积极证据'，非常恰当，我虽然没有采纳，但一直到今天都很后悔。"遂任命李道裕当国务院司法部副部长（刑部侍郎）。

6 闰三月一日，日蚀。

7 闰三月六日，撤销辽州军区（总部设辽东城〔辽宁省朝阳市〕）总司令部（辽州都督府）及岩州（白岩城，辽宁省灯塔市西）。

8 夏季，四月三日，太子太保（太子三师之三）萧瑀，解除太子太保（太子三师之三）职务，但仍保留一级实质宰相（同中书门下三品）。

9 五月二十三日，高句骊王国（首都平壤〔朝鲜半岛平壤市〕）国王（二十八任宝藏王）高藏，及中央执政官（莫离支）渊盖金，派使节前来中国，请求宽恕，并呈献二位美女，李世民把她们送还。渊盖金，就是渊盖苏文（渊盖，复姓）。

10 六月七日，西突厥汗国（新疆东北部及中亚东部）乙毗射匮可汗（十任大可汗，名不详），派使节前来唐帝国进贡，并且请求娶唐帝国公主，李世民允许，命他割让所属的龟兹王国（新疆库车市）、于阗王国（新疆和田市）、疏勒王国（新疆喀什市）、朱俱波王国（新疆叶城县）、葱岭

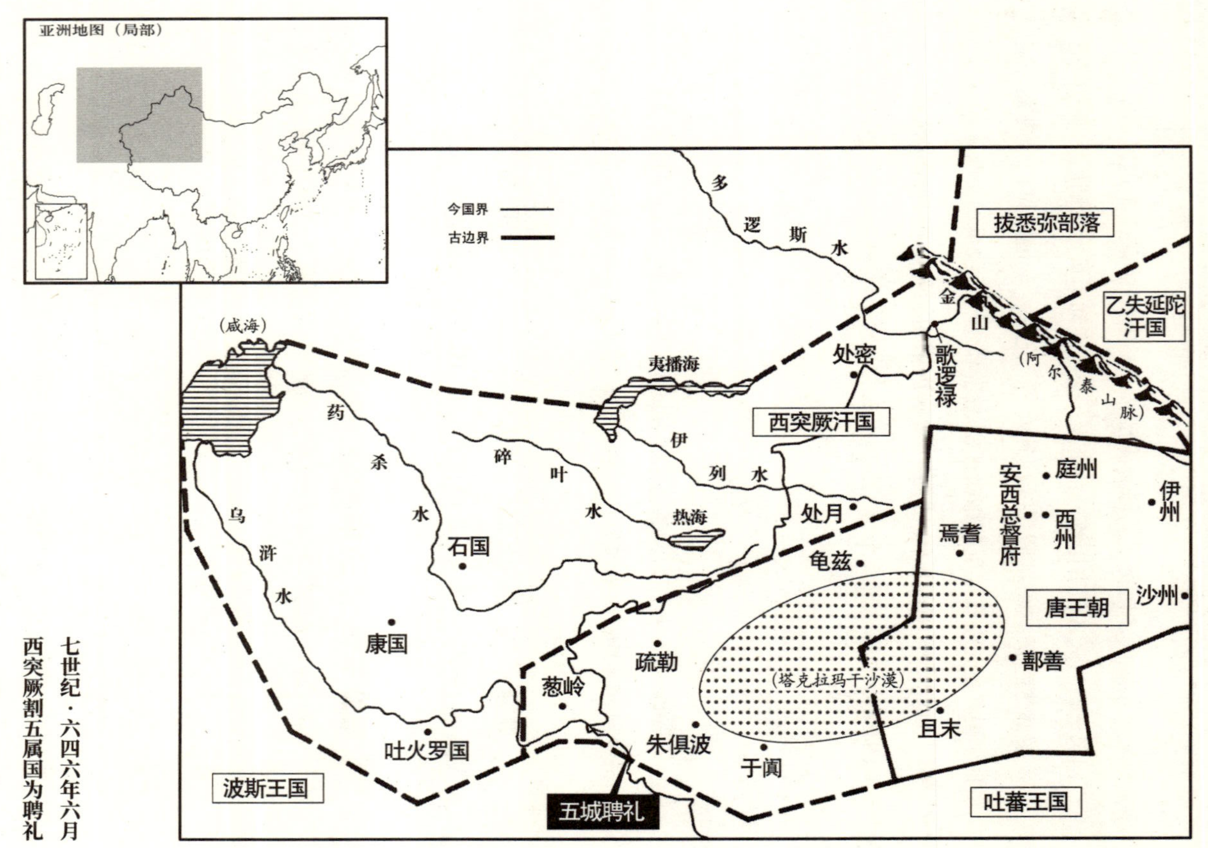

七世纪·六四六年六月
西突厥割五属国为聘礼

王国（葱岭〔帕米尔高原〕），作为聘礼。

11 乙失延陀汗国（蒙古国西南部）多弥可汗（三任大可汗）乙失拔灼，气量狭小，脾气急躁，怀疑猜忌，不重视情义，把老爹乙失夷男在位时的高级干部，全部罢黜，专用自己信任的亲近溺爱的人，贵族们纷纷背离，乙失拔灼于是大肆诛杀，人心惶惶，局势动荡。回纥部落（蒙古国哈拉和林市西北）酋长药罗葛吐迷度（药罗葛，三字姓），联合仆骨部落（蒙古国东部）、同罗部落（蒙古国乌兰巴托市北），共同攻击乙失拔灼，乙失拔灼大败。

唐帝国乘机出军。

六月十五日，李世民下诏命江夏王李道宗、左卫（卫军第一军）大将军阿史那社尔，当瀚海（瀚海沙漠群）安抚特使；又派右领军（卫军第八军）大将军执失思力率突厥部落军；右骁卫（卫军第六军）大将军契苾何力，率凉州（甘肃省武威市）民兵及各蛮夷部落军；代州军区（总部设山西省代县）总司令（代州都督）薛万彻、营州军区（总部设辽宁省朝阳市）总司令（营州都督）张俭，各率所统御的兵马，分道齐进，向乙失延陀汗国发动总攻。

李世民派贵族征兵府指挥官（校尉）宇文法，前往乌罗护部落（内蒙古扎赉特旗）、靺鞨部落（黑龙江下游）；回国途中，经过乙失延陀东境，跟乙失阿波将军相遇，宇文法率靺鞨部落军攻击，把乙失阿波军击破，乙失延陀全国惊慌，传言说："唐帝国大军已到！"各部落霎时混乱。乙失拔灼率数千骑兵，投奔阿史德时健部落（东突厥所属的一个部落，仅有数百篷帐，居住云中〔内蒙古和林格尔县〕）。回纥部落（蒙古国哈拉和林市西北）得到消息，猛烈进攻，斩乙失拔灼，连同乙失姓宗族，几乎屠杀绝种，回纥部落遂占领乙失延陀汗国故地。乙失延陀各部落军司令官（俟斤），互相攻击；争着派出使节，向唐帝国投降。

乙失延陀残余部众向西逃走，尚有七万余人，共同拥护真珠可汗（二任大可汗）乙失夷男的侄儿乙失咄摩支当伊特勿失可汗（四任大可汗），折回故土，但不久就自动取消可汗的称号，派使节携带奏章前来唐帝国，请求准许移居郁督军山（蒙古国杭爱山）之北，李世民派国务院国防部长（兵部尚书）崔敦礼，前往安抚慰劳。

敕勒（铁勒）九姓部落群（蒙古国）各酋长，一向臣服乙失延陀汗国（参考六二八年十二月），忽然听到四任大可汗乙失咄摩支重返故土消息，全都恐惧，唐政府讨论的结果，深恐乙失延陀在瀚海沙漠以北再度造成灾祸，于是加派李世勣（徐世勣）前往跟敕勒九姓部落群会商共同行动。李世民告诉李世勣（徐世勣）说：“投降，就接受；背叛，就讨伐！”

六月二十九日，李世民亲写诏书，说：“乙失延陀已经破灭，所属敕勒各部落，有的已来归降，有的还没有来归降，现在不抓住机会，以后恐怕懊悔，我当亲自前往灵州（宁夏灵武市），接待安抚。去年（六四五）已经征召参加东征的战士，本年不再征召。”

当时，打算命太子李治追随老爹一起前往灵州（宁夏灵武市），太子宫副总管（少詹事）张行成上疏，说：“皇太子（李治）陪同圣驾前往灵州（宁夏灵武市），不如命他留在京师（首都长安）监督国政，使他得以了解怎么接待文武百官，熟习怎么处理军国大计，既可使他成为京师（首都长安）领导中心，还可向四方传播他盛大的恩德。请陛下割舍私人的爱心，勉强采纳大家的意见。”李世民认为张行成忠贞，擢升他当银青光禄大夫（文散官五级，从三品）。

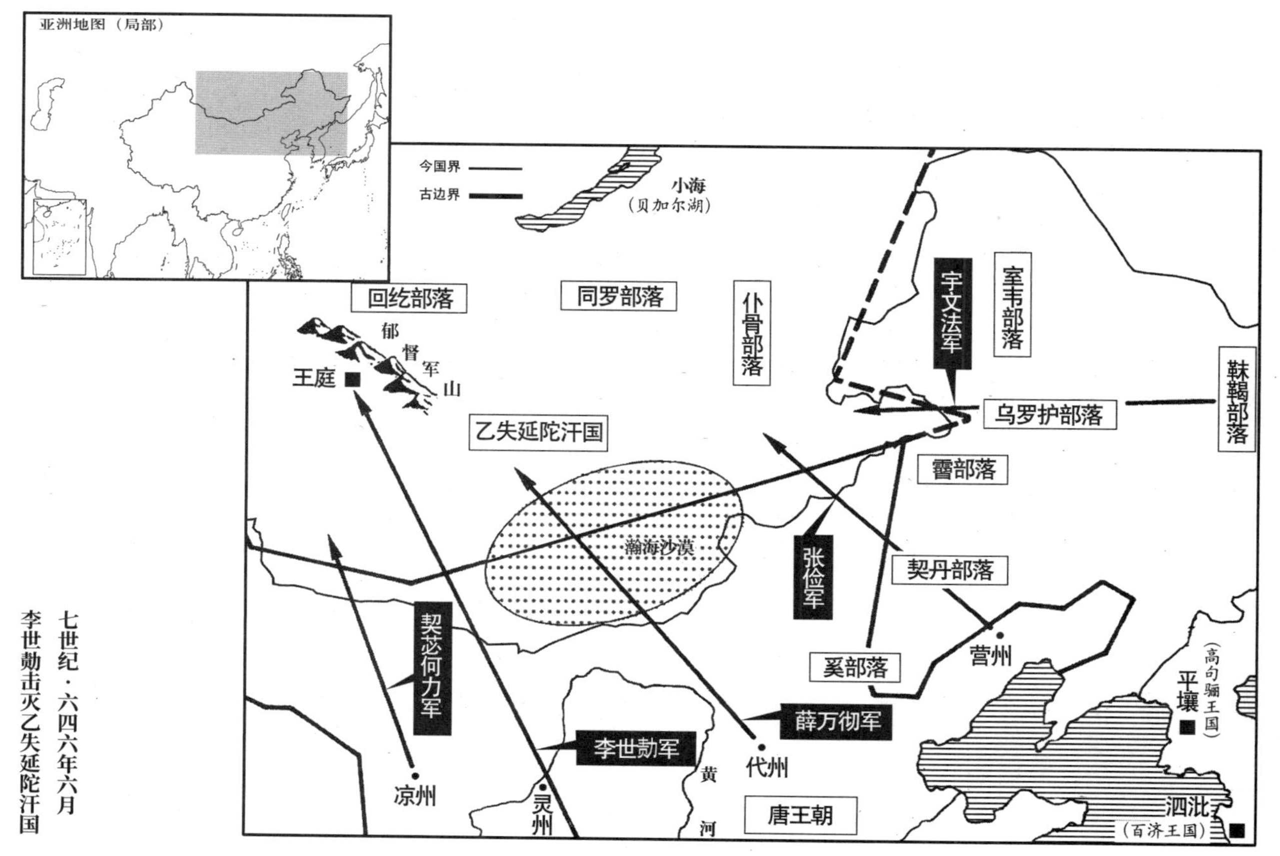

七世纪·六四六年六月
李世勣击灭乙失延陀汗国

12 李世勣（徐世勣）抵达郁督军山（蒙古国杭爱山），乙失延陀汗国高级行政官（达官）乙失梯真，率领部众投降；乙失延陀四任大可汗乙失咄摩支，向南逃命，投奔荒山深谷。李世勣（徐世勣）派立法院助理立法官（通事舍人）萧嗣业，前往招慰安抚，乙失咄摩支遂晋见萧嗣业投降；但他的部落仍犹疑不决，李世勣（徐世勣）挥军攻击，前后杀五千余人，俘虏男女三万余人。

秋季，七月，乙失咄摩支被送到京师（首都长安），李世民任命他当右武卫（卫军第四军）大将军（乙失延陀汗国自六二八年建国，历经四任大可汗，于今灭亡，立国十九年）。

13 八月五日，李世民封皇孙李忠当陈王。

14 八月十日，李世民前往灵州（宁夏灵武市）。

15 江夏王李道宗渡过瀚海沙漠；遇到乙失延陀汗国高级行政官（达官）乙失阿波，率数万部众抵抗，李道宗把他击破，杀一千余人，追击二百华里。李道宗跟代州军区（总部设山西省代县）总司令（代州都督）薛万彻，分别派使节到敕勒九姓各部落，招抚安慰，各酋长全都欢喜，叩头请求前来唐帝国朝见。

八月十一日，李世民抵达浮阳（陕西省泾阳县）；回纥部落（蒙古国西南部，乙失延陀汗国故址）、拔野古部落（内蒙古呼伦湖西）、同罗部落（蒙古国乌兰巴托市北）、仆骨部落（蒙古国东部）、多滥葛部落（蒙古国乌兰巴托市北）、思结部落（仍留在故地〔蒙古国哈拉和林市东南〕部分；移居代州〔山西省代县〕部分，已于六四一年逃走途中被李世勣〔徐世勣〕击灭）、阿跌部落（乌兰巴托市西北）、契苾部落（六四二年十月，从凉州〔甘肃省武威市〕投奔乙失延陀）、跌结部落（今地不详)、浑部落(蒙古国乌兰巴托市西)、斛薛部落(原在蒙古国肯特山，后移居灵州〔宁夏灵武市〕，参考六三一年二月)等十一个部落，都派使节前来唐王朝朝见进贡，奏称:“乙失延陀不能侍奉中国，而又残忍凶暴，横行霸道，没有资格当我们的领袖。更自己找死，以至部众星散，不知道投靠何方何人？我们的游牧地区有一定疆界，不能跟随乙失延陀逃亡，而愿把我们的妻子儿女呈献给天子。请求怜悯我们的处境，指定主管官员，收留抚养。”李世民大喜(依照《实录》，此次来朝见进贡的，还有契丹部落〔辽河上游〕、奚部落〔滦河上游〕)。

八月十二日，李世民设筵宴请回纥部落等，分别颁发赏赐，委任官职，赐给酋长们印信，派右领军(卫军第八军)贵族征兵府司令(中郎将)安永寿，担任报信特使。

八月十三日，李世民前往西汉王朝故甘泉宫(陕西省淳化县西北)，下诏说:“蛮夷与天地同时诞生，跟中原君王并存，但发展成为严重的边疆灾难，却开始于唐政府建立之时。我便派出少数军队，就把阿史那咄苾(东突厥十三任大可汗)擒获(参考六三〇年三月)，刚刚开始长程计划，就消灭了乙失延陀。铁勒(敕勒)部落群所属一百余万户，分散在瀚海沙漠之北，遥远的派遣使节，愿意把身家性命，交付我国。我国也承认他们是大唐国民，设立州县政府。这种情形，自从开天辟地，从来都没见过，应依照礼仪，禀报皇家祖庙，并布告天下。”

八月二十一日，李世民抵达泾州(甘肃省泾川县)。

八月二十七日，李世民越过陇山(甘肃、陕西二省交界)，抵达西瓦亭(宁夏西吉县东南)，参观放牧的军马。

九月，李世民抵达灵州(宁夏灵武市)，敕勒各部落军总司令(俟斤)，分别派使节相继前来灵州(宁夏灵武市)，多达数千人，一致声称："盼望中原君王当我们的天可汗，我们子子孙孙永远当天可汗的奴隶，虽死无恨。"

九月十五日，李世民作诗记载这项盛事，其中有句说："雪去耻辱／报知历代百世君王。铲除凶恶／千年万载平安。"三公及部长级官员请求在灵州（宁夏灵武市）竖立石碑，永作纪念；李世民同意。

16 特进（文散官二级，正二品）、一级实质宰相（同中书门下三品）、宋公爵萧瑀，性情耿直，一丝不苟，跟很多同僚都不能和睦相处，曾经警告李世民说："房玄龄跟立法院（中书）、监督院（门下）官员，结成党羽，辜负国恩，手握权势，情同一体，陛下却不知道，他们只是差一点没有谋反。"李世民说："你的话岂不言过其实，政治领袖选择贤能人才当自己的心腹和四肢，应该诚心相待。对于人，不可以要求他十全十美，必须舍弃他的缺点，只取他的优点。我虽然不算聪明，但也不至于像你说的，好坏不分、忠奸不辨，糊涂到这种程度！"萧瑀心里大不舒服。加上屡次冒犯李世民，李世民也怀恨在心，只因他忠贞正直，不忍心罢黜（萧瑀属于"认为攻讦就是正直"型的人，一条高等鲨鱼而已）。

李世民曾经对国务院司法部长（刑部尚书）张亮说："你既然叩拜佛祖，为什么不出家当和尚！"（张亮已死，当是追述。）萧瑀趁势请求出家为僧。李世民说："我也知道你一向喜爱佛门，今天不违背你的意思。"停了一会，萧瑀又变卦说："我刚才思考的结果，不能出家。"李世民认为萧瑀在文武百官面前反复无常，更觉厌恶。而正巧，萧瑀又声称脚部有病，不能进宫朝见，有时虽然走到朝堂，却不进宫，李世民知道萧瑀心中一直愤愤不平。

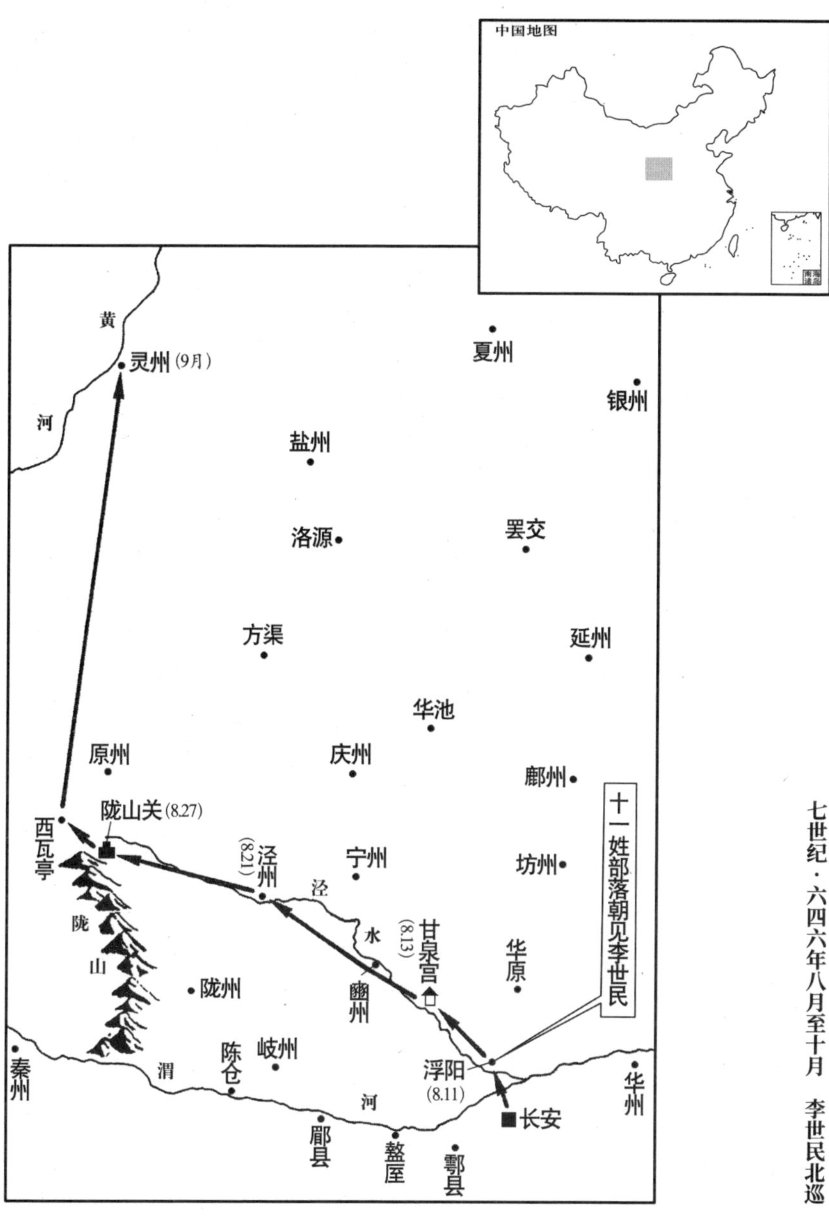

七世纪·六四六年八月至十月　李世民北巡

冬季，十月，手写诏书，条条列举萧瑀的罪状，说：“我对于佛教，本不信仰。佛教虔诚的信徒，并没有得到未来的福分，敬拜佛祖的人，反而生前受尽灾难。像萧衍（南梁帝国一任帝）对佛教尽心尽意，萧纲（南梁帝国二任帝）更把全付精神投入佛门，耗空国库去供养和尚尼姑，竭尽人民财力去修建宝塔庙宇（参考五四五年十二月）。等到三淮（江淮地区）恶浪沸腾，五岭（南岭）狼烟冲天，把希望寄托给熊掌（芈熊恽要求吃熊掌以拖延时间事，参考五四七年十二月注），将性命交付给雀蛋（赵雍因麻雀蛋吃尽而饿死事，参考前二九五年）；子孙快速覆亡，国家顷刻化作废墟（指萧衍饿死宫城，参考五四九年五月），崇信佛祖的诚心，和佛祖回报的残酷，为什么会产生如此荒谬的结果！萧瑀走上曾使车辆翻覆的轨道，继承国亡家破的风气；抛弃公事，只管私人利害，不明白官民之间责任不同，庸俗不堪的人都声称他看破红尘，但心意是邪是正，难以识别，累积太多灾祸的能源，只祈求自己一个人的福祉，不但对上冒犯君王，对下更倡导浮华风气。萧瑀自己请求出家为僧，一会工夫又加改变，忽东忽西，只看他一念之间，是对是错，在文武百官面前随时反复，违背栋梁应有的坚定和见识，怎么会有前瞻性的理念！我一直忍耐到现在，可是萧瑀却没有悔过之意，不妨派他去当商州（陕西省商洛市商州区）州长；撤除爵位。” 420

17 李世民自高句骊王国（首都平壤）撤退后，高句骊中央执政官（莫离支）渊盖苏文（渊盖，复姓）越发骄傲放纵，虽然派使节向中国呈递奏章，但措辞大都荒谬怪诞。对中国派去的使节，也十分倨傲怠慢，常派人在边界侦察窥探。李世民屡次下令禁止他再攻击新罗王国（首都金城〔朝鲜半岛庆州市〕），渊盖苏文反而更加不断侵略。

十月十四日，李世民下诏跟高句骊断绝邦交，拒绝接受朝贡，重新讨论再一次的东征。

18 十月二十八日，李世民返京师（从灵州〔宁夏灵武市〕回首都长安）。

十一月一日，李世民因自灵州（宁夏灵武市）回来后，受到风寒，身体疲惫劳困，准备在新年之前，安心调养，于是下诏，命有关祭祀、奏章、外宾、军事、禁卫、印信、驿马车站补给以及对五品以上官员的任命、处决或赦免死罪，仍由自己裁决外，其他所有国事，全交皇太子李治处理。

19 十二月己丑日（十二月己未朔，没有己丑），文武官员不断请求李世民前往泰山添土祭天、梁父山辟场祭地（封禅）；李世民同意，下诏制造羽毛仪仗，送到洛阳宫（河南省洛阳市）。

20 十二月二十日，回纥部落（蒙古国西南部）君王（俟利发）药罗葛吐迷度（药罗葛，三字姓）、仆骨部落（蒙古国东部）君王歌滥拔延、多滥葛部落（蒙古国乌兰巴托市北）总司令（俟斤）末（姓不详）、拔野古（内蒙古呼伦湖西）君王屈利失、同罗部落（蒙古国乌兰巴托市北）君王时健啜、思结部落（蒙古国哈拉和林市东南）酋长乌碎、浑部落（蒙古国乌兰巴托市西）、斛薛部落（宁夏灵武市境）、奚结部落（西伯利亚希洛克城南）、阿跌部落（乌兰巴托市西北）、契苾部落（蒙古国西南部）、白霫部落（蒙古国东部塔木察格布拉克城）等酋长，全都前来唐帝国朝见。

十二月二十二日，李世民在京师（首都长安）芳兰殿，摆设筵席，欢宴各部落酋长，命主管单位优厚招待，每隔五天，作一次聚会。

21 十二月二十五日，李世民对司徒（三公之二）长孙无忌等说：“今天是我的生日，一般人都快乐庆祝，可是我却有无限伤感。我是天下君王，拥有四海财富，可是想再在爹娘膝下使双亲欢喜，却永不可能，这就是仲由富贵之后，叹息再不能为父母背米的缘故。（《家语》：仲由告诉孔丘说：“从前我自己常吃野菜，而到一百华里之外，把米背回来孝敬爹娘。爹娘过世之后，我到楚王国，出门时，追随在后的车辆，就有一百乘之多，粟米积存，高达万石，座垫都用锦绣制成，每餐用的大锅都排列成行，但我想再吃野菜而去百里外为双亲背米，已不可得”。）《诗经》说：‘可怜的爹娘啊／生我是那么劳苦！’（《小雅·蓼莪》：“哀哀父母，生我劬劳。”）为什么在娘亲劳苦之日，反而欢乐！”因而流下眼泪，左右侍从全都生悲。

22 司空（三公之三）房玄龄曾因受小小的谴责，免职回家。副监督长（黄门侍郎）褚遂良上疏，说：“房玄龄自从义旗竖立之时，就参与神圣的建国大业（参考六一七年九月二十四日），二〇年代（一任帝李渊在位）之际，冒着生命危险，参与决策（诛杀李建成、李元吉），三〇年代初期（李世民初即位时），选拔贤才，建立美好政绩，所有高级干部中，以房玄龄最为勤苦（参考六二九年三月十六日）。除非是犯了不能赦免的大罪，受到全国知识分子的唾弃，否则就不应摒除。陛下如果因他年纪衰老，也该暗示他主动退休，礼貌的使他离开，不可以因小小的过失，伤害数十年功臣元勋。”李世民立即召回房玄龄。

不久，房玄龄又离职回家。经过一段时间，李世民前往芙蓉园（首都长安城东南角，也就是历史上闻名的曲江），房玄龄命子弟洒扫门庭，说：“皇上立刻驾到！”一会工夫，李世民果然驾到，请房玄龄上车，一起回宫。

1 春季，正月，唐王朝（首都长安〔陕西省西安市〕）开府仪同三司（文散官一级，从一品）、申公爵（文献公）高士廉病重。

正月四日，唐帝（二任太宗）李世民（本年五十岁）前往他的私宅探视，泪涕交流，见高士廉最后一面。

正月五日，高士廉逝世（年七十二岁）；李世民准备亲往哭悼，房玄龄因李世民大病初愈，坚决劝阻，李世民说："高先生跟我不仅是君臣，而且是亲戚故旧（高士廉是长孙皇后的舅父，高士廉跟李渊是朋友，李世民小时，高士廉把甥女许配给他，李世民当然也叫他"舅父"，可是即令在高士廉逝世，李世民这场坚决要亲临哀悼时，也没有叫他"舅父"的记载，只说高士廉是"亲戚故旧"而已，他为什么不能英雄本色，声称高士廉为舅父？或是史书没有记载？或李世民跟一个庸俗的蠢才一样，一阔就六亲不认），怎么可以听到他的丧事，而不去哭悼，你不要多说。”率左右侍从，从兴安门出发。

长孙无忌（长孙皇后的老哥），正在舅父灵堂，得到皇帝御驾将临消息，立刻停止哭泣，出门迎接，拦住马头劝阻说：“陛下服用金石药物，依照医学上的禁忌，不可以到丧葬之家哀悼。为什么不为皇家祖庙保重身体！而且我舅父临终时特别吩咐，非常不愿意因尸体和裹尸布的缘故，而劳动圣驾。”李世民不理，长孙无忌在马路当中卧倒在地，匍匐叩头，流涕哭泣，坚决阻止，李世民只好回到东苑，向南眺望恸哭，泪如雨下。等到灵柩过了横桥（首都长安故城横门外护城河桥），李世民再登上长安故城西北城楼眺望，痛哭。

2 正月九日，李世民下诏，在回纥部落所在设瀚海军区总司令部（瀚海府，蒙古国哈拉和林市）、在仆骨部落所在设金微军区总司令部（金微府，蒙古国巴彦乌拉市）、多滥葛部落所在设燕然军区总司令部（燕然府，蒙古国乌兰巴托市）、拔野古部落所在设幽陵军区总司令部（幽陵府，蒙古国乔巴山市）、同罗部落所在设龟林军区总司令部（龟林府，蒙古国乌兰巴托市北）、思结部落所在设卢山军区总司令部（卢山府，蒙古国车车尔勒格市西南）；另在浑部落所在设皋兰州（蒙古国乌兰巴托市西）、斛薛部落所在设高阙州（蒙古国乌兰巴托市北）、奚结部落所在设鸡鹿州（西伯利亚希洛克城南）、阿跌部落所在设鸡田州（蒙古国乌兰巴托市西北）、契苾部落所在设榆溪州（蒙古国乌兰巴托市东南）、思结部落支派所在设蹛林州（蒙古国哈拉和林市东南）、白霫部落所在设寘颜州（蒙古国东部塔木察格布拉克城）。分别任命他们的酋长担任军区总司令（都督）及州长（刺史），赏赐每人金银绸缎，以及锦绣长袍。敕勒人（以上是敕勒〔铁勒〕部落群）大喜，手捧赏赐的金银绸缎，身穿锦袍玉带，高声欢呼，手舞足蹈，在被他们搞得漫天尘土中，向唐帝国皇帝叩头谢恩。

各酋长返国时，李世民登天成殿为他们饯行，演奏十部乐，送他们启程。各酋长上奏说：“我们既然已是唐帝国人，来往天可汗住所，好像探望爹娘，请从回纥部落南，到东突厥部落，开凿一条交通线，称‘参见天可汗高速公路’(参天可汗道)，设置六十八个驿马车站，车站常备马匹及酒肉饮食，供应来往经过的各部落使节。我们每年进贡貂皮，代替田赋捐税；当聘请文章流畅的知识分子，负责撰写奏章。”

李世民全部允许，于是北方蛮荒地带，重建和平。可是，回纥部落酋长药罗葛吐迷度，早已自称可汗，政府编制及官员名称，都跟突厥一样。

3 正月十日，李世民下诏宣布：明年(六四八)前往泰山添土祭天(封)、社首山(山东省泰安市西南)辟场祭地(禅)；其他一律依照六四〇年制定的细则实行(参考该年〔六四〇〕十一月)。

4 二月二十日，太子李治前往国立贵族大学(国学)，主持祭祀孔丘典礼。

5 李世民打算再度向高句骊王国(首都平壤〔朝鲜半岛平壤市〕)发动攻击，参与决策人士一致认为：“高句骊的城池，都靠山兴建，不容易立即攻破。前年(六四五)御驾亲征，高句骊农民已无法耕种，我们所攻克的城市，把粮食搜刮一空，接着又发生旱灾，人民大半陷于饥馑(高句骊虽击退中国攻击，惨状却如此严重)，如今我们如果不断派出少数部队，轮流骚扰他们的边疆，使他们疲于奔命，农民只好放弃耕田，退入城堡自保。用不了几年，高句骊势将千里萧条，人心动摇，鸭绿江以北土地，用不着经过战争，就可夺取。”李世民同意。

三月，李世民命左武卫（卫军第三军）大将军牛进达，当青丘兵团总司令官（青丘道行军大总管），右武候（卫军第十二军）将军李海岸做他的副手，出动军队一万余人，乘超级战舰（楼船）从莱州（山东省莱州市）渡渤海海峡北上。李世民又命太子宫总管（太子詹事）李世勣（徐世勣）当辽东兵团总司令官（辽东道行军大总管），右武卫（卫军第四军）将军孙贰朗等作他的副手，率军三千人，会同营州军区（总部设辽宁省朝阳市）武装部队，向新城道（辽宁省抚顺市北）北进。两路大军都配备精通水上作战的将领士卒。

6 三月五日，李世民说：“我对于蛮夷，能够办到古人办不到的事，能够臣服古人所不能臣服的人，都是因为顺应民心的缘故。从前，姒文命（禹）率领九州人民（古时中国分九州），开山凿岭，砍树伐木，疏通河川的水势，注入大海，劳苦固然劳苦，而人民却没有怨恨，因为他满足人民的愿望，顺从地理的形势，跟人民的利益一致。”

7 本月（三），李世民染上痛风，不能忍受京师（首都长安）的酷热。

夏季，四月九日，李世民命重新整修终南山已废弃了的太和宫，改称翠微宫（终南山，即秦岭，简称南山，主峰在首都长安〔陕西省西安市〕东南方五时位置，是唐王朝时代名山，很多典故，都跟它有关，如“终南捷径”〔参考七一一年十二月〕便是）。

8 四月十日，设置燕然都护府（内蒙古乌拉特中旗），统御瀚海（蒙古国哈拉和林市）等六个军区及皋兰（蒙古国乌兰巴托市西）等七个州（六军区及七州，指本年〔六四七〕正月九日所设）；任命扬州军区（总部设江苏省扬州市）总司令部军政官（司马）李素立，担任总督。

李素立用恩德信义安抚部众，各部落十分感激，联合起来馈赠李素立成群的牛马，李素立只接受他们一杯酒，其他全部归还。

9 五月三日，李世民前往翠微宫（终南山上）。冀州（河北省衡水市冀州区）进士（地方政府推荐到中央应试的考生）张昌龄，呈献著作《翠微宫颂》，李世民喜爱张昌龄的文章，命他到助理立法官（通事舍人，从六品上）办公室上班（因张昌龄的资格尚浅，不能实任）。

最初，张昌龄与另一位进士（地方政府保荐到中央应试考生）王公瑾，都能写出优美的文章，声名震动京师（首都长安）。国务院文官部考核司副司长（考功员外郎）王师旦，负责考选工作（唐王朝初年，考核司副司长〔考功员外郎〕负责全国官员遴选，术语称“知贡举”，即对地方政府推荐到中央应试的考生〔进士〕，加以考试。后来，九任帝李隆基时，考核司副司长〔考功员外郎〕李昂，受地方政府推荐到中央应试考生的侮辱诟骂，李隆基认为副司长的官位太低，遂移交给国务院教育部〔礼部〕，由教育部副部长〔侍郎〕负责，参考七三六年三月），却在考试时，故意把张昌龄、王公瑾刷掉，政府所有官员都不知道什么缘故。等到奏报考试及格（及第）名单时，李世民奇怪怎么没有二人名字，询问王师旦（“进士”是地方政府保荐到中央应试的考生，在唐王朝时代，也称“举人”，即荐举到中央考试的人〔明王朝后，“进士”“举人”才分家〕，中央考试及格后，称“进士及第”，才有资格当官，才有身价，因“进士及第”四字太长，后来缩称“进士”，遂相混杂），王师旦回答说：“他们的文章，虽然辞藻华丽，可是内容轻浮，最后绝不会有什么成就。如果把他们放在榜前几名，恐怕后进的年轻人仿效，伤害陛下扶持他们的好意。”李世民认为王师旦说得很对（这是一场儒学排斥文学的小战役，结果儒学胜）。

10 五月七日，李世民命所有政府单位依照前例，国事一切奏报太子（李治）裁决。

11 五月二十五日（原文“庚辰”，据《新唐书》改），李世民登翠微宫正殿，问左右侍从臣属说：“自古以来的君主，即令可以平定战乱，统一中国，但不能制服蛮夷，我的才能不如古人，而成果超过古人，连我自己都不知道什么缘故，请各位随意发言，告诉我实情。”文武百官一致说：“陛下的功劳恩德，如同天一样高、地一样厚，万物渺小，无法赞美！”李世民说：“不然。我所以能办到古代君王都办不到的事，原因有五：一是，古代君王对比自己能干的人，总是嫉妒，我发现别人的长处，好像发现自己长处。二是，人的行为和能力，不可能十全十美，我总是忘记别人的缺点，欣赏别人的优点。三是，政治领袖往往有一种毛病，引进贤才时几乎把他抱到怀里，罢黜恶劣干部时几乎恨不得把他丢到山沟，我看到贤才时对他敬重，看到恶劣干部，则充满怜惜，优秀的和恶劣的都得到适当的位置。四是，政治领袖对正直的行为和言论，都很厌恶，有时公开诛杀，有时暗下毒手，这种情形，没有一个世代没有，我自登极以来，正直的干部，肩并肩在政府任职，没有斥退或责备一个人。五是，自古以来的政治领袖，都是大汉族沙文主义，轻视蛮夷，只我对汉人和蛮人，同等看待，所以蛮夷部落依靠我如同依靠父母。这五项，是我有今天这样成就的原因。”问监督院副监督长（黄门侍郎）褚遂良说：“你曾经当过史官（褚遂良于六四四年被擢升当副监督长〔黄门侍郎〕实质宰相〔参预朝政〕，才不代理皇家生活记录官〔知起居郎〕)，我说的这些话，是不是实情？”褚遂良回答说：“陛下的伟大功勋，多到无法记全，而只提此五项，实在是太谦卑的缘故。”

李世民自述成功原因，并非自夸，因为他确实建立了盖世的丰功伟绩；出于己口，说明他的自信和对自己的认识之深。我们听多了领袖人物“忘记自己是谁”的言论之后，对李世民更为敬佩。他揭示的五项，是万世准则。

12 李世勣(徐世勣)率军渡过辽河(出军事，参考本年〔六四七〕三月)，扫荡南苏(辽宁省西丰县南)等数城，高句骊军多登城固守拒抗，李世勣(徐世勣)击破守军，纵火焚烧所有城郭，然后撤退。

13 六月八日，任命司徒(三公之二)长孙无忌兼扬州军区(总部设江苏省扬州市)总司令(扬州都督)，但实际上并不前往任职。

14 六月二十二日，李世民下诏，说：“隋王朝末年，天下大乱，边疆居民很多被蛮夷掳掠，而今，铁勒部落群(泛指分布在今蒙古国境之部落)归附我国，政府应派遣使节前往燕然(内蒙古乌拉特中旗)等府州(指本年〔六四七〕正月九日所设六府七州)，通知各单位首长(原部落酋长)，寻找调查流亡该部落中的汉人，用金银绸缎赎回，发给粮食，送他们返回乡里。至于室韦部落(内蒙古东北部)、乌罗护部落(内蒙古扎赉特旗)、靺鞨部落(黑龙江下游)人民被乙失延陀汗国(蒙古西南部)掳掠的，也把他们赎回，送回各人的部落。”

15 六月二十八日，任命农林部长（司农卿）李纬当国务院财政部长（民部尚书）。

当时，房玄龄当京师（首都长安）留守长官，有人从京师前来翠微宫，李世民问："房玄龄有什么话？"那人回答说："房玄龄听说李纬被任命担任部长，只说：'李纬的胡子真漂亮！'"李世民立即改命李纬当洛州（河南省洛阳市）州长。

16 秋季，七月，牛进达、李海岸大军（参考去年〔六四六〕三月），深入高句骊王国（首都平壤〔朝鲜半岛平壤市〕）边境，大小一百余次会战，战无不胜，攻击石城（辽宁省庄河市北），攻克，推进到积利城（辽宁省瓦房店市）下，高句骊军一万余人出城迎战，李海岸把他们击破，杀二千人。

17 李世民认为翠微宫（终南山上）地势险阻，面积窄狭，容纳不下随行的文武百官。

七月十六日，李世民下诏在宜君（陕西省宜君县）的凤皇谷（宜君县南）另行兴建玉华宫。

七月二十六日，李世民回首都长安宫。

18 八月八日，李世民下诏，指出，乙失延陀汗国新近投降，国内土木工程又屡屡兴起，加上河北（黄河以北）发生水灾；因此停止明年（六四八）前往泰山添土祭天及社首山辟场祭地（封禅）。

19 八月十七日，骨利干部落（西伯利亚贝加尔湖畔）派使节前来唐帝国朝贡。

九月三日（原文误置于八月），唐政府在骨利干部落所在设玄阙州

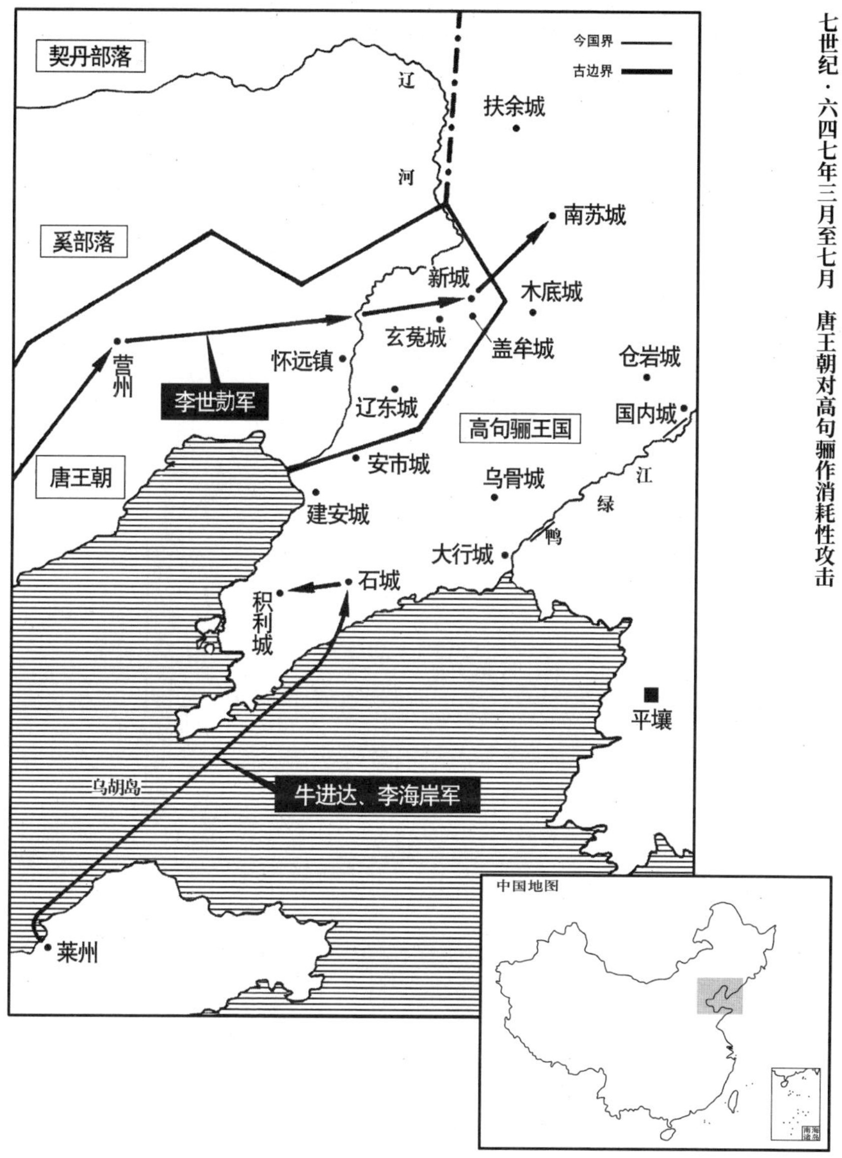

七世纪·六四七年三月至七月　唐王朝对高句骊作消耗性攻击

唐王朝关中行宫分布

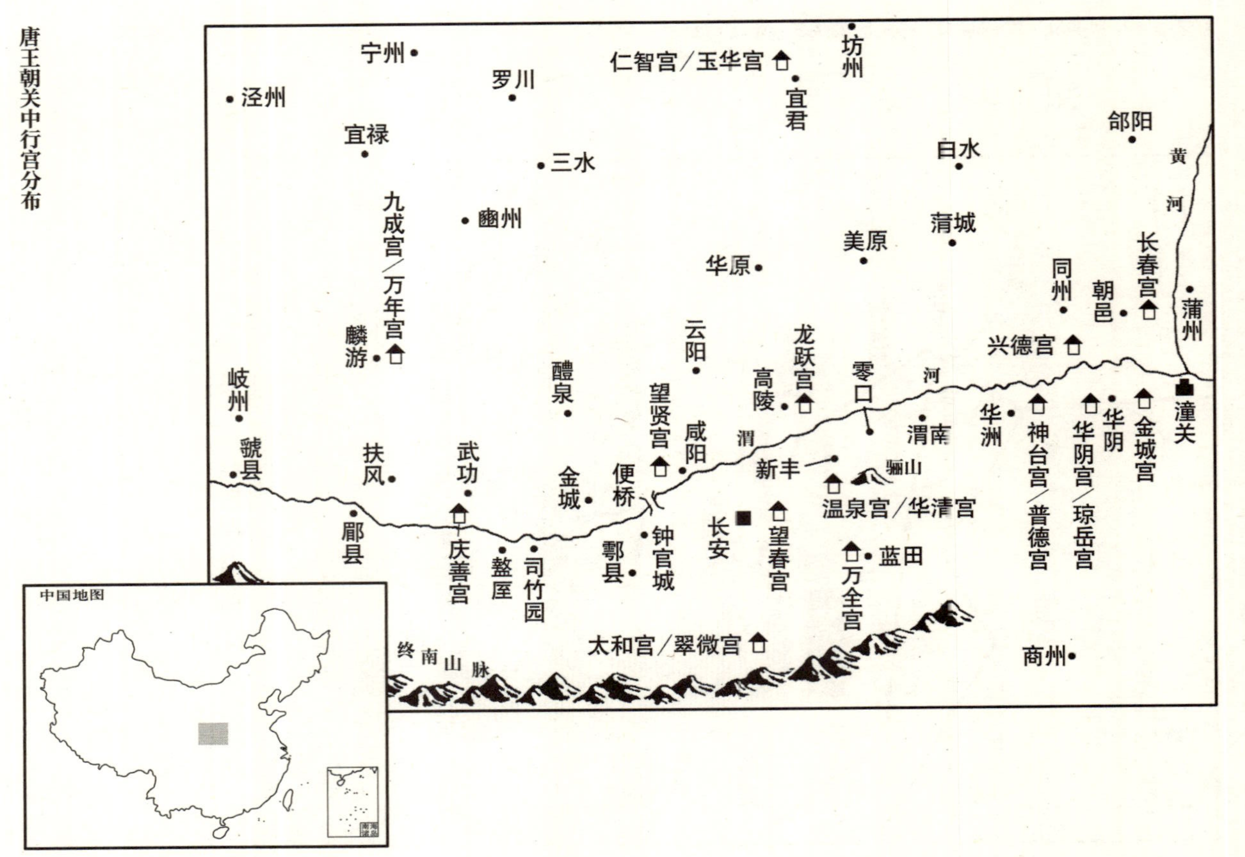

宁州
泾州
罗川
仁智宫／玉华宫
坊州
宜君
宜禄
三水
白水
郃阳
黄
河
九成宫／万年宫
豳州
澄城
美原
华原
长春宫
同州
朝邑
蒲州
麟游
云阳
龙跃宫
兴德宫
醴泉
高陵
零口
河
岐州
望贤宫
咸阳
华洲
神台宫／普德宫
华阴宫／琼岳宫
华阴
金城宫
潼关
虢县
扶风
武功
渭
渭南
新丰
骊山
金城
便桥
温泉宫／华清宫
郿县
庆善宫
盩厔
司竹园
鄠县
钟官城
长安
望春宫
蓝田
万全宫
太和宫／翠微宫
终南山脉
商州
中国地图

(羁縻州),任命他们的司令官(俟斤)当州长。

骨利干部落(贝加尔湖畔)在铁勒部落群中,距唐帝国最远;该地白昼长、夜晚短;黄昏日落之后,天色渐黑,可是羊杂碎刚刚煮熟,太阳已经东升。

20 九月六日,齐州(山东省济南市)人段志冲,呈递"亲启密奏",请求皇帝把宝座禅让给太子,太子李治得到消息,脸色忧虑,一谈这个问题就流泪哭泣。长孙无忌等请诛杀段志冲,李世民手写诏书,说:"五岳上冲霄汉,四海围绕大地,藏污纳垢,无损于山高水深。段志冲打算以一个小民的身份,解除天子的尊位,我如果有罪,是他正直;我如果没有罪,是他狂妄。好像一尺大的雾去遮青天,不影响青天的广阔;一寸大的云去挡太阳,不影响太阳的光亮。"

21 九月十四日,李世民封皇子李明当曹王;李明的娘亲杨女士,是巢王(剌王)李元吉的正妻,受李世民的宠爱。长孙皇后逝世后,李世民就打算命杨女士继任皇后,魏徵劝阻说:"陛下伟大的勋业正上比伊祁放勋(唐尧)、姚重华(虞舜),为什么受嬴辰的牵累!"(嬴辰〔怀嬴〕以侄媳身份嫁姬重耳事,参考五二八年五月。杨女士则本是李世民的弟媳,此暗指二人乱伦。)李世民才停止。但不久命李明过继到李元吉名下。

22 九月十五日,李世民命宋州(河南省商丘市)州长王波利等,征调江南(长江以南)十二州的造船工人(胡三省注:十二州:宣州〔安徽省宣城市宣州区〕、润州〔江苏省镇江市〕、常州〔江苏省常州市〕、苏州〔江苏省苏州市〕、湖州〔浙江省湖州市〕、杭州〔浙江省杭州市〕、越州〔浙江省绍兴市〕、台州〔浙江省临海市〕、婺州〔浙江省金华市〕、括州〔浙江省丽水市〕、江州〔江西省九江市〕、洪州〔江西省南昌市〕），建造大型船舰数百艘，准备远征高句骊王国（首都平壤〔朝鲜半岛平壤市〕）。

23 冬季，十月二十七日，奴拉啜匐俟友率他的部众一万余人，投降唐政府（"奴拉啜匐俟友"意义不明，汉字是单音单字的缘故，使我们无法知道何字应相连，何字应相隔。六个字可能是一个"人名"或一个"部落名"，也可能包括"部落名""官名""人名"，也可能只包括"部落名""官名"或"人名"。只知道"奴拉"是部落名，参考七六一年二月；"啜"可解释为突厥武职的一种官称，参考六三八年十二月。"奴拉啜匐俟友"似可译为：奴拉部落指挥官匐俟友）。

24 十一月，东突厥汗国车鼻可汗（十五任大可汗）派使节前来唐王朝朝贡。

车鼻可汗名阿史那斛勃，本是突厥汗国皇族，世代都是小可汗。颉利可汗（十三任大可汗）阿史那咄苾溃败之后，东突厥残余部属打算拥护他继任大可汗，可是，当时乙失延陀汗国正强，阿史那斛勃不敢接受，而率残余部众归降乙失延陀，有人警告乙失延陀说："阿史那斛勃出身突厥皇族，勇敢而有谋略，又深受部众拥护，恐怕后患无穷，不如把他杀掉。"阿史那斛勃得到消息，逃走。乙失延陀政府派骑兵数千名追捕，阿史那斛勃整顿部众迎战，大破追兵，于是在金山（新疆阿尔泰山）以北建立王庭（中央政府），自称乙注车鼻可汗，东突厥残余部众，慢慢的向他归附投靠，数年之间，可以随时作战的军队，多达三万人，不时出动劫掠乙失延陀汗国。

后来，乙失延陀汗国灭亡（参考去年〔六四六〕七月），阿史那斛勃越发强盛，派他的儿子阿史那沙钵罗公爵（特勒），前来唐帝国朝见，又请求亲自进京（首都长安）朝见。李世民下诏，命将军（卫军）郭广敬率军迎接。但是阿史那斛勃不过空说一些使唐政府听了高兴的话，一开始就没有前来唐帝国之意，结果当然不会动身。

25 十一月二十一日，李世民改封顺阳王（郡级亲王）李泰当濮王（国级亲王）。

26 十一月三十日，李世民痊愈，每隔三天，主持一次朝会。

27 十二月二十日，西赵部落（贵州省望谟县）酋长赵磨，率部众一万余户，归附唐帝国，唐政府把该部落所在地改称明州（羁縻州）。

28 龟兹王（新疆库车市）白苏伐叠逝世（白，姓），老弟白诃黎布失毕继承王位，逐渐脱离唐帝国控制，朝贡也开始稀疏，同时又侵略邻国。李世民大怒。

十二月二十六日，李世民下诏命左骁卫（卫军第五军）大将军阿史那社尔，"使持节"（最高权力），当昆丘兵团总司令官（昆丘道行军大总管）；右骁卫（卫军第六军）大将军契苾何力、安西总督（总督府设交河〔新疆吐鲁番市〕）郭孝恪等当副总司令官（副大总管），向龟兹王国推进；并命铁勒部落群十三州（参考本年〔六四七〕正月），以及突厥部落军（内蒙古）、吐蕃王国军（首都逻些城〔西藏拉萨市〕）、吐谷浑汗国军（青海省），分道攻击。

29 高句骊王国（首都平壤〔朝鲜半岛平壤市〕）国王（二十八任宝藏王）高藏，派他的儿子中央执政官（莫离支）高任武，前来中原请求宽恕，李世民接受。

六四八年 戊申

唐　贞观　二十二年

1 春季，正月八日，唐王朝（首都长安〔陕西省西安市〕）皇帝（二任太宗）李世民（本年五十一岁），撰写《帝范》十二篇，赐给太子李治，内分《君体》《建亲》《求贤》《审官》《纳谏》《去谗》《戒盈》《崇俭》《赏罚》《务农》《阅武》《崇文》，强调说："修身和治国的方法，都在此十二篇中。我一旦死亡，再没有什么话忘记告诉你。"又说："你应该把更远的古代圣王，当作教师，像我，不够资格使你效法。学习高层面的东西，只能达到中等层面；学习中层面的东西，难免一直停顿在最低层面。我自从登极以来，不恰当的事，做了很多；锦绣绸缎，珍珠宝玉，一直堆满面前，亭台楼阁，不断兴筑；狗马猎鹰，生在再远的地方，也要得到；而自己又喜欢出来游逛四方，使人民不堪劳苦，这都是我最大的过失，不要认为它是对的，也去学习。要想到我拯救天下苍生，是一项很大贡献；而统一全国，是一份很大的功劳。贡献大、伤害小，人民才不怨恨；功劳大、过失小，大局才得以保全。但如果比起古代君王的尽善尽美，内心非常惭愧。你没有我的贡献和功劳，却继承我的荣华富贵，全力去做有益于人民的事，帝国不过仅能保持平安，骄傲惰怠或奢侈放纵，一旦发生，性命就有危险。什么东西建立困难而败坏容易？答案是：'一个帝国！'什么东西容易失去而得到困难？答案仍是：'帝王宝座！'怎么可以不珍惜，怎么可以不谨慎！"

2 最高立法长（中书令）兼太子宫事务署长（兼右庶子）马周患病，李世民亲自为他配药，命太子李治亲自到马周家问安。

正月九日，马周逝世（年四十八岁）。

3 正月十七日，李世民前往骊山温泉（陕西省西安市临潼区东南）。

4 正月十八日，擢升立法官（中书舍人）崔仁师当副立法长（中书侍郎），三级实质宰相（参知机务）。

5 新罗王国（首都金城〔朝鲜半岛庆州市〕）善德女王（二十七任）金德曼逝世，妹妹真德女王（二十八任）金胜曼继位。

唐王朝政府加授金胜曼当柱国（勋官二级，从二品），封乐浪郡王；

派使节前去发布诏书。

6 正月二十五日，李世民下诏命右武卫（卫军第四军）大将军薛万彻，当青丘兵团总司令官（青丘道行军大总管），右卫（卫军第二军）将军裴行方当副总司令官，率军三万余人，及超级战舰，自莱州（山东省莱州市）出港，渡海攻击高句骊王国（首都平壤〔朝鲜半岛平壤市〕）。

7 李世民任命长孙无忌摄理最高立法长（检校中书令），并主持国务院及监督院政事（知尚书门下省事。自此，中央政府全部置于长孙无忌之下，权力集中一人之手）。

8 正月二十七日，李世民自骊山温泉（陕西省西安市临潼区东南）回首都长安宫。

9 结骨部落（西伯利亚萨彦岭北）自上古以来，跟中国都没有来往，听到铁勒部落群都归附中国消息。

二月，部落君王（俟利发）失钵屈阿栈，前来唐帝国朝见。

结骨部落人民，身材高大，红色头发，绿色眼睛，偶尔有黑色头发的，都认为是一种不祥的变态。李世民在大成殿设宴招待失钵屈阿栈，对侍从官员说："从前，我在渭桥亲手砍下突厥三颗人头，自认为功劳够大，今天，这个人在座，岂不是更觉得了不起。"失钵屈阿栈请求唐帝国给他一个官位，说："拿着笏版回去，真是百世以来最值得庆幸的大事。"

二月七日，唐政府改结骨部落所在地为坚昆军区（羁縻军区）总司令部（坚昆都督府），任命失钵屈阿栈当右屯卫（卫军第十军）大将军、坚昆军区总司令（坚昆都督），隶属燕然都护府（内蒙古乌拉特中旗）。

唐政府又命阿史德时健司令官（俟斤）的部落所在地，称祁连州（羁縻州，在蒙古国中部），隶属营州军区（辽宁省朝阳市）总司令部（营州都督府）。

当时，四方蛮夷酋长君王，纷纷派遣使节前来唐帝国朝见，道路上前后不断，每年元旦祝贺大典时，常有数百人甚至数千人，云集京师（首都长安）。

二月十日，李世民接见所有外国使节，对侍从官员说："刘彻（西汉王朝七任帝）东征西战三十余年，人民筋疲力尽，可是所得到的东西并没有多少。怎么能像今天这样，用恩德安抚，使极北寸草不生的荒凉地带的居民，都编入中国户籍！"

10 李世民兴建玉华宫（陕西省宜君县境），下令务必节约俭省，只寝殿上面才用瓦，其他所有房舍，屋顶都用茅草。然而，兴建太子宫，以及政府机关房舍，满山遍野，费用已高达亿万钱。

二月二十四日，李世民前往玉华宫。

二月二十八日，前往华原（陕西省铜川市耀州区）打猎。

11 立法院副立法长（中书侍郎）崔仁师，被控有人到宫门呼冤陈情时，而崔仁师不肯转奏；于是开除崔仁师官籍，贬逐连州（广东省连州市）。

12 三月九日，分割瀚海军区（总部设蒙古国哈拉和林市）所属俱罗勃部落，设立烛龙州（西伯利亚赤塔市）。

13 三月十四日，李世民对侍从官员说："我从小生长在军旅战争之中，自认为对敌人动向，有相当观察力。而今昆丘兵团阿史那社尔的军事行动，因为处月部落（新疆新源县境）、处密部落（新疆塔城市境），以及龟兹王国（新疆库车市）当权派羯猎颠、那利等，遇事都投机取巧，我预测他们一定先被诛杀，最后才轮到龟兹王白诃黎布失毕。”

14 三月二十日，隋王朝萧皇后逝世，李世民下诏恢复她皇后的称号，绰号愍后；命三品以上官员护卫灵柩出京（首都长安），另派前导卫队及仪仗队，一直送到江都（扬州州政府所在地，江苏省扬州市），跟她的丈夫杨广（隋王朝二任帝）合葬（杨广登极时〔六〇四〕三十六岁，萧皇后应在三十岁左右，受尽荣华富贵，然后国破夫死，落入叛徒之手，又流亡沙漠，再以一介平民身份，被赎回国，死时当享年七十，虽然萧家声势烜赫，不至于像北齐帝国的那些皇后嫔妃，沦落街头，但一生身不由己，随人拨弄，称之为历尽沧桑一老妪，当有同感）。

萧皇后最初嫁给亲王杨广时，一心一意，辅佐丈夫当一个正人君子。杨广得到皇帝宝座，不由正常渠道，遂认为天下人都跟他一样，全都不忠不信；父子之间，还那么严重的猜忌隔阂，夫妻之情，又算什么！最后，国破家亡，萧皇后东奔西跑，无地可以容身，漂泊异域绝地，使人悲叹。

15 充容（宫廷小老婆群第十一级）、长城（浙江省长兴县）人徐惠，因李世民东征高句骊王国（首都平壤〔朝鲜半岛平壤市〕），西讨龟兹王国（新疆库车市），又兴建翠微宫（长安城南）、玉华宫（陕西省宜君县境），工程一个接连一个，服装饰物以及陈列器具，全都豪华奢侈；乃上疏劝告，大略说：“以农村有限的生产，去填补永不停息的巨浪（指渡海东征高句骊）；企图俘获还没有克制的敌人，却先伤害训练有素的帝国劲旅。从前，嬴政（秦王朝一任帝）并吞六国，反而加速自己的败亡，司马炎（晋王朝一任帝）统一三国（曹魏、蜀汉、东吴），反而造成大业败坏的基础，岂不都是自我炫耀，仗恃强大，放弃恩德，轻视邻邦，只看到利益，而看不到危险，放纵情欲的结果？由此可以知道，土地广阔，并不能保证长久平安；人民劳苦，却都是叛乱灾难的泉源。”又说：“陛下虽指示屋顶只盖茅草，表示节俭，但仍然是大兴土木，使人民疲惫。陛下虽指示定要依照市价出钱僱用工人，但仍然难免骚扰流弊。”又说：“贵重的玩物，悦目的声乐技艺，都是砍死帝国的巨斧；珍珠宝玉，锦绣绸缎，实在是使人迷惑的毒药。”又说：“树立节俭榜样，还怕后世奢侈；树立奢侈榜样，教后世怎么办？”李世民同意她的见解，对她十分礼敬。

16 夏季，四月七日，右武候（卫军第十二军）将军梁建方，攻击松外蛮（四川省盐边县一带蛮夷部落），击破。

最初，巂州军区（总部设四川省西昌市。巂，音xī〔西〕）总司令（巂州都督）刘伯英上疏，说：“松外（四川省盐边县）各蛮夷部落，归降后再度叛变，请准许出军讨伐，打通西河（云南省大理市东洱海）、天竺（印度）的道路。”李世民命梁建方征调巴蜀地区（四川省）十三州的民兵，发动攻击。酋长双舍（双，姓），率领部众抵抗，梁建方把他击败，诛杀及俘虏一千余人。各部落大为惊恐，纷纷逃入山谷。梁建方分别派人向他们解释沟通，分析利害，全都归服，前后计七十个部落，十万九千三百户人家。梁建方任命他们的酋长蒙和等当县长，各自率领原有部众，没有人不感谢和喜悦。

梁建方更派人到西洱河（云南省大理市东洱海），西洱河蛮夷首领杨盛，十分震骇，准备船只，将向远方逃走；梁建方的使节向他解释利害，展示唐帝国的威力及承诺，杨盛遂向唐帝国投降。洱海（云南省大理市东洱海）当地有杨姓、李姓、赵姓、董姓等数十姓，每姓据守一州，大姓有六百户，小姓也有两三百户，没有君王，互相之间地位平等，言语虽有小小差异，但所使用的谋生方式、风俗习惯，大致跟中原相同，自称本来是汉人，跟中原最大差别在于把十二月当作每年的第一个月。

17 四月九日，契丹部落（辽河上游）首领（辱纥主）曲据（曲，姓），率部众归附唐帝国。

唐政府在该部落所在地设玄州（羁縻州，辽宁省朝阳市东），命曲据当州长，隶属营州军区（总部设辽宁省朝阳市）。

18 四月十四日，乌胡（渤海湾隍城岛）指挥官（镇将）古神感，率舰队渡海东征高句骊王国（首都平壤〔朝鲜半岛平壤市〕），登陆后跟高句骊步骑兵五千人混合兵团相遇，在易山（今地不详）会战，击破高句骊军。当天夜晚（四月十四日），高句骊海军一万余人，袭击唐帝国舰队，古神感设下埋伏，再击破高句骊军，然后撤退。

19 最初西突厥汗国（新疆东北部及中亚东部）乙毗咄陆可汗（八任大可汗）阿史那欲谷，任命阿史那贺鲁当亲王（叶护），居住多逻斯水（额尔齐斯河），位西州（新疆吐鲁番市东）北一千五百华里（航空距离五百五十公里），统领处月部落（新疆新源县境）、处密部落（新疆塔城市境）、始苏部落（今地不详）、歌逻禄部落（中亚额尔齐斯河流域）、失毕五姓部落群（即西突厥五西部防区〔驽失毕〕)。后来，阿史那欲谷逃奔吐火罗王国(阿富汗北部汗阿巴德。参考六四二年九月)，乙毗射匮可汗(十任大可汗)派军追击，阿史那欲谷部众瓦解。

四月二十五日，阿史那贺鲁率残余下来的部众数千篷帐，向唐帝国投降。唐政府把他们安置在庭州(新疆吉木萨尔县)莫贺城(吉木萨尔县西)，任命阿史那贺鲁当左骁卫(卫军第五军)将军。阿史那贺鲁听到唐帝国出军攻击龟兹(新疆库车市)，请求担任向导，只携带数十个骑兵，到首都长安(陕西省西安市)朝见，李世民任命他当昆丘兵团总司令(昆丘道行军总管)，用盛大的宴会招待，赏赐丰厚，然后送他返回。

20 五月二十日，太子宫右翼侍卫军(右卫率)秘书官(长史，正七品上)王玄策，攻击帝那伏帝(印度国名)国王阿罗那顺，大破阿罗那顺军。

最初，中天竺(印度中部)国王尸罗逸多，兵力最强，其他四个天竺王国(东、西、南、北天竺)，都向他称臣，王玄策奉命出使天竺(印度)，各国都派使节前来唐帝国朝贡。正巧，中天竺国王尸罗逸多逝世，王国大乱，大臣阿罗那顺自称国王，出军攻击王玄策，王玄策率随从侍卫三十人，奋勇拒抗，筋疲力竭，全体被擒。阿罗那顺把各国进贡的物品，抢掠一空。王玄策趁夜晚逃走，抵达吐蕃王国(首都逻些城〔西藏拉萨市〕)西境，发文征调邻近各国及各部落军，吐蕃王国派精锐部队一千二百人，泥婆国(尼泊尔王国)派骑兵七千余人，听候差遣。王玄策和他的副使节蒋师仁，率两国军队反击，进抵中天竺王国首都荼博和罗城(今地不详)，会战三天，大破篡夺王位的阿罗那顺军，杀三千余人，强逼投水淹死的将近一万人。阿罗那顺放弃首都逃走，集结残余部众，回军攻击蒋师仁，蒋师仁反击，再次把敌人击破，生擒阿罗那顺。阿罗那顺的残余部众携带阿罗那顺的王后和太子，逃到乾陀卫江（可能是印度河），布防据守，蒋师仁追击，残余部众崩溃，蒋师仁生擒王后及太子，及男女一万二千人。于是天竺（印度）震动，城市和村落归附的五百八十余座；把阿罗那顺押返首都长安（陕西省西安市）献俘。

唐政府擢升王玄策当朝散大夫（文散官十三级，从五品下）。

21 六月十六日，改白霫部落（应是霫部落之误）所在地为居延州（在今内蒙古通辽市北部）。

22 六月二十四日，特进（文散官二级，正二品）宋公爵萧瑀逝世（年七十四岁）。祭祀部（太常）研究的结果，给他绰号德（宋德公），国务院（尚书）认为应给他绰号肃（宋肃公）。李世民说："绰号（谥），是行为的痕迹，应该跟事实符合才对，可称他贞褊公（宋贞褊公）。"

萧瑀的儿子、祭祀部副部长（太常少卿）萧锐，继承公爵爵位，娶李世民的女儿襄城公主。李世民准备为她兴筑家宅房舍，襄城公主坚决辞让说："媳妇侍奉公婆，应该早晚留在身边，如果住到别的地方，定会造成很多缺失。"李世民遂命就在萧瑀家中，为女儿兴建房舍。

23 李世民因高句骊王国（首都平壤〔朝鲜半岛平壤市〕）越来越凋疲衰弱，准备明年（六四九）动员三十万大军，在一次攻击行动中，把高句骊消灭。有人提醒说：大军远征，必须储备一年以上的粮食，牛马车辆都无法运输这么庞大的数量，最好是利用船舰，在水上运输；隋王朝末年，只有剑南道（四川省中南部及云南省）没有变民起兵（李渊攻陷隋首都大兴不久，剑南各郡瞬即归附，参考六一七年十二月二十八日）；前些时东征，剑南道也置身事外，人民富庶，应由他们负责建造船舰。李世民批准。

秋季，七月，李世民派右领左右府（卫军第十六军）主任秘书（长史，正七品上）强伟，前往剑南道（四川省中南部及云南省）砍伐树木，建造船舰，大船舰有的长一百尺，宽五十尺。另派使节督运这些船舰，穿过巫峡（重庆市巫山县东），经江州（江西省九江市）、扬州（江苏省扬州市），直驶莱州（山东省莱州市）。

24 七月十一日，西突厥汗国（新疆东北部及中亚东部）宰相阿史那屈利，请求唐政府准许他率领部落军，配合唐帝国西征军攻击龟兹王国（新疆库车市）。

25 最初，左武卫（卫军第三军）将军、武连县公爵、武安（河北省武安市）人李君羡，负责玄武门警卫。当时，太白金星在白天屡次出现，天文台官员（太史）占卜，警告李世民说："女主即将兴起！"而民间又流传神秘预言书《秘记》，上面说："唐王朝三世之后，女主武王将夺取政权，主宰天下。"李世民听到，大为厌恶。

正巧，李世民跟各将领在宫中宴会，用"酒令"助兴，命输的人说出自己的乳名。李君羡说他的乳名叫五娘，李世民呆了一下，笑说："这算什么女子，竟如此雄壮矫健！"又因李君羡官称和封爵，都有一个"武"字，遂兴起杀机；不久，命李君羡出任华州（陕西省渭南市华州区）州长。平民员道信（员，姓），自称可以不进饮食，通晓佛教法术，李君羡对他十分信任尊敬，来往密切，并经常屏退左

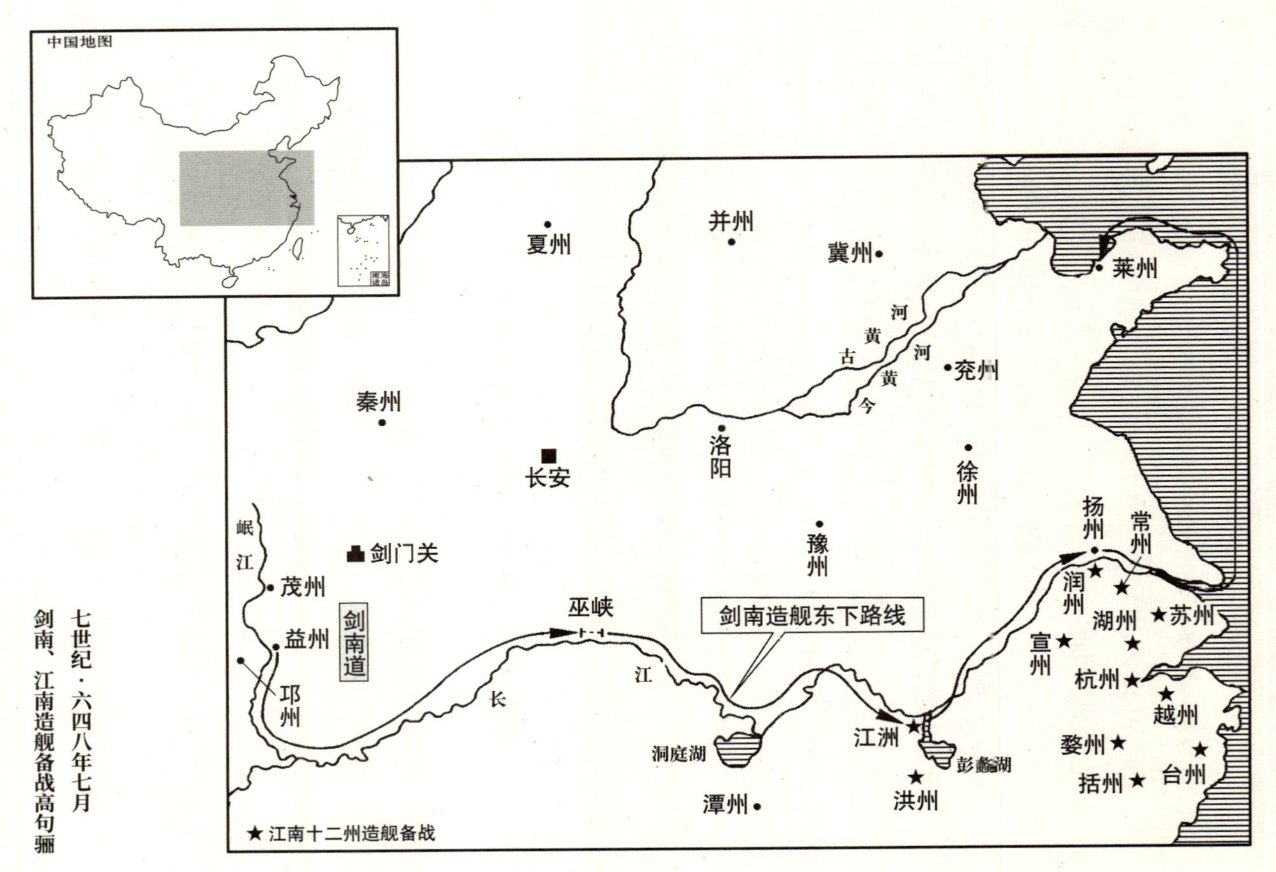

七世纪·六四八年七月
剑南、江南造舰备战高句骊

右侍从，只二人相对密谈。监察官（御史）弹劾李君羡跟妖人结交，企图兵变。

七月十三日，李君羡被判决有罪，处死，家产没收。

李世民秘密询问天文台长（太史令）李淳风，说："《秘记》上那些话，会不会发生？"李淳风回答说："我上观天象，下察历数，发现那人已在深宫之中，而且是陛下的亲近下属，从今天算起，不超过三十年，就会称帝称王，把李姓皇族的子孙，几乎杀尽，征兆已经形成。"李世民说："把可疑的人全部杀掉，将会怎么样？"李淳风说："上天的旨意，人力不能抵抗。命中注定当帝王的人，永远不死，对可疑的人全部诛杀，只不过使很多人含冤。而且，从今天算起，经过三十年，那人已经衰老，或许有一点仁慈，制造的灾难还小。即令今天把他诛杀，上天将再派遣年轻力壮的来施展毒手，恐怕陛下的子孙，一个也剩不下。"李世民才停止。

26 司空（三公之三）梁公爵（文昭公）房玄龄，留守京师（首都长安），病重，李世民命他前来玉华宫（陕西省宜君县境）。房玄龄乘坐人抬小轿到金銮宝殿，直到李世民座位旁边才下轿，君臣二人相对流泪；李世民遂把房玄龄留在玉华宫，听到他病情稍好，脸上忍不住露出喜色，听到他病情加重，则忧愁憔悴。房玄龄对他的儿子们说："我受主上的厚恩，不敢不说实话，而今，天下太平无事，只有东征高句骊（首都平壤〔朝鲜半岛平壤市〕）之役，还没有停止，文武百官不敢劝阻，我知道这种情形而不奏报，虽死也感责任未了。"于是上疏劝告说：

"《老子》认为：'知道满足的人，不会受到羞辱；知道适可而止的人，不会遇到危险。'陛下的武功、威名、恩德，都应满足，开辟疆界，拓广土地，也应适可而止。而且，陛下每裁定处决一个重刑囚犯，都命作三次甚至五次复奏，并改吃素菜，撤除乐队（参考六三一年八月），为的是敬重生命的尊严。现在驱使没有罪的士卒，把他们投到敌人的刀口之下，使他们脑浆崩裂，肝肠污染地面，难道不值得怜悯！如果高句骊违背做一个属国的礼节，可以诛杀它；欺压迫害人民，可以消灭它；将来可能成为大唐的巨大灾害，可以除掉它。但是事实上，这三个条件，它全不具备，却无缘无故烦劳大唐，对内不过为前代洗刷失败的羞耻，对外不过为屡次被侵略的新罗王国（首都金城〔朝鲜半岛庆州市〕）复仇（参考六四四年正月）。岂不是收获太小，而损失太大。但愿陛下允许高句骊改过自新，焚烧跨海船舰，撤销动员命令，汉人与蛮夷自然同声庆贺，远近平静。我早晚会死，如果能蒙陛下接受这次哀告，感恩之情，永不消灭。”

房玄龄的儿子房遗爱，娶李世民的女儿高阳公主，李世民对高阳公主说：“他病重到如此程度，还忧虑我的国家。”李世民亲到病床前探望，握住房玄龄的手告别，悲伤无限。

七月二十四日，房玄龄逝世（年七十岁）。

房玄龄辅佐太宗皇帝（李世民），夺取政权，平定天下，最后在宰相官位上去世，历时三十二年，全国人民一致认为他是贤能的宰相，可是又举不出他施政上明显的贡献，品德可谓达到巅峰。

太宗皇帝（李世民）扫荡祸乱，而房玄龄、杜如晦不谈自己的功劳；王珪、魏徵诚心诚意向君王劝告建议，而房玄龄、杜如晦称赞他们贤能；李勣（李世勣〔徐世勣〕）、李靖东征西讨，战无不胜，而房玄龄、杜如晦在政治上密切配合，促使实现一代和平，把一切功绩，都归于君王。说二人是唐王朝重要元勋，岂不非常恰当（柳芳是九任帝李隆基时代史学家）。

27 八月一日，日蚀。

28 八月二十三日，派左领军（卫军第七军）大将军执失思力，前往金山（新疆阿尔泰山）扫荡故乙失延陀汗国残余部众。

29 八月二十九日，李世民训令越州军区（总部设浙江省绍兴市）总司令部（越州都督府），及婺州（浙江省金华市）、洪州（江西省南昌市）等州，建造海船及双舫船（两船相并）一千一百艘。

30 九月二日，西征军昆丘兵团总司令官（昆丘道行军大总管）阿史那社尔，攻击处月部落（新疆新源县境）、处密部落（新疆塔城市境），击破二部落军，残余部众全都投降（阿史那社尔受命讨伐龟兹事，参考去年〔六四七〕十二月）。

31 九月五日，东征军青丘兵团总司令官（青丘道行军大总管）薛万彻等，从高句骊王国（首都平壤〔朝鲜半岛平壤市〕）回军。

薛万彻在军中骄傲嚣张，任情使气，侮辱同僚及部属。副总司令官（行军副大总管）裴行方，上疏弹劾他对君王心怀怨恨，李世民遂开除薛万彻官籍，贬放象州（广西象州县）。

32 九月十一日，新罗王国（首都金城〔朝鲜半岛庆州市〕）受百济王国（首都泗沘〔朝鲜半岛扶余市〕）攻击，连失十三个城池（百济跟高句骊结盟，对付新罗，参考六四三年九月）。

33 九月二十一日，擢升监督院副监督长（黄门侍郎）褚遂良当立法院最高立法长（中书令）。

34 右领左右府（卫军第十六军）主任秘书（长史）强伟等，集结民间工匠制造船舰，大量征调山獠部落，于是雅州（四川省雅安市）、邛州（四川省邛崃市东北。邛，音qióng〔琼〕）、眉州（四川省眉山市）三州境内山獠部落，纷纷叛变。

九月二十四日，唐政府派茂州军区（总部设四川省茂县）总司令（茂州都督）张士贵、右卫（卫军第二军）将军梁建方，动员陇右（甘肃省南部）、峡中（四川盆地西部）民兵二万余人讨伐。

巴蜀（四川省）人民对建造船舰，深受痛苦，中央政府有人建议由蜀（四川省）人出钱，雇请善造船舰的潭州（湖南省长沙市）人代工，李世民批准。而巴蜀（四川省）人民穷困，无法缴纳代金，州县政府强行征收，严苛急迫，人民把田地房舍卖掉，甚至把儿子女儿卖掉，都不够缴纳，粮食价格飞涨，剑外（剑门关以南，即四川省中南部及云南省）民怨沸腾，社会不安，李世民得到消息，派农林部副部长（司农少卿）长孙知人，乘驿马车前往视察。长孙知人奏报说："巴蜀（四川省）人体格柔弱，不能担任艰巨工作。建造一艘大型船舰，价值绸缎二千二百三十六匹。山谷砍倒的木材，还没有运完，而又征收造船代金。两件事同时执行，人民不堪承受，最好是使他们能活下去，获得休养。"李世民下令：潭州人造船价款，全由政府负担。

35 冬季，十月六日，李世民返京师（首都长安）。

36 回纥部落（蒙古国北部）君王（俟利发）药罗葛吐迷度（药罗葛，三字姓）的侄儿药罗葛乌纥，跟他的婶娘（药罗葛吐迷度的正妻）通奸。而药罗葛乌纥跟俱陆莫贺部落贵族（达官）药罗葛俱罗勃，都是东突厥汗国车鼻可汗（十五任大可汗）阿史那斛勃的女婿；二人密谋诛杀药罗葛吐迷度，然后投降东突厥。计议已定，药罗葛乌纥率十余人轻装备骑兵，夜间袭击御帐，斩药罗葛吐迷度。

燕然副都护（总督府设内蒙古乌拉特中旗）元礼臣，派使节引诱药罗葛乌纥，承诺保荐他当瀚海军区（总部设蒙古国哈拉和林市）总司令（瀚海都督），药罗葛乌纥率少数骑兵，晋见元礼臣致谢，元礼臣逮捕药罗葛乌纥，斩首，呈报中央。李世民恐怕回纥部落瓦解，派国务院国防部长（兵部尚书）崔敦礼前往慰问安抚。很久之后，药罗葛俱罗勃前来唐帝国朝见，李世民把他留下来，不准他回去（刚兴旺的回纥部落，又告衰弱，要到九十六年后——下世纪〔八〕的七四四年八月，才能复兴）。

37 西征军昆丘兵团总司令官（昆丘道行军大总管）阿史那社尔，在击破处月部落（新疆新源县境）、处密部落（新疆塔城市境）后，率军穿过焉耆王国（新疆焉耆县）西境，直向龟兹王国（新疆库车市）北境，兵分五路，向目标各城发动闪电攻击，焉耆王龙薛婆阿那支（龙，姓），放弃首都，投奔龟兹，据守东部疆土抵抗，阿史那社尔派军追击，生擒龙薛婆阿那支，斩首（龙薛婆阿那支夺取王位事，参考六四四年九月），任命他的堂弟龙先那准当焉耆王，由他负责朝贡工作。

龟兹王国（新疆库车市）大为震撼，武装部队将领很多放弃职守，出城逃亡。阿史那社尔挺进到碛口（沙漠口岸），距首都伊逻卢城（库车市）三百华里，派伊州（新疆哈密市）州长韩威，率一千余骑兵当先锋，右卫（卫军第二军）将军曹继叔随后继进，抵达多褐城（库车市东），龟兹国王白诃黎布失毕（白，姓），派宰相那利、羯猎颠等率军五万人迎战，两军刚刚接触，韩威即假装失利，向后败退，龟兹大军追击，奔驰三十华里，韩威与曹继叔的第二波挺进部队会师。龟兹军恐惧，刚要转身逃走，曹继叔乘机攻击，龟兹军大败，西征军追击八十华里。

38 十月二十七日，唐政府任命回纥部落（蒙古国北部）故君王（俟利发）药罗葛吐迷度的儿子、前左屯卫（卫军第九军）大将军药罗葛婆闰，当左骁卫（卫军第五军）大将军、回纥部落大君王（大俟利发）、瀚海军区（总部设蒙古国哈拉和林市）总司令（瀚海都督）。

39 十一月二十三日，契丹部落（辽河上游）带兵官（帅）耶律窟哥、奚部落（滦河上游）带兵官（帅）可度者，率领他们的部众，一同归附唐帝国。唐政府在契丹部落所在地设松漠军区（总部设内蒙古巴林右旗），命耶律窟哥当军区总司令（松漠都督），又命他的部将耶律达稽等部落，改称峭落等九州（峭落州、无逢州、羽陵州、白连州、徒何州、万丹州、疋黎州、赤山州，及弹汗州），由各部落首领（辱纥主）担任州长。在奚部落所在地设饶乐军区（总部设内蒙古宁城县西南），命可度者当军区总司令（饶乐都督），又在他的部将阿会等部落所在地，设弱水等五州（弱水州、祁黎州、洛瑰州、太鲁州、渴野州），也由各部落首领（辱纥主）分别担任州长。

十一月二十四日，唐政府在营州（辽宁省朝阳市）设东方蛮夷保安司令官（东夷校尉）。

40 十二月二十四日，太子李治为娘亲文德皇后长孙女士兴建的大慈恩寺落成（隋王朝无漏寺的故址）。

41 龟兹王（新疆库车市）白诃黎布失毕（白，姓），受到挫败后，退回首都伊逻卢城固守，唐帝国西征军昆丘兵团总司令官（昆丘道行军大总管）阿史那社尔继续挺进，施加压力；白诃黎布失毕率少数骑兵向西逃走，阿史那社尔遂占领伊逻卢城（库车市），命安西总督（总督府设交河〔新疆吐鲁番市〕）郭孝恪驻守。

沙州（甘肃省敦煌市）州长苏海政、宫廷总管府车轿管理官（尚辇奉御，从五品上）薛万备，率精锐骑兵追捕白诃黎布失毕，行军六百华里，白诃黎布失毕困窘急迫，投奔拨换城（新疆阿克苏市）固守，阿史那社尔攻城，历时四十天。

闰十二月一日，攻克，生擒白诃黎布失毕及他的宰相羯猎颠，另一位宰相那利脱身逃走，引导西突厥汗国（新疆东北部及中亚东部）部落军及龟兹国防军一万余人，反攻郭孝恪。郭孝恪在首都伊逻卢城外扎营休息，有龟兹人向他警告，郭孝恪并不在意，而那利大军突然出现，郭孝恪率部属一千余人准备进城，那利大军已攀上城墙，城里龟兹人起兵响应，联合攻击郭孝恪，流箭飞石，如同瀑布大雨，郭孝恪不能抵御，打算再出城外，就在西门阵亡。伊逻卢城中陷于恐惧混乱。国务院财政部粮秣司长（仓部郎中）崔义超，集结敢死队二百人，保护军用物资，跟龟兹军巷战，西征军先锋曹继叔、韩威，在城外扎营，自西北角攻击，到了天亮，那利退出城外；西征军杀三千余人，才恢复城中秩序。十余日后，那利再率龟兹军一万余人自北山出击，直向首都伊逻卢城（库车市），曹继叔迎战，大破龟兹军，杀八千余人。那利单人匹马逃走，被龟兹人生擒，送到西征军大营。

阿史那社尔前后击破龟兹王国大城五座，派左卫军（卫军第一军）贵族征兵府副司令（左卫郎将）权祇甫，前往其他城池游说，分析祸福，共七百余城，纷纷投降，俘虏男女数万人。阿史那社尔召集龟兹王国的父老，宣示唐帝国的神威，告诉他们所以讨伐国王白诃黎布失毕的原因，封白诃黎布失毕的亲王（叶护）老弟，继任国王，龟兹人大为欣喜。西域（新疆及中亚东部）各国震动惊骇，西突厥汗国（新疆东北部及中亚东部）、于阗王国（新疆和田市）、安国（中亚布哈拉市）争着供应唐帝国远征军骆驼、骡马、粮食。阿史那社尔在龟兹（新疆库车市）竖立石碑，记载远征功勋，回军。

42 闰十二月二日，唐政府任命昆丘兵团总司令（昆丘道行军总管）、左骁卫（卫军第五军）将军阿史那贺鲁，当泥伏沙钵罗亲王，赏赐给他大旗巨鼓，命他讨伐西突厥汗国境内还没有降附的部落。

43 闰十二月七日，新罗王国（首都金城〔朝鲜半岛庆州市〕）宰相金春秋，带着儿子金文王，前来唐帝国朝见。金春秋，是新罗王（二十八任真德女王）金胜曼的老弟。

李世民任命金春秋当特进（文散官二级，正二品），金文王当左武卫（卫军第三军）将军；金春秋请改穿唐王朝衣服，李世民拿出皇宫中穿的冬天衣服，赏赐给他。

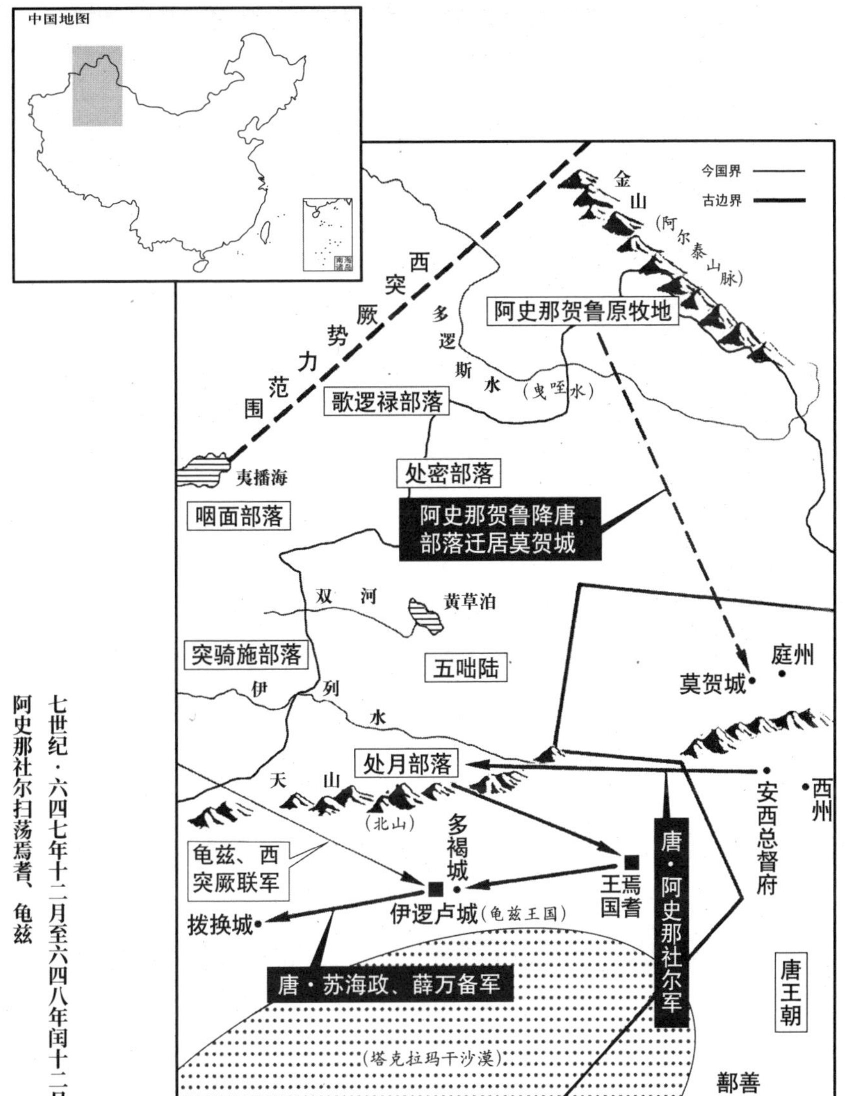

七世纪·六四七年十二月至六四八年闰十二月
阿史那社尔扫荡焉耆、龟兹

六四九年 己酉

唐　贞观　二十三年

1 春季，正月六日，被唐王朝（首都长安〔陕西省西安市〕）俘虏的龟兹王（新疆库车市）白诃黎布失毕及他的宰相那利等，抵达京师（首都长安），唐帝（二任太宗）李世民（本年五十二岁），在责备他们之后，全都释放，任命白诃黎布失毕当左武卫军（卫军第三军）贵族征兵府司令（左武卫中郎将）。

2 西南边陲地区（云南省西部）徒莫祗等蛮夷部落，归降唐帝国，唐政府在他们居留地区，分别设傍州（云南省双柏县）、望州（云南省禄丰市西）、览州（云南省牟定县）、丘州（云南省南华县）四个州（皆是羁縻州），隶属郎州军区（总部设云南省曲靖市）总司令部（南宁州于六二五年改称郎州）。

3 东突厥汗国车鼻可汗（十五任大可汗）阿史那斛勃，拒绝前来唐帝国朝见（参考去年〔六四八〕十一月）。李世民派右骁卫军（卫军第六军）贵族征兵府副司令（郎将）高侃，征调回纥部落（蒙古国北部）、仆骨部落（蒙古国东部）等各部落军，向阿史那斛勃袭击。大军进入东突厥国境，东突厥各部落纷纷投降，拔悉密（蒙古国科布多盆地北部）总督（吐屯）阿史那肥罗察（阿史那斛勃的儿子）也向唐帝国远征军归附，唐政府在该地设新黎州（羁縻州）。

4 二月十一日，设瑶池军区（总部设新疆阜康市）总司令部（瑶池都督府），隶属安西总督（总督府设交河城〔新疆吐鲁番市〕）。

二月十三日，李世民命左卫（卫军第一军）将军阿史那贺鲁，当瑶池军区（总部设新疆阜康市）总司令（瑶池都督）。

5 三月十二日，设丰州军区（总部设内蒙古五原县）总司令部（丰州都督府），命燕然总督（总督府设内蒙古乌拉特中旗）李素立，兼丰州军区总司令。

6 自去年（六四八）冬季大旱，到现在才开始落雨。

三月十七日，李世民带病勉强到显道门外，赦免天下。

三月二十三日，命太子李治，在金液门主持朝会。

7 夏季，四月一日，李世民前往翠微宫（陕西省西安市南二十五公里太和谷）。

七世纪·四〇年代后期　唐王朝疆域扩张

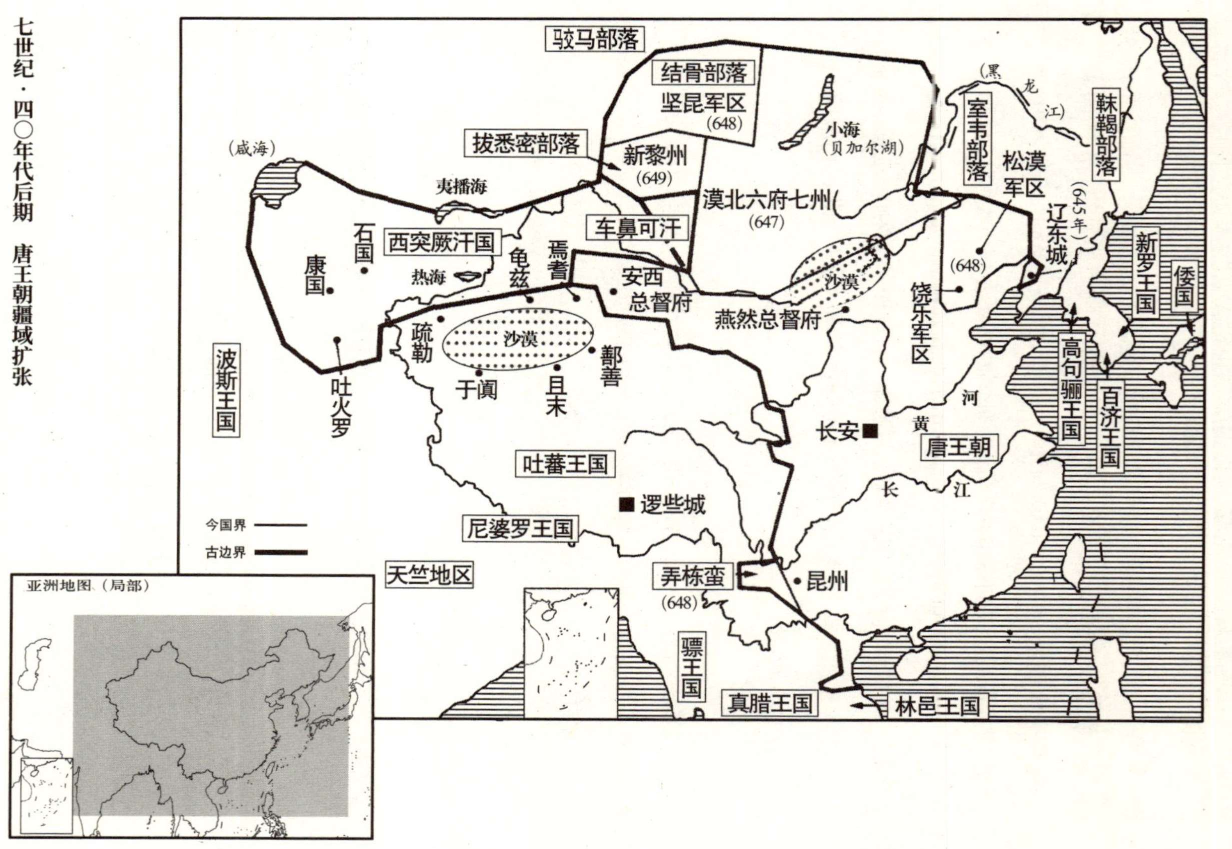

8 李世民告诉太子李治说："李世勣（徐世勣）的才能智慧，绰绰有余，但你对他没有恩德，恐怕难以使他效忠。我今天把他贬窜到外地，如果他马上出发，等我死后，你就擢升他当国务院最高执行长（仆射），可对他信赖；如果他犹豫拖延，只有把他诛杀。"

五月十五日，任命一级实质宰相（同中书门下三品）李世勣（徐世勣）当叠州军区（总部设甘肃省迭部县）总司令（叠州都督）。李世勣（徐世勣）接到诏书，没有回家，立即动身前往。

柏杨曰

根据史书记载，李世民与李世勣（徐世勣）之间，两情契合，水乳交融，也正是英雄豪杰所追求的"外虽君臣，内实骨肉"的锦绣场景。当李世勣（徐世勣）有病时，李世民听说胡须灰可以治病，就把自己的胡须剪下，焚烧和药。有一次，李世民告诉李世勣说："我要把儿子托孤给你，你不辜负李密，怎么会辜负我？"李世勣感动得把手指都咬出鲜血（二事皆参考六四三年四月）。看起来李世民对李世勣信任之深，李世勣对李世民忠心之固，都留下珍贵的一页，感人至深。然而，就在李世民死前的这项试探事件中，所有美好镜头，全部拆穿，焚须咬指，不过是一件官场舞台上演出的两出野台戏。

李世民对李世勣（徐世勣）并不信任，因为他太能干，太无懈可击；而李世勣事实上也同样不信任李世民，因为政治领袖人物，本质上就浑身是假，所以当他突然无缘无故被贬到千里之外，万山丛中的叠州（甘肃省迭部县）时，立刻警觉到刀已加颈，连家都不敢回，可以说洞察李世民的肺腑。所有美好的形容词，诸如"大义""推心置腹""诚能格物"，不过一幅《聊斋》上的"画皮"。

但我们并不责备李世民恶毒，也不责备李世勣逆诈，而只责备封建专制的政治制度，使历史上一位名震千古的伟大君王，和一位名震宇寰的伟大将领，竟爆发出如此丑陋的内幕。那是一种把说谎当成美德，把诚实当作罪恶的制度，互相用动人的言辞欺骗，谁对谁都没有真话，领袖和干部都走在一条钢索之上。李世勣假如是一个实心眼的呆瓜，在奉命后回家向娘亲辞行（那是儒家系统最崇拜的孝道）；或是霉运当头，正逢妻子儿女卧病，甚至断气之际，希望见夫父一面，回家作一次探望，全家势必被屠！思念及此，至为惊骇。

9 五月十八日，开府仪同三司（文散官一级，从一品）、卫公爵（景武公）李靖逝世（年七十九岁）。

10 李世民患痢疾，十分痛苦，病势转重，太子李治日夜守在身旁，甚至几天不吃食物，头发有的都变白。李世民悲哀流泪说：“你能如此孝顺，充满爱心，我虽然一死，也没有遗恨。”

五月二十四日，李世民危急，召见摄理最高立法长（检校中书令）长孙无忌进含风殿。李世民躺在床上，伸手抚摸长孙无忌面颊，长孙无忌哭泣，悲痛不支，而李世民竟无法说话，遂挥手命长孙无忌退出。

五月二十六日，再召见长孙无忌及最高立法长（中书令）褚遂良到卧室，对他们说：“我今天把身后之事，托付你们，太子（李治）仁慈孝顺，你们深知，要好好辅导！”又对李治说：“只要长孙无忌、褚遂良在政府，你不必为帝国担忧！”又单独吩咐褚遂良说：“长孙无忌对我忠心耿耿，我能登上皇帝宝座，很多靠他的力量。我死之后，不要受人挑拨离间。”命褚遂良撰写遗诏草稿。一会工夫，李世民逝世（年五十二岁）。

我观察李世民的崛起，拥有很多传奇故事。李世民聪明绝顶，又勇敢威武，有如神助，选拔人才大公无私，创造事业的人都竭尽其能，所以屈突通、尉迟敬德，由仇敌而变成心腹手臂，马周、刘洎，由疏远而交付给他们重责大任，终于扫平祸乱，大都因此。

墙基石头潮湿时，浓云将起；秋虫齐鸣时，螽斯就会出现。即令像伊祁放勋（尧）、姚重华（舜）那种圣王，不能用梼杌、穷奇（二人皆“四凶”之一）去治理帝国；即令像伊尹、姜子牙那种贤相，不能辅佐姒履癸（夏桀）、子受辛（殷纣），使帝国兴盛。君王和臣属、领袖和干部，要想契合，是多么困难。至于有些臣属挖出自己眼珠（如伍子胥），剖开自己胸膛（如子干）；有些君王尸体充满虫蛆（如姜小白），悬到梁上活生生被抽筋而死（如田地），乃是由于遭遇有异。

房玄龄、魏徵的智慧见识，不超过孔丘、孟轲，却能辅佐君王，保护人民，是他们有好的际遇。有人说，以李世民的贤能英明，失去兄弟之爱，又不能教好儿子，原因何在？我的回答是：确实如此！姚重华（舜）不能感化“四凶”，伊祁放勋（尧）不能感化伊祁丹朱。当李渊听信谗言之时，李建成忌功妒能之日，心情急迫，只盼望自救不死，谁还顾到天崩地裂，兴废存亡？成功失败，其间只隔一根头发。只恐惧逼到眉睫的血腥诛杀，岂在意后世恶评。

李承乾愚昧，再神圣的老爹，都无法教导。如果李世民当初就选定贤能的皇太子，不在高句骊王国事件上称心快意，像初登极几年那样选任人才，后来采纳劝告像魏徵在世之日，则比起姬发（周王朝一任王）、姬诵（周王朝二任王）时代，当有更高的成就，较之刘恒（西汉王朝五任帝）、刘彻（西汉王朝七任帝）的恢宏气势，将更为完美。但观察李世民博采众议，判断正确，坚毅不拔，从不迷惑动摇，接纳臣属规劝的话，速度如同流水，千年以下，也仅李世民一人而已。

太难了，使国家和平繁荣的政治领袖，几个世代都不出现一次。夏王朝十六个君王（事实上有十九个君王），只有姒少康（八任帝）创立中兴大业；商王朝二十八个君王（事实上有三十个君王），而真正的盛世，不过子太甲（五任太宗）、子太戊（十任中宗）、子武丁（二十三任高宗）；周王朝三十六个君王（事实上有四十个君王），也只不过姬诵（二任成王）、姬钊（三任康王），以及姬靖（十一任宣王），建立复国之功。其他的一些君王，都微不足道，虽然《诗经》《尚书》的记载，有时缺少脱落，然而，夏商周三个王朝一千七百余年（事实上一千九百五十年），七十余个君王（事实上八十九个君王），真正有显明的贡献，而被后世称道的，也只不过上述的六七人而已。盖世明君，是多么难遇？

唐王朝有二十个君王（事实上有二十二个君王，古代对君王的计数，及对政权寿命的计时，往往依照政治市场情况，随意增减），而可以赞扬的不过三人（李世民、李隆基、李纯）；而李隆基（九任玄宗）、李纯（十四任宪宗），都有始无终，不能把和平繁荣保持到晚年。这是多么伟大，李世民建立轰轰烈烈的勋业。

至于扫除隋王朝末年的灾祸，行迹可上比子天乙（商汤）、姬发（周武）；政治清明、社会安宁，几乎可媲美姬诵（成）、姬钊（康），自从开天辟地，功业恩德两者兼备，西汉王朝以来直到今天（十一世纪一〇六〇年），还没有过。至于对几个皇子同时溺爱，又大量建立佛教寺院塔庙，喜爱开疆拓土，不断出兵到边远地区，不过是中等的平庸君王所作所为。然而，《春秋》昭示的法则，总是责备贤能的人，所以后世的正人君子，打算塑造一个美好的形象时，没有不叹息有这些缺点。

太子李治抱住舅父长孙无忌的脖子，哀号痛哭，几乎昏迷；长孙无忌拭去眼泪，请李治立即接管政府，安抚内外，而李治悲哀哭号，不能停止，长孙无忌说："主上把皇家祖庙及皇家政权交给你，你怎么能跟一介平民一样，只会哭泣！"下令封锁李世民死亡消息，不对外宣布。

五月二十七日，长孙无忌等请李治先行返首都长安（李世民在太和谷翠微宫逝世），飞骑（禁军，羽林军前身）、精锐卫军，以及旧有将领，全部护从。

五月二十八日，李治进入京师（首都长安）；李世民灵柩放在两马并抬的轿上，警戒侍卫跟平常一样，紧接李治后面进城，停放两仪殿。用李世民的名义下诏，擢升太子宫政务署长（太子左庶子）于志宁当最高监督长（侍中），太子宫副总管（少詹事）张行成兼任最高监督长（兼侍中），摄理国务院司法部长（检校刑部尚书）太子宫事务署长（右庶子）兼国务院文官部副部长（兼吏部侍郎）高季辅，兼最高立法长（兼中书令）。

五月二十九日，在太极殿正式发布李世民逝世噩耗，并宣读遗诏：命太子李治继位，军国大事，不可停顿；日常事务，则交付有关单位处理；担任军区总司令（都督）、州长的各亲王，准许前来京师（首都长安）奔丧，但濮王李泰例外（李泰被贬均州，参考六四三年九月）；取消对高句骊王国（首都平壤〔朝鲜半岛平壤市〕）远征计划及各项土木工程。

四方蛮夷部落在唐政府担任公职以及正巧抵达京师（首都长安）朝贡的各国使节，约有数百人，听到消息，都悲哀痛哭，依照各自的风俗：剪去头发，用刀划脸割耳，地上血迹斑斑。

六月一日，李治（本年二十二岁）正式登极称帝（三任高宗），赦免天下。

11 六月四日，三任帝李治擢升叠州军区（总部设甘肃省迭部县）

总司令（叠州都督）李世勣（徐世勣），当特进（文散官二级，正二品）、摄理洛州（河南省洛阳市）州长兼洛阳宫留守长官。

之前，李世民因是“双名”，所以训令全国人民，除了不准用相连的“世民”二字外，不避讳个别的“世”字或“民”字。现在，李治为了尊敬老爹，凡是官名、人名，有“世”字或“民”字的，一律更改（首当其冲的就是李世勣〔徐世勣〕，从本年起，“世”“民”二字就像毒蛇的牙一样，从史书中拔去，只成了“李勣”。我们庆幸生在二十世纪，不受这些小动作骚扰）。

12 六月十日，李治任命长孙无忌当太尉（三公之一）兼摄理最高立法长（兼检校中书令），主持国务院（尚书）、监督院（门下）政务。长孙无忌坚决辞让主持国务院政务（知尚书省事），李治同意，但仍命长孙无忌以太尉（三公之一）身份，“同中书门下三品”（三公是正一品，位高而无权，仍须降低身份，视同立法院及监督院首长的三品，才是实质宰相）。

六月二十日，擢升李世勣（徐世勣）当开府仪同三司（文散官一级，从一品）、一级实质宰相（同中书门下三品）。

13 左骁卫（卫军第五军）大将军阿史那社尔击破龟兹王国（新疆库车市）时，总部秘书长（行军长史）薛万备建议，利用战胜余威，游说于阗王国（新疆和田市）国王伏阇信，前来唐帝国朝贡，阿史那社尔同意。

秋季，七月六日，伏阇信随薛万备进京（首都长安），李治命他到李世民灵柩前致祭。

14 八月一日，夜晚，大地震，晋州（山西省临汾市）尤其严重，房屋倒塌，压死五千余人（人间惨事）。

15 八月十八日，把故皇帝（二任太宗）李世民安葬昭陵（陕西省礼泉县北十五公里九嵕山），庙号太宗。左骁卫（卫军第五军）大将军阿史那社尔、右骁卫（卫军第六军）大将军契苾何力，请求自杀殉葬，李治派使节告诉他们：先帝（李世民）早有吩咐不准。但把李世民在位期间被生擒俘虏的各蛮夷君王酋长，包括阿史那咄苾（东突厥汗国十三任颉利可汗）在内，共十四人，都雕成石像，刻上名字，陈列北司马门里。

16 八月二十五日，国务院教育部长（礼部尚书）许敬宗上疏说："皇家七世祖李重耳的祭庙（参考六三五年七月），应该拆毁（依儒家法则："亲尽则毁。"），请把牌位移藏到皇家祖庙西厢祭堂。"李治批准。

17 九月十三日，李治任命李世勣（徐世勣）当国务院左最高执行长（左仆射）。

18 冬季，十月，在东突厥汗国残余部落所在地，分别设立舍利等五州（舍利州、思壁州、阿史那州、绰州、白登州），隶属云中军区（总部设内蒙古阴山以北一带）总司令部；另设苏农等六州（苏农州、阿德州、执失州、拔延州、郁射州、卑失州），隶属定襄军区（总部设内蒙古锡林郭勒盟北部）总司令部（定襄都督府）。

19 十月四日，李治问最高法院院长（大理卿）唐临，监狱中囚犯的数目，唐临回答说："现有囚犯五十余人，其中只两个人应该处死。"李治欣喜。

李治曾经亲自审问囚犯，前任最高法院院长（大理卿）定罪的囚犯，很多呼叫冤枉，而唐临所定罪的囚犯，独没有人反应。李治奇怪，问他们缘故，囚犯们回答说：“唐院长判刑，本来不冤。”李治叹息很久，说：“当一个法官，岂不应该如此！”

20 李治任命吐蕃王国（首都逻些城〔西藏拉萨市〕）国王（三十二任）弃宗弄瓒当驸马都尉（公主丈夫专职），封西海郡王。

弃宗弄瓒写信给长孙无忌等说：“天子（李治）刚刚登极，臣属中如果有人不忠，我当率军前往京师（首都长安）讨伐铲除。”

21 十二月，李治下诏，命濮王李泰设立总部（开府），聘任僚属；所用车辆服装、珍宝饮食，都特别优待。

唐王朝

- 伊斯兰教开始传入中国。
- 武曌入宫，杀王皇后及萧淑妃，继任皇后。
- 擒西突厥沙钵略可汗。
- 诬杀长孙无忌等。

- 新罗王国用中国年号。
- 阿拉伯军团深入波斯，波斯末王被杀，萨桑王朝亡。
- 日本第二、第三、第四次遣唐使。
- 东罗马皇帝君士坦斯二世逮捕教皇马丁一世。
- 阿拉伯三任哈利发被杀。

六五〇年　庚戌

唐　永徽　元年

1 春季，正月一日，唐王朝（首都长安〔陕西省西安市〕）改年号（永徽）。

2 正月六日，唐帝（三任高宗）李治（本年二十三岁）封太子妃王女士当皇后；王皇后，是王思政的孙女（王思政事，参考五三二年四月）。李治再任命王皇后的老爹王仁祐当特进（文散官二级，正二品），封魏国公爵。

3 正月十九日，任命张行成当最高监督长（侍中）。

4 正月二十一日，李治召见各地方政府进京朝贡特使（朝集使），对大家说：“我刚刚登极，如果对人有什么伤害的措施时，你们应全部告诉我，如果一时说不完，回去后随时上疏再奏。”自此每天召各州长十人入宫，询问民间困苦，及政府治理成绩。

洛阳（河南省洛阳市）人李弘泰，检举长孙无忌谋反，李治命立即把李弘泰斩首。长孙无忌及褚遂良，同心合力辅佐李治，李治对二人也十分尊重礼敬，克制自己，完全听从指导，所以七世纪五〇年代前期（六五〇年至六五五年），政治清明，人民安泰，有李世民在位时贞观（六二七年至六四九年）的遗风。

5 二任帝李世民的女儿衡山公主，应出嫁长孙家，主管单位认为政府官员的丧服既已脱下，建议本年（六五〇）秋季举行婚礼，最高监督长（侍中）于志宁反对，上疏说："刘恒（西汉王朝五任帝）创下短期丧服制度（皇帝安葬三天后，即脱下丧服，参考前一五七年六月），本是为了方便平民。公主丧服属于最重级"斩衰"（生麻布缝制不修边），纵然丧服可以随着大家脱下，可是父女之情，怎么能也随着大家消失？请求等候到三年丧服穿毕，再出嫁成婚。"李治批准（三年之丧，律己不足，害人有余）。

6 二月二十二日，李治封皇子李孝当许王、李上金当杞王、李素节当雍王。

7 夏季，五月二十四日，吐蕃王国（首都逻些城〔西藏拉萨市〕）国王（三十二任）弃宗弄瓒逝世（年九十四岁）。他的嫡子早死，由他的孙儿（有一说认为是他叔父的孙儿）芒松芒赞继位（三十三任）；芒松芒赞年纪太小，全国军政大事，都由宰相禄东赞裁定，禄东赞神态庄重，胸襟豁达，指挥军队作战，深有谋略。吐蕃之所以能够强大，威震氐、羌两大民族，都出于他的计划。

8 六月，北征军右骁卫军（卫军第六军）贵族征兵府副司令（郎将）高侃，攻击东突厥汗国（参考去年〔六四九〕正月），挺进到阿息山（今地不详），车鼻可汗（十五任大可汗）阿史那斛勃紧急征调各部落增援，而各部落全没有反应，阿史那斛勃无可奈何，在数百名骑兵保护下逃走。高侃率精锐骑兵追击，追到金山（新疆阿尔泰山），生擒阿史那斛勃而回，东突厥残余部众纷纷投降。

9 最初，左骁卫（卫军第五军）大将军阿史那社尔俘虏龟兹王（新疆库车市）白诃黎布失毕（白，姓），命白诃黎布失毕的老弟继位（参考前年〔六四八〕闰十二月）。唐帝国军队撤退后，各酋长不服，争夺王位，互相攻击。

秋季，八月十六日，李治下诏，恢复白诃黎布失毕王位，送他回国，安抚他的人民。

10 九月四日，高侃押解东突厥车鼻可汗（十五任大可汗）阿史那斛勃，抵达京师（首都长安）；李治下令释放，命他当左武卫（卫军第三军）将军，把残余部众安置在郁督军山（蒙古国杭爱山），设狼山军区（总部设蒙古国乌列盖城）总司令部（都督府）统辖。擢升高侃当卫将军（唐王朝没有卫将军，可能是左卫〔卫军第一军〕将军、右卫〔卫军第二军〕将军）。

自此，故东突厥所有部众，全在唐帝国疆土之内；分别设立单于总督府（设内蒙古和林格尔县）及瀚海总督府（设蒙古国哈拉和林市）。单于总督府统御狼山军区（总部设蒙古国乌列盖城）、云中军区（总部设内蒙古阴山以北一带）、桑干军区（总部设内蒙古浑善达克沙地）三个总司令（都督），和苏农（今地不详）等十四个州。瀚海都护统御瀚海军区（总部设蒙古国哈拉和林市）、金微军区（总部设蒙古国温都尔汗市北）、新黎军区（总部设蒙古国乌兰固木城）等七个军区及仙萼（蒙古国额尔登特城）等八州。分别任命各部落酋长当军区总司令（都督）及州长。

11 九月二十七日，李治出京（首都长安）打猎，正巧落雨，问高级顾问官（谏议大夫）、昌乐（河南省南乐县）人谷那律说：“雨衣用什么做才不漏水？”谷那律说：“雨衣用瓦做，必定不漏水。”李治喜悦，立刻停止打猎。

12 国务院左最高执行长（左仆射）李世勣（徐世勣）坚决请求辞职。

冬季，十月三日，免除李世勣（徐世勣）国务院左最高执行长（左仆射）职务，但仍保留开府仪同三司（文散官一级，从一品），及一级实质宰相（同中书门下三品）。

13 十一月二十四日（原文误置于十月，据《新唐书》改），行政监察官（监察御史）阳武（河南省原阳县）人韦思谦，上疏弹劾最高立法长（中书令）褚遂良用低价强行购买翻译官（译语人）私人土地。最高法院副院长（大理少卿）张叡册调查的结果，认为是依照征收价格成交，没有犯罪。韦思谦再奏报说：“征收价格，政府必要时才能作为依据。民间交易，怎么可以用政府征收手段？张叡册故意曲解法律条文，谄媚高官，欺骗君王，应该斩首。”

当天（十一月二十四日），李治贬褚遂良当同州（陕西省大荔县）州长、张叡册当循州（广东省惠州市）州长。韦思谦，本名韦仁约，用他的别名思谦行世。

14 十二月五日，梓州军区（总部设四川省三台县）总司令（都督）谢万岁、兖州军区（总部设山东省济宁市兖州区）总司令（都督）谢法兴，跟黔州军区（总部设重庆市彭水县）总司令（都督）李孟尝，共同讨伐琰州（贵州省关岭县）叛变的獠部落。

谢万岁、谢法兴深入山区招抚慰问，被獠部落诛杀。

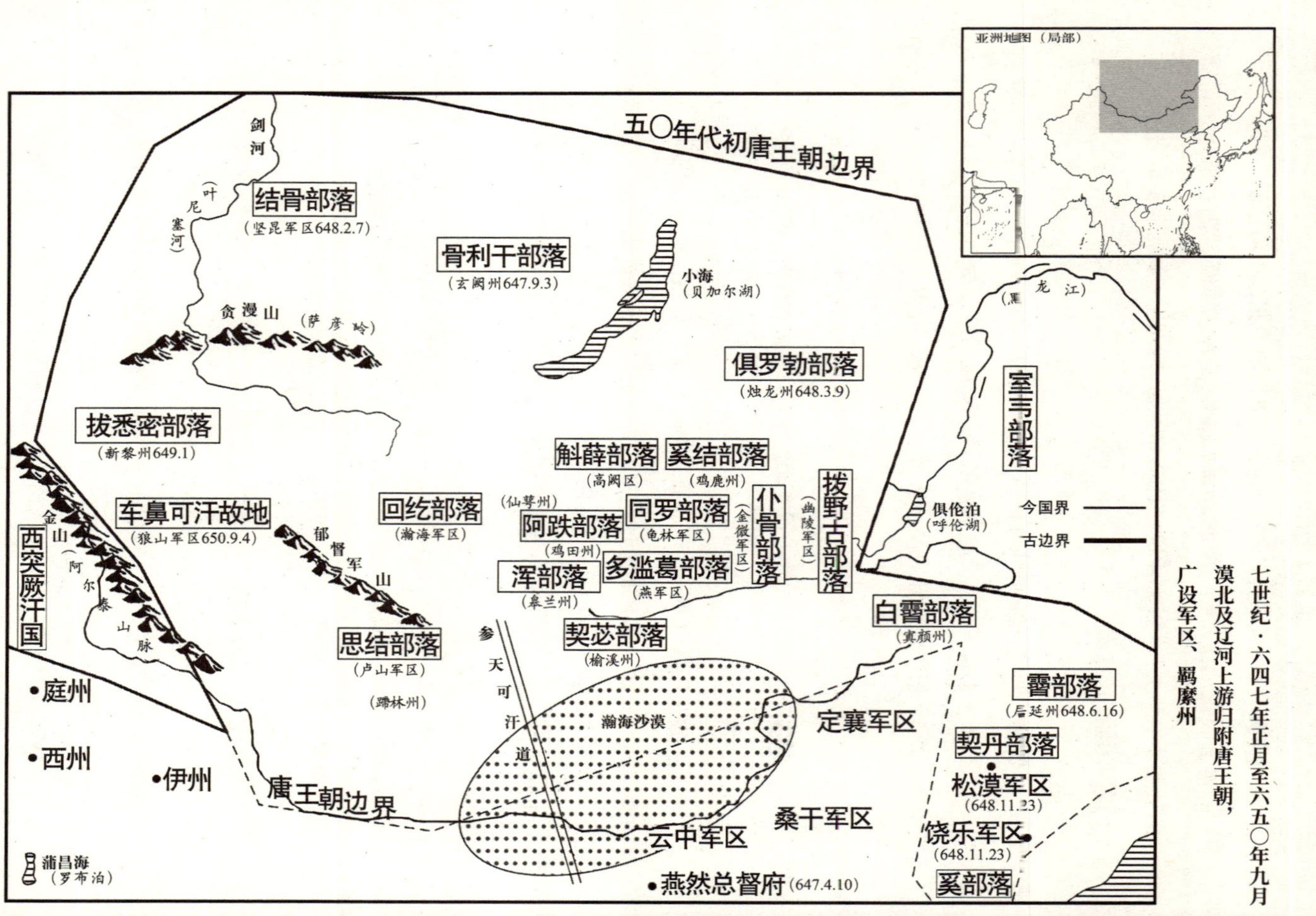
七世纪·六四七年正月至六五〇年九月
漠北及辽河上游归附唐王朝，
广设军区、羁縻州
亚洲地图（局部）
五〇年代初唐王朝边界
剑河
（叶尼塞河）
结骨部落
（坚昆军区648.2.7）
骨利干部落
（玄阙州647.9.3）
小海
（贝加尔湖）
贪漫山
（萨彦岭）
俱罗勃部落
（烛龙州648.3.9）
（黑龙江）
室韦部落
拔悉密部落
（蔪黎州649.1）
斛薛部落
（高阙区）
奚结部落
（鸡鹿州）
仆骨部落
（金徽军区）
拔野古部落
（幽陵军区）
俱伦泊
（呼伦湖）
今国界
古边界
车鼻可汗故地
（狼山军区650.9.4）
回纥部落
（瀚海军区）
（仙萼州）
阿跌部落
（鸡田州）
同罗部落
（龟林军区）
多滥葛部落
（燕军区）
浑部落
（皋兰州）
金山（阿尔泰山脉）
西突厥汗国
郁督军山
思结部落
（卢山军区）
（蹛林州）
契苾部落
（榆溪州）
白霫部落
（寘颜州）
参天可汗道
瀚海沙漠
霫部落
（居延州648.6.16）
定襄军区
契丹部落
松漠军区
（648.11.23）
庭州
西州
伊州
唐王朝边界
桑干军区
云中军区
饶乐军区
（648.11.23）
蒲昌海
（罗布泊）
燕然总督府（647.4.10）
奚部落

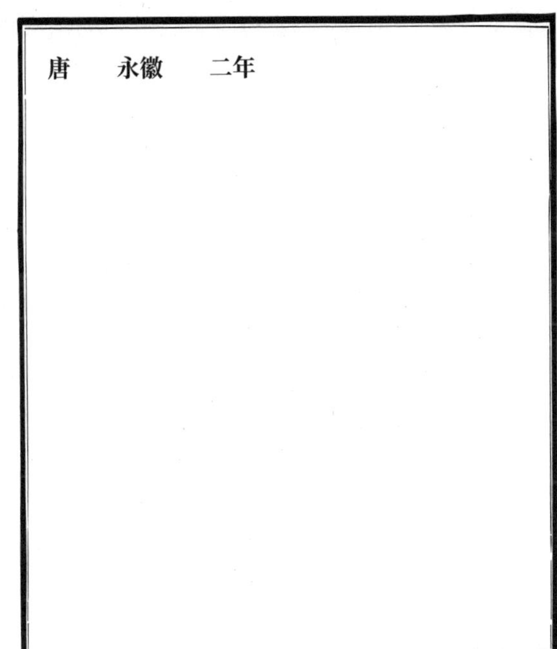

1 春季，正月十一日，唐王朝（首都长安〔陕西省西安市〕）皇帝（三任高宗）李治（本年二十四岁），命监督院副监督长（黄门侍郎）宇文节、立法院副立法长（中书侍郎）柳奭，同时当一级实质宰相（同中书门下三品）。柳奭，是柳亨的侄儿、王皇后的舅父。

2 左骁卫（卫军第五军）将军、瑶池军区（总部设新疆阜康市）总司令（都督）阿史那贺鲁，招收集结离散的部落，篷帐以及人口，都渐渐增加；听到二任帝李世民逝世消息，打算袭击西州（新疆吐鲁番市东）及庭州（新疆吉木萨尔县）。庭州州长骆弘义得到消息，上疏警告中央。李治派助理立法官（通事舍人）桥宝明，急往安抚，桥宝明说服阿史那贺鲁，派长子阿史那咥运（咥，音xì〔戏〕）前往京师（首都长安）充当人质。李治命阿史那咥运当右骁卫军（卫军第六军）贵族征兵府司令（中郎将），但不久又让阿史那咥运西返。

阿史那咥运西返后，说服他的老爹阿史那贺鲁，率领部众向西迁移，击败西突厥汗国（新疆东北部及中亚东部）乙毗射匮可汗（十任大可汗，名不详），吞并他的部众，在双河（博尔塔拉河）及千泉（中亚吉尔吉思山北）建立王庭（中央政府），自称沙钵罗可汗（十一任大可汗），东部防区（咄陆）五指挥官（啜）、西部防区（弩失毕）五司令官（俟斤），都向他归附，力量迅速扩大，随时可作战的武装部队有数十万，跟乙毗咄陆可汗（八任大可汗）苦战，处月部落（新疆新源县境）、处密部落（新疆塔城市境），以及西域（新疆及中亚东部）各国，多半向他归附，阿史那贺鲁封长子阿史那咥运当莫贺咄亲王（酬庸他脱离中原的大谋略成功）。

3 焉耆王（新疆焉耆县）龙婆伽利逝世，贵族们上疏唐政府，请恢复故王龙突骑支的王位（龙突骑支被俘事，参考六四四年九月）。

夏季，四月，李治下诏加授龙突骑支：右武卫（卫军第四军）将军，送他回国。

4 金州（陕西省安康市）州长、滕王李元婴（李治的叔父），骄傲奢侈，纵情任性，在为老哥李世民守丧期间，打猎游宴，毫无限制，屡次在夜晚开城出入，扰乱治安，有时用弹弓随意射人，有时把人活埋在雪堆里欢笑取乐（即令在黄金时代，中国人也遭此苦）。李治写信给他，恳切责备，强调说：“寻求乐趣的方法，有很多种，姬夷皋（晋国二十六任国君灵公）不过是一个荒淫的君主（姬夷皋在高台上用弹弓射人，看人躲避跳踉，引以为乐），怎么可以效法？因你是我的至亲，不忍把你交给法律制裁，现在特别把你的年终考绩，列为‘下上’（九等中的第七等），

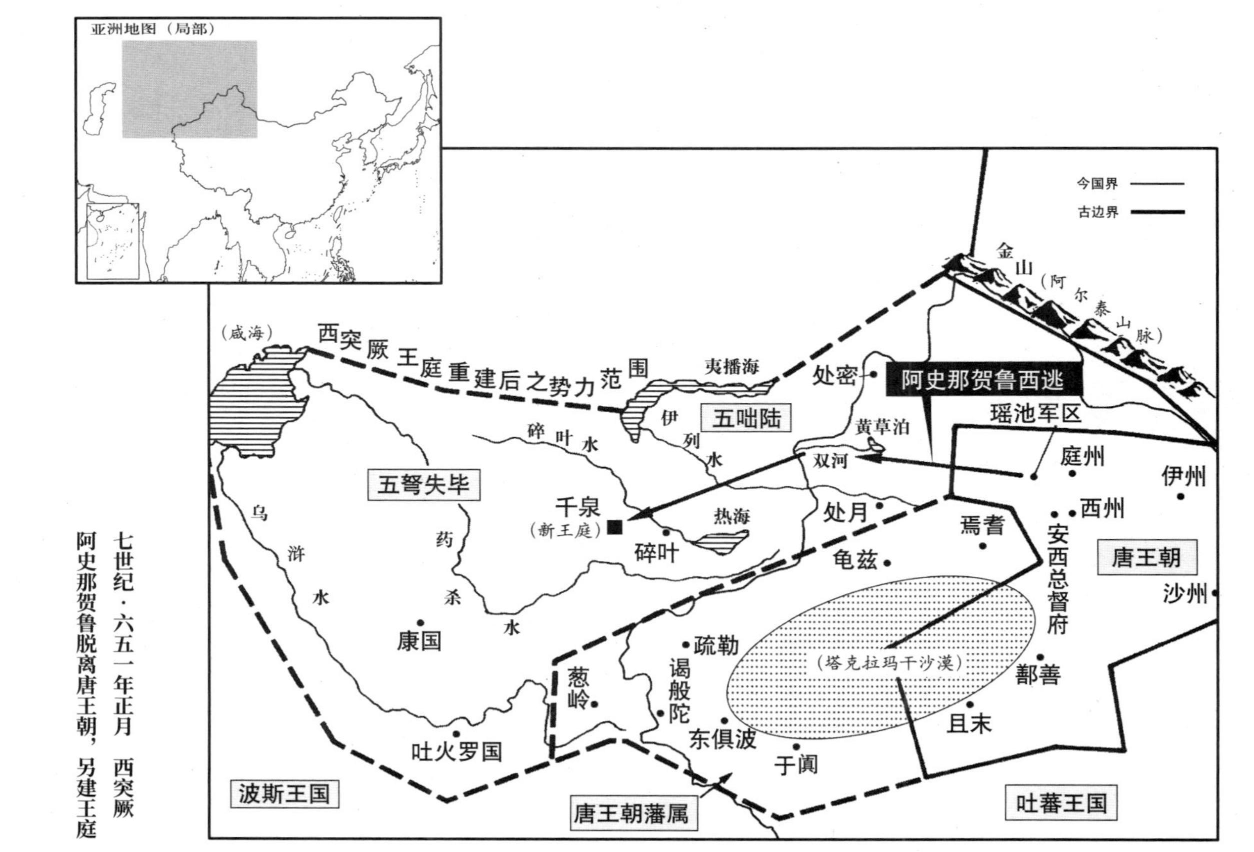

七世纪·六五一年正月　西突厥阿史那贺鲁脱离唐王朝，另建王庭

希望你心中惭愧。”

李元婴跟蒋王李恽，都好贪污聚敛，李治曾经赏赐各亲王绸缎每人五百段，独不给李元婴及李恽，训令说：“滕王（李元婴）叔父、蒋王（李恽）老哥，自己会发财，不须依靠赏赐；特别送给他们两车麻，请捻成绳索，用来串钱。”二人大为惭愧。

5 秋季，七月，西突厥沙钵罗可汗（十一任大可汗）阿史那贺鲁攻击庭州（新疆吉木萨尔县），占领金岭城（新疆鄯善县西北）及蒲类县（新疆奇台县东南），杀戮及俘虏数千人。

唐政府立即反应，李治下诏，命左武卫（卫军第三军）大将军梁建方、右骁卫（卫军第六军）大将军契苾何力，当西征军弓月兵团总司令（弓月道行军总管），右骁卫（卫军第六军）将军高德逸、右武候（卫军第十二军）将军薛孤吴仁，分别当副总司令；征调秦州（甘肃省天水市）、成州（甘肃省礼县南）、岐州（陕西省宝鸡市凤翔区）、京畿卫戍区（雍州）各征兵府士卒三万人，会同回纥部落（蒙古国北部）骑兵五万人，讨伐阿史那贺鲁。

6 七月二日，李治下诏命皇家研究院（弘文馆）礼学教授（礼官学士）讨论皇家大会堂（明堂）制度，决定一任帝（高祖）李渊陪祭“五天帝”（五天帝即五色帝，参考二六六年正月），二任帝（太宗）李世民配祭“五人帝”（五人帝：东方帝伏羲氏〔太昊〕、西方帝金天氏〔少昊己挚〕、南方帝神农氏〔炎帝〕、北方帝高阳氏〔玄帝姬颛顼〕、中央帝有熊氏〔黄帝姬轩辕〕）。

7 八月八日，命最高监督长（侍中）于志宁当国务院左最高执行长（左仆射），兼最高监督长（兼侍中）张行成当国务院右最高执行长（右仆射），兼最高立法长（兼中书令）高季辅当最高监督长（侍中）。于志宁、张行成，仍保留一级实质宰相（同中书门下三品）。

8 八月十八日，郎州（云南省曲靖市）白水蛮（云南省富源县蛮夷）聚众起兵，攻击麻州（羁縻州，云南省宣威市）。唐政府派左领军（卫军第七军）将军赵孝祖等率军讨伐。

9 九月三日，把玉华宫（陕西省宜君县境）改成佛教寺庙。

九月八日，把九成宫（陕西省麟游县境）改名万年宫。

10 九月二十日，左武候军（卫军第十一军）警卫员（引驾）卢文操，跳墙偷窃国库（左藏）里的东西，李治认为，警卫员（引驾）职责在于逮捕违法罪犯（左右武候军负责京师〔首都长安〕治安，巡查街市，类似首都警察厅，有警卫员〔引驾仗三卫〕六十人、警备员〔引驾佽飞〕六十六人），而竟然自己干起偷盗勾当，应该斩首。高级顾问官（谏议大夫）萧钧劝阻说："依照情理，卢文操实在难以原谅，但依照法律，卢文操不应处死。"李治乃免除卢文操死刑，对侍从臣属说："这才是真正的顾问。"

中国人一直把"情""理""法"混淆在一起，直到最近，才有人觉得不妥，提出一项理论说："在现代社会中，传统观念'情''理''法'三项的次序，必须调整为'法''理''情'，已是有识之士的共识。"表面看起来，似是一种进步，但实质上并没有什么改变，现在已是二十世纪与二十一世纪之交，而这种混淆的观念仍支配着中国人的心理和社会，说明情势已严重到必须检讨这三者关系的时机。

现代民主国家中，法庭仲裁一件争执的时候，如果在"法"之外，还要同时兼顾“情”和“理”，那是一件危险的事。因为“情”和“理”会因当事人的主观，发生差异，而“法”是由整个社会经过客观的考虑，依据大多数人的福利而产生的。容我们举一个例子：假如我杀了人，那位被杀者的儿子，会合“情”合“理”、冠冕堂皇的来杀我。同样的，我的儿子为报父仇，也会合“情”合“理”的去杀那个儿子。接着儿子的儿子们会同样的互杀，这样，世世代代都可“合情合理”的循环杀下去，把社会杀成一个屠场。如果用法律作为裁决的准则，杀人是犯法的行为，只有法庭——绝对不是当事人，才有权处理杀人案件，这样才可避免因“情”“理”所造成的杀人循环，社会才有宁日。

一个良好的民主国家的法律，应是依情、依理、依人民和国家的最大利益，综合而成的产品。在执行法律时，不必再重复受“讲理”“说情”的牵制。譬如美国对黑人所制定的种族平等法律，是从惨痛内战的教训，依据人权的观念所创造出来的结晶品，能够单独的作为仲裁的最后准则。

如果执法时，社会仍然兼顾当事人那种主观的“情”和“理”，那可真像开车时有三个司机，国家会混乱得不堪设想。偏偏中国传统所采用的，就是这种以“情理法”或“法理情”为主的三个司机政策。于是，聪明兼狡猾的人犯了法，就可以用“说情”“讲理”的方法，逃出法律的制裁，无形中阻止了民主法治的推进。

很明显的，我们的社会已不需要这种传统的“情”“理”“法”观念，也不需要“法”“理”“情”观念。现代社会所需要的，是简单和清晰的“法”“法”“法”观念。

日历很快的将带我们进入二十一世纪，难道我们仍必须坚持十九世纪以前漫长岁月中那种不健全的认知和共识！

11 闰九月，太尉（三公之一）长孙无忌等删定法令（《永徽令》）完成，奏报李治。

闰九月十四日，李治下诏颁布全国实施（取代《贞观令》〔参考六三七年正月〕）。

12 李治对众宰相说：“听说政府各单位办事时，互相照应，交换情面，很多地方不能公平。”长孙无忌回答说：“我怎么敢断言绝对没有？然而保证不敢为了人情而歪曲法律。至于小小情面，恐怕陛下也很难避免。”

长孙无忌以皇帝的舅父身份，辅佐政府，所有建议，李治没有一件事采纳。

13 冬季，十一月二日，李治前往首都长安南郊，祭祀天神。

14 十一月十四日，李治下诏：“自今天起，中央官员和各州地方官员，如果有呈献猎鹰及猎犬、马匹的，一律惩罚。”

15 十一月十九日，特浪羌酋长董悉奉求、辟惠羌酋长卜檐莫，各率部众一万余户，前往茂州（四川省茂县）请求归附唐帝国（特浪、辟惠各部落分布在四川省汶川县东南山区。本年〔六五一〕，唐政府在二地设蓬鲁州等三十二羁縻州〔名义州〕，均属茂州军区）。

16 窦州（罗窦洞，广东省信宜市南）、义州（广西岑溪市）蛮夷酋长李宝诚等，聚众起兵。桂州军区（总部设广西桂林市）总司令（都督）刘伯英，讨伐平定。

17 郎州兵团（云南省曲靖市）总司令（郎州道行军总管）赵孝祖，讨伐白水蛮（云南省富源县境蛮夷），酋长秃磨蒲及俭弥于，率部众拒守险要抵抗，赵孝祖把他们击破，诛杀。正巧又逢大雪，蛮夷饥寒交迫，几乎死光。赵孝祖上疏说："三〇年代讨伐昆州乌蛮（云南省昆明市蛮夷），开拓疆土，在青蛉（云南省大姚县）、弄栋（云南省姚安县）分设州县（六三七年，在青蛉置髳州，在弄栋置裒州）。弄栋（云南省姚安县）以西有小勃弄（云南省弥渡县北）、大勃弄（云南省弥渡县）两大盆地（六二四年，在大勃弄〔云南省弥渡县〕设南云州；六三四年改名匡州），时常对弄栋（云南省姚安县）诱惑煽动，要弄栋背叛唐王朝。勃弄（云南省弥渡县）西部，跟黄瓜（可能是云南省大理市南境）、叶榆（云南省大理市东北）、西洱河（洱海）接壤，人口众多，物产富庶，比蜀川（四川省）还多，可是，部落林立，没有一个共同君王，互相间喜爱结仇报怨。现在，最好是使用击破白水（云南省富源县）的大军，顺便向西征讨安抚。"李治批准。

18 十二月二十四日，处月部落（新疆新源县境）酋长朱邪孤注（朱邪，复姓），诛杀唐王朝西方远征军招降特使（招慰使）单道惠；然后跟西突厥汗国（新疆东北部及中亚东部）沙钵罗可汗（十一任大可汗）阿史那贺鲁结盟。

19 本年（六五一），百济王国（首都泗沘〔朝鲜半岛扶余市〕）派使节前来中原朝贡，李治警告他说："不要和新罗（首都金城〔朝鲜半岛庆州市〕）、高句骊（首都平壤〔朝鲜半岛平壤市〕）互相攻击，否则，我就出军对你们讨伐（百济攻新罗，参考六四八年九月）。"

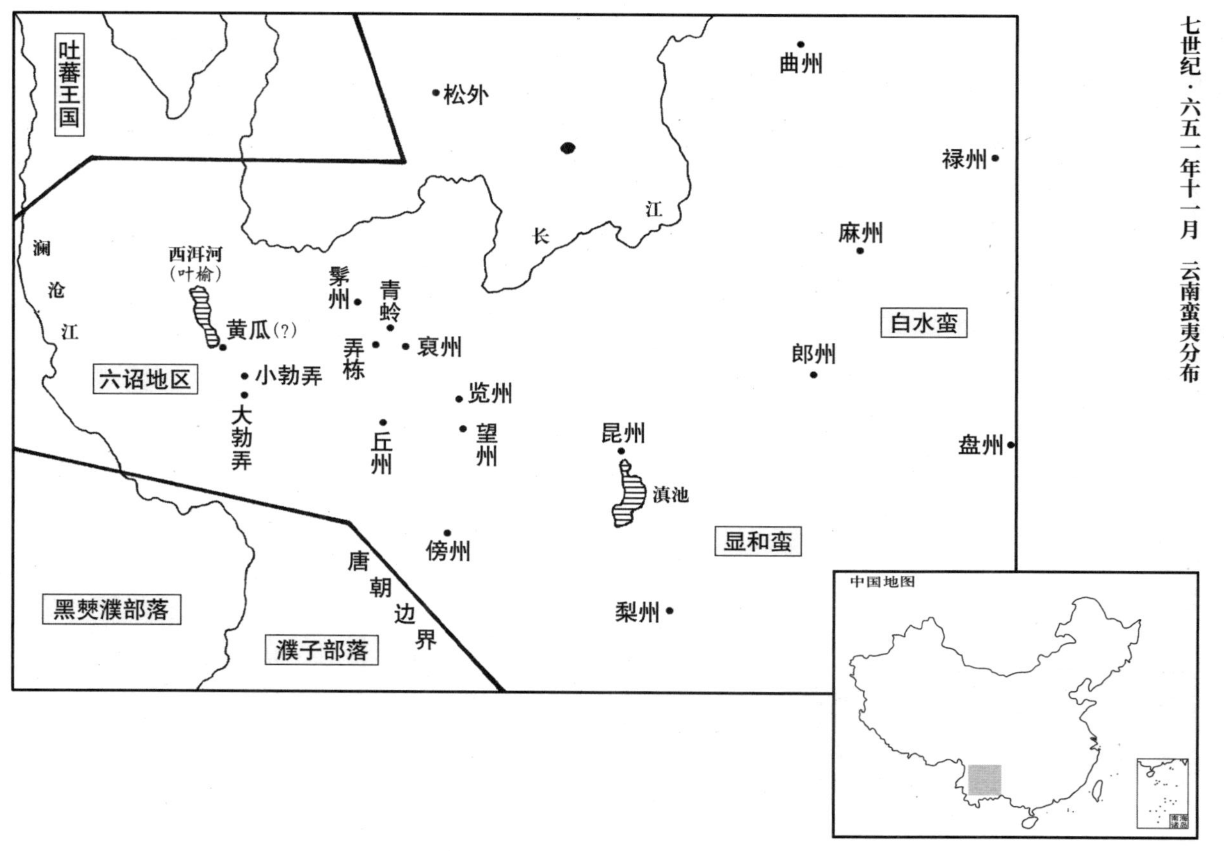

七世纪·六五一年十一月 云南蛮夷分布

六五二年 壬子

1 春季，正月一日，吐谷浑汗国（青海省）、新罗王国（首都金城〔朝鲜半岛庆州市〕）、高句骊王国（首都平壤〔朝鲜半岛平壤市〕）、百济王国（首都泗沘〔朝鲜半岛扶余市〕），都派使节到中国进贡。

2 正月五日，讨伐西突厥汗国（新疆东北部及中亚东部）远征军左武候（参考去年〔六五一〕七月）大将军梁建方、右骁卫（卫军第六军）大将军契苾何力等，在牢山（新疆吉木萨尔县北）大破处月部落（新疆新源县境）酋长朱邪孤注（朱邪，复姓）；朱邪孤注在夜色掩护下逃走，梁建方派副总司令（副总管）高德逸，率少数轻装备骑兵追击，行军五百余华里，生擒朱邪孤注，杀九千人。

远征军班师，监察官（御史）弹劾梁建方有足够的兵力继续追击，却逗留不前；而高德逸奉皇帝诏令买马时，却自己把骏马留下。唐帝（三任高宗）李治（本年二十五岁）因梁建方等都建有功勋，一律不加追究。最高法院院长（大理卿）李道裕上疏说："高德逸自己留下的马，筋骨异于寻常，十分雄健，应交还皇家马厩。"李治对侍从官员说："李道裕是一个法官，马匹的事情，不在他的职责之内，只是乱猜我的心意，拍马屁罢了。难道我说过的话（指不再追究），臣属还不能相信？我只有自己多加检讨，所以不贬谪李道裕。"

3 正月十一日，召回同州（陕西省大荔县）州长褚遂良，担任国务院文官部长（吏部尚书）、一级实质宰相（同中书门下三品）。

4 正月十八日，李治前往皇家祖庙祭祀。

正月二十九日，李治祭祀农神，主持亲自耕田仪式。

5 二月二十七日，李治登安福门楼（长安皇城西面北头第一门），观赏各种民间游艺及特技表演。

二月二十八日，李治告诉侍从官员说："昨天上皇城门楼，只不过观察人情风俗是奢侈或是节俭，并不是为了寻求声色场上的娱乐。我听说洋人最精于足球竞赛（中国古代足球，里面不是空气而是塞满羽毛，当时称"鞠"、称"毬"，踢足球称"蹋鞠""击鞠"），曾经参观过一次。昨天刚上城楼，就有一群洋人开始足球表演，一定是认为我喜欢这一套。帝王一举一动，怎么可以随便猜测！我已经把这个足球烧掉，希望断绝洋人对我的迎合，也同时自我警惕。"（李治焚毁的足球，原文是"此鞠"，"此鞠"即"此球"，此球从哪里来？可能洋人依照祖国风俗，胜利的一方，将球呈献君王致敬，被李治焚毁。）

6 三月二十四日，擢升宇文节当最高监督长（侍中），柳奭当最高立法长（中书令）；另命国务院国防部副部长（兵部侍郎）三原（陕西省三原县东北）人韩瑗暂任副监督长（守黄门侍郎）、一级实质宰相（同中书门下三品）。

7 夏季，四月，郎州兵团（云南省曲靖市）总司令（郎州道行军总管）赵孝祖（参考去年〔六五一〕十一月），大破西南蛮（云南省中部各蛮夷），斩小勃弄（云南省弥渡县北）酋长殁盛，生擒大勃弄（云南省弥渡县）酋长杨承颠。其他各蛮夷部落都集结军队据守险要，大集团有数万人，小集团有数千人，赵孝祖个别击破，逼迫他们投降，西南蛮夷遂全部归附唐王朝。

8 四月七日，澧州（湖南省澧县）州长、彭王（思王）李元则（李治的叔父）逝世。

9 六月二十二日，李治派国务院国防部长（兵部尚书）崔敦礼等，率并州（山西省太原市）、汾州（山西省汾阳市）步骑兵混合兵团一万人，增援茂州（此茂州是羁縻州〔名义州〕，可能在蒙古国西南部）；集结故乙失延陀汗国残余部队，押解他们强渡黄河，设祁连州（州政府迁到今山西省大同市北）安置。

10 秋季，七月二日，李治封皇子、陈王李忠当太子，赦免天下。

王皇后没有儿子，柳奭为她策划，因李忠的娘亲刘女士，出身平民，所以劝王皇后主动建议封李忠当太子，希望他将来感恩图报，跟自己亲近。于是暗示太尉（三公之一）长孙无忌等，请他们说服李治，李治同意。

七月十日，李治任命国务院左最高执行长（左仆射）于志宁兼太子少师（太子三少之一），国务院右最高执行长（右仆射）张行成兼太子少傅（太子三少之二），最高监督长（侍中）高季辅兼太子少保（太子三少之三）。

11 七月二十二日，李治问国务院财政部长（户部尚书）高履行说："去年（六五一）增加多少户口？"高履行说："去年（六五一）共增加十五万户（一户以五人计，约七十五万人）。"李治顺便问隋王朝全国有多少户？以及现在全国有多少户？高履行说："隋王朝六世纪九〇年代，全国有八百七十万户（约四千四百万人。《资治通鉴》的记载是超过八百九十万户，参考六〇四年七月）；现在全国有三百八十万户（约一千九百万人）。"高履行，是高士廉的儿子（高士廉是长孙皇后的舅父，参考六四七年正月）。

从高履行举出的具体数据，可发现即令唐王朝建立已三十五年，而又经过"贞观之治"的黄金时代，人口仍不及隋王朝的一半，隋王朝末年天下大乱，杀戮之惨——至少有三千万人（占全国人口三分之二）丧生，使人哀痛。这悲剧不过由于一个邪恶的领袖杨广一人引起，即令核子大战造成的灾祸，也不过如此，暴政岂止猛于虎而已，更超过核战浩劫。

12 九月，李治命暂任副立法长（守中书侍郎）来济，当一级实质宰相（同中书门下三品）。

13 冬季，十一月庚寅日（十一月甲寅朔，没有庚寅），弘化长公主自吐谷浑汗国（青海省）回首都长安省亲（弘化公主远嫁十五年，参考六三九年十二月）。

14 十二月十日（原文误置于十一月，据《新唐书》改），濮王（恭王）李泰，在均州（湖北省丹江口市西北）逝世（年三十五岁）。

15 最高顾问官（散骑常侍，正三品）房遗爱（房玄龄的次子），娶二任帝李世民的女儿高阳公主（参考六三九年正月）。高阳公主骄傲任性，什么坏事都做得出来，房玄龄逝世（参考六四八年七月）后，高阳公主唆使房遗爱跟房遗直析产分家（房遗直是房玄龄的嫡长子，继承爵位），不久更暗中陷害房遗直。房遗直向李世民申诉，李世民严厉责备高阳公主，对她的宠爱稍稍减退，高阳公主心中怨恨。正巧，监察官（御史）查证一件强盗案，在佛教和尚辩机卧房，找到皇家专用的珠宝枕头，辩机供称是高阳公主赏赐。事实上是高阳公主跟辩机通奸，送给他的金银珠宝以亿为单位计算；更另派两位美女去侍候房遗爱，作为平衡。李世民大怒，腰斩辩机，诛杀奴婢十余人（沦为奴婢的十余人何罪，可悲）。高阳公主反而更怨气冲天，老爹李世民逝世（参考六四九年五月），高阳公主脸上没有一点悲哀的表情。

后来，李治登极，高阳公主又命房遗爱跟老哥房遗直互相控告；中央政府命房遗爱出任房州（湖北省房县）州长，房遗直出任隰州（山西省隰县）州长（隰，音xí〔习〕）。佛教和尚智勖等数人，也秘密陪高阳公主上床。高阳公主命皇宫监狱官（掖庭令，属宦官总管府〔内侍省〕）陈玄运留意侦察宫中动静。

最初，驸马（驸马都尉〔公主的丈夫专称〕）薛万彻（娶一任帝李渊的女儿丹阳公主)，曾因犯罪被开除官籍，不久又被任命当宁州(甘肃省宁县)州长(薛万彻除名流放象州，参考六四八年九月；后遇赦回京，去年〔六五一〕授宁州州长)。现在，从宁州(甘肃省宁县)回京(首都长安)朝见，跟房遗爱交往，感情亲密，对房遗爱大发牢骚，强调说：“我的脚现在虽然有病，但是坐在京师(首都长安)，那些瘪三还不敢动我一根毫毛！”因而跟房遗爱秘密商定：“如果宫廷有什么变化，我们就拥护司徒(三公之二)荆王李元景(李治的叔父)当皇帝。”李元景的女儿嫁给房遗爱的老弟房遗则，也因此跟房遗爱建立友情。李元景曾经亲口说，有一次做梦，梦见一只手握住太阳，一只手握住月亮。驸马(公主的丈夫专称)柴令武，是柴绍的儿子(柴绍娶一任帝李渊的女儿平阳公主，参考六一七年四月)，娶巴陵公主(二任帝李世民的女儿)，当卫州(河南省卫辉市)州长，假托巴陵公主有病，留在京师(首都长安)求医诊治，因而跟房遗爱结合，进行密谋。高阳公主急于罢黜房遗直，夺取他的爵位，于是命人向皇帝诬告房遗直对她施暴。房遗直也上疏指控房遗爱及高阳公主的罪行，呼吁说：“他们的罪恶已经盈满，恐怕连累房家一门。”李治命长孙无忌调查，于是发现房遗爱及高阳公主企图发动政变的阴谋。

司空(三公之三)、安州军区(总部设湖北省安陆市)总司令(都督)吴王李恪的母亲，是杨广(隋王朝二任帝)的女儿；李恪文武全才，李世民一直认为李恪很像自己，打算封为太子，长孙无忌坚决劝阻，才算停止(参考六四三年十二月)；李恪因此跟长孙无忌互相仇视。李恪拥有很高名望，受到舆论的拥护，长孙无忌深怀嫉妒，打算扩大打击面。找一个借口，把他诛杀，用来断绝大家的盼望。房遗爱探听到这个消息，遂供称跟李恪一同谋反，希望能像纥干承基一样(参考六四三年正月)，免除死刑。

六五三年 癸丑

唐　永徽　四年

（文佳皇帝陈硕真元年）

1 春季，二月二日，唐王朝（首都长安〔陕西省西安市〕）皇帝（三任高宗）李治（本年二十六岁）下诏：房遗爱、薛万彻、柴令武斩首；李元景、李恪、高阳公主、巴陵公主，一律自杀。李治悲伤流涕，问侍从官员说："荆王（李元景）是我的叔父，吴王（李恪）是我的老哥，打算赦免他们不死，可不可以？"国务院国防部长（兵部尚书）崔敦礼反对，于是行刑。薛万彻临死时，大声喊叫说："薛万彻一代豪杰，留下来为国家尽忠效死，岂不更好，却竟然被房遗爱连累诛杀！"

吴王李恪临死时，诟骂说："长孙无忌窃弄权威，陷害忠良，皇家祖先有灵，不久你就要全族屠灭。"

二月三日，最高监督长（侍中）兼太子宫总管（兼太子詹事）宇文节、特进（文散官二级，正二品）祭祀部长（太常卿）江夏王李道宗、左骁卫（卫军第五军）大将军驸马（公主的丈夫）执失思力（娶一任帝李渊的女儿九江公主），都被控跟房遗爱交往，贬窜岭表（南岭以南）。宇文节跟房遗爱是好友，房遗爱被捕入狱后，宇文节有意相助。江夏王李道宗一向跟长孙无忌、褚遂良互相排斥，所以全都被陷进谋反巨案。

二月六日，李治罢黜李恪的娘亲杨女士及同胞老弟蜀王李愔，贬作平民，安置巴州（四川省巴中市）。房遗直贬作春州（广东省阳春市）铜陵（阳春市北）县政府保卫员（县尉）；薛万彻的老弟薛万备贬窜交州（越南河内市）。撤除房玄龄配李世民同享香火祭祀的牌位。

长孙无忌，名叫"无忌"，实际上却无往而不忌，而且大忌特忌。李恪之被杀，可看出以皇帝爱子之尊，也难敌"诬以谋反"铁帽。《旧唐书》抨击说："长孙无忌嫉妒，后来全家被灭，岂不是暗下毒手之报？"报，渺不可期，但到了最后，长孙无忌竟死于他全心爱护的甥儿李治之手（参考六五九年七月），使后人对历史上的"若人生无常"，瞠目结舌。

2 任命开府仪同三司（文散官一级，从一品）李世勣（徐世勣）当司空（三公之三）。

3 最初，林邑王国（越南中部）国王范头利逝世，太子范真龙继位，当权大臣伽独把范真龙杀掉，屠灭所有范姓家族，伽独自称国王，可是人心不服，伽独只好拥护范头利的女婿婆罗门当国王。但人心仍思念范姓皇家，于是再罢黜婆罗门，而拥护范头利的女儿继任国王。

范女士没有能力治理王国，有一位叫诸葛地的人，是范头利姑妈的儿子，老爹被范头利诛杀，诸葛地逃到真腊王国（柬埔寨），当权大臣可伦翁定，派使节前往迎接诸葛地回国，由他继任国王，而把女儿嫁给诸葛地当王后，全国这才安定（三三六年，范文毒死林邑王范逸，自立为王〔参考该年十二月〕，王位传至本年〔六五三〕结束，范家共当王三百一十八年）。

夏季，四月七日，诸葛地派使节前来唐帝国朝贡。

4 秋季，九月十三日，国务院右最高执行长（右仆射）北平公爵（定公）张行成逝世（年六十七岁）。

九月二十五日，李治命褚遂良当国务院右最高执行长（右仆射），仍任一级实质宰相（同中书门下三品），兼管文官考选事宜（知选事）。

5 冬季，十月二十二日，李治前往骊山温泉（陕西省西安市临潼区东南）。

十月二十七日，李治回宫。

6 最初，睦州（浙江省淳安县）女子陈硕真，妖言惑众，跟妹夫章叔胤聚众起兵，自称文佳皇帝，命章叔胤为国务院最高执行长（仆射）。

十月三十日（原文“甲子”，据两《唐书》改），夜晚，章叔胤率军进攻桐庐（浙江省桐庐县），攻克。陈硕真敲钟焚香，率军二千人攻克睦州（浙江省淳安县）及於潜县（浙江省杭州市临安区西於潜镇），再进攻歙州（安徽省歙县。歙，音shè〔摄〕），不能攻克。李治命扬州（江苏省扬州市）州长房仁裕征调民兵讨伐。

陈硕真派她的部将童文宝，率四千人攻击婺州（浙江省金华市），州长崔义玄动员军队抵抗，民间传言说陈硕真有神仙保护，胆敢冒犯她军队的，全族一定受到屠灭，政府军士卒恐惧惊慌，考核参谋官（司功参军）崔玄籍说："武装反抗政府，即令名正言顺，还不可能成功，何况依靠妖怪，怎么能够持久？"崔义玄命崔玄籍当前锋，而自己亲率州政府军继续进发，抵达下淮戍（浙江省杭州市富阳区西南），跟变民军遭遇，立即攻击。左右侍从举起盾牌保护崔义玄，崔义玄说："州长怕箭，难道别人不怕箭？"下令拿开。于是军心大振，齐力奋击，变民军崩溃，政府军杀数千人，准许残余部众自首。崔义玄推进到睦州（浙江省淳安县）境，变民军迎降的以万为单位计算。

十一月二日，房仁裕大军抵达，跟崔义玄会师，生擒陈硕真、章叔胤，斩首，残余部众全都平息。崔义玄因功擢升总监察官（御史大夫）。

7 十一月五日，命国务院国防部长（兵部尚书）崔敦礼当最高监督长（侍中）。

8 十二月二十三日，最高监督长（侍中）蓨（音tiáo〔条〕）公爵（宪公）高季辅逝世（年五十八岁）。

9 本年（六五三），西突厥汗国（新疆东北部及中亚东部）乙毗咄陆可汗（八任大可汗）阿史那欲谷逝世，他的儿子阿史那颉苾达度将军称"真珠亲王（真珠叶护）"，跟沙钵罗可汗（十一任大可汗）阿史那贺鲁，开始摩擦；遂会同西部防区五个部落（五弩失毕），共同攻击阿史那贺鲁，大破阿史那贺鲁部众，杀一千余人。

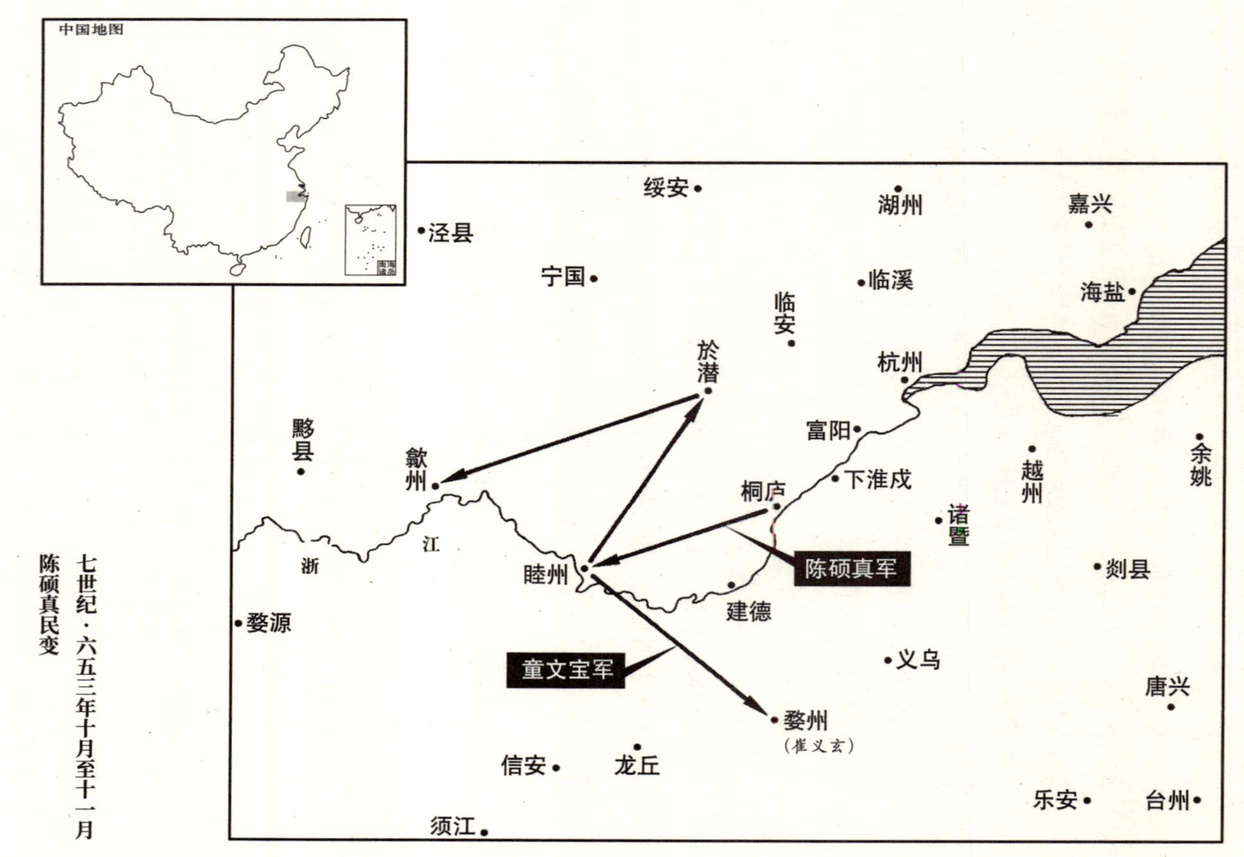

七世纪·六五三年十月至十一月
陈硕真民变

六五四年
甲寅

唐　永徽　五年

1 春季，正月十五日，羌民族部落酋长冻就，归降唐帝国，唐政府（首都长安〔陕西省西安市〕）在该部落所在地设剑州（羁縻州，四川省阿坝县东南）。

2 三月十二日，唐帝（三任高宗）李治（本年二十七岁）前往万年宫（陕西省麟游县境，原名九成宫、仁寿宫）。

3 三月十四日，追赠开国功臣蒋公爵（忠公）屈突通等十三人官位。

最初，王皇后没有儿子，萧淑妃（小老婆群第二级，正一品）受李治宠爱，王皇后十分嫉妒。

李治当太子的时候，有一天进宫探望老爹，无意中看见才人（小老婆群第十六级，正五品）武曌，她的美艳引起他极大震撼（武曌入宫，参考六三七年十一月）。老爹逝世后，所有的小老婆都被送到感业寺当尼姑。忌日（父母死亡的那一天，称忌日。此处忌日应指李世民逝世一周年的忌日，即六五〇年五月二十六日），李治前往感业寺焚香祭悼，在庶母群中，忽然看见武曌，武曌感怀身世，忍不住低头哭泣，李治也跟着哭泣。王皇后听到这个消息，暗中命武曌留长头发，劝李治把她接到后宫，希望离间李治对萧淑妃的宠爱。武曌心思灵巧，聪明智慧，富于权术谋略，最初进宫时，说话谦恭，行为卑屈，刻意谄媚王皇后，王皇后把她当作知己，至为亲爱，不断在李治面前称赞她的美丽。于是不久，李治就迷上武曌，封她昭仪（小老婆群第五级，正二品），王皇后及萧淑妃反而同受冷落，两位从前的情敌，遂联合起来自救，排斥武曌，但李治却全不接受。武曌打算追赠她老爹武士彟（音yuē〔约〕）高官，找不到借口，所以声称褒扬开国功臣，武士彟也在其中。

六五〇年时，李治二十三岁，武曌二十七岁，比李治年长四岁，一个没有人生经验的年轻男子，一旦落到一个年纪稍长，经过长夜痛哭，企图心强烈，机诈万端，心理又已成熟的美女之手，就好像一只苍蝇一头撞到蜘蛛网里，除了听凭摆布外，很难逃生。所以仅只短短四年，李治就成了武曌的掌中玩物，一连串灭绝人性的屠杀，也由此开始。

4 三月十九日，李治前往凤泉温泉（陕西省眉县境）。

三月二十三日，返万年宫（陕西省麟游县境）。

5 夏季，四月，大食帝国（阿拉伯帝国）出军攻击波斯王国（伊朗高原），斩波斯王伊嗣侯，伊嗣侯的儿子卑路斯逃往吐火罗国（首都阿缓城〔阿富汗北部汗阿巴德城〕）。

大食军撤退，吐火罗国派军护送卑路斯返国，继任波斯王，然后班师。

6 闰五月二日，唐政府在处月部落（新疆新源县）所在地设金满州（羁縻州）。

7 闰五月三日，夜晚，大雨倾盆，山洪暴发，猛烈冲击万年宫（陕西省麟游县境）玄武门（唐王朝离宫各门，都仿效首都皇城各门制度），宫廷禁卫官兵，全都逃走。右领军（卫军第八军）贵族征兵府副司令（郎将）薛仁贵说："哪有皇家卫士在天子遇到急难时，却怕得要死！"于是攀登玄武门上横梁，大声呼喊，向宫内告警。李治急从床上跳起，爬上高处，一会工夫，大水浸入寝殿卧室，淹死皇家卫士及麟游县居民三千余人。

8 闰五月十八日，新罗王国（首都金城〔朝鲜半岛庆州市〕）女王（二十八任真德女王）金胜曼逝世，遗诏命她的老弟金春秋，继任新罗国王（二十九任武烈王）。

9 六月二日，恒州（河北省正定县）大水成灾，滹沱河决口，淹没及被激流冲走的，共五千三百户人家。

10 最高立法长（中书令）柳奭，因外甥女王皇后的宠爱衰退，忧愁畏惧，请求解除宰相职务，李治同意。

六月十九日，柳奭转任国务院文官部长（吏部尚书）。

11 秋季，七月二十四日，李治返抵京师（首都长安）。

12 七月二十五日，李治对五品以上官员说："从前，我在先帝（老爹李世民）左右，看见五品以上官员评论时事，有的在金銮宝殿上当面提出，有的出宫后呈递'亲启密奏'，每天不断，今天却没有动静，难道已经天下太平？各位为什么不说话！"

13 冬季，十月，招募京畿总卫戍区（雍州）民工四万一千人，兴筑首都长安（陕西省西安市）外城，三十天完工（这次是招募民工，付给工资；跟不付工资，连饭都要自备的"征调"不同）。

十月十一日，京畿总卫戍司令部参谋官（雍州参军）薛景宣，呈递"亲启密奏"，说："刘盈（西汉王朝二任帝）兴筑长安城（参考前一九〇年正月），不久逝世，而今又兴筑长安城，定有大祸。"最高监督长（侍中）于志宁等，认为薛景宣对皇上不敬，应该斩首。李治说："薛景宣虽然狂妄，可是，如果因他呈递'亲启密奏'而受到惩罚，恐怕大家都要闭口。"下令赦免。

14 高句骊王国（首都平壤〔朝鲜半岛平壤市〕）派将领安固，率高句骊、靺鞨部落（黑龙江下游）联军，攻击契丹部落（辽河上游）；松漠军区

唐王朝长安城

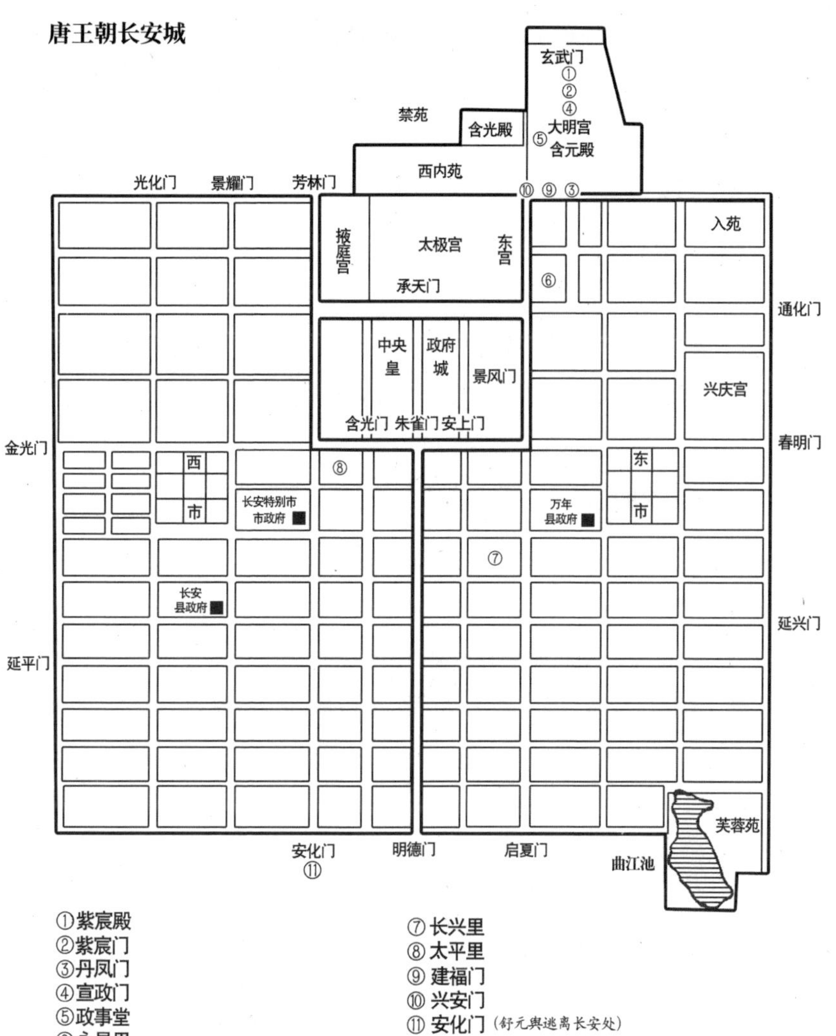

玄武门
①
②
④
大明宫
⑤
含元殿
禁苑
含光殿
西内苑
光化门
景耀门
芳林门
⑩ ⑨ ③
掖庭宫
太极宫
东宫
承天门
入苑
⑥
通化门
中央
皇
政府
城
景风门
含光门 朱雀门 安上门
兴庆宫
金光门
春明门
西
市
⑧
长安特别市
市政府
万年
县政府
东
市
⑦
长安
县政府
延兴门
延平门
芙蓉苑
安化门
⑪
明德门
启夏门
曲江池
①紫宸殿
②紫宸门
③丹凤门
④宣政门
⑤政事堂
⑥永昌里
⑦长兴里
⑧太平里
⑨建福门
⑩兴安门
⑪安化门（舒元舆逃离长安处）

（总部设内蒙古巴林右旗）总司令（都督）李窟哥抵抗，在新城（辽宁省抚顺市北）击败安固。

15 本年（六五四），全国丰收，洛州（洛阳，河南省洛阳市）粟米每斗两钱半，稻米每斗十一钱。

16 宫廷夺床斗争白热化。王皇后、萧淑妃联合起来，和昭仪（小老婆群第五级）武曌互相攻击对方。但李治不相信王皇后、萧淑妃，只相信武曌（这就够了，谁掌握权力魔杖，谁就可以吃人，谁失去这个魔杖，谁就被吃）。王皇后不能自降身价结交李治的左右侍从，娘亲魏国夫人柳女士，及舅父最高立法长（中书令）柳奭，进宫见到小老婆群时，对她们又不太礼敬。武曌却恰恰相反，对于王皇后所不礼敬的人，她一定谦卑的刻意和她们结交，所得到的赏赐，也分给她们。因此，王皇后及萧淑妃一举一动，武曌全都知道，而都报告给李治。

王皇后的宠爱虽然衰退，但李治并没有意思把她罢黜。正巧，武曌生一个女儿，王皇后到床前探望，怜爱这个婴儿，抱起来逗弄，等王皇后告辞，武曌暗中把亲生女儿掐死，用锦被盖住。李治前来探望，武曌欢天喜地的掀开锦被，要把婴儿抱给李治，于是，她突然“发现”女儿已死，立刻大为惊骇，然后失声痛哭。李治询问左右，左右都说：“皇后刚刚来过这里。”李治暴跳说：“皇后杀了我的女儿。”武曌抓住机会，一面哭一面数说王皇后的罪行，王皇后没有办法证明自己不是凶手，李治这才考虑到罢黜王皇后，但是担心帝国重要高官反对，乃跟武曌前往太尉（三公之一）长孙无忌家，酒足饭饱，十分欢乐融洽，就在筵席上，任命长孙无忌心爱小老婆生的三个儿子，一律担任朝散大夫（文散官十三级，从五品下），另外送给长孙无忌十车金银珠宝及绸缎。李治假装无意中提到王皇后没有儿子，向长孙无忌作强烈暗示，长孙无忌故意把话岔开，不肯顺着李治的话，李治和武曌都不高兴，遂仓猝结束这次御驾拜访。武曌又命娘亲杨女士多次亲往长孙无忌家，请求支持，长孙无忌始终不肯答应。

国务院教育部长（礼部尚书）许敬宗，也不断的规劝长孙无忌，长孙无忌严厉驳斥。

六五五年 乙卯

唐　永徽　六年

1 春季，正月一日，唐王朝（首都长安〔陕西省西安市〕）皇帝（三任高宗）李治（本年二十八岁），前往昭陵（老爹李世民墓，陕西省礼泉县北九嵕山）祭拜。

正月三日，李治回宫。

2 正月十八日，巂州兵团（四川省西昌市）总司令（巂州道行军总管）曹继叔，在斜山（四川省会理市西）击破胡丛、显养、车鲁等蛮夷部落，一连攻克十余城池。

3 正月十九日，李治封皇子李弘当代王、李贤当潞王。

4 高句骊王国（首都平壤〔朝鲜半岛平壤市〕）、百济王国（首都泗沘〔朝鲜半岛扶余市〕）、靺鞨部落（黑龙江下游），联合攻击新罗王国（首都金城〔朝鲜半岛庆州市〕）北部边境，占领三十三个城池。新罗国王（二十九任武烈王）金春秋派使节前来中原，请求救援。

二月二十五日，李治派营州军区（总部设辽宁省朝阳市）总司令（都督）程名振、左卫军（卫军第一军）贵族征兵府司令（中郎将）苏定方，出军攻击高句骊。

夏季，五月十三日，程名振等渡过辽河，高句骊发现他的军队人数太少，大开城门（新城，辽宁省抚顺市北），渡贵端水（抚顺市西北）迎战，程名振等奋勇攻击，大破高句骊军，诛杀及俘虏一千余人，焚烧外郭及城外村落，然后回军。

5 五月十四日，命右屯卫（卫军第十二军）大将军程知节，当葱山兵团总司令官（葱山道行军大总管），讨伐西突厥汗国（新疆东北部及中亚东部）沙钵罗可汗（十一任大可汗）阿史那贺鲁。

6 五月二十三日，李治命暂任最高监督长（守侍中）韩瑗实任最高监督长（侍中），暂任副立法长（守中书侍郎）来济升任最高立法长（中书令）。

7 六月，昭仪（小老婆群第五级）武曌，诬告王皇后跟娘亲魏国夫人柳女士，使用巫术妖法。李治下令禁止岳母柳女士进宫。

秋季，七月十日，贬王皇后舅父、国务院文官部长（吏部尚书）柳奭出任遂州（四川省遂宁市）州长。柳奭途中经过扶风（陕西省扶风县），岐州（陕西省宝鸡市凤翔区，扶风县属岐州）政务秘书长（长史）于承素，迎合皇帝的心意，上疏检举柳奭泄漏皇宫谈话，李治再贬柳奭当荣州（四川省荣县）州长。

唐王朝后宫小老婆群编制，仿效隋王朝：贵妃、淑妃、德妃、贤妃，都比照正一品。李治打算在贵妃之上，特别再设“宸妃”，作为武瞾名号，韩瑗、来济劝阻，认为没有这种前例，李治才停止。

立法院立法官（中书舍人）饶阳（河北省饶阳县）人李义府，一向受长孙无忌轻视，被贬往壁州（四川省通江县）当军务秘书长（司马）。皇帝诏书还没有下达到监督院（门下省），李义府已经秘密得到消息，向另一立法官（中书舍人）幽州（北京市）人王德俭请教如何自救，王德俭说：“皇上早就打算封武瞾当皇后，所以一直犹豫不决的缘故，只是怕宰相反对，你如果能够大声一呼，领头要求武瞾正位皇后，包管转祸为福。”李义府认为判断正确。当天，代替王德俭在立法院（中书省）值夜，写好奏章，到内宫大门呈递，请求罢黜王皇后，改封武瞾，用以满足全国人民的愿望。李治大为高兴，召见李义府，当面交换意见，赏赐珍珠一斗，仍留任原官。武瞾也派人秘密向李义府表示谢意，予以鼓励。不久，越级擢升李义府当副立法长（中书侍郎）。

于是，军械供应部长（卫尉卿）许敬宗、总监察官（御史大夫）崔义玄、副总监察官（御史中丞）袁公瑜，都倒向武瞾。

8 七月十七日，命最高监督长（侍中）崔敦礼当最高立法长

(中书令)。

9 八月，命蒋孝璋当宫廷总管府编制外医药官(尚药奉御)，但职责待遇，跟编制内医药官(尚药奉御编制二人)相同。

编制外官员(员外)视同编制内官员，自蒋孝璋开始。

10 长安(首都长安西半城)县长裴行俭，听说李治将要封武曌当皇后，认为帝国灾难一定自此开始，跟长孙无忌、褚遂良私下讨论商议。副总监察官(御史中丞)袁公瑜得到消息，告诉武曌的娘亲杨女士，裴行俭遂被贬出当西州军区(总部设新疆吐鲁番市东)总司令部政务秘书长(都督府长史)。裴行俭，是裴仁基的儿子(裴仁基之死，参考六一九年五月)。

11 九月一日，李治任命许敬宗当国务院教育部长(礼部尚书)。

有一天，李治退朝后，命太尉(三公之一)长孙无忌、司空(三公之三)李世勣(徐世勣)、国务院左最高执行长(左仆射)于志宁、最高立法长(中书令)褚遂良等，进入内殿。褚遂良说："今天皇上召见，多半是为了皇后这件事，皇上的意思已经决定，如果冒犯，定被诛杀。太尉(长孙无忌)是皇上舅父，司空(李世勣)是开国功臣，不可以逼迫皇上有杀舅父、杀功臣的恶名。我出身茅屋，又没有汗马功劳，而到宰相高位，又身受先帝(二任帝李世民)临终时的嘱托，如果不争执到死，将来怎么在地下再见先帝(李世民)！"李世勣(徐世勣)声称有病，不肯入宫。长孙无忌等进到内殿，李治对长孙无忌说："皇后没有儿子，武昭仪(武曌)却有儿子，而今打算封昭仪(武曌)当皇后，你们意下如何？"褚遂良回答说："皇后出自名门世家，是先帝（李世民）为陛下娶的妻子，先帝（李世民）临去世时，拉住陛下的手对我说：‘我的好儿子好媳妇，现在托付给你！’这话陛下亲自听见，声音仍在耳际。我们从来没有听说皇后有什么过错，怎么可以轻易罢黜？我不敢遵从陛下的意思，而违背先帝（李世民）的遗命。”李治大不高兴，会谈即行结束。明天，李治再向他们提出同样问题，褚遂良说：“陛下一定要改换皇后，也请选择天下名门世族，为什么一定非武曌不可？武曌曾侍候过先帝（李世民）上床，天下皆知，亿万人民的耳朵和眼睛，怎么可以蒙蔽？后世的人，将对陛下有什么评论？请陛下三思！我今天冒犯陛下，应该处死！”遂把手中笏版放到台阶上，解开帽巾，叩头流血，说：“归还陛下的笏版，求准我辞职回乡！”李治大怒，下令把他赶出；武曌在珠帘后谛听，此时忍不住大叫说：“为什么不扑杀这个獠贼（褚遂良祖先原是河南阳翟〔河南省禹州市〕人，但至十二世祖褚䂮〔参考二六〇年十二月〕时，正值大分裂时代初期，遂追随晋政府南迁，成为丹阳〔江苏省南京市〕人，褚姓在江南定居超过三个世纪。所以武曌以“獠”〔南方蛮夷〕贬称）！”长孙无忌说：“褚遂良是先帝（李世民）的托孤大臣，即令有罪，也不可用刑！”于志宁呆在一旁，不敢发言。

最高监督长（侍中）韩瑗利用口头报告政事时间，哭泣流泪，竭力劝阻，李治不听。明天，韩瑗再竭力劝阻，悲哀难以支持，李治命人把他逐出。韩瑗再上疏劝阻说：“平民夫妻，还要选择对象，要求门当户对，何况天子的配偶？皇后是天下万邦所有母亲的模范，能引导人们向善，也能引导人们为恶，所以嫫母辅佐姬轩辕（嫫母是黄帝姬轩辕的正妻），苏妲己颠覆商王朝（苏妲己是商王朝末任帝子受辛的正妻）；《诗经》说：‘光芒万丈的周王朝政府／褒姒把它消灭。’（《小雅·正月》：“赫赫宗周／褒姒灭之。”）每次阅读古代史书，都兴起叹息，想不到遗留下的烟尘，竟污染神圣的现代王朝。行为不合法则，后裔如何遵循？但愿陛下多多思考，不要被后人耻笑。只要我的话对帝国有益，就是受到剁成肉酱的酷刑，也是我应得的处罚。从前，吴夫差（吴王国七任王）不相信伍子胥的话，麋鹿遂徜徉姑苏（江苏省苏州市）皇宫（参考前七三年注）。我深恐全国人民失望，使荆棘野草，生满宫廷；皇家祖庙的祭祀断绝，已不太远。”最高立法长（中书令）来济也上疏劝阻说：“帝王选立皇后，乃为天地建立法则，必须物色礼教传家的名门世族，安静优雅，美丽贤淑，符合四海人民的盼望，并使神明喜悦。所以姬昌建造小船迎接他的妻子太姒，普及《关雎》温谐的文化（《诗经·国风·关雎》，本是一篇男女情歌，儒家系统学者却硬认为是一篇歌颂姬昌、太姒夫妇美德的诗篇），使人民都有幸福。刘骜（西汉王朝十二任帝）放纵情欲，把婢女擢升到皇后高位（刘骜封赵飞燕当皇后事，参考前一六年），使皇家后代断绝，政府瓦解。周王朝的兴盛例证如彼，西汉王朝的灾祸例证如此，敬请陛下详细观察。”李治全不理睬。（胡三省注：“褚遂良、韩瑗、来济所说的话，都十分沉痛恳切。此时距李世民时代不远〔李世民死才六年〕，知识分子道德勇气仍在，敢于直言。自从三人受到贬谪，政府风气一变，大家只有听从武瞾摆布，怎么可能说出别人难以说出的话。”）

有一天，李世勣（徐世勣）进宫朝见，李治再征求他的意见，说：“我打算封武昭仪（武瞾）当皇后，褚遂良坚决反对。他既是托孤大臣，是不是觉得应该到此为止？”李世勣（徐世勣）说：“这是陛下的家务事，何必去问外人？”李治遂下定决心。许敬宗更在大庭广众中，对官员们宣称：“庄稼汉多收了十斛小麦，尚且打算换老婆，何况天子另选皇后，跟别人什么相干，竟然议论纷纷！”武瞾命左右侍从把许敬宗的话转报李治。

九月三日，李治贬褚遂良出任潭州军区（总部设湖南省长沙市）总司令（都督）。

冬季，十月十三日，李治下诏说：“王皇后、萧淑妃，阴谋把我毒死，即日起剥夺她们的尊号，贬作平民，她们的娘亲及兄弟，一律开除官籍，流放岭南（南岭以南）。”许敬宗更上疏说：“故特进（文散官二级，正二品）追赠司空（三公之三）王仁祐（王皇后的老爹）的任命状，仍然保存（参考六五〇年正月），叛乱犯的残余后代，照样可以用来谋取荫官（五品以上官员的子孙成年后，可以自动取得官位，称“荫官”，乃帝王博取高级干部效忠的一种手段。参考六二八年十月注），一并请求撤销。”李治批准。

十月十九日，文武百官上疏请求封武曌当皇后。李治下诏说：“武曌家门烜赫，功勋彪炳，出身高贵，从前曾经因高才美德，被选入宫（参考六三七年十一月），美誉闻于皇族，德行感动后庭。我当太子时，受到先帝（李世民）的特殊恩典，时常侍奉左右，日夜不离，宫廷之内，一直小心翼翼，周旋在嫔妃（小老婆群）之间，从来没有发生过不愉快的事情。先帝（李世民）每每赞叹，遂把武曌赏赐给我，情形跟王政君（西汉王朝十一任帝刘奭正妻）相同（参考前五一年），现在，封她继任皇后。”（本年，李治二十八岁，武曌三十二岁。）

十月二十一日，赦免天下；当天（十月二十一日），武曌上疏说：“陛下从前曾经打算命我当宸妃，韩瑗、来济在陛下面前，誓死反对（参考本年〔六五五〕六月），这是一种极为危险的冒犯，岂不是忠心报国？敬请对二人赏赐褒扬。”李治把奏章拿给韩瑗等传阅，韩瑗等更为忧愁恐惧，不断请求辞职，李治不准。

十一月一日，李治登上平台，命司空（三公之三）李世勣（徐世勣），携带印信，正式册封武曌当皇后。当天，文武百官到肃义门朝见武曌。

被罢黜的王皇后和萧淑妃，一并囚禁宫廷别院。李治曾经想到她们，直接前去探望，发现门窗都被密密封闭，只在墙壁上凿一个小洞，用来送递饭菜，心里不禁哀伤，呼喊说：“皇后、淑妃，你们在哪里？”王皇后哭泣说：“我们犯罪，被贬作婢女，怎么还有尊贵的称号！”又哀求说：“至尊如果还念及过去恩情，让我们再见天日，请把这个宫院命名‘回心院’。”李治说：“我会马上处理。”武曌听到消息，大怒，派人捶打王皇后及萧淑妃各一百棍，砍断她们手脚，泡到酒缸中，说：“教两个老太婆骨醉！”王皇后、萧淑妃在酒缸中哀号数日，才终于断气，武曌又命捞出尸体，斩首。王皇后在听到要受酷刑时（当李治答应“我会马上处理”，她有理由相信会得到一纸赦书），叩头说：“愿皇上（李治）万岁，昭仪（武曌）永受恩宠。死，是我分内的事。”萧淑妃则诟骂说：“武曌妖魔，狡猾到如此程度，但愿以后我转生为猫，武曌转生为鼠，生生世世，掐住她的咽喉。”从此，皇宫不再养猫。不久，李治下令把王皇后家改姓蟒，萧淑妃家改姓枭，武曌不断梦见王皇后、萧淑妃披头散发，手足流血——她们死时的惨状，向她索命；遂迁移到蓬莱宫（大明宫），但她们仍然在她梦中出现，所以，武曌大多数时间都在洛阳（河南省洛阳市），终生不回长安（此仅只算武曌称帝之后而言，李治在世时，武曌一直在旁。而武曌建立南周王朝之后，实际上去过长安一次，参考七〇一年十月）。

十一月三日，国务院教育部长（礼部尚书）许敬宗上疏说：“陛下登极之初，国本（太子）还没有降生（指武曌生的儿子李弘），暂时引导彗星，使之超越日月（指封李忠当太子，参考六五二年七月）。而今，正宫皇后登位，嫡子理应现身，使太阳更加光明，残余的火烬最好早日熄灭（指李弘应代李忠当太子），怎么可以使枝叶和树干颠倒，彗星和日月在天上长久变更位置？又怎么可以使衣服穿到腿上，裤裙反穿到上身？同时，父子之间，外人难以插嘴，有时候冒犯龙颈上的鳞甲，一定受到可怕惩罚。然而，即令把我的肉煎成膏油，把我的身子投到巨锅煮熟，我也甘心。”李治召见他，询问他还有什么话要说，许敬宗报告说：“皇太子是帝国的根本，根本不稳固，世界万邦无法归心。现在的太子（李忠），出身本来卑微（娘亲是一个平民），而今知道皇后膝下已有尊贵的嫡子，内心必然不能平静。勉强占据高位，心生猜疑，恐怕不是帝国之福，请陛下作周密的考虑。”李治说：“李忠自己已经辞让。”许敬宗说：“他如果能当吴太伯（参考前二〇七年十二月注），请陛下帮助他早日完成心愿。”

12 西突厥汗国（新疆东北部及中亚东部）阿史那颉苾达度将军（真珠亲王。参考前年〔六五三〕十二月），不断派使节前来唐王朝，请唐政府出军攻击沙钵罗可汗（十一任大可汗）阿史那贺鲁。

十一月八日，唐政府派丰州军区（总部设内蒙古五原县）总司令（都督）元礼臣，前往册封阿史那颉苾达度当可汗。元礼臣走到碎叶城（中亚托克马克城），阿史那贺鲁出军阻止，元礼臣不能前进。阿史那颉苾达度所属部落，很多被阿史那贺鲁并吞，残余部众既少，力量又弱，其他部落都不愿归附，元礼臣竟没有册封而回。

13 加授立法院副立法长（中书侍郎）李义府实质宰相（参知政事）。

李义府容貌温和忠厚，对人谦卑恭敬，跟人谈话，一定面带微笑，但是他工于心计，狡猾阴险，猜忌恶毒，所以人们称他“李义府笑中藏刀”；又因他表面忠厚，却总是暗下毒手，所以又称他：“李猫”。

六五六年 丙辰

唐　永徽　七年
　　显庆　元年

1 春季，正月六日，唐王朝（首都长安〔陕西省西安市〕）皇帝（三任高宗）李治（本年二十九岁），罢黜皇太子李忠，改封梁王，命当梁州（陕西省汉中市）州长。另封皇后武曌生的儿子代王李弘当皇太子，已经四岁。

李忠既被罢黜，属官都恐惧被罩上罪名，于是纷纷逃亡，没有一个人敢再见李忠一面；只太子宫事务署长（右庶子）李安仁，单独晋谒，向李忠哭泣流泪，叩辞而去。李安仁，是李纲的孙儿（李纲逝世，参考六三一年六月）。

2 正月七日，赦免天下，改年号（之前是永徽七年，之后是显庆元年）。

3 二月十七日，追赠皇后武曌的老爹武士䕶（音yuē〔约〕）当司徒（三公之二），封周国公爵。

4 三月，任命国务院财政部副部长（度支侍郎）杜正伦，当监督院副监督长（黄门侍郎）、一级实质宰相（同中书门下三品）。

5 夏季，四月十八日，矩州（贵州省贵阳市）人谢无灵，聚众起兵。黔州军区（总部设重庆市彭水县）总司令（都督）李子和（郭子和）把他们击平。

6 四月二十五日，李治对左右侍从说："我常想怎么才能使人民富强康乐，却得不到要领，你们的意见如何？"最高立法长（中书令）来济回答说："从前，姜小白（齐国第十六任国君桓公）到街上游逛，看见一个饥寒交迫的老人，教左右送给他饮食，老人说：'希望送给全国饥民饮食！'姜小白又教左右送给他衣服，老人说：'希望送给全国贫民衣服！'姜小白说：'国家仓库哪有那么多东西供给全国贫寒民众？'老人说：'君王不剥夺农民耕种的时间，人民的粮食就吃不完；不剥夺农妇养蚕的机会，人民的衣服就穿不完。'所以君王要想使人民富强康乐，只要减少人民的差役兵役就足够。现在，山东（崤山以东）从事土木工程的人，每年有数万之多，不付给工资则人民太过贫苦，付给工资则人民的负担加重。我建议陛下考虑除了政府必需的人员外，其他一律裁减。”李治批准。

7 六月十八日，祭祀部官员（礼官）上疏，请停止李虎（一任帝李渊的祖父）、李昞（一任帝李渊的老爹）的配祭，而由一任帝李渊在圆形祭坛配祭昊天上帝，二任帝李世民在皇家大会堂（明堂）配祭五帝（“昊天”即“五天帝”，“五帝”即“五人帝”，参考六五一年七月）；李治批准。

8 秋季，七月三日，西洱蛮（云南省洱海附近蛮夷）酋长杨栋附，显和蛮（应在云南省境）酋长王郎祁，郎州（云南省曲靖市）、昆州（云南省昆明市）、梨州（云南省华宁县）、盘州（贵州省兴义市）等四州蛮夷酋长王伽冲等，各率他们的部落，归附唐帝国。

9 七月二十一日，任命最高立法长（中书令）崔敦礼当太子少师（太子三少之一），兼一级实质宰相（同中书门下三品）。

八月四日，固安公爵（昭公）崔敦礼逝世（年六十一岁）。

10 八月九日，西征军葱山兵团总司令官（葱山道行军大总管）程知节（参考去年〔六五五〕五月），攻击西突厥汗国（新疆东北部及中亚东部。奉命西征事，参考去年〔六五五〕五月），跟歌逻禄部落（中亚额尔齐斯河流域）及处月部落（新疆新源县境）在榆慕谷（新疆吉木萨尔县北）大战，击破二部落军，杀一千余人。副总司令官（副大总管）周智度，攻击突骑施部落（伊犁河中下游）、处木昆部落（新疆额敏县境）等据守的咽城（额敏县），攻克，杀三万人。

11 八月十三日，龟兹王（新疆库车市）白诃黎布失毕，到唐帝国朝见。

12 副立法长（中书侍郎）李义府，仗恃李治、武曌对他的宠爱，独断专权。洛州（河南省洛阳市）妇女淳于女士，美艳如花，因案囚禁最高法院监狱（大理狱），李义府命最高法院主任秘书（大理寺丞）毕正义，违法判决无罪，把她开释，李义府打算将她接到家中当小老婆。最高法院院长（大理卿）段宝玄怀疑其中过节，上疏报告皇帝。李治命御前监督官（给事中）刘仁轨等调查，李义府恐怕泄漏真相，于是强迫已被捕的毕正义在狱中上吊自缢。李治知道后，原谅李义府，不再追究。

监察官（侍御史）涟水（江苏省涟水县）人王义方，准备就这件事提出弹劾，先告诉娘亲说："我当监察官（侍御史），面对奸臣，不纠正就是不忠；纠正却陷危险之境，使父母忧伤，则是不孝。不能两全，应该怎么办？"娘亲说："从前，王陵的娘亲，宁愿牺牲自己，使儿子成名（参考前二〇六年八月），你只要能尽忠君王，我虽死也没有余恨。"王义方遂上奏说："李义府在皇家御车御轿之前，竟擅自谋杀官阶六品的部级主任秘书（寺丞）。即使说毕正义真的自杀，也只因畏惧李义府的威势，害怕李义府杀他灭口。李义府掌握生杀大权，不由皇上做主，这种情形，不可放纵，使它逐渐成长，请再加勘验！"

于是二人在金銮宝殿上对质，王义方大声驱逐李义府退出，李义府希望李治留他，所以不肯行动，王义方一连叱喝三次，李治既不说话，李义府只好退出，王义方才宣读他的弹劾奏章。但李治对李义府仍不采取行动，反而指责王义方侮辱高官，言辞不恭，贬到莱州（山东省莱州市）州政府当户籍官（司户）。

13 九月十九日，括州（浙江省丽水市）突起暴风，海水倒灌，淹没四千余家。

14 冬季，十一月六日，生羌部落酋长浪我利波（浪我，可能是复姓）等，率部众归附唐帝国，唐政府在该部落所在地设柘州（四川省黑水县西南）、栱州（四川省阿坝县东南）。

15 十二月，西征军葱山兵团总司令官（葱山道行军大总管）程知节，率军进抵鹰娑川（开都河上游，发源于新疆新源县南），跟西突厥汗国骑兵二万人相遇，而西突厥支派鼠尼施部落（新疆新源县境）等军骑兵二万余人又增援而至。西征军前锋总司令（前军总管）苏定方率骑兵五百人迎战，西突厥军大败，苏定方追击二十华里，斩杀俘虏一千五百余人，俘获战马及军用物资，堆积起来，满山遍野，多到无法记数。副总司令官（副大总管）王文度嫉妒苏定方建立如此奇功，就警告程知节说："今天虽然说击败盗贼，但远征军也有死伤；冒险作轻率的攻击，成败各占一半，为什么急于干这种事！自今以后，我们应运用'方阵'，把军用物资放在中央，遇到盗贼时，我们在固定阵地作战，才是万无一失的策略。"于是，王文度声称直接奉到皇帝诏令：认为程知节仗恃自己勇敢，轻视敌人，所以指定由王文度接管大军。王文度遂把大军集中在一起，不准深入西突厥腹地；士卒每天身穿铠甲，骑马布阵，时间一久，无法承受那种劳苦，而战马也很多瘦死。苏定方向程知节建议说："大军远征，目的是讨伐盗贼；而今却在这里守卫自己大营，坐着受困，如果跟盗贼相遇，必定失败。胆小懦怯成这个样子，怎么可能建立功勋？而且，皇上用你当统帅，怎么会让你的助手发号施令，事情恐怕不是如此，请囚禁王文度，派快马上奏。”程知节不采纳。

西征军进抵怛笃城（今地不详），有一群洋人投降，王文度说：“这些人等我们回军之后，仍会叛变，不如全部屠杀，夺取他们的财宝。”苏定方说：“我们这样做，自己就是盗贼，怎么可以说讨伐盗贼！”王文度竟然把洋人全部屠杀，瓜分他们的财宝，只苏定方拒不接受。

西征军班师，王文度因假传圣旨，应该斩首，政府特别宽大，仅开除官籍。程知节也被指控逗留不前，追击盗贼却没有追到，判处死刑，减罪一等，免除官职。

16 本年（六五六），命祭祀部长（太常卿）驸马（公主的丈夫）高履行（娶二任帝李世民的女儿东阳公主），当益州（四川省成都市）政务秘书官（长史）。

17 最高监督长（侍中）韩瑗上疏，为褚遂良申冤，说：“褚遂良为国忘家，把生命献给陛下，节操如同风霜，忠心就像铁石，是皇家旧日的亲信部属，陛下今天的贤明辅佐。没有听说他犯了什么错误，就被逐出中央，使内外官民，惊叹惋惜，手足失措。我曾经听说，司马炎（晋王朝一任帝）大量，不诛杀刘毅的骄傲（参考二八二年正月），刘邦（西汉王朝一任帝）仁厚，不憎恨周昌的正直（参考前一九七年）。褚遂良被贬，已经一年，冒犯陛下，已受到适当的惩处。请求陛下垂察他的无辜，稍稍放宽刑罚，可怜他的一片忠诚，顺应天下人心。”李治对韩瑗说：“褚遂良的情形，我也知道，可是他性情乖戾，喜爱犯上，所以贬谪他的官位，代替责备，你说的岂不太过严

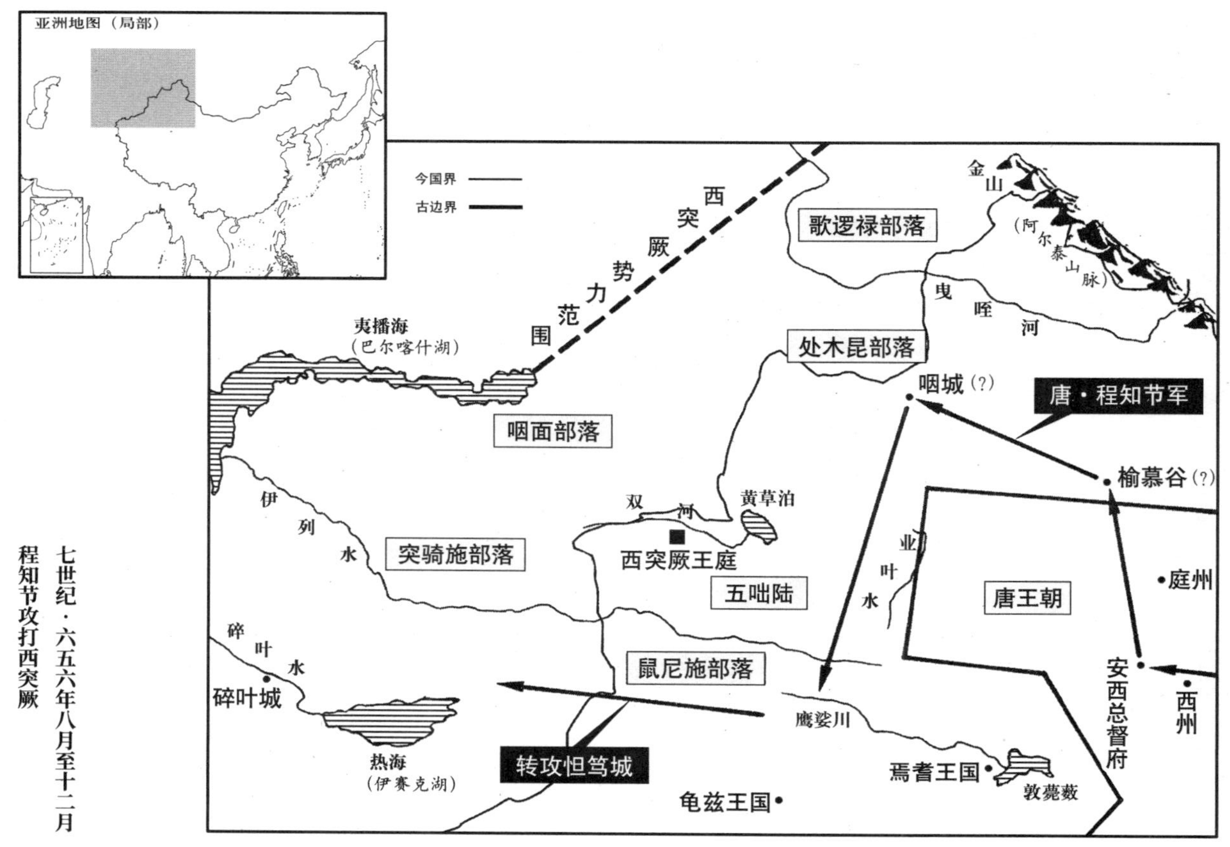

七世纪·六五六年八月至十二月
程知节攻打西突厥

重！”韩瑗说：“褚遂良是帝国忠臣，受到谗言和马屁精的伤害。从前，子胥余（微子）逃走而商王朝灭亡（参考三七〇年正月注），张华留在政府而晋王朝秩序不乱（参考二九一年六月）。陛下无缘无故放逐旧日部属，恐怕不是国家之福。”李治不听。

韩瑗因建议不被采纳，请求辞职回乡；李治不准。

18 刘洎（音j[记]）的儿子申诉老爹当年受冤而死，称四〇年代中期，被褚遂良诬陷（参考六四五年十二月），李义府从旁帮助。李治询问侍从官员的意见，大家迎合李义府的意思，都认为刘洎冤枉。御前监督官（给事中）长安（首都长安西半城）人乐彦玮单独反对，说：“刘洎是帝国高官，人主（指李世民）偶尔有点小毛病，怎么就自比伊尹、霍光？今天如果昭雪刘洎无罪，岂不是认为先帝（李世民）用刑失当！”李治同意他的观点，遂把这件事搁置。

1 春季，正月十四日（原文“癸巳”，据《唐会要·安北都护府》改），唐王朝（首都长安〔陕西省西安市〕）分割歌逻禄部落（中亚额尔齐斯河流域，参考去年〔六五六〕八月），设阴山军区（总部设中亚阿拉湖北）及大漠军区（总部设新疆福海县）总司令部。

2 闰正月十三日，唐帝（三任高宗）李治（本年三十岁）前往洛阳（河南省洛阳市）。

3 闰正月二十一日，唐政府再派西方远征军，任命左屯卫（卫军第九军）将军苏定方当伊丽兵团总司令官（伊丽道行军总管），率燕然都护（总督府设内蒙古乌拉特中旗）渭南（陕西省渭南市）人任雅相、副总督（副都护）萧嗣业，征调回纥等部落军（蒙古国北部），从北方攻击西突厥汗国（新疆东北部及中亚东部）沙钵罗可汗（十一任大可汗）阿史那贺鲁。萧嗣业，是萧钜的儿子（萧钜事，参考六一〇年正月）。

最初，右卫（卫军第二军）大将军阿史那弥射，及族兄左屯卫（卫军第九军）大将军阿史那步真，都是西突厥的酋长，二任帝李世民在位时，率领部众向唐帝国投降。现在，李治下诏任命阿史那弥射、阿史那步真，分别担任流沙道（新疆塔克拉玛干沙漠四周）安抚特使，从南向北迂回，沿途招收集结他们的旧日部属。

4 二月三日，李治抵达洛阳宫。

5 二月十二日，李治封皇子李显当周王。

二月十四日，改封雍王李素节（李治的儿子）当郇王。

6 三月十六日，调潭州军区（总部设湖南省长沙市）总司令（都督）褚遂良当桂州军区（总部设广西桂林市）总司令（都督）。

7 三月二十五日，擢升副立法长（中书侍郎）李义府兼最高立法长（兼中书令）。

8 夏季，五月九日，李治前往明德宫（洛阳境）避暑。

李治自登极以来，每天都主持朝会，处理国事。

五月十三日，宰相奏称：天下太平，请隔一天召开一次朝会；李治批准。

9 秋季，七月一日，李治自明德宫返回洛阳宫。

10 王玄策击破中天竺王国（印度恒河中游）时（参考六四八年五月），结识该国法术师那罗迩娑婆寐（那罗迩，三字姓），带他一起回国，那罗迩娑婆寐自称有方法可使人长生不死，二任帝李世民相信，对他十分尊敬，命他调配长生不死药。派使节到四面八方搜求奇怪的药材或矿石，又派使节万里迢迢前去婆罗门王国（印度半岛）等地采集药材。那罗迩娑婆寐所说的话，迂阔荒谬，不切实际，只不过拖延时间，尽情享受荣华富贵而已，所以长生不死药始终无法配成，李世民命遣送他回国。

李治登极，那罗迩娑婆寐又来长安（陕西省西安市），李治再遣送他回国。王玄策当时担任道王李元庆（一任帝李渊的儿子）的宾友（王友），听到消息。

七月二十五日，王玄策当面上奏说："这个婆罗门（指印度人）确实有本领调制长生不死药，誓言一定可以成功，如今遣送他回去，失之交臂，实在可惜。"王玄策退出，李治对侍从官员说："自古以来，哪有神仙？嬴政（秦王朝一任帝）、刘彻（西汉王朝七任帝）用尽方法追求，使人民生活凋敝，最后毫无所获。如果真的有长生不死的人，他们今天都在何方？"司空（三公之三）李世勣（徐世勣）回答说："诚如陛下的指示，这个婆罗门（印度人）这次再来，容貌憔悴，头发苍白，已比上次衰老，怎么可能长生？陛下命他回国，政府内外一片欢欣。"

那罗迩娑婆寐最后在长安（陕西省西安市）逝世。

11 国务院教育部长（礼部尚书）许敬宗、兼最高立法长（兼中书令）李义府，迎合皇后武曌的心意，上疏检举最高监督长（侍中）韩瑗、最高立法长（中书令）来济，结合褚遂良，秘密准备政变，因桂州（广西桂林市）是军事上险要之地，所以才调褚遂良当桂州军区总司令（桂州都督），打算作为外援。

八月十一日，李治下诏贬韩瑗当振州（海南省三亚市西崖州区）州长，来济当台州（浙江省临海市）州长，终身不准到京师（首都长安）朝见。再贬褚遂良当爱州（越南清化市）州长，荣州（四川省荣县）州长柳奭当象州（广西象州县）州长。

褚遂良抵达爱州（越南清化市）任所，上疏陈情，说："从前，濮王（李泰）跟恒山王（李承乾）斗争正烈之时，我不顾死亡的危险，效忠陛下。当时，岑文本、刘洎奏称：'承乾罪恶已经显著，被安置在别的地方，而东宫（太子宫）不可以长期没有主人，拟请命濮王（李泰）移居东宫（太子宫）。'我又挺身抗拒，竭力争取，都是陛下亲眼看到。最后终于和长孙无忌等四人，共同决定大计（封李治当太子，参考六四三年三月）。先帝临死，只有我和长孙无忌在榻前接受遗命（参考六四九年五月）。陛下突然遇到巨变，难以克制哀恸，我用国家为重的理由，安慰陛下宽心，陛下手抱我的脖子。我跟长孙无忌处理国家大事，毫无缺失，几天之间，内外安静。然而，我的力量太小，而责任太重，一举一动，都犯错误，我像一只卑微的蚂蚁，残余的生命有限，请陛下哀怜！"奏章呈上后，没有消息。

仁慈的领袖可以用感情感动，英明的领袖可以用理性说服，复仇泄愤的领袖则像一条入睡的鳄鱼，谁把也唤他不醒。褚遂良爱州（越南清化市）之奏，当是感觉到武曌的复仇泄愤之剑，已悬头顶，用最感人的往事，希望软化号称"仁厚"、昔日言听计从、手抱己颈的年轻小友。问题是，褚遂良重提李治真性挚情的往事，徒使李治痛恨自己的丑态落到对方之手，无地自容，因而老羞成怒。感恩图报是一种高贵的情操和强大的能力，李治，一个虫豸而已，何况又有一个完全可以控制他的恶妻，他就更彻底丧失灵魂。

12 八月十三日，祭祀部（太常）官员（礼官）奏称："四郊迎气，存太微五帝之祀；南郊明堂，废纬书六天之义。其方丘祭地之外，别有神州，亦请合为一祀。"（以上《资治通鉴》原文，仔细阅读，似懂非懂，不敢乱译。）李治批准。

13 八月十五日，擢升国务院教育部长（礼部尚书）许敬宗当最高监督长（侍中）兼国务院财政部长（兼度支尚书），副监督长（黄门侍郎）杜正伦兼最高立法长（兼中书令）。

14 冬季，十一月十四日（原文误置于十月，据《新唐书》改），李治前往许州（河南省许昌市）。

十一月二十一日，在没滍水（沙河）以南打猎。

十一月二十八日，抵达汜水曲（汜水流经河南省新郑市弯曲处）。

十二月一日，回洛阳宫。

15 西方远征军伊丽兵团总司令官（伊丽道行军总管）苏定方，攻击西突厥汗国（新疆东北部及中亚东部）沙钵罗可汗（十一任大可汗）阿史那贺鲁，进抵金山（新疆阿尔泰山）之北，先攻击处木昆部落（新疆和布克赛尔县），大破处木昆军，处木昆军司令官（俟斤）懒独禄等，率一万余篷帐，向远征军归附；苏定方加以安抚，征调处木昆骑兵一千人，随远征军西进。

右领军（卫军第八军）贵族征兵府副司令（郎将）薛仁贵，上疏说：“泥孰部落酋长（西部防区五司令官〔弩失毕五俟斤〕之一），向来不服从阿史那贺鲁，阿史那贺鲁把他击败，俘虏他的妻子儿女，今后，唐远征军击破西突厥各部落，如果俘虏到泥孰部落酋长的妻子儿女，最好是全部送他们回家，并加赏赐，使他们明确的知道阿史那贺鲁是盗贼，而唐政府对他们的爱护，如同父母，必定会为大唐牺牲，全力以赴。”李治批准。泥孰部落酋长大喜，请率军共同攻击阿史那贺鲁。

苏定方进抵曳咥河（中亚额尔齐斯河），阿史那贺鲁率十姓部落联军将近十万人迎战（东部防区五指挥官〔咄陆五啜〕、西部防区五司令官〔弩失毕五俟斤〕，共十姓〔十部落〕），苏定方率远征军及回纥部落军共一万余人进攻，阿史那贺鲁没把苏定方一小撮部队放到眼里，挥军向前包围，苏定方命步兵据守平地南端，把长矛密集排列，枪尖向外，而亲自率骑兵在平地北端布阵。阿史那贺鲁先攻击远征军步兵，冲锋三次，无法攻破，而苏定方率骑兵进击，阿史那贺鲁大败逃走，远征军追击三十华里，斩杀及俘虏数万人。明天，苏定方整顿军队，继续前进，于是，西突厥大将胡禄屋（参考六四二年九月）等西部防区五司令官（五弩失毕），全都率部众投降。阿史那贺鲁单人匹马，和处木昆部落军指挥官屈律，率领数百人骑兵，向西逃命。

当时，阿史那步真从南向北挺进，东部防区五指挥官（五咄陆）听到大可汗兵败消息，都向阿史那步真归降。苏定方命燕然副都护（总督府设内蒙古乌拉特中旗）萧嗣业，回纥部落军统帅、瀚海军区（总部设蒙古国哈拉和林市）总司令（都督）药罗葛婆闰，率外籍兵团直向邪罗斯川（今地不详）追击阿史那贺鲁，苏定方跟燕然都护任雅相，率领新近投降的部众，继续跟进。正巧，天降大雪，平地雪深二尺，军中将领一致请求暂时停留，等天放晴后再进，苏定方说："蛮虏（指西突厥军）仗恃雪深，认为我们不能发动攻击，一定倒头酣睡，并使马匹获得休息。我们急迫不舍，准可追到，如果稍稍放松，他们逃得更远，天晴之后，就不能再追。短期间内，建立大功，正在这个紧要关头。"于是，踏雪前进，日夜不停，经过的地方，招收西突厥逃散的部众，抵达双河（博尔塔拉河），跟由南向北推进的阿史那弥射、阿史那步真会师，距阿史那贺鲁驻扎的地方二百华里，结阵完毕，长驱而入，直向御帐。阿史那贺鲁跟他的部众，正在那里打猎，苏定方趁他没有防备，猛烈突击，斩杀及俘虏数万人，俘获大可汗的大旗巨鼓。阿史那贺鲁和他的儿子阿史那咥运、女婿阎将军等，脱身逃走，奔往石国（中亚塔什干市）。苏定方使大军休息，命归附的各部落都回到原居留地，开辟道路，设立驿马车站，埋葬阵亡将士军民的尸体，探问人民的痛苦，划定各部落范围，恢复社会正常秩序。凡被阿史那贺鲁掠夺的人民牲畜，一律送回，十姓部落群照常安居。苏定方命萧嗣业继续向西追击阿史那贺鲁，而自己先行班师。

阿史那贺鲁逃亡，逃到石国（中亚塔什干市）西北苏咄城，人困马乏，派人携带珠宝进城购买马匹，城防司令（城主）伊沮贵族（达官），敬备酒肉，出来迎接阿史那贺鲁进城，然后紧闭城门，把他逮捕，送到石国。萧嗣业抵达石国，石国把阿史那贺鲁献给萧嗣业。

十二月十一日，唐政府分割西突厥汗国土地，设濛池总督府（驻咸海及伊塞克湖之间）、昆陵总督府（驻巴尔喀什湖与伊犁河之间）。任命阿史那弥射当左卫（卫军第一军）大将军、昆陵总督，封兴昔亡可汗（十二任大可汗），管辖东部防区五部落指挥官（五咄陆）；阿史那步真当右卫（卫

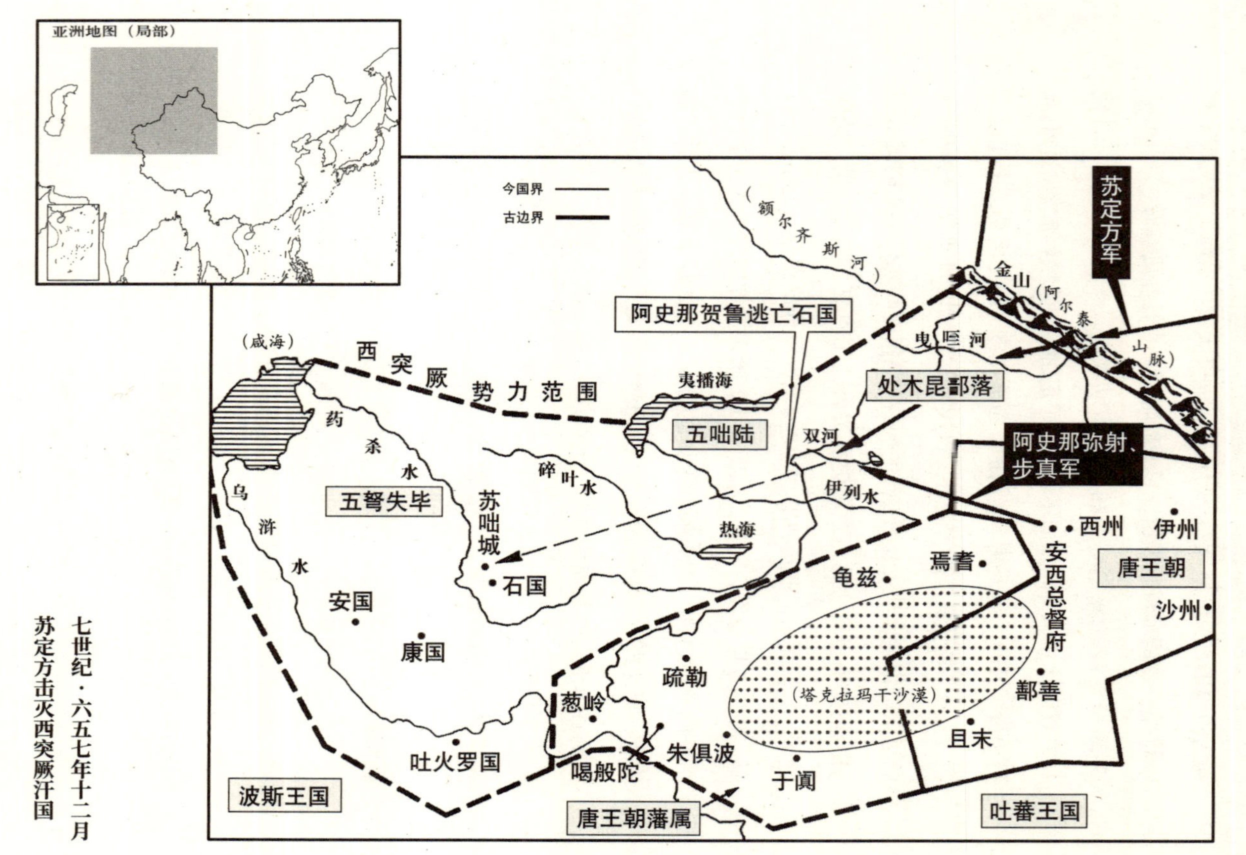

七世纪·六五七年十二月
苏定方击灭西突厥汗国

军第二军）大将军、濛池总督，封继往绝可汗（十三任大可汗），管辖西部防区五部落司令官（五弩失毕）。唐政府派宫廷膳食部长（光禄卿）卢承庆“持节”，前往发布人事命令；并分别授权阿史那弥射、阿史那步真，及卢承庆，考查归降的各姓部落，以他们人口的多少、酋长地位的高低，命他们担任州长以下各官。

16 十二月十三日，将洛阳宫改称东都，东都卫戍区（洛州）官员品级，和京畿卫戍区（雍州）一样（东都之名，于六二三年九月撤销，如今恢复）。

17 本年（六五七），李治下诏说：“从今以后，和尚尼姑都不准接受生身父母或长辈的叩拜，有关单位应制定法律，明白公告。”

18 唐政府任命国务院文官部副部长（吏部侍郎）刘祥道，当监督院副监督长（黄门侍郎），仍主持文官甄选。刘祥道认为：“现在，有关单位选拔人才充任官职，开始浮滥，每年‘入流’（升入九品或以上）的数目，多达一千四百人，‘流外’（九品以下〔不包括九品〕）人员升到九品（入流），都没有经过铨叙甄试。中央及地方文武官员一品到九品，共一万三千四百六十五人，以最近几年淘汰的速度计算，约三十年，一万三千余人将全部离开岗位（退休或死亡），如果每年‘入流’（升入九品）保持五百人，就足够国家的需要，希望能够矫正。”不久，兼最高立法长（兼中书令）杜正伦，也警告“入流”（升入九品）的人太多。李治命杜正伦与刘祥道共同深入研究，可是高级官员畏惧改革，事情就被搁置。刘祥道，是刘林甫的儿子（刘林甫事，参考六二七年十二月）。

六五八年 戊午

唐　显庆　三年

1 春季，正月五日，唐王朝（首都长安〔陕西省西安市〕）太尉（三公之一）长孙无忌等，奏报新礼仪（《显庆礼》）修订完成，唐帝（三任高宗）李治（本年三十一岁）下诏公布实施。

最初，关心国事的人认为二任帝李世民在位时，礼仪不够完备，所以命长孙无忌等修订（原用《贞观礼》，参考六三七年三月）。此时，最高监督长（侍中）许敬宗、兼最高立法长（兼中书令）李义府，正在当权，无论是增加或删除，全都逢迎唐帝李治，及皇后武曌的心意，引起学者专家们的抨击。祭祀部礼仪官（博士）萧楚材等，认为君王活着的时候，就为他制定身后的礼仪，不是一个臣属应该做的事；许敬宗、李义府深为同意，遂把其中《中原恤篇》烧掉，因此，独缺少葬礼。

专制封建的密度越浓，摇尾系统的谄媚方法也越精致，以至礼仪中竟然缺少葬礼，而仍能颁行于世，实在使人咋舌。唐王朝共有二十二个君王，没有一个死后被野狗吃掉的，全都依照一定规程，把尸体装进棺材，然后拉到墓地埋葬。所以葬礼仪式是存在的，只不过不允许列入典章。只因几个摇尾分子——萧楚材、李义府、许敬宗要用精密马屁术达到升官发财目的而已，诚是官场中奇异的一章。

2 最初，龟兹王（新疆库车市）白诃黎布失毕（白，姓）的妻子阿史那女士，跟他的宰相那利通奸，白诃黎布失毕无法禁止，因此，君王与臣属之间，互相猜忌，各自结交党羽，互相向唐政府控告对方。李治征召二人前来京师（首都长安），二人到后，李治逮捕那利，下狱囚禁，而派左领军（卫军第七军）贵族征兵府副司令（郎将）雷文成，送白诃黎布失毕回国。走到龟兹王国（新疆库车市）东境泥师城（库车市东），龟兹大将羯猎颠率军拒抗，并派使节投降西突厥（新疆东北部及中亚东部）沙钵罗可汗（十一任大可汗）阿史那贺鲁。白诃黎布失毕只好据守泥师城（库车市东），不敢再进。

李治命左屯卫（卫军第九军）大将军杨胄，出军讨伐。正巧，白诃黎布失毕病死，杨胄发动攻击，大破龟兹军，生擒羯猎颠和他的徒众，全都诛杀，遂在该地设立龟兹军区总司令部（龟兹都督府）。

正月二十五日，任命白诃黎布失毕的儿子白素稽当龟兹王，兼军区总司令（兼都督）。

3 二月四日，李治从东都（洛阳，河南省洛阳市）出发。

二月二十一日，李治抵达京师（首都长安。洛阳、长安两地航空距离三百四十公里，中隔崤山，根据李治此次行程，需时十八日）。

4 夏季，五月二日，把安西都护府（设交河城〔新疆吐鲁番市〕，六四〇年九月设）迁到龟兹（新疆库车市）；恢复设置西州军区总司令部（都督府），镇守高昌王国故地（新疆吐鲁番市东）。

5 六月，营州军区（总部设辽宁省朝阳市）总司令（都督）兼东夷总督（东夷都护）程名振、右领军（卫军第八军）贵族征兵府司令（中郎将）薛仁贵，率军攻击高句骊王国（首都平壤〔朝鲜半岛平壤市〕）赤烽镇（辽宁省抚顺市东），攻克，杀四百余人，俘虏一百余人。高句骊派大将豆方娄率大军三万人拒抗，程名振派契丹部落军（辽河上游）迎头痛击，大破高句骊军，杀二千五百人。

6 秋季，八月四日，播罗哀獠族部落（广东省信宜市一带）酋长多胡桑等，率部众归附唐帝国。

7 冬季，十月十一日，吐蕃王国（首都逻些城〔西藏拉萨市〕）国王

（三十三任）芒松芒赞，派使节前来唐帝国求娶公主。

8 最高立法长（中书令）李义府，深受唐帝李治的宠爱，所有儿子，有的还在怀抱，全都位居高官。而李义府仍大肆贪赃枉法，毫不满足，他的娘亲、妻子、儿子、女婿，也都出卖官爵，包揽诉讼，门庭人来人往，热闹得好像菜市场，他又多方面结交党羽，声势震撼政府及民间。另一位最高立法长（中书令）杜正伦，常以前辈自居，李义府仗恃皇帝的宠爱，对杜正伦没看在眼里，态度傲慢，不肯作一点谦让，因此二人之间结下怨恨，在李治面前，常常发生争执。李治用“高级官员不和睦”理由，对二人一起责备。

十一月六日，贬杜正伦出任横州（广西横州市）州长，李义府出任普州（四川省安岳县）州长。杜正伦不久在横州（广西横州市）逝世。

9 西突厥汗国（新疆东北部及中亚东部）沙钵罗可汗（十一任大可汗）阿史那贺鲁，既被唐帝国远征军生擒（参考去年〔六五七〕十二月），对萧嗣业说：“我本来是一个亡命之徒，先帝（二任帝李世民）救我一命（参考六四八年四月），待我太厚，而我却忘恩负义，今天之所以溃败，是上天震怒的缘故。我听说，唐政府杀人，一定绑到闹市斩首，我愿被绑到昭陵（李世民墓·陕西省礼泉县北十五公里九嵕山）之前斩首，向先帝（李世民）赎罪。”李治接到报告，对他心生一线怜悯。

阿史那贺鲁抵达京师（首都长安）。

十一月十五日，在昭陵献俘。李治免他一死，而把他所统御的部落居住地，分为六个军区（处木昆部落设匐延军区〔新疆和布克赛尔县〕、突骑施部落的分支索葛莫贺部落设嗢鹿州军区〔新疆伊宁市〕、胡禄屋阙部落设盐泊州军区〔新疆克拉玛依市〕、摄舍提暾部落设双河军区〔新疆温泉县〕、鼠尼施部落及处半部落设鹰娑军区〔新疆新源县〕、突骑施部落及阿利施部落设洁山军区〔中亚阿拉木图市〕)。所属各国都改设州及军区(府),西到波斯王国(伊朗高原)边境,全部隶属安西都护府(设龟兹〔新疆库车市〕)。

不久,阿史那贺鲁逝世,安葬在阿史那咄苾(东突厥十三任颉利大可汗)墓旁。

10 十一月十九日,任命许敬宗当最高立法长(中书令),最高法院院长(大理卿)辛茂将当兼最高监督长(兼侍中)。

11 开府仪同三司(文散官一级,从一品)鄂公爵(忠武公)尉迟敬德逝世。尉迟敬德晚年,在家闲住,修炼延年益寿法术,装饰亭台楼阁、花园池塘,组织歌舞乐队,尽情享受,对外不跟任何宾客来往,历时十六年之久(六四三年二月退休),死时七十四岁,因病而终,政府赏赐十分优厚。

12 本年(六五八),爱州(越南清化市)州长褚遂良逝世(年六十三岁)。

13 京畿总卫戍司令部工务官(雍州司士,从七品下)许祎,跟已被贬谪的台州(浙江省临海市)州长来济(参考去年〔六五七〕八月)感情深厚,监察官(侍御史)张伦,则跟被贬谪的普州(四川省安岳县)州长李义府结有怨恨。国务院文官部长(吏部尚书)唐临,奏请任命许祎当江南道(长江以南)巡察特使,张伦当剑南道(四川省中南部及云南省)巡察特使。

当时,李义府虽被贬逐在外,但皇后武曌仍然对他特别保护,认为唐临公报私仇,恶意遴选特使。

唐　显庆　四年

1 春季，二月十八日，唐政府（首都长安〔陕西省西安市〕）免除国务院文官部长（吏部尚书）唐临职务。

2 三月五日，西突厥汗国（新疆东北部及中亚东部）兴昔亡可汗（十二任大可汗）阿史那弥射，在双河（博格塔拉河）与真珠亲王（真珠叶护）阿史那颉苾达度大战，斩阿史那颉苾达度（八任大可汗阿史那欲谷的儿子，参考六五三年十二月）。

3 夏季，四月十日，唐政府任命国务院左最高执行长（左仆射）于志宁当太子太师（太子三师之一）、一级实质宰相（同中书门下三品）。

四月十九日，命副监督长（黄门侍郎）许圉师（圉，音yǔ〔雨〕）当实质宰相（参知政事）。

4 皇后武曌认为太尉（三公之一）赵公爵长孙无忌，既接受她的贵重礼物，却不帮她说话（参考六五四年十月），怨恨至深。后来讨论到罢黜王皇后，燕公爵于志宁态度中立，也不肯帮自己说话（参考六五五年九月），武曌也不高兴。最高立法长（中书令）许敬宗屡次向长孙无忌分析利害，长孙无忌每次都当面严厉反驳，使他难堪，所以许敬宗也满腹愤怒。武曌既当上皇后，长孙无忌内心不安，武曌命许敬宗暗中寻找可乘之机，加以陷害。

正巧，洛阳（河南省洛阳市）人李奉节控告太子宫图书馆长（太子洗马）韦季方、行政监察官（监察御史）李巢，互结朋党。唐帝（三任高宗）李治（本年三十二岁）命最高监督长（侍中）许敬宗，及兼最高监督长（兼侍中）辛茂将，共同调查审判。许敬宗苦刑拷打，逼取口供，韦季方自杀，却被救活。许敬宗遂宣称侦破一件可怕的叛国巨案，上疏说："韦季方打算结合长孙无忌，陷害忠良及皇亲国戚，使政府大权，再回到长孙无忌之手，然后乘机叛变，夺取政权；而今事情泄漏，韦季方才畏罪自杀。"李治吃惊说："怎么会有这种事？舅父（长孙无忌）被卑劣的小人离间，小小猜忌可能会有，何至于谋反？"许敬宗说："我从头到尾，对全部事态的演变，已作深入调查，叛变的证据十分明显，陛下却仍怀疑，恐怕不是国家之福。"李治流泪说："我们李家真是不幸，亲戚中总有人叛变。从前，高阳公主跟房遗爱谋反（参考六五三年十一月），而今亲舅父也这个样子，使我愧对天下人民。如果这件事是真的，该怎么办？"许敬宗说："房遗爱不过一个乳臭未干的小娃，和一个年轻女子谋反，怎么可能成功！长孙无忌跟先帝（二任帝李世民）共同夺取政权，天下人佩服他的智谋；当宰相三十年，天下人畏惧他的声威（长孙无忌任国务院右最高执行长〔右仆射〕，参考六二七年七月，迄今任相三十三年）；如果一旦发动，陛下命谁抵挡？而今，幸赖祖宗在天之灵，上天痛恨邪恶，因调查一件小事，竟然发觉叛国巨奸，实在是帝国的大庆。我暗中担心，恐怕长孙无忌得到韦季方自杀消息，窘困交加，走投无路，可能押上最后赌注，发动政变，一群恶棍，霎时间风起云涌，定为皇家祖先带来灾难。我当初亲眼看到宇文化及的老爹宇文述，受杨广（隋王朝二任帝）宠爱信任，并缔结婚姻，把政权都交给他。宇文述死后，宇文化及接管皇家禁军，一夜之间，在江都（江苏省扬州市）叛变，先杀反抗自己的人，我家的人也受到诛杀（许敬宗的老爹是许善心；许善心迂阔固执〔参考六一八年三月十一日〕，许敬宗玲珑阴险，父子竟全不相同）；而高级官员苏威、裴矩之流，都到宇文化及马前，跪拜叩头，唯恐怕去得太晚。第二天天亮，隋王朝政府遂告瓦解（参考六一八年三月）。从前的事，距今不远，请陛下火速裁定！”

李治命许敬宗再作更精密的查证。明天，许敬宗回奏说：“昨天晚上，韦季方已自动招认跟长孙无忌同谋反叛，我又问韦季方：‘长孙无忌是皇上最近的亲戚，几代君王对他都十分宠爱，他有什么怨恨，非反叛不可？’韦季方回答说：‘韩瑗曾经告诉长孙无忌说：“柳奭、褚遂良劝你（长孙无忌）拥护梁王（李忠）当太子，而今，梁王（李忠）既被罢黜，皇上对你已起疑心，所以把高履行（长孙无忌舅父的儿子）贬出中央（参考六五六年十二月）。”自此以后，长孙无忌忧愁恐惧，逐渐想到怎么自救。后来看到长孙祥被放逐，韩瑗又受到惩罚（参考前年〔六五七〕八月），才日夜跟我秘密计划发动政变。’我依照他的口供，深入调查，发现事证至为明确，互相吻合，请准予逮捕收押，依法办理。”李治又哭泣说：“舅父如果真的这样，我也决不忍心诛杀，天下将把我当成什么人！后世将把我当成什么人！”许敬宗回答说：“薄昭，是刘恒（西汉王朝五任帝）的舅父；刘恒从代国（首府晋阳〔山西省太原市〕）入承皇统，薄昭也有功劳，而他犯的不过是杀人而已，刘恒命文武百官身穿丧服，前往哭悼（参考前一七〇年），然后诛杀，直到而今，天下人认为刘恒是一代明君。现在长孙无忌竟然忘记两代君王对他的大恩，阴谋推翻政府，他的罪行跟薄昭的罪行，不能相比。幸而邪恶的阴谋自动败露，叛徒坦承不讳，陛下还有什么怀疑，竟不能早日决定！古人有言：‘应该决断时而不决断，反会受到灾祸。’安定或危险的关键，中间容不下一根头发。长孙无忌是一代奸雄，乃王莽（新王朝一任帝）、司马懿（晋王朝一任帝司马炎的祖父）之流。陛下稍微延迟，我恐怕就在手肘腋窝之下，发生突变，后悔已来不及。”李治同意，竟然不肯召见长孙无忌当面询问对质。

四月二十二日，下诏剥夺长孙无忌太尉（三公之一）及封爵采邑，出任扬州军区（总部设江苏省扬州市）总司令（都督），但软禁黔州（重庆市彭水县），以正一品官位待遇，供应饮食。长孙祥，是长孙无忌的堂侄，之前曾自国务院工程部长（工部尚书）出任荆州（湖北省江陵县）州政府政务秘书长（长史），许敬宗也乘机诬陷。

许敬宗又奏说：“长孙无忌谋反，完全由褚遂良、柳奭、韩瑗教唆煽动。柳奭更秘密勾结中宫（指王皇后），阴谋下毒；于志宁也是长孙无忌一党。”于是，李治下诏追夺褚遂良的官职爵位，开除柳奭、韩瑗的官籍，免掉于志宁的官职；派使节沿途征调军队，押送长孙无忌前往黔州（重庆市彭水县）。长孙无忌的儿子皇家图书院长（秘书监）、驸马（公主的丈夫）长孙冲（娶二任帝李世民的女儿长乐公主）等，全部开除官籍，流放岭表（南岭以南）。褚遂良的儿子褚彦甫、褚彦冲，流放爱州（越南清化市），在中途全被诛杀。益州军区（总部设四川省成都市）政务秘书长（长史）高履行再被贬洪州军区（总部设江西省南昌市）总司令（都督）。

5 五月二十日，国务院国防部长（兵部尚书）任雅相、财政部长（度支尚书）卢承庆，同时任实质宰相（参知政事）。卢承庆，是卢思道的孙儿（卢思道，隋王朝任中级监督官〔散骑侍郎〕）。

6 凉州（甘肃省武威市）州长赵持满，健壮有力，精于射击，喜侠好义，他的姨母是韩瑗的妻子，他的舅父、驸马（公主的丈夫）长孙铨，是长孙无忌的族弟：长孙铨因长孙无忌案，被流放巂州（四川省西昌市）。许敬宗恐怕赵持满兵变，遂诬陷他跟长孙无忌一同谋反，用驿马车召到京师（首都长安），逮捕下狱，苦刑拷打，备受酷毒。赵持满始终不肯招认，哀号说："身可诛杀，口供不改。"法官无可奈何，只好替他作一份口供，结案奏报。

五月二十二日，斩赵持满，尸首横躺在城西血泊之中，亲戚没有人敢去探视。朋友王方翼叹息说："栾布哭彭越，是道义（参考前一九六年三月）；姬昌（周王朝一任王姬发的老爹）掩埋野地枯骨，是仁爱。在下位的人不失道义，在上位的人不失仁爱，难道就不可以？"于是收拾赵持满的尸体安葬。李治听到消息，也不加罪。王方翼，是王皇后的堂兄。

长孙铨抵达流放地，县长迎合上级心意，乱棒把他打死。

7 六月二十二日，李治下诏，将《氏族志》改编为《姓氏录》。最初，二任帝李世民命高士廉等编纂《氏族志》（参考六三八年正月)，裁定门第的升降，以及增加新的世族和黜退旧的世族，当时人士认为处理恰当。而现在，许敬宗等因该书所收大姓，不包括武姓在内，于是奏请修改，李治乃命国务院教育部教育司司长(礼部郎中)孔志约等，依照过去格式，重新调整高低，而把武姓列为第一等，其他则全部依照政府中的官品，作为高低标准，分为九等。因此，平民出身的士卒，因战功升官到五品，也升入士大夫(知识分子及在职官员或退休士绅)阶层，当时人讥之为“功勋表格”。

柏杨曰 许敬宗一生罪恶，只做对了一件事，就是打碎过去行之有年的门第世家制度。我并不赞成许敬宗新编的等级，但那些丧失既得利益者所讥讽的“功勋表格”，却是气昏了头的酸葡萄呓语，因为他们，就恰恰是这种“功勋表格”的产品，不妨查看一下，家有门中如果三代没有出过官，没有在“功勋表格”上露一露脸，他这个门第世家还能存在?

8 许敬宗讨论“封禅仪式”(皇帝到泰山添土祭祀天神称“封”，到梁父山〔或社首山〕辟场祭祀地神称“禅”)。

六月二十四日，奏请:“请将高祖(一任帝李渊)、太宗(二任帝李世民)，配享昊天上帝，太穆皇后(李渊正妻窦女士)、文德皇后(李世民正妻长孙女士)配享皇地神灵。”李治批准。

9 秋季，七月，派监察官(御史)分别前往高州(广东省高州市东北)逮捕长孙恩、象州(广西象州县)逮捕柳奭、振州(海南省三亚市西崖州区)逮捕韩瑗，全都戴上木枷，用铁链捆绑，押回京师(首都长安)，另命州县政府没收他们的家产。长孙恩，是长孙无忌的族弟。

七月二十七日，李治命李世勣（徐世勣）、许敬宗、辛茂将，会同任雅相、卢承庆，重新调查长孙无忌叛乱事件。许敬宗又派立法官（中书舍人）袁公瑜等，前往黔州（重庆市彭水县），再度深入追查长孙无忌谋反内情；袁公瑜等抵达黔州（重庆市彭水县）后，用苦刑拷打，强迫长孙无忌上吊身死（距李恪含冤受诛时诅咒，六年有余，参考六五三年二月）。李治下诏，命将柳奭、韩瑗，就地处决；使节遂在象州（广西象州县）斩柳奭，而韩瑗已经去世（年五十四岁），使节打开棺材，验明确是韩瑗尸体，才回京师（首都长安）复命。长孙无忌、柳奭、韩瑗三家，财产没收，近亲全体流放岭南（南岭以南），男子当奴、女子当婢。常州（江苏省常州市）州长孙祥，因跟长孙无忌通信，绞死；长孙恩放逐檀州（北京市密云区）。

10 八月八日，召回普州（四川省安岳县）州长李义府，当国务院兼文官部长（兼吏部尚书）、一级实质宰相（同中书门下三品）。

李义府富贵之后，自称他的祖先来自赵郡（晋王朝时代赵郡，河北省高邑县。赵郡李姓是大分裂时代北魏帝国时的“国姓”，参考四九六年正月），跟赵郡李姓论辈排行，一些李姓少年为了取得李义府的庇护，很多人承认李义府是他的堂兄或堂叔。御前监督官（给事中）李崇德最初也把李义府列入家谱，后来李义府被贬到普州（四川省安岳县。参考去年〔六五八〕十一月），李崇德立刻把他的名字剔除。李义府听到消息，心里怨恨，等到回京（首都长安）再任宰相，命人诬告李崇德犯罪，逮捕下狱，李崇德自杀。

11 八月十一日，姓长孙、姓柳人家，受长孙无忌及柳奭牵连，而被贬降的官员，有十三人。

洪州军区（总部设江西省南昌市）总司令（都督）高履行再贬作永州（湖南省永州市）州长；于志宁再贬作荣州（四川省荣县）州长，于姓家人被贬降的官员九人。自此以后，政府大权落入皇后武曌之手。

12 九月，李治下诏，在石国（中亚塔什干市）、米国（中亚朱马巴札尔城）、史国（中亚沙赫里夏勃兹城）、大安国（中亚布哈拉市）、小安国（东安国，中亚纳沃伊市）、曹国（西曹国，中亚伊什特汗城）、拔汗那国（中亚纳曼干市）、悒怛国（即哌哒国·阿富汗北部马扎里沙里夫城）、疏勒国（新疆喀什市）、朱驹半国（即朱俱波国，新疆叶城县）等国，设一百二十七个“州”“县”“军区总部（府）”（以上的石国、米国、史国、大安国〔安国〕、曹国，加上康国〔中亚撒马尔罕〕、何国〔中亚阿克塔什城〕、火炶国〔中亚纽库斯〕、戊地国〔穆国，中亚查尔朱城〕，共九国，合称“昭武九姓”）。

13 冬季，十月三日，太子李弘行加冠礼（李弘本年七岁），赦免天下。

14 最初，二任帝李世民痛恨山东（崤山以东）世代官宦之家（士人）自以为有很高门第与社会地位，跟别人缔结婚姻的时候，总是尽量向对方索取钱财，因之命修订《氏族志》，把他们的门第一律降低一等；王妃、驸马（公主的丈夫），都遴选功臣家的子女，而不去山东（崤山以东）世代官宦之家（士族）寻求。但是，魏徵、房玄龄、李世勣（徐世勣）却仍然愿意跟他们缔结姻亲，经常加以袒护，所以昔日的声望，并没有衰减。而世代官宦之家，一姓里面，又分哪一个支派的后裔，或哪一个正妻或哪一个小老婆的后裔，声势高下，相差很远（庶子的子孙不如嫡子的子孙，小老婆的子孙不如正妻的子孙）。李义府曾

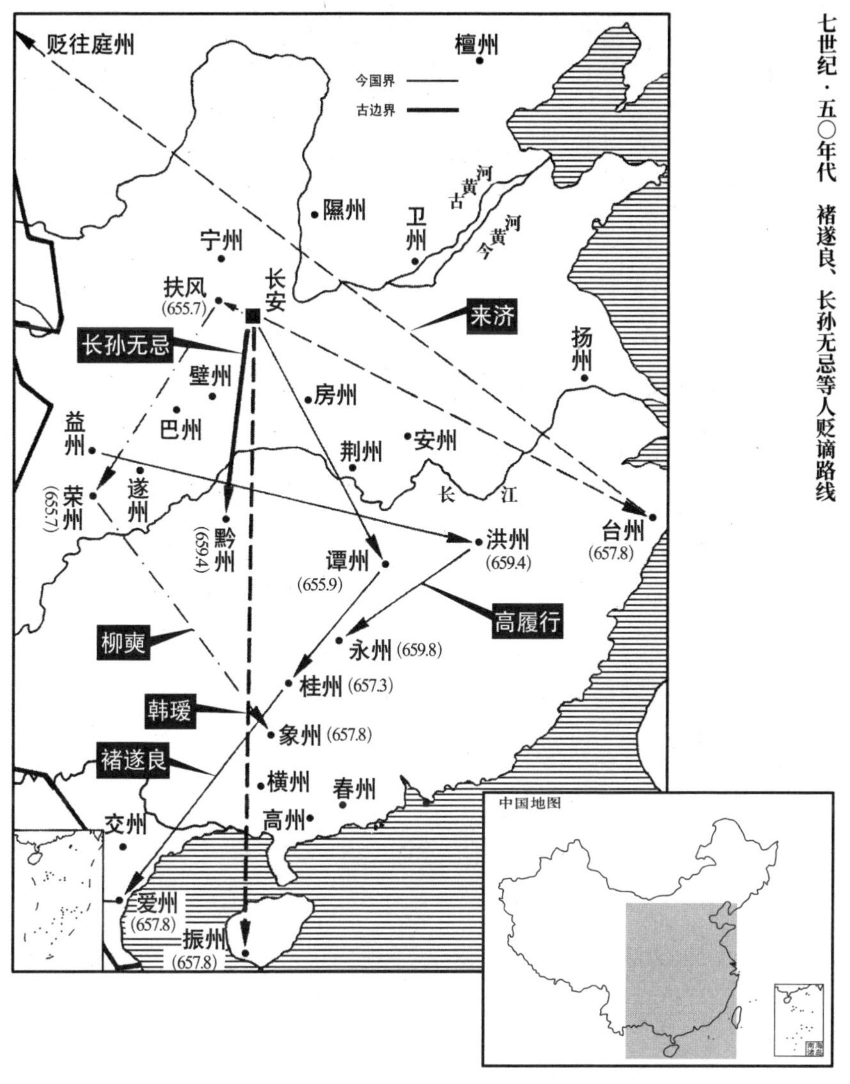

七世纪·五〇年代 褚遂良、长孙无忌等人贬谪路线

替他的儿子向他们求过婚，竟被拒绝，深为痛恨，所以重新强调二任帝李世民当初的心意，建议李治改正弊端。

十月十九日，李治下诏规定：北魏帝国陇西郡（甘肃省陇西县）人李宝（参考四二一年三月），太原郡（山西省太原市）人王琼（参考四九六年正月），荥阳郡（河南省荥阳市）人郑温，范阳郡（河北省涿州市）人卢子迁、卢浑、卢辅（卢同的老爹），清河郡（山东省临清市）人崔宗伯（参考四九六年正月）、崔元孙（崔亮之老爹），前燕帝国博陵郡（河北省安平县）人崔懿（崔鉴之曾祖父），晋王朝赵郡（河北省高邑县）人李楷等的子孙，互相之间，不准婚嫁；并且规定嫁女儿时聘金的数目，禁止娶儿媳时接受“陪门钱”（女方门第低，男方门第高，女方要付出巨款，用以补足门第的差距）。然而世代官宦之家深受世人崇拜，所以终于无法禁绝，有的人不经过正式结婚仪式，就把女儿秘密送到夫家，有的人甚至使女儿老死不嫁，也不肯跟这几家以外的人士结亲。有的人财势已衰，或血缘疏远，已不在家谱之上，被本支看不起，往往向外炫耀他是“禁婚之家”，以图收受更多聘金或更多“陪门钱”。

15 闰十月五日，李治从京师（首都长安）出发，命太子李弘监国。李弘思念双亲不已，李治得到消息，召唤李弘前来行宫。

闰十月二十五日，李治抵达东都（洛阳）。

16 十一月四日，命副监督长（黄门侍郎）许圉师当监督院（门下）最高顾问官（散骑常侍，从三品）、摄理最高监督长（检校侍中）。

17 十一月十六日，最高监督长（侍中）兼太子宫政务署长（兼左庶子）辛茂将逝世。

18 思结部落（蒙古国巴彦洪戈尔市）司令官（俟斤）都曼，率领疏勒国（新疆喀什市）、朱俱波国（新疆叶城县）、渴般陀国（新疆塔什库尔干县），背叛唐王朝，击败于阗王国（新疆和田市）。

十一月二十一日，唐政府命左骁卫（卫军第五军）大将军苏定方当安抚特使，率军讨伐。

19 任命国务院财政部长（度支尚书）卢承庆，当一级实质宰相（同中书门下三品）。

20 东方远征军、右领军（卫军第八军）贵族征兵府司令（中郎将）薛仁贵等（程名振、薛仁贵讨伐高句骊事，参考去年〔六五八〕六月），跟高句骊王国（首都平壤〔朝鲜半岛平壤市〕）大将温沙门，在横山（辽宁省辽阳市东南华表山）大战，击败高句骊军。

21 西方远征军苏定方返抵业叶水（流经新疆沙湾市），思结部落据守马头川（今地不详）。苏定方挑选精锐士兵一万人、骑兵三千人，发动奇袭，一日一夜行三百华里，第二天早晨，抵达城下，都曼大为惊骇，出城迎战，失败，退回城中据守。等到黄昏，西征军后续部队随后抵达，团团围住，都曼恐惧，出城投降。

七世纪·五〇年代 唐王朝疆域扩张

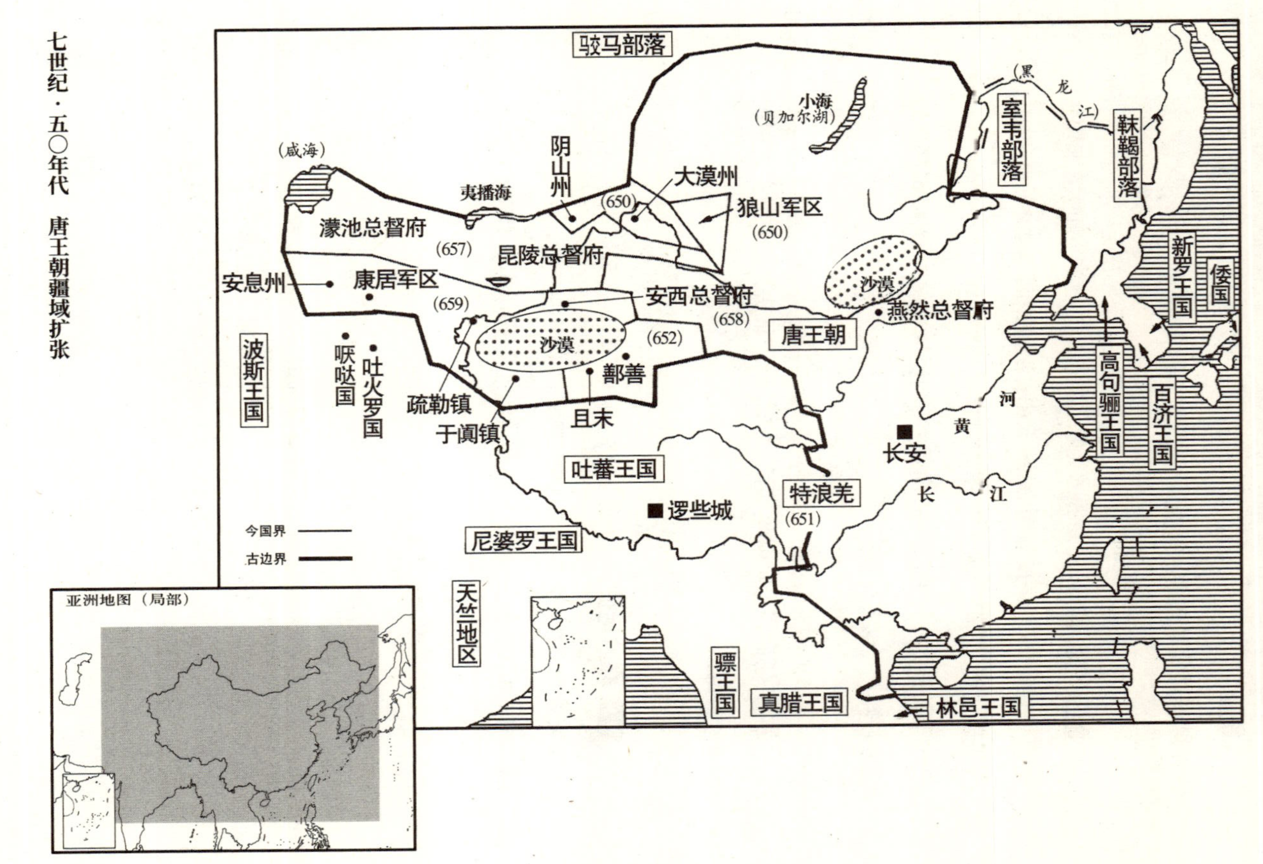

- 唐政府大改官名。
- 灭百济王国。

- 阿拉伯帝国元首阿里遇害，其子哈山嗣位，被逼退位。摩阿威雅嗣位，迁都大马士革，称倭马亚王朝。阿里余党力谋反击，称“什叶派”。
- 日本出军援百济王国，败回；是为中日第一次战争。

六六〇年 庚申

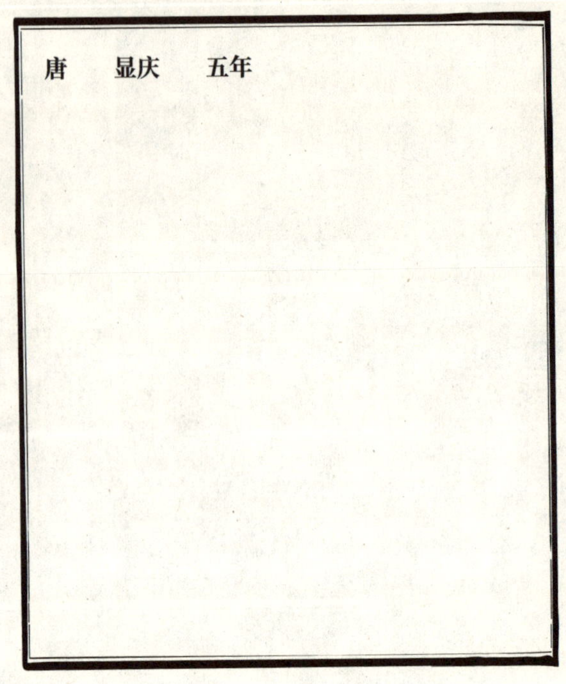

1 春季，正月，唐王朝（首都长安〔陕西省西安市〕）西方远征军苏定方在洛阳宫（河南省洛阳市）乾阳殿，向唐帝（三任高宗）李治（本年三十三岁），呈献俘虏，司法单位请求诛杀都曼，苏定方请求说：“我曾经承诺让他不死，所以他才出城投降，愿饶他一命。”李治说：“我就不按法律行事，而成全你的承诺。”遂赦免都曼。

2 正月二十三日，李治从东都（洛阳）出发。

二月十日，李治抵达并州（山西省太原市）。

三月五日，皇后武曌在政府办公大厅，设筵招待她的亲戚故旧和乡里邻居，女宾的筵席设在内殿，依照次序等级，分别赏赐（武曌是并州文水〔山西省文水县〕人，此次衣锦还乡）。李治下诏，说："并州（山西省太原市）妇女年在八十岁以上的，都封'郡君'（妇女爵位）。"

3 百济王国（首都泗沘〔朝鲜半岛扶余市〕）仗恃高句骊王国（首都平壤〔朝鲜半岛平壤市〕）的支持，不断侵略新罗王国（首都金城〔朝鲜半岛庆州市〕）。新罗国王（二十九任武烈王）金春秋，上疏唐政府求救。

三月十日，李治命左武卫（卫军第三军）大将军苏定方，当神丘兵团总司令官（神丘道行军大总管），率左骁卫（卫军第五军）将军刘伯英等十万人，水陆并进，攻击百济王国（首都泗沘）。另任命新罗国王金春秋当嵎夷兵团总司令（嵎夷道行军总管），会同新罗军队，向百济夹攻。

4 夏季，四月八日，李治从并州（山西省太原市）出发。

四月二十三日，李治抵达东都（洛阳）。

五月，重新装修合璧宫（改八关宫称合璧宫，在洛阳境）。

五月二十二日，李治前往合璧宫。

5 五月二十八日，命定襄军区（总部设内蒙古锡林郭勒盟北部）总司令（都督）阿史德枢宾、左武候（卫军第十一军）将军延陀梯真、居延州军区（总部设内蒙古通辽市北部）总司令（都督）李合珠，同时担任冷岍（音qiān〔千〕）兵团总司令（冷岍道行军总管），各率自己的部队，攻击奚部落（滦河上游）叛军；另命国务院右秘书长（尚书右丞）崔余庆担任总指挥官，统御三路大军；奚部落叛军不久就派使节投降。

另命阿史德枢宾等当沙砖兵团总司令（沙砖道行军总管），讨伐契丹部落（辽河上游）叛军，生擒酋长、松漠军区（总部设内蒙古巴林右旗）总司令（都督）耶律阿卜固，押送东都（洛阳）。

6 六月一日，日蚀。

7 六月二十五日，李治回洛阳宫（自合璧宫返）。

8 房州（湖北省房县）州长、梁王李忠（前太子），年纪渐大（本年十八岁），内心忧惧不安，有时秘密穿上妇女衣服，希望逃避刺客；又不断占卜算卦，向神灵询问吉凶；有人向中央检举。

秋季，七月六日，李治下诏免除李忠官爵，贬作平民，押往黔州（重庆市彭水县），囚禁李承乾被囚禁的家宅（李承乾事，参考六四三年九月）。

9 七月二十八日，国务院财政部长（度支尚书）、一级实质宰相（同中书门下三品）卢承庆，被控失职，免官。

10 八月，吐蕃王国（首都逻些城〔西藏拉萨市〕）宰相禄东赞（曾出使中原，参考六四〇年闰十月），派他的儿子起政，率军攻击吐谷浑汗国（青海省）——因吐谷浑始终归附唐帝国之故。

11 东方远征军苏定方率海军舰队自成山（山东省荣成市东北成山角）出港，横渡黄海，直航朝鲜半岛。百济王国（首都泗沘〔朝鲜半岛扶余市〕）大军固守熊津江（锦江）江口拒抗，远征军强行登陆，百济军数千人阵亡，残余军队全都溃散逃走。苏定方水陆两路，同时并进，直扑首都泗沘城（朝鲜半岛扶余市），距城还不足三十华里，百济全国动员出战，苏定方攻击，大破百济军，杀一万余人，追击前进，进入外郭。

百济国王（三十一任）扶余义慈（扶余，复姓）及太子扶余隆，逃到北方边城，苏定方进军包围，扶余义慈的次子扶余泰，宣布继承王位，率领军民固守。扶余隆的儿子扶余文思警告老爹说："大王（祖父扶余义慈）和太子（老爹扶余隆）都还健在，叔父（扶余泰）手握重兵，已自称国王，即令把中原军队击退，我们父子也不能保命。"遂率左右官员跳出城墙，向中原军队投降，人民也都纷纷追随，扶余泰不能阻止。苏定方派士卒登上城墙，竖起旗帜，扶余泰窘困急迫，只好打开城门请求投降。扶余义慈、扶余隆，以及其他各城防司令（城主），全都投降（百济王国于前一八年建国，历三十一任国王，至本年〔六六〇〕亡国，立国六百七十八年）。百济王国原本分为五道（部），共有三十七郡、二百城、七十六万户（约三百八十万人）。

李治下诏将百济国土并入唐帝国版图，设熊津军区（总部设熊津城〔朝鲜半岛公州市〕）等五个军区（熊津军区、马韩军区、东明军区、金连军区、德安军区），分别命原来的酋长当军区总司令（都督）、州长（熊津是百济王国故都，参考四八八年十二月）。

12 八月十四日，北方远征军、左武卫（卫军第三军）大将军郑仁泰，率军讨伐思结部落（蒙古国巴彦洪戈尔市）、拔也固部落（即拔野古部落，内蒙古呼伦湖西）、仆骨部落（即仆固部落，蒙古国东部）、同罗部落（蒙古国乌兰巴托市北），三次会战，三次大胜，追击一百余华里，诛杀他们的酋长，班师。

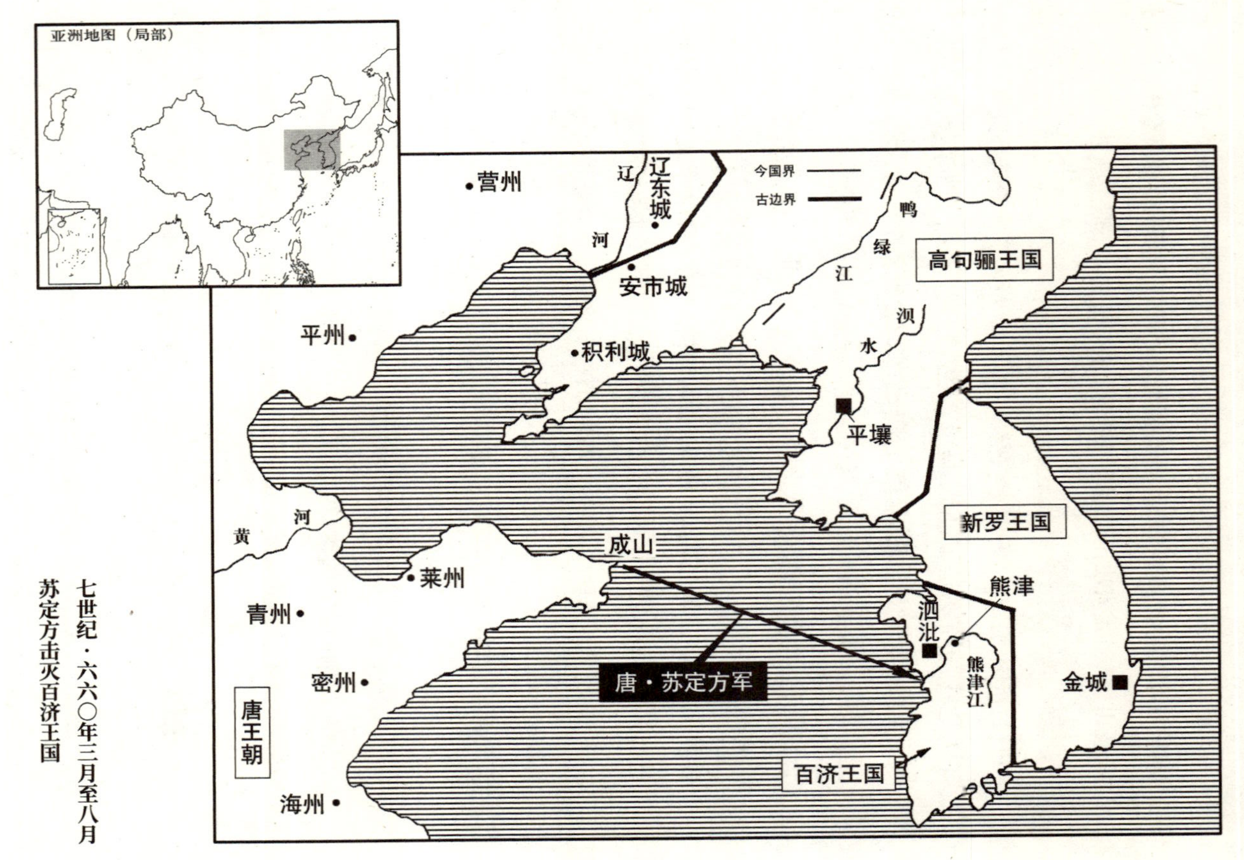

七世纪·六六〇年三月至八月
苏定方击灭百济王国

13 冬季，十月，李治最初患有一种昏眩头痛症，深感痛苦，后来视力衰退，眼睛也看不见，文武百官及政府各单位奏报政事，李治就命皇后武曌裁决。武曌天性聪明敏捷，而又研读过文学及史书，对政事的处理，李治都十分满意，因此遂开始把政事交付给她，武曌的权力，遂跟皇帝相等。

14 十一月一日，李治登洛阳宫则天楼（南城三门，中门名应天门，武曌称则天皇帝后，才改称则天门），接受呈献的百济战俘，自百济国王扶余义慈以下，全都释放。苏定方前后征服三国，都生擒他们元首（西突厥沙钵罗可汗阿史那贺鲁〔六五七年十二月〕、思结部落司令官都曼〔去年〔六五九〕十一月〕，百济国王扶余义慈），唐政府赦免天下。

15 十一月十七日，李治前往许州（河南省许昌市）。

十二月五日，李治在长社（许州州政府所在县）打猎。

十二月十三日，李治回东都（洛阳）。

16 十二月十六日，任命左骁卫（卫军第五军）大将军契苾何力当浿江兵团总司令官（浿江道行军大总管），左武卫（卫军第三军）大将军苏定方当辽东兵团总司令官（辽东道行军大总管），左骁卫（卫军第五军）将军刘伯英当平壤兵团总司令官（平壤道行军大总管），蒲州（山西省永济市）州长程名振当镂方兵团总司令官（镂方道行军总管），分道攻击高句骊王国（首都平壤）。

青州（山东省青州市）州长刘仁轨，因负责海上运输，船舰大批倾覆，剥夺所有官职，以平民身份在军中供职效力。

六六一年 辛酉

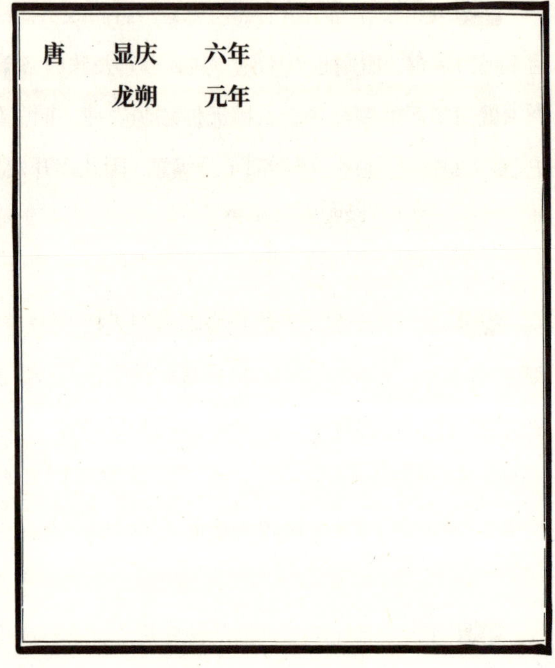
唐　显庆　六年
　　龙朔　元年

1 春季，正月十九日，唐政府（首都长安〔陕西省西安市〕）在黄河南北，以及淮河以南六十七州，招募新兵，集结四万四千余人，分别前往平壤兵团（刘伯英军）及镂方兵团（程名振军）报到。

正月二十二日，任命藩属事务部长（鸿胪卿）萧嗣业，当扶余兵团总司令（扶余道行军总管），率回纥部落等军，前往平壤兵团（刘伯英军）报到。

2 二月三十日，改年号（之前是显庆六年，之后是龙朔元年）。

3 三月一日，唐帝（三任高宗）李治（本年三十四岁）在洛阳门设宴招待文武百官以及外国贵宾，参观城门防卫大营（屯营）排练出来的最新舞步，称《一戎大定乐》（意思是一件军服就平定天下。舞者一百四十人，身穿五彩铠甲，手拿长矛。舞时战鼓雷鸣，声振一百华里，气势雄壮，使人热血沸腾）。当时李治打算亲自出征高句骊王国（首都平壤〔朝鲜半岛平壤市〕），用以展示声威。

4 最初，苏定方征服百济王国（首都泗沘〔朝鲜半岛扶余市〕），留贵族征兵府副司令（郎将）刘仁愿镇守百济首都泗沘城（朝鲜半岛扶余市），又命左卫军（卫军第一军）贵族征兵府司令（中郎将）王文度，当熊津军区（总部设朝鲜半岛公州市）总司令（都督），安抚亡国后的百济人民。王文度渡海接任后，即行逝世。百济王国佛教僧侣道琛、故大将扶余福信，聚众起兵，据守周留城（朝鲜半岛韩山城），派人到倭国（日本）迎接充当人质的王子扶余丰回国继任国王（三十二任），把刘仁愿包围在故京泗沘（朝鲜半岛扶余市）城中。

李治下诏征召平民身份的刘仁轨，摄理带方州（朝鲜半岛沙里院市）州长，统御王文度的部队，并顺便征调新罗王国军（首都金城〔朝鲜半岛庆州市〕），增援泗沘（朝鲜半岛扶余市）。刘仁轨大喜过望，跳起来喊叫说：“上天把荣华富贵赐给我这个老汉！”就由州政府向中央请求颁发《唐王朝皇历》及唐王朝历代皇帝及祖先名字，随身携带出发，说：“我打算扫平东方蛮夷，颁发皇历，使大海之外都用大唐年号。”刘仁轨治军严厉整齐，辗转作战，所向无敌。百济反抗军在熊津江口（锦江口）建立两道栅栏，刘仁轨军及新罗军前后夹攻，大破百济反抗军，杀死及淹死一万余人。道琛接到消息，立刻解除泗沘（朝鲜半岛扶余市）包围，退守任存城（朝鲜半岛大兴城）。新罗军粮食吃完，班师回国。道琛自称领军将军，扶余福信自称霜岑将军，集结反抗异国统治的仁人志士，势力迅速膨胀。刘仁轨军人数太少，进入泗沘（朝鲜半岛扶余市）跟刘仁愿会师后，按兵不动，休养士卒。

李治下诏命新罗王国（首都金城〔朝鲜半岛庆州市〕）增援泗沘（朝鲜半岛扶余市），新罗王（二十九任武烈王）金春秋奉诏派大将金钦率军向泗沘（朝鲜半岛扶余市）进发，援救刘仁轨等；抵达古泗（朝鲜半岛古埠县），受到扶余福信阻击，大败，遂自葛岭道逃回本国，不敢再出。

扶余福信不久诛杀道琛，统一军权。

5 夏季，四月三日，李治前往合璧宫。

6 四月十六日，任命任雅相当浿江兵团总司令（浿江道行军总管）、契苾何力当辽东兵团总司令（辽东道行军总管）、苏定方当平壤兵团总司令（平壤道行军总管），会同扶余兵团总司令（扶余道行军总管）萧嗣业，及各外籍兵团，共三十五军，海陆两道，同时向朝鲜半岛进发。

李治打算亲自率大军继进。

四月二十九日，皇后武曌上疏劝阻御驾亲征，李治下诏接受。

7 六月十九日，唐政府在吐火罗王国（阿富汗北部汗阿巴德）、哌哒王国（阿富汗北部马扎里沙里夫城）、罽宾王国（阿富汗喀布尔市。罽，音〔计〕）、波斯王国（伊朗高原）等十六国，设置八个军区总部（都督府），及七十六个州、一百一十个县、一百二十六个指挥所（军府），全部隶属安西总督府（设新疆库车市。据《新唐书·地理志》记载，此十六国，除以上四国外，还有诃达罗支国〔阿富汗加兹尼城〕、解苏国〔中亚杜尚别市〕、骨咄国〔中亚杜尚别市南库尔干秋别城〕、帆延国〔阿富汗中部巴米安城〕、石汗那国〔阿富汗东北部斯科萨城〕、护时犍国〔阿富汗西北部萨尔普勒城〕、怛没国〔中亚铁尔梅兹市〕、乌拉曷国〔乌那曷国，阿富汗西北部安德胡伊城〕、多勒建国〔阿富汗西北部迈马纳城〕、俱密国〔中亚杜尚别市东北纳瓦巴德城〕、护密国〔中亚喷赤河北岸伊什卡希姆城〕、久越得犍国〔中亚铁尔梅兹市东沙尔图兹〕。唐政府此次所设州县的范围，覆盖今中亚塔吉克及阿富汗全境，以及伊朗东部）。

8 秋季，八月十一日（原文误置于七月，据《新唐书》改），东征军苏定方在泃江（朝鲜半岛大同江）击破高句骊军，连战连捷，遂包围首都平壤（朝鲜半岛平壤市。苏定方应率海军横渡渤海海峡进击）。

9 九月一日，特进（文散官二级，正二品）、新罗国王（二十九任武烈王）金春秋逝世。唐政府封他的儿子金法敏当乐浪郡王、新罗国王（三十任文武王）。

10 九月二十日，改封潞王李贤（李治第六子）当沛王。

李贤听说王勃擅长撰写文章，聘请他当王府编撰官（修撰）。王勃，是王通的孙儿（王通，参考六〇三年九月）。当时，各亲王流行斗鸡，王勃用游戏态度，作了一篇《讨伐周王鸡文告》（周王李显〔李哲〕，是李治第七子）。李治看到，勃然大怒，说：“这是挑拨他们互斗的开端。”把王勃逐出沛王府。

11 高句骊王国（首都平壤〔朝鲜半岛平壤市〕）中央执政官（莫离支）

七世纪·六五七年十二月至六六一年六月
西域全境归附唐王朝，广设军区、羁縻州

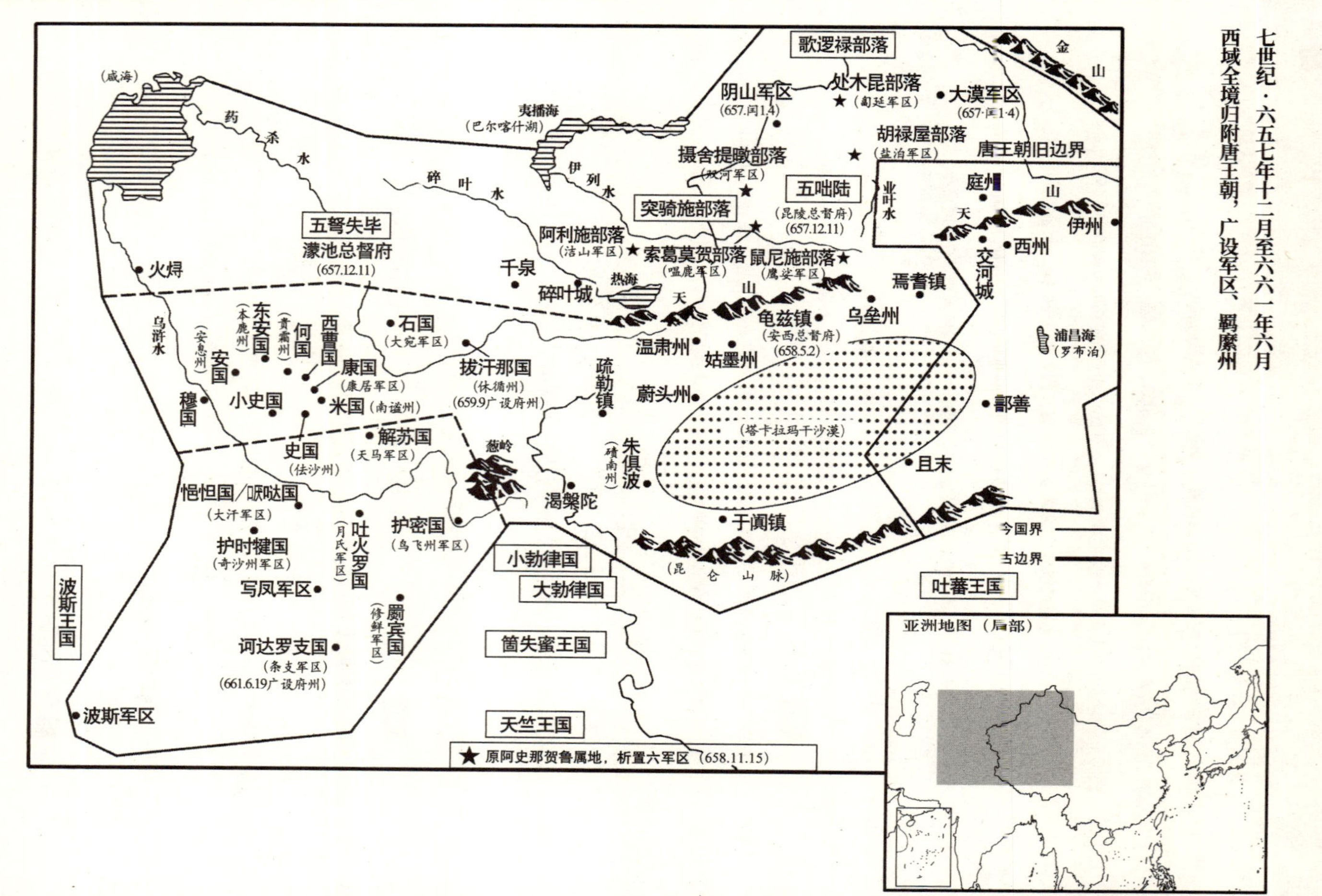

渊盖苏文（渊盖，复姓），派他的儿子渊盖男生，率精锐部队数万人，固守鸭绿江，中国远征军各军无法强渡。辽东兵团总司令（辽东道行军总管）契苾何力抵达时，恰巧天气突然寒冷，河水结成坚冰，契苾何力率军踏冰渡河，擂动战鼓，大声嘶喊，登岸攻击，高句骊江防部队崩溃，远征军追击数十华里，杀三万人，残余的高句骊江防部队全都投降，渊盖男生仅逃出一命。正巧李治下令回军，遂班师（此时苏定方正包围平壤，渡鸭绿江各军竟不前进会师，反而撤退，则踏冰渡江，岂不多此一举，此次战役，似有可疑）。

12 冬季，十月五日，李治前往陆浑（河南省嵩县）狩猎。

十月六日（原文“戊申”，据《新唐书》改），前往非山（河南省伊川县西）狩猎。

十月十一日，返洛阳宫。

13 回纥部落（蒙古国北部）酋长乐罗葛婆闰（乐罗葛，三字姓）逝世，侄儿乐罗葛比粟毒，接管他的部众，与同罗部落（蒙古国乌兰巴托市北）、仆固部落（蒙古国东部）联合，侵略骚扰唐帝国北方边境。

李治下令反击，任命左武卫（卫军第三军）大将军郑仁泰当铁勒兵团总司令官（铁勒道行军大总管），燕然总督（总督府设内蒙古乌拉特中旗）刘审礼、左武卫（卫军第三军）将军薛仁贵，当副总司令，藩属事务部长（鸿胪卿）萧嗣业当仙萼兵团总司令（仙萼道行军总管），右屯卫（卫军第十军）将军孙仁师当副总司令，率军讨伐。刘审礼，是刘德威的儿子（刘德威事，参考六三七年正月）。

六六二年 壬戌

1 春季，正月二十一日，唐政府（首都长安〔陕西省西安市〕）封波斯军区（总部设伊朗东部扎博勒城）总司令（都督）卑路斯，当波斯王。

2 二月四日，重新订定文武百官及各机关名称：“门下省”改称“东台”（监督院），“中书省”改称“西台”（立法院），“尚书省”改称“中台”（国务院）；“侍中”改称“左相”（最高监督长），“中书令”改称“右相”（最高立法长），“仆射”改称“匡政”（国务院最高执行长），“左右丞”

改称“左右肃机”（秘书长），“尚书”改称“太常伯”（部长），“侍郎”改称“少常伯”（副部长）。其余二十四司（国务院所属）、御史台（总监察署）、九寺（直属部）、七监、十六卫（十六卫军），都依照他们的工作职掌性质，改用新的官称，但工作及职掌不改（这是一个类似王莽时代那种大的官名改革，无论当时人和现代读者，都会陷于五里云雾之中，所幸我们的译名不变）。

3 二月十四日，东方远征军浿江兵团总司令官（浿江道行军大总管）任雅相，在军中逝世。

任雅相当大将，从来不奏请任用亲戚故交，官员出缺，一定用公文请求主管单位选派，任雅相对人说：“官不论大小，都是国家的职位，怎么可以用来满足自己的私欲！”因此军中赏罚公平，人们敬佩任雅相的大公无私精神。

4 二月十八日，东方远征军、左骁卫（卫军第五军）将军、白州（广西博白县）州长、沃沮兵团总司令（沃沮道行军总管）庞孝泰，跟高句骊军在蛇水（朝鲜半岛合井江）会战，大败，庞孝泰跟他的十三个儿子，全部战死。苏定方包围平壤（高句骊首都，朝鲜半岛平壤市），很久不能攻陷（去年〔六六一〕七月围平壤），现在又遇上漫天大雪，遂解除包围，班师。

5 三月，北方远征军、左武卫（卫军第三军）大将军郑仁泰等，在天山（郁督军山，蒙古国杭爱山）击败铁勒部落群。

铁勒九姓部落联军，听到唐王朝远征军即将抵达消息，集结十余万人拒抗，先选骁勇、健壮战士数十人，出阵挑战，左武卫（卫军第三军）将军薛仁贵，连射三箭，击毙三人，其他人震恐，下马投降，薛仁贵把他们全部坑杀，渡过沙漠地带，攻击残余部众，生擒亲王兄弟三人，班师。军中为此高歌：“将军三箭定天山，壮士长歌入汉关！”

思结部落（蒙古国巴彦洪戈尔市）、多滥葛部落（蒙古国乌兰巴托市）等，早先就进入天山（郁督军山，蒙古国杭爱山）据守，听到郑仁泰等将要到达，全出来迎降；郑仁泰等却挥军攻击，掠夺他们的家财，作为犒赏，各部落相继逃走；将军杨志追赶，被逃走的部落联军击败。斥候骑兵报告郑仁泰说：“蛮虏的辎重就在附近，再往前走，就可掳获！”郑仁泰率轻装备骑兵一万四千人，急行兼程赶路，渡过庞大的碎石沙漠地带，抵达仙萼河（蒙古国色楞格河），竟看不见敌人踪影，而粮食已经吃完，只好撤退。偏逢天降大雪，士卒饥寒交迫，抛弃盔甲武器，杀马果腹，等到战马杀光，就互相格杀，吃对方的尸体；等到进入边塞，只剩下八百人（一万三千二百人饿死、冻死、或被自己战友吞食，只为了将领贪图财物，人间惨事）。

班师之后，副总监察官（司宪大夫）杨德裔上疏弹劾说：“郑仁泰等屠杀已经投降的人，致使蛮虏四散逃走：不爱惜士卒，没有充分准备粮草，即行出击，致使忠勇将士，变成骸骨，漫山遍野，抛弃盔甲武器，全部送给盗寇。自从圣明王朝（唐王朝）开创以来，从来没有发生过今天这样的惨败。薛仁贵所到之处，贪污奸淫，纵情任性，虽然立有战功，但抵不上带给国家的损失，请一并交付司法单位调查审判定罪。”唐帝（三任高宗）李治（本年三十五岁）下诏，命他们用所立的功劳赎罪，不再追究。

任命右骁卫（卫军第六军）大将军契苾何力当铁勒地区（蒙古国）安抚特使，左卫（卫军第一军）将军姜恪当副安抚特使，对残余的反抗部落作最后的处置；契苾何力遴选精锐精兵五百人，突然出现在九姓部落群的营帐，九姓部落群大吃一惊，契苾何力说：“唐政府知道你们都出于被迫，所以一律赦免，犯罪的只是酋长，只要捉住酋长，就拨马而回。”部众大喜过望，同心合力制服他们的亲王（叶护）、将军（设）、公爵（特勒）等二百余人，交给契苾何力，契苾何力宣布他们的罪状，全部斩首，九姓部落群遂告平定。

6 三月五日，李治从东都（洛阳，河南省洛阳市）出发。

三月二十二日，抵达蒲州（山西省永济市）。

夏季，四月一日，抵达京师（首都长安）。

7 四月二十二日，整修蓬莱宫（大明宫）。

8 五月八日，任命许圉师当最高监督长（左相）。

9 六月七日，唐政府第一次下令：和尚、尼姑、道士、道姑，都要敬拜父母（之前，只下诏和尚不能接受父母叩拜，参考六五七年十二月）。

10 秋季，七月一日，赦免天下。

11 七月三十日，熊津军区（总部设朝鲜半岛公州市）总司令（都督）刘仁愿、摄理带方州（朝鲜半岛沙里院市）州长刘仁轨，在熊津（朝鲜半岛公州市）东方，大破百济王国（临时首都周留城〔朝鲜半岛韩山城〕）反抗军，攻陷真岘城（今地不详）。

最初，刘仁愿、刘仁轨等，固守熊津城（朝鲜半岛公州市），李治训令他们说：“攻击平壤的大军已经撤回，熊津一座孤城，不可能

七世纪·六六二年三月 郑仁泰远征铁勒九姓

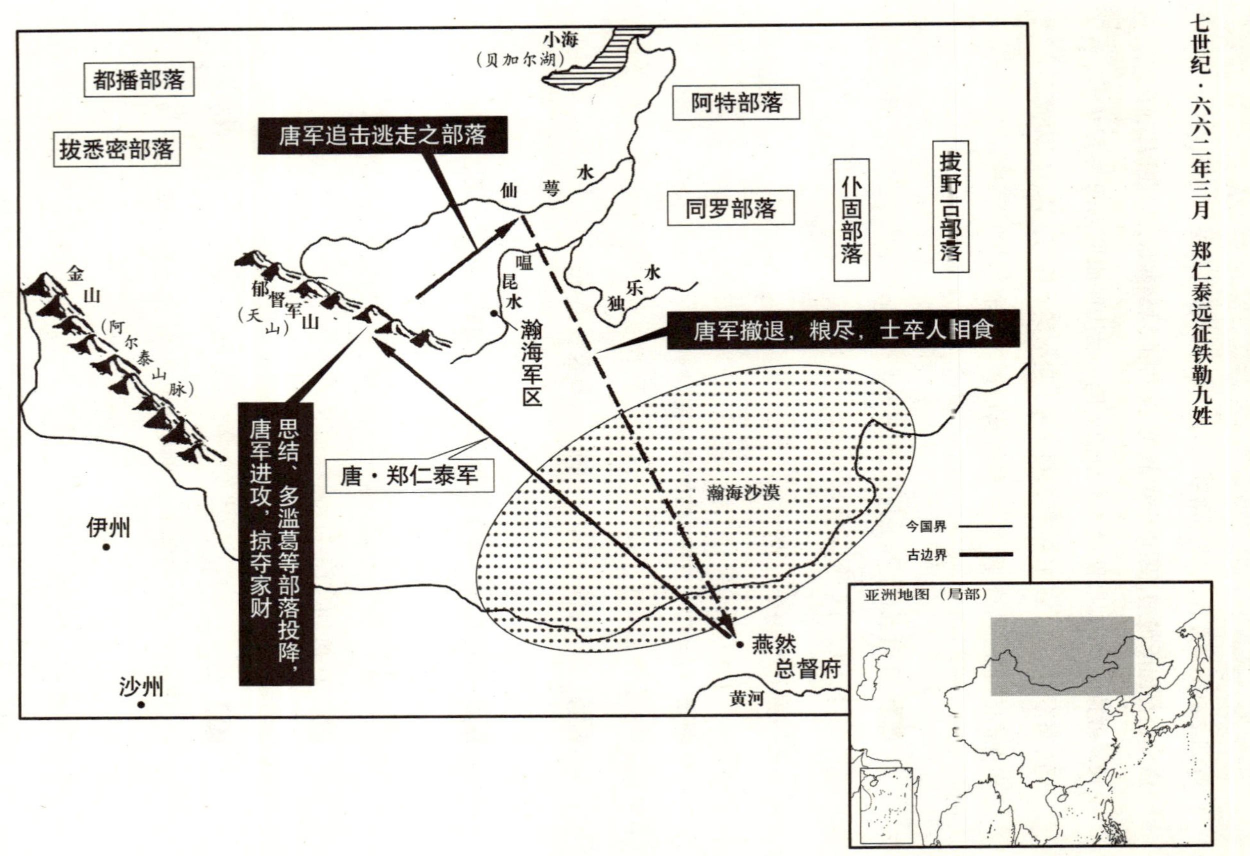

单独防守，最好全军前往新罗（首都金城〔朝鲜半岛庆州市〕）。新罗国王（三十任文武王）金法敏如果要求你们留下来协防，你们就留下来；如果不需要你们协防，就航海回国。”远征军将士都愿回国。刘仁轨说：“人臣为了帝国利益而牺牲自己，除了死之外，没有第二种选择，怎么可以先怀私心！领袖打算消灭高句骊（首都平壤），所以先铲除百济（首都周留城），留兵防守，控制它的心脏。残余的盗匪（指反抗军）看起来虽然到处都是，而且守备森严，但我们只要磨利兵器，喂饱战马，出其不意的发动攻击，没有攻打不下的道理。等到传出捷报之后，军心安定，然后派军据守险要，扩张军事形势，急行奏报皇上，要求增援。政府知道我们有成功的把握，定会派军，这项声势一旦连接，凶恶的丑类（百济反抗军）自会歼灭，不但不会抛弃前功，而且还能永远保持海外安定。而今，攻击包围平壤（朝鲜半岛平壤市）的军队既已班师，如果再放弃熊津（朝鲜半岛公州市），则故百济的残余部众，不久就会复兴！高句骊逃犯，什么时候才可以消灭？而且，今天以一个城池，楔入敌人心脏地带，只要动一动脚，立即就会被生擒活捉；即令可以进入新罗（首都金城），也不过在异国当一个有家难归的游客，万一事情发生意外，后悔也不能挽回。何况，扶余福信凶残暴虐，君臣之间，已有猜忌，势将互相火拼。我们应该坚守城池，等待变化，抓住机会反攻，不可以随便移动。”大家接受。

当时，百济国王（三十二任）扶余丰及大将扶余福信等，认为刘仁愿等苦守一座孤城，没有外援，派使节问刘仁愿说：“你什么时候动身西返，我们会隆重送别。”刘仁愿、刘仁轨知道反抗军没有戒备，于是发动突袭，一连攻陷支罗城、尹城、大山、沙井（地望当都在朝鲜半岛西南部）等反抗军大营，杀戮及俘虏很多，全都派军驻守。

扶余福信等因真岘城（不知何时又落入反抗军之手）险要，特别派军增援，加强防守。刘仁轨趁守军懈怠，率领新罗军于夜晚抵达城下，攀着满墙杂草登城，等天亮时，已完全控制城垣，遂打通从新罗运送粮食的交通要道。刘仁愿于是奏报中央，要求增兵。李治下诏征调淄州（山东省淄博市）、青州（山东省青州市）、莱州（山东省莱州市）、海州（江苏省连云港市）民兵七千人，前往熊津（朝鲜半岛公州市）。

扶余福信专权独断，跟国王（三十二任）扶余丰之间，渐生猜忌。扶余福信声称有病，睡在一个地窖里，打算趁扶余丰前来探病时，把他诛杀。扶余丰得到密报，亲率亲信勇士，发动袭击，斩扶余福信；派使节分往高句骊王国（首都平壤〔朝鲜半岛平壤市〕）及倭国（日本），请求出兵共同抵抗唐王朝远征军。

12 八月十六日，任命最高立法长（右相）许敬宗当太子少师（太子三少之一）、一级实质宰相（同东西台三品），仍主持立法院（西台）事务。

13 九月二十二日，唐政府第一次规定：八品及九品官员，穿浅绿色官服。

14 冬季，十月十一日，李治前往骊山温泉（陕西省西安市临潼区东南），命太子李弘监督国政。

十月二十一日，李治回宫。

15 十月二十四日，任命副立法长（西台侍郎）陕州（河南省三门峡市）人上官仪，当一级实质宰相（同东西台三品）。

16 十月二十七日，李治下诏宣布：后年（六六四）正月，将到泰山举行大祭（封禅）；并将于明年（六六三）二月，前往东都（洛阳）。

17 最高监督长（左相）许圉师的儿子（圉，音yǔ〔雨〕）、皇宫总管府副车轿管理官（奉辇直长，正七品下）许自然，出去游荡打猎时，践踏破坏农田庄稼，地主忿怒阻止，许自然用响箭向地主射击。许圉师仅只打他儿子一百棍，却没有奏报皇帝，地主前往总监察署（司宪）控告，副总监察官（司宪大夫）杨德裔搁置不理。立法官（西台舍人）袁公瑜命人捏造一个假名，呈递"亲启密奏"检举，李治说："许圉师身为宰相，侵犯人民生命财产，竟隐藏不报，岂不是作威作福！"许圉师抗辩说："我身居中枢，用正直公平的态度事奉陛下，不可能使大家全都满意，所以受到攻讦。至于作威作福，只有手握强兵，或身据军事重镇的人才有资格！我一个文官，侍候皇上，只知道闭门自修，怎么敢作威作福！"李治大怒说："你恨你没有兵权是不是？"最高立法长（右相）许敬宗说："人臣竟然有这种态度，诛杀他也不足以抵罪！"李治命人把许圉师赶出，下诏免职。

18 十一月十八日（原文误置于十月，据两《唐书》改），封皇子李旭轮（后改名李轮、李旦）当殷王。

19 十二月二十三日，李治认为帝国正在跟高句骊王国（首都平壤〔朝鲜半岛平壤市〕）及百济王国（首都周留城〔朝鲜半岛韩山城〕）作战，河北（黄河以北）人民，苦于差役供应；到泰山大祭（封禅），以及前往东都（洛阳）之事，一律停止。

20 西方远征军爬海兵团总司令（爬海道行军总管）苏海政（爬，音yù〔玉〕），奉命讨伐龟兹王国（新疆库车市）。唐帝李治命西突厥汗国（新疆东北部及中亚东部）兴昔亡可汗（十二任大可汗）阿史那弥射、继往绝可汗（十三任大可汗）阿史那步真，出军支援。苏海政进入阿史那弥射国境，阿史那步真跟阿史那弥射一直互相仇恨（参考六五七年十二月），于是向苏海政告密说："阿史那弥射谋反，请快诛杀。"当时苏海政直辖部队只有数千人，紧急召开军事会议，讨论说："阿史那弥射如果叛变，我们一个活口都剩不下，不如先行下手。"乃宣称接到皇帝诏书，命总司令官（大总管）携带绸缎数万段（四匹为一段），赏赐可汗及所有酋长。阿史那弥射率领他的部属前来领取赏赐，苏海政把他们一网打尽，全部诛杀，只有鼠尼施部落（新疆新源县境）、拔塞干部落（今地不详）逃走，苏海政与阿史那步真联军追击，扫平。

苏海政班师，走到疏勒王国（新疆喀什市），南弓月部落（今地不详）再引导吐蕃王国（首都逻些城〔西藏拉萨市〕）军队北上，打算攻击唐王朝远征军，苏海政因士卒长期在外作战，疲倦憔悴，不敢接触，遂把军用物资送给吐蕃军作为贿赂，签订和解协定，然后撤退。

各部落都认为阿史那弥射含冤而死，遂对唐帝国生出叛离之心。继往绝可汗（十三任大可汗）阿史那步真不久逝世，十姓部落群没有领袖，有阿史那都支及李遮匐等，收拾残破局面，集结余众，归降吐蕃（西藏）。

21 本年（六六二），西突厥部落进攻庭州（新疆吉木萨尔县），州长来济率军迎战，对他的部属说："我早就应该一死（指冒犯皇后武曌，参考六五五年六月），幸而活到现在，今天当牺牲生命，报效国家。"遂不穿铠甲，杀向敌营，阵亡（年五十三岁）。

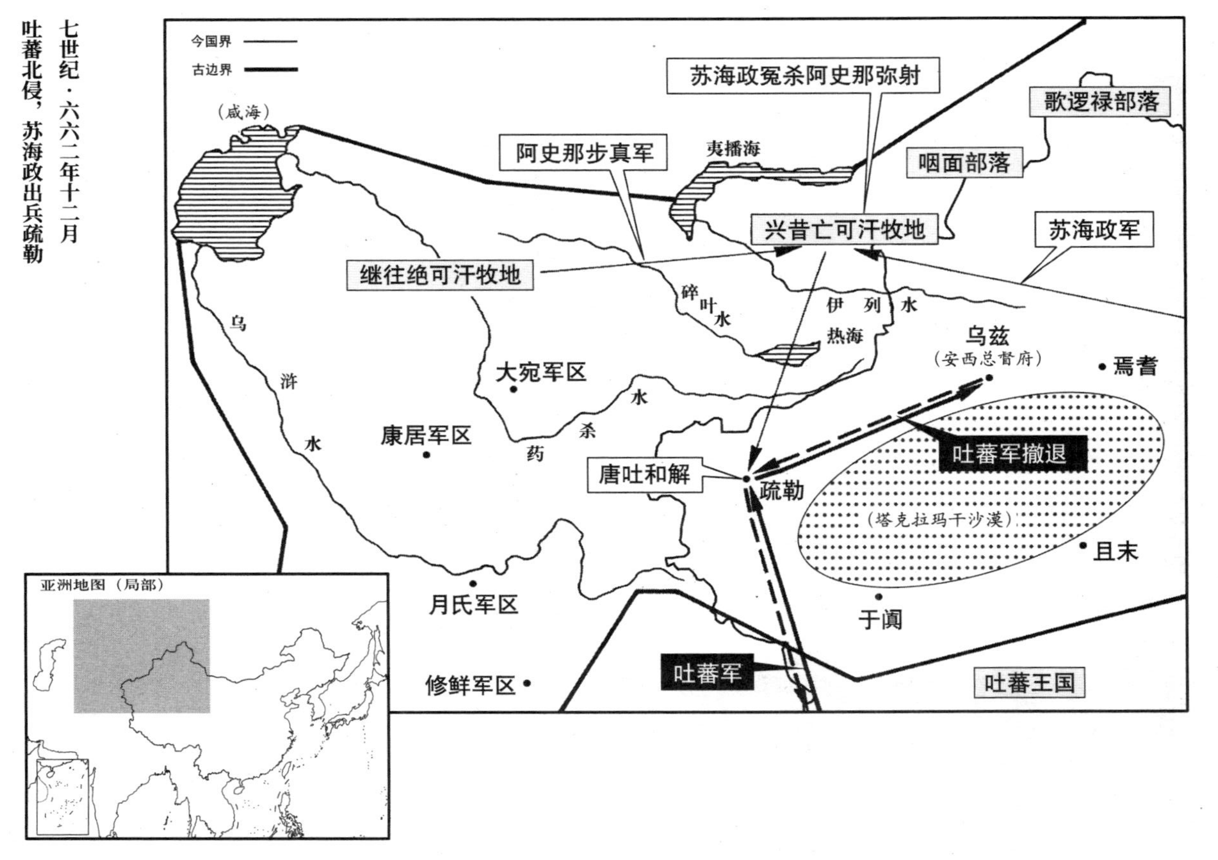

七世纪·六六二年十二月
吐蕃北侵，苏海政出兵疏勒

六六三年 癸亥

1 春季，正月，唐王朝（首都长安〔陕西省西安市〕）左武卫（卫军第三军）大将军郑仁泰，扫荡铁勒部落群（蒙古国），全部平定。

2 正月十一日（原文“乙酉”，据两《唐书》改），擢升国务院文官部长（司列太常伯）李义府当最高立法长（右相），仍主持遴选官员工作。

3 二月，唐政府将燕然总督府（设内蒙古乌拉特中旗）迁到回纥部落（蒙古国西南部）王庭所在（蒙古国哈拉和林市），改名瀚海总督府；而把原来的瀚海总督府（设蒙古国哈拉和林市）迁到云中古城（内蒙古和林格尔县），改名云中总督府（燕然总督府设于六四七年四月；瀚海总督府设于六五〇年九月）；以瀚海沙漠群作为分界，沙漠以北州府（军区司令部）属新设的瀚海总督府（蒙古国哈拉和林市），沙漠以南州府（军区司令部）属新设的云中总督府（内蒙古和林格尔县。“沙漠以南”或“沙漠以北”，不知是否包括沙漠？如果包括，辖区重叠；如果不包括，沙漠成为无人地带；如是中分，并没有言明。传统史书总是说不清楚，使人迷惘）。

4 三月，许圉师（参考去年〔六六二〕十月）再被贬出当虔州（江西省赣州市）州长。杨德裔被指控包庇罪犯，结交党羽，流放庭州（新疆吉木萨尔县）。

许圉师的儿子许文思、许自然，一并撤职。

5 最高立法长（右相）河间郡公李义府，主持官员任免升降工作，仗恃皇后武曌的权势，专门出卖官爵，对官员的资历，随意排列，以至大街小巷，充满怨恨之声。唐帝（三任高宗）李治（本年三十六岁）不断听到报告，有一次，心平气和的提醒李义府说：“你的儿子和女婿，很不谨慎，做了很多犯法的事，还得我出面替你掩饰，你要小心。”李义府脸色骤变，脖子面颊上的青筋都暴出来，质问说：“谁告诉陛下的？”李治说：“只要我说得对，为什么要我交出检举的人？”李义府一点也不在乎，也不自责道歉，竟迈开脚步，缓缓走出去。李治因此大不高兴。

柏杨曰

孔丘说："只有卑鄙的小人和女人，最难相处，亲近他，他会轻视你，疏远他，他会怨恨你。"对于女人，并不正确；但对于卑鄙的小人，却是洞察入微，你最好不要有这种朋友。李义府就是一个活榜样，连皇帝老爷都承担不了认识他的后果。

星象学家（望气者）杜元纪警告李义府说，他的住宅有监狱气息，只有积存二十万串钱，才可以镇压得住，李义府十分相信，贪污聚敛，越发凌厉不择手段。李义府亲娘去世，政府特别准他初一、十五日守丧哭泣。可是李义府却换上平民衣服，跟杜元纪到长安城东，攀登古墓，等候观察天边呈现的气色。于是有人检举李义府秘密研究灾祸怪异，暗中准备政变。李义府又派他的儿子、太子宫事务管理署事务官（右司议郎）李津，找到长孙无忌的孙儿长孙延，勒索七百串钱，命长孙延当水利部长（司津监），被右金吾军（卫军第十二军）出纳官（仓曹参军）杨行颖告发。

夏季，四月乙丑日（四月甲申朔，没有乙丑），李治下令逮捕李义府囚禁，指定国务院司法部长（司刑太常伯）刘祥道，会同监察官（御史）、最高法院院长（详刑），联合调查审判；命司空（三公之三）李世勣（徐世勣）当最高审判长；查出每件罪行都有证据。

四月五日，李治下诏开除李义府官籍，流放嶲州（四川省西昌市），也开除李津官籍，流放振州（海南省三亚市西崖州区），李义府的儿子及女婿，一律开除官籍，流放庭州（新疆吉木萨尔县）；消息传出，无论官民，都欢呼庆祝。

一位失去姓名的作家，用幽默的文笔撰写一篇《河间兵团元帅（河间道行军元帅）刘祥道剿灭铜山巨匪李义府公开告捷奏章》（李义府是河间人，铜山指铜钱堆积起来的山，唐王朝时，铜已是铸钱的主要材料），张贴大街闹市。李义府一向用强迫手段夺取别人的奴仆婢女，权势瓦解后，家人崩散，这些奴仆婢女各回各家，所以《告捷奏章》中强调说："奴仆婢女混杂一起，趁乱逃出，各人辨认故主，争先恐后，奔回家门。"

6 四月十二日，在新罗王国（首都金城〔朝鲜半岛庆州市〕）设鸡林军区总司令部（大都督府），命新罗国王（三十任文武王）金法敏当总司令官（大都督）。

7 四月二十三日，首都长安蓬莱宫（大明宫）含元殿落成，李治开始移居此宫，而将原住宫城称为"西内"。

四月二十五日，李治登紫宸殿主持朝会。

8 五月三十日，柳州（广西柳州市）蛮夷部落酋长吴君解，聚众起兵。

中央政府派冀州（河北省大名县）政务秘书长（长史）刘伯英、右武卫（卫军第四军）将军冯士翙，动员岭南（南岭以南）民兵讨伐。

9 吐蕃王国（首都逻些城〔西藏拉萨市〕）和吐谷浑汗国（青海省）互相攻击，各派使节上疏唐朝政府，申诉理由，指责对方，并要求援助，李治都不允许。

吐谷浑汗国官员素和贵犯罪，逃奔吐蕃王国，把吐谷浑内部军事政治情形，彻底泄漏，吐蕃遂出军进攻吐谷浑，大破吐谷浑军；吐谷浑趉胡吕乌甘豆可汗（十九任）慕容诺曷钵，跟皇后弘化公主，率数千篷帐的部众，放弃国土，投奔唐王朝凉州（甘肃省武威市），请求把他的部众迁居内地（吐谷浑汗国自二八五年建立，历十九任可汗，于本年〔六六三〕灭亡，立国约三百七十八年，是“五胡乱华”慕容部落中立国最久的一支）。

李治命凉州军区（总部设甘肃省武威市）总司令（都督）郑仁泰，当青海兵团总司令官（青海道行军大总管），率右武卫（卫军第四军）将军独孤卿云、辛文陵等，分别进驻凉州（甘肃省武威市）、鄯州（青海省海东市乐都区），防备吐蕃进攻。

六月二十六日，又命左武卫（卫军第三军）大将军苏定方，当西方远征军总指挥官（安集大使），统御各军，作吐谷浑汗国残部的后援。

吐蕃王国宰相禄东赞，驻军青海（青海湖），派使节论仲琮前来唐帝国朝见（论，最初是官称，后来成为姓氏），控诉吐谷浑汗国罪行，并且请求再娶公主。李治不同意，派左卫军（卫军第一军）贵族征兵府副司令（郎将）刘文祥，前往吐蕃，携带诏书，严厉责备。

10 秋季，八月二十七日，李治因东方海上连年征战，人民不断缴纳赋税，不断被征调服役，生活困苦，士卒大量战死淹死，于是下诏停止三十六州制造船舰，派国务院财政部长（司元太常伯）窦德玄等，分别前往十道（此时全国仍分十道），安抚人民痛苦，罢黜贪官污吏。窦德玄，是窦毅的曾孙（窦毅，一任帝李渊的岳父，参考五八一年二月）。

11 九月八日，熊津兵团总司令（熊津道行军总管）、右威卫（卫军第十军）将军孙仁师等，在白江（锦江）击破百济王国反抗军及倭国（日本）援军，攻陷周留城（百济临时首都，朝鲜半岛韩山城。这次应是历史上中国与日本第一次战争）。

最初，熊津军区总司令（都督）刘仁愿、摄理带方州（朝鲜半岛沙里院市）州长刘仁轨，攻克真岘城（参考去年〔六六二〕七月），李治命孙仁师率军横渡黄海增援。百济国王扶余丰邀请倭国（日本）出军协助，共同拒抗中国远征大军。孙仁师跟刘仁愿、刘仁轨会师后，声势大振。各将领因加林城（朝鲜半岛林川城）位于水陆要道，打算先对它攻击，刘仁轨说："加林城地势险要，城防坚固，猛烈攻击则士卒定有很多伤亡，不激烈攻击则拖延时间太久。周留城（朝鲜半岛韩山城）是匪徒（指百济反抗军）的巢穴（百济临时首都），所以叛徒都集中那里。铲除凶恶，先要铲除它的根本，应该先行攻击周留城（韩山城），如果能够攻克，其他各城自然瓦解。"于是孙仁师、刘仁愿，与新罗国王金法敏，率陆军前进；刘仁轨跟别动部队将领杜爽、百济故太子扶余隆（参考六六〇年八月），率海军舰队及运粮船舰，自熊津（朝鲜半岛公州市）进入白江（锦江），跟陆军会师后，直向周留（韩山城）。就在白江口（锦江口），跟倭国（日本）援军发生遭遇战，中原海陆联合，发动攻击，四次会战，传出四次捷报，焚毁倭国（日本）船舰四百艘，浓烟烈火，直冲霄汉，仿佛要把天都烤焦，海水被鲜血染成一片赤红。百济国王（三十二任）扶余丰逃出一命，投奔高句骊王国（首都平壤），王子扶余忠胜、扶余忠志等，率残余部众投降，百济最后反抗失败，只有别动部队将领迟受信据守任存城（朝鲜半岛大兴城），拒不投降。

最初，百济王国西部人黑齿常之（黑齿，复姓），身高七尺余，勇敢而有谋略，担任王国的"达率"（二品），兼郡政府民兵司令（郡将），

“达率”，即中国的州长。当苏定方攻陷百济王国首都泗沘（朝鲜半岛扶余市）时（参考六六〇年八月），黑齿常之率部众追随大家一起投降。后来，苏定方囚禁百济国王及太子，放纵士卒奸淫烧杀，四处抢掠，百济青年很多丧生。黑齿常之畏惧，跟左右十余人逃回故里，集结残兵败将，据守任存山（地望应在大兴城一带），构筑阵地，树立栅栏，十天半月之间，前往投奔的百济人有三万余。苏定方派军攻击，黑齿常之拒抗，中国远征军不利；黑齿常之趁势反攻，夺回二百余城，苏定方不能取胜，班师。黑齿常之跟别动部队将领沙吒相如（沙吒，复姓），分别据守险要，响应扶余福信。本年（六六三），百济反抗军失败，二人都率军归降。刘仁轨派二人率各人自己部队，攻击任存城（朝鲜半岛大兴城），只负责供应他们粮草。孙仁师说：“他们都是人面兽心（此种毒话，历史上处处出现，对外国人尤其如此，充分暴露自己愚劣无知），怎么可以相信？”刘仁轨说：“我观察二人的性格，忠勇智谋，敬重信义，只因从前投降时，没有遇对了人（指苏定方逼反），现今正是他们戴罪立功，感激图报之时，不用怀疑。”遂发给二人粮秣武器，并派出军队跟随他们之后，遂攻克任存城（大兴城），守将迟受信抛弃妻子儿女，逃奔高句骊王国（首都平壤〔朝鲜半岛平壤市〕）。

李治下诏，命刘仁轨留下镇守百济王国故地（朝鲜半岛西南部），征召孙仁师、刘仁愿班师。百济战败国亡之余，家家户户，凋零残破，死人无数，尸骨遍野。刘仁轨命军民合作，掩埋尸骸，调查户口，整理村落，派遣政府首长，修桥补路，加强堤防水坝，恢复鱼池，督促农民种桑耕田，赈济穷人，抚养孤儿老人，建立唐王朝皇家祭祀神坛（社稷），颁发中原使用的年号（正朔），及历代皇帝名字（准备避讳之用）；百济人民大为喜悦，境内各行业都恢复正常。然后刘仁轨又举办军事屯田，储备粮食，训练士卒，准备北上攻击高句骊王

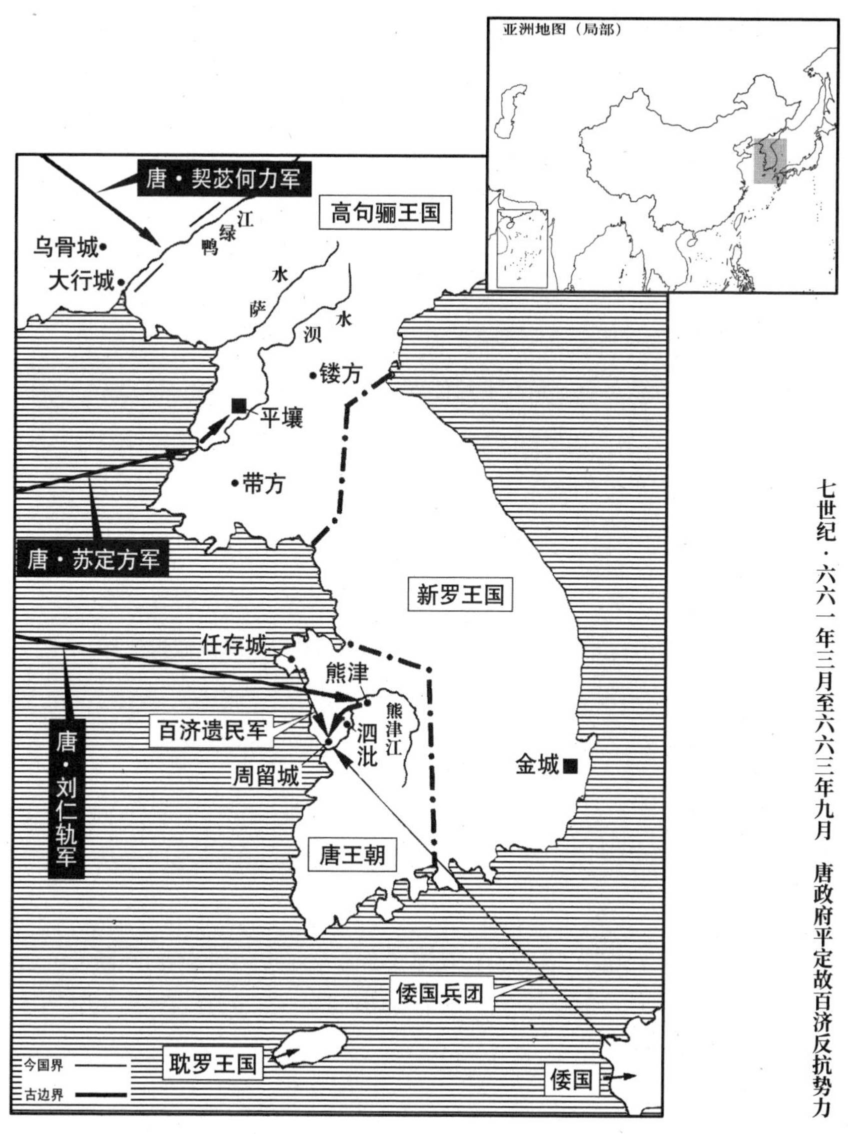

七世纪・六六一年三月至六六三年九月　唐政府平定故百济反抗势力

国（首都平壤）。

刘仁愿返抵京师（首都长安），李治问他说："你在东方海上呈报不少奏章，分析事理，深刻明晰，文笔十分流畅。你本是一员武将，怎么写得这么好？"刘仁愿说："这都出自刘仁轨手笔，我没有这个能力。"李治十分高兴，连升刘仁轨官品六阶，实授带方州（朝鲜半岛沙里院市）州长，在首都长安给他兴建家宅，对他妻子儿女的赏赐，至为优厚，派使节携带诏书，前往熊津（朝鲜半岛公州市）慰劳勉励。副立法长（西台侍郎）上官仪说："刘仁轨虽然受到免职的处罚，而能尽忠报国，刘仁愿手握统帅大权而能推荐贤才，都可以说是正人君子。"

12 冬季，十月一日，李治下诏命太子李弘每隔五天到光顺门（大明宫紫宸殿的右侧门）主持朝会，听取政府各单位简报，较小的事情，都由李弘裁决（本年，李弘十三岁）。

13 十二月二十一日，李治下诏宣布明年（六六四）改变年号（麟德）。

14 十二月二十三日，任命安西总督（总督府设新疆库车市）高贤当兵团总司令（行军总管），攻击弓月部落（新疆霍城县），援救于阗王国（新疆和田市）。

15 本年（六六三），大食帝国（阿拉伯帝国）攻击波斯王国（伊朗高原）及拂菻帝国（东罗马帝国），分别把他们击败；又向南攻击婆罗门王国（在印度半岛），消灭很多邦国，拥有武装部队四十余万。

六六四年
甲子

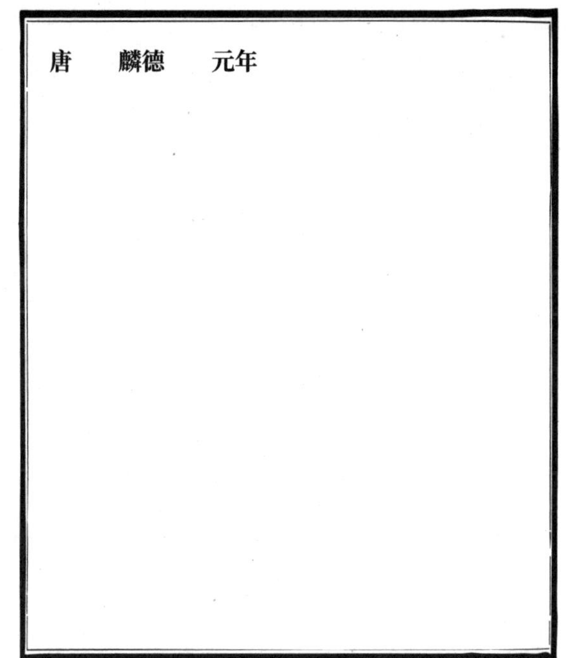
唐 麟德 元年

1 春季，正月十六日，唐政府（首都长安〔陕西省西安市〕）改云中总督府（设内蒙古和林格尔县）为单于大总督府，命殷王李旭轮（后改名李旦）当单于大总督（唐王朝惯例，由皇子当总督时，加“大”字，表示不同凡品）。

2 最初，李靖击破东突厥汗国（参考六三〇年正月、二月），把三百篷帐的部众，迁到云中城（内蒙古和林格尔县），由阿史德（三字姓）家族首领，当他们的酋长。直到今天，人口逐渐增加，阿史德酋长到京师（首都长安）请求依照惯例，选立一个中原亲王当可汗，统御他们。唐帝（三任高宗）李治（本年三十七岁）召见他，对他说："现代的可汗，就是古代的单于。"（可汗，音kè hán〔客寒〕；单于，音chán yú〔蝉余〕。）所以改称单于大总督府，命殷王李旭轮遥兼大总督。

3 二月十日，李治前往万年宫（九成宫，陕西省麟游县境）。

4 夏季，四月五日（原文"壬子"，据《新唐书》改），卫州（河南省卫辉市）州长、道王（孝王）李元庆逝世（李元庆是一任帝李渊的儿子）。

5 四月二十九日，魏州（河北省衡水市冀州区）州长、郇公爵李孝协，贪赃枉法，李治命他自尽。皇族事务部长（司宗卿）陇西王李博乂求情说：念及李孝协的老爹李叔良，在对突厥战争中，中流箭阵亡，李孝协是独生子，没有兄弟，恐怕后嗣断绝（李博乂是一任帝李渊的侄儿，参考六一八年六月七日）。李治说："国家颁布的法律，不能因为亲疏关系不同，随便变更。只要伤害到人民，即令是皇太子也不可以赦免。李孝协已有一个儿子，还担心什么后嗣断绝！"李孝协终于在自己家宅自尽。

6 五月一日，遂州（四川省遂宁市）州长、许王（悼王）李孝（李治的儿子）逝世。

7 五月八日，在昆明（云南省昆明市）以东的弄栋川（云南省姚安县盆地），设姚州军区总司令部（六二一年，因此地住民多姓姚，遂改称姚州）。

8 秋季，七月一日，李治下诏预定后年（六六六）正月，到泰山添土祭祀天神，社首山辟场祭祀地神（封禅）。

9 八月一日，李治返京师（自万年宫〔九成宫〕返首都长安），到他当晋王时的旧宅，留宿七天。

八月七日，回蓬莱宫。

10 八月十二日，擢升国务院文官部长（司列太常伯）刘祥道，兼任最高立法长（兼右相）；总监察官（大司宪）窦德玄当国务院财政部长（司元太常伯）、摄理最高监督长（检校左相）。

11 冬季，十月六日，摄理熊津军区（总部设朝鲜半岛公州市）总司令（都督）刘仁轨，上疏说：

“我观察现在远征军驻防部队，疲惫衰老的多，勇敢健壮的少，衣服破烂，不能遮蔽身体，一心一意，只想渡海西归，毫无效命立功的意愿。我问他们：‘从前在大陆，亲眼看见人民响应政府号召，踊跃从军，有的甚至自带军装粮食，称为义师（参考六四五年三月），为什么今天会堕落成这个样子？’他们异口同声说：‘现在的政府跟从前的政府不同，现代的人心跟从前的人心也不同。从前，东征西讨，只要是为国牺牲，皇上都指派使节，前来哀悼致祭，或追赠官位，或追赐封爵，或把死者的官爵转授给儿子兄弟，凡是渡海东征的，勋位都擢升一级。可是，六六〇年以后，士卒屡次渡海作战，政府连一纸记录都没有，一旦死亡，无人过问。州县政府每次征召人民入伍当兵，年轻力壮家境富裕的，用钱财贿赂，都能逃避，而老弱穷苦主人，征召命令下达后，却马上编入队伍，立即开拔。

“‘最近，百济、平壤（高句骊）两次苦战（参考六六〇年八月，及前年〔六六二〕二月），当时指挥作战的将领，发布赏格，真是用尽心机，无所不有。可是，等到凯旋西归，大军一旦登岸，事情突变，听到的竟是一片捉拿之声，劳苦功高的民族英雄，身戴锁枷，被拷打审问，强行没收他们得到的赏赐，删除他们建立功劳的记录，不堪迫害的人，纷纷逃走，地方政府传唤追捕，如同天罗地网，世界虽大，没有他们立足之地，公私交困，一言难尽。因此，最近从大陆开拔时，就有人逃亡，甚至断臂砍脚，使自己残废，并不是到了海外之后才士气颓败（自残以逃兵役，在隋王朝末年普遍，但在唐二任帝李世民时已经绝迹，参考六四二年七月。如今又恢复以前情景）。本来，战场上为国立功，升级受赏，应是一种荣耀。可是连年以来，即令已有官爵的退伍军人，一旦遇到征调，拉车挑担，劳累辛苦，跟一个平民没有分别，人们不愿当兵，大概都由这些原因。’

“我又问他们：‘从前，士卒驻防五年，都能够支持，现在才出征一年，怎么就如此穷苦？’（唐王朝承袭西魏帝国“府兵”之制，士卒衣服武器粮食，都要自备。）大家一致回答说：‘当初我们出发时，政府只教我们携带一年的装备，而今已经二年，还没有回期。’我检查士卒储存的衣服，今年冬天，勉强可以支持，明年（六六五）秋天以后，便完全没有什么可穿。陛下把他们留在海外，打算扫荡高句骊及百济残余反抗势力，高句骊一向跟百济联盟结党，互相援助，倭国（日本）距离虽然遥远，但仍两地呼应，我们如果不留军队镇守，百济很快就会复国。现在，既已决定驻防，并且更武装开荒屯田，依靠的是全军士卒，同心合力；而士卒的心声，却是如此，怎么可能成功。除非是彻底改革，优厚的加以慰劳，该赏的一定要赏，应罚的一定要罚，用以提高士气；如果仍维持今天以前的做法，恐怕体力疲惫，士气瓦解，没有办法为国效力。听起来刺耳的话，恐怕还没有人向陛下报告。我把肝胆呈献在陛下之前，冒着被诛杀的危险，向陛下说明。”

李治完全同意，派右威卫（卫军第十军）将军刘仁愿，率军横渡黄海，接替百济地区驻屯军的防务，下令刘仁轨跟他的部队，一同返国。刘仁轨告诉刘仁愿说：“帝国派出部队，跨海东征，打算消灭高句骊王国（首都平壤〔朝鲜半岛平壤市〕），这是一件不容易的事，而今，秋季庄稼还没有收割完毕，官兵却全部撤走，将领也跟着回去，蛮夷刚被征服，人心不安，必定发生变化。不如仍留下原来的驻屯军，慢慢的教他们收割，一面准备资金粮秣，分成若干梯次撤退，军官及将领更要留下来镇抚军心，不可以回去。”刘仁愿说：“我上次返国，诬告陷害的谗言，像倾盆大雨一样，主要的是攻击我留下太多部队，阴谋盘踞海东（朝鲜半岛），几乎难逃大祸。今天我只知道执行命令，怎么敢自作主张！”刘仁轨说：“当一个重要干部，只要对国有利，既然知道正确方向，就应全力以赴，怎么能有私心！”上疏陈述利害，自己请求留下驻屯海东（朝鲜半岛），李治批准。

于是任命扶余隆当熊津军区（总部设朝鲜半岛公州市）民兵司令（都尉），命他集结百济残存的部众。

12 最初，皇后武曌初进宫时，处处采取低姿势，自己尽量卑屈，忍受各种羞耻侮辱，竭力博取李治欢心（这一段话道出武曌辛酸历程！她对谁卑屈？又忍受谁给她的羞耻侮辱？又是什么样的羞耻侮辱？恐怕确实难堪，但武曌都一一忍受，只是为了更大的企图），所以李治排除大家的反对，封她当皇后。可是，武曌达到目的之后，露出本性，专权横行，作威作福，李治打算有所动作，武曌立刻干预，李治禁不住一肚子气愤。道士郭行真，出入禁宫，曾经替武曌施行祈福避祸的法术，宦官王伏胜向李治告发。李治大怒，秘密召见副立法长（西台侍郎）、一级实质宰相（同东西台三品）上官仪，讨论如何反应，上官仪建议说："皇后纵情任性，全国人民都不能心服，请求罢黜。"李治也认为应该如此，遂命上官仪撰写诏书。

左右侍从中武曌埋伏的密探飞奔向武曌报告，武曌反应迅速，立刻出现在李治面前，倾诉自己的委屈。诏书草稿这时仍在李治手边，李治像一个人赃俱获的负心丈夫一样，羞愧畏缩，不忍心继续坚持，就跟武曌和好如初，而且仍怕武曌怨恨不解，推卸责任说："我本来没有这种想法，都是上官仪给我出的主意。"上官仪从前曾当过陈王李忠（前太子）的首席参谋官（咨议），李忠后来当太子时，跟王伏胜同时当过太子的属官。于是，武曌命太子少师（太子三少之一）许敬宗，诬告上官仪、王伏胜，跟李忠阴谋杀害君王。

十二月十三日，逮捕上官仪囚入监狱，和他的儿子上官庭芝以及王伏胜，一起斩首，家产没收。

十二月十五日，李治下诏命李忠在贬所（黔州，重庆市彭水县）自杀（李忠由房州〔湖北省房县〕再贬事，参考六六〇年七月）。最高立法长（右相）刘祥道，因跟上官仪有深厚交谊，被剥夺宰相权力（最高立法长〔右相〕为当然宰相），降为国务院教育部长（司礼太常伯）。国务院左秘书长（左肃机）郑钦泰等官员，都因与上官仪有交往的缘故，很多被贬降流放。

从此之后，李治每次主持朝会，武曌就坐在珠帘的后面，政事无论大小，都向她禀告。中央政府大权，遂完全滑入武曌之手，官员的免职、降级、处死、赦免，都由她一言决定，李治袖手坐在一旁而已，中外称他们为“两位圣人”。

13 太子宫事务署长（右中护）、摄理副立法长（检校西台侍郎）乐彦玮，副立法长（西台侍郎）孙处约，同时被加授一级实质宰相（同东西台三品）。

武墨夺权

导读

中国第二个黄金时代，在唐王朝三任帝李治先生当权中期，开始衰退。李治真是一个玩偶人物：窝囊、软弱，我们简直无法相信：虎父怎么竟生出如此犬子？以天可汗之尊的李世民大帝，怎么竟生出李治？李治的智商和能力，似乎跟司马衷先生一样，都受制于一个畸形女人——贾南风的容貌丑、武曌的年龄大。这两个白痴皇帝，举起双手，恭恭敬敬，把他们的帝国和骨肉，呈献在她们之前，由她们想怎么宰割，就怎么宰割。

本册史迹，使我们看到亡国灭族的宫廷斗争的可怖面。

柏杨　一九八八·八·一五

唐王朝

- 皇后武曌主持朝会，开始夺权屠杀。
- 灭高句骊王国。

- 日本三十八代天智天皇登极，第五、六、七次遣唐使。
- 东罗马帝君士坦斯遇刺死，子君士坦丁四世继位。

六六五年 乙丑

1 春季，正月二十四日，吐蕃王国（首都逻些城〔西藏拉萨市〕）派使节前来唐王朝朝见，请求再一次跟吐谷浑部落（青海省）和解，并要求唐政府准许吐蕃在赤水地区（黄河流经青海省兴海县一带地区）畜牧，唐王朝（首都长安〔陕西省西安市〕）皇帝（三任高宗）李治（本年三十八岁）不准。

2 二月十日，李治从京师（首都长安）出发。

二月二十五日，抵达合璧宫（洛阳境）。

3 李治谈论杨广（隋王朝二任帝），对左右官员说："杨广因拒绝臣属的规劝，以致帝国覆亡，我时常作为警戒，虚心诚意，要求直言，可是竟然没有人说话，什么缘故？"司空（三公之三）李世勣（徐世勣）回答说："陛下作为，都尽善尽美，臣属们无从规劝起。"

柏杨曰

李治明知道拒绝规劝的严重后果，却诛杀规劝他的褚遂良、韩瑗，连赤胆忠心、把他抱上皇帝宝座的舅父长孙无忌，都逃不脱一刀。大家面对淋淋鲜血，自动封嘴，李治却忽然说他一向"虚心求谏"，反而奇怪竟然没有人规劝，这种既不能自欺、也欺不了人的屁话，跟车胎放气的声音，没有两样。

李世勣（徐世勣）阿谀李治尽善尽美，真是世界上最漂亮的报复，君王既然不把人当人，用血腥戏弄臣属——从李世民临终时，对李世勣（徐世勣）颁下杀机四伏的调职令（参考六四九年五月），可以证明。臣属就有权口是心非，说几句马屁话，使君王陷入迷魂大阵，万劫不复。

4 三月十二日，加授国务院兼国防部长（兼司戎太常伯）姜恪，当一级实质宰相（同东西台三品）。姜恪，是姜宝谊的儿子（姜宝谊参与一任帝李渊太原起兵，参考六一七年六月十四日）。

5 三月二十九日，东都（洛阳，河南省洛阳市）乾元殿（洛阳宫正殿）落成（六八八年正月，拆除乾元殿，原址改建皇家大会堂〔明堂〕）。

闰三月一日，李治抵达东都（洛阳）。

6 疏勒王国（新疆喀什市）与弓月部落（新疆霍城县），引导吐蕃军（西藏）攻击于阗王国（新疆和田市）。

李治命西州军区（总部设新疆吐鲁番市东）总司令（都督）崔知辩、左武卫（卫军第三军）将军曹继叔，率军增援。

7 夏季，四月二十七日，李治命监督院（东台）最高顾问官（左侍极）陆敦信，摄理最高立法长（检校右相）。副立法长（西台侍郎）孙处约、太子宫事务署长（太子右中护）摄理副立法长（检校西台侍郎）乐彦玮，同时免兼实质宰相。

8 天文台长（秘阁郎中）李淳风，因前任天文台长（故太史令）傅仁均制定的《戊寅历》，计算粗略（李淳风抨击《戊寅历》，参考六四〇年十一月），遂用刘焯编制的《皇极历》作为蓝本，增减删改，另行编制《麟德历》（刘焯指摘《张宾历》，参考五九四年七月）。

五月二十日，李治颁布实施。

9 秋季，七月十九日，兖州军区（总部设山东省济宁市兖州区）总司令（都督）邓王（康王）李元裕逝世。

10 李治下诏，命熊津军区（总部设熊津〔朝鲜半岛公州市〕）民兵司令（都尉）扶余隆和新罗王国（首都金城〔朝鲜半岛庆州市〕）国王（三十任文武王）金法敏，化解从前的仇怨。

八月十三日，二人在熊津城（公州市）盟誓。

摄理熊津军区总司令（检校熊津都督）刘仁轨，送新罗王国（首都金城〔朝鲜半岛庆州市〕）、故百济王国（首都泗沘〔朝鲜半岛扶余市〕）、耽罗王国（济州岛）、倭国（日本）等国使节，一同渡黄海西返唐帝国，参与李治的泰山大祭（封禅）。

高句骊王国（首都平壤〔朝鲜半岛平壤市〕）也派太子高福男前来唐帝国，侍奉李治主持大祭（封禅）。

11 冬季，十月十五日，皇后武曌上疏给她的皇帝丈夫李治，说："泰山大祭（封禅）旧有仪式，当祭祀地神（禅）的时候，由皇太后配祭，三公及部长级官员主祭。依照礼教，并不妥当（指男女没有区别）。到那一天，我愿率宫内宫外有爵位官职的妇女（命妇），主持献祭典礼。"李治下诏说："祭祀社首山地神时，皇后（武曌）在三公部长级之后，作第二梯次献祭；越国太妃燕女士作最后（第三梯次）献祭（越王李贞的娘亲燕女士，是二任帝李世民小老婆群唯一仍然在世者）。"

十月二十四日，李治下诏说："泰山大祭（封禅）祭坛上的天神、地神牌位前，从前摆设枯干的麦秸和陶做的酒瓢，现在改用锦绣绸缎，以及金属酒壶。以后凡祭祀天地典礼，一律遵照此项规定。"又下诏说："从今以后，无论郊外祭祀天地、皇家祖庙祭祀祖先，或筵席宴会，文舞时演奏《功成庆善乐》，武舞时演奏《神功破阵乐》。"（文舞，舞者左手拿古笛，右手拿野鸡尾；武舞，舞者左手拿盾牌，右手拿斧头；其他衣服等均不相同。）

十月二十八日，李治从东都（洛阳）出发，前往泰山主持大祭（封禅），随从皇帝的文武仪仗队，长达数百华里，络绎不断；皇家的禁卫军，排列营幕，设置篷帐，布满原野。东自高句骊王国（首都平壤〔朝鲜半岛平壤市〕），西到波斯王国（伊朗高原）、乌长王国（印度半岛西北部），各国都纷纷派出使节，率领随从，用毛毡搭盖帐篷，牛羊、骆驼、马匹，填塞道路。当时，农产品连年丰收，稻米每斗才五钱，小麦、豆类多到无法在市场上出现。

十一月二十日，李治抵达濮阳（河南省濮阳市），国务院财政部长

（司元太常伯）窦德玄骑马随从，李治问说："濮阳在古代称'帝丘'（春秋时代卫国首府，参考四九一年正月注），什么缘故？"窦德玄不能答复。太子少师（太子三少之一）许敬宗在后面听见，一提缰绳，跃马而前，接话说："从前，姬颛顼（黄帝王朝三任帝玄帝）住在这里（前二十五世纪初期），所以称'帝丘'。"李治点头。许敬宗退下后，对人说："当一个高级干部，不可以没有学问。我看见窦德玄答复不出，替他感到羞耻。"窦德玄听到后，说："人，有所能，有所不能，我不假装知道我所不知道的事，这就是我的能力。"李世勣（徐世勣）说："许敬宗学问渊博，固然很好；窦德玄的话，也是至理。"

寿张（山东省梁山县西北寿张集镇）人张公艺，九世子孙，同居一堂；北齐帝国、隋王朝、唐王朝，都表扬过他的家门。李治经过寿张，前往张公艺家宅，询问他九世同堂的秘诀，张公艺手写一百余个"忍"字呈递；李治同意，赏赐绸缎。

十二月九日，李治抵达齐州（山东省济南市），停留十天。

十二月十九日，从灵岩顿（山东省济南市长清区东南），抵达泰山脚下，有关单位在泰山南兴建圆形祭坛，在泰山山上兴建祭祀天神的祭坛，称登封坛；在社首山下（山东省泰安市西南一公里）兴建祭祀地神的方形祭坛，称降禅坛（"封"〔添土祭祀天神〕泰山，已成定论，从没有改变。但"禅"〔辟场祭祀地神〕什么山，历代不同。《资治通鉴》一共记载了五次"东岳封禅"，其中，秦王朝一任帝嬴政于前二一九年封禅，东汉王朝一任帝刘秀于五六年封禅，祭祀地神〔禅〕都在梁父山〔山东省泰安市南五十五公里〕；西汉王朝七任帝刘彻于前一一〇年封禅，祭祀地神〔禅〕在肃然山〔山东省济南市莱芜区东北〕；而唐王朝本次李治封禅，以及九任帝李隆基于七二五年封禅，祭祀地神〔禅〕则在社首山〔山东省泰安市西南〕。为什么一改再改，原因不明，文献也没有记载。既然泰山不变，则把"有事泰山"译作"泰山大祭"，也更简单明了）。

唐	麟德	三年
	乾封	元年

1 春季，正月一日，唐王朝（首都长安〔陕西省西安市〕）皇帝（三任高宗）李治（本年三十九岁），在泰山（山东省泰安市北）南侧祭祀昊天上帝。

正月二日，登上泰山，向天神（昊天上帝）呈递奏章（玉牒）：把呈递天神的奏章密藏在玉柜里，把呈递配帝（一任帝李渊）的奏章密藏在金柜里，都用金线缠住，金屑泥封口，在金屑泥上加盖皇帝玉玺，然后再把玉柜金柜，放进一个巨大的石匣。

正月三日，李治从泰山下来，抵达社首山（山东省泰安市西南），再祭祀地神。李治第一个献祭（初献）完毕，所有官员全部退下。然后，宦官拉起帘幕，帘幕都用绸缎做成，皇后武曌登阶而上，作第二个献祭（亚献）；敬酒、呈献茅豆以及登坛唱圣歌，都由宦官或宫女担任。

正月五日，李治登朝见台，接受祝贺，赦免天下，更改年号（之前是麟德三年，之后是乾封元年）。文武官员三品以上，升爵一等；四品以下，升级一阶。唐政府自建立以来，品阶爵等，都不能随便擢升，必须有功劳政绩，才可铨叙，升到五品及三品，都要皇帝亲自裁决。可是，从这次泰山大祭（封禅）之后，开始泛滥；到了唐王朝末年（十世纪〇〇年代），穿红色官服（四品五品官服）的人，充满政府。

李治虽颁布大赦，但是无期流刑（长流）的罪犯，不包括在内。李义府忧愁羞愤，一病而死（李义府贬谪嶲州〔四川省西昌市〕，参考六六三年四月）。自从李义府被贬，政府官员每天都担心他再回京师（首都长安），直到他死亡的消息获得证实，大家才松一口气。

李义府才华出众，思虑精密，正是所谓会说人话的猩猩，可鄙！

正月十九日，李治从泰山（山东省泰安市北）出发。

正月二十四日，抵达曲阜（山东省曲阜市），追尊孔丘为太师（三师之一），用少牢（猪羊各一）祭祀。

二月二十二日（原文正月“癸未”〔十六日〕，据两《唐书》改），抵达亳州（安徽省亳州市），晋谒老君庙（李耳庙，河南省鹿邑县东太清宫），尊李耳为太上玄元皇帝（因唐王朝皇族也姓李，所以特别为李耳兴建祭庙〔参考六二四年十月〕；现更追尊为皇帝）。

三月十一日（原文误置于二月，据《册府元龟·卷一一三》改），抵达东都（洛阳，河南省洛阳市），停留六天。

三月十八日，李治前往合璧宫。

夏季，四月八日，抵达首都长安（陕西省西安市），晋谒皇家祖庙（太庙）。

2 四月十四日，监督院（东台）最高顾问官（左侍极）兼摄理最高立法长（兼检校右相）陆敦信、因年老多病辞职，被任命当国立贵族大学校长（大司成），仍兼最高顾问官（兼左侍极），只解除宰相职务。

3 五月二十五日，唐政府铸造新钱，称"乾封泉宝"，新钱一枚，抵旧钱十枚，限一年内把旧钱收回，逾期作废（之前使用"开元通宝"，参考六二一年七月）。

4 高句骊王国（首都平壤〔朝鲜半岛平壤市〕）中央执政官（莫离支）渊盖苏文逝世（渊盖，复姓），长子渊盖男生继任中央执政官（莫离支），开始主持国家政务，到各地巡视，而命两位老弟：渊盖男建、渊盖男产，担任代理留守长官（知留后事）。有人警告两位老弟说："你们老哥不能忍受你们的威胁，打算把你们除掉，不如先下手为强。"两位老弟最初并不相信，但又有人警告渊盖男生说："两位老弟恐怕你剥夺他们的权力，打算拒绝你返回京师（首都平壤）。"渊盖男生派他的亲信秘密前往平壤侦察，被两位老弟捕获，遂用国王的命令，召唤渊盖男生；渊盖男生恐惧，不敢回京（首都平壤）。于是渊盖男建自称中央执政官（莫离支），出动军队讨伐老哥。渊盖男生逃亡，最后逃到一个城池，派他的儿子渊盖献诚，前往中国，向中国政府求救。

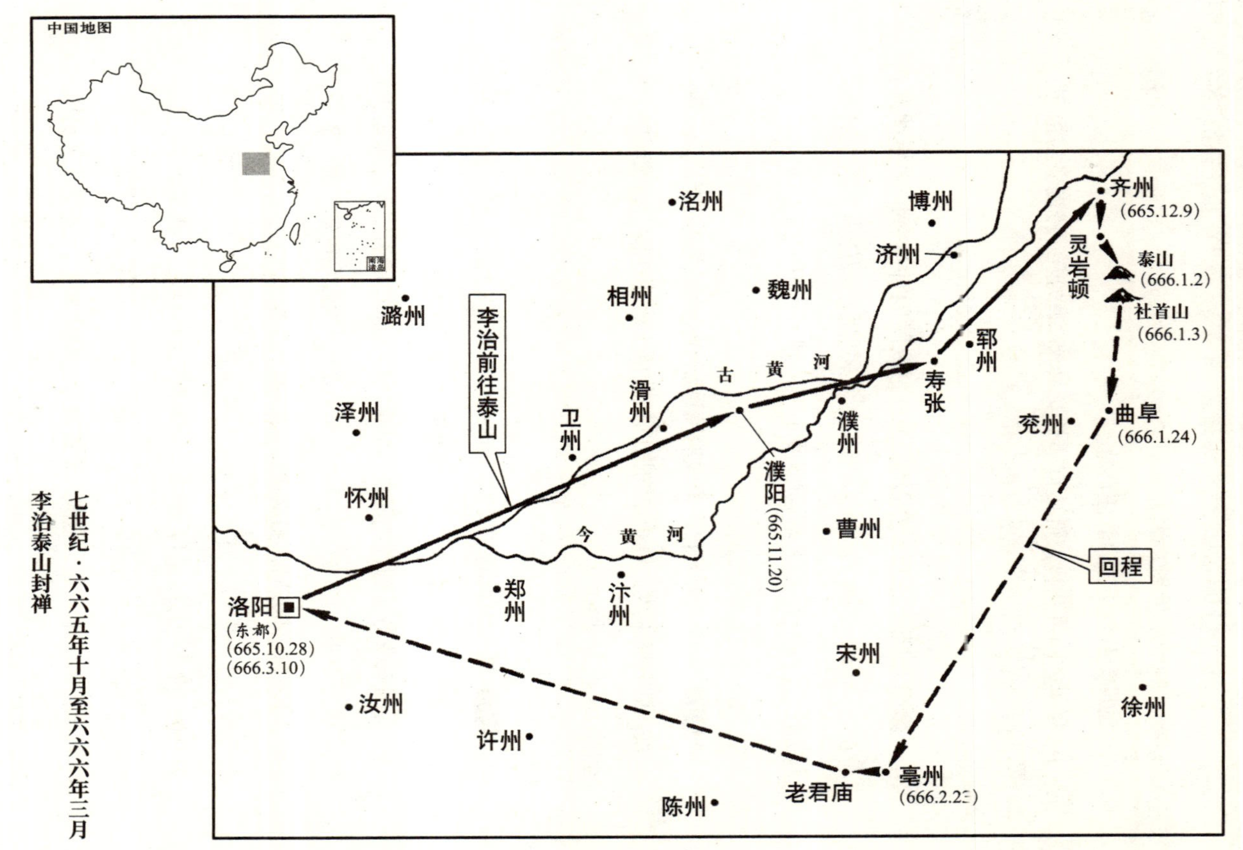

七世纪·六六五年十月至六六六年三月
李治泰山封禅

六月七日，李治命右骁卫（卫军第六军）大将军契苾何力，当辽东道（辽宁省）安抚特使（安抚大使），率军增援渊盖男生。又命渊盖献诚当右武卫（卫军第四军）将军，担任远征军向导。再命右金吾卫（卫军第十二军）将军庞同善、营州军区（总部设辽宁省朝阳市）总司令（都督）高侃，当兵团总司令（行军总管），共同讨伐高句骊。

5 秋季，七月一日，李治改封殷王李旭轮当豫王。

擢升总监察官（大司宪）兼摄理太子宫政务署长（兼检校太子左中护）刘仁轨，当最高立法长（右相）。

最初，刘仁轨当监督院御前监督官（给事中），参与调查审理毕正义案（参考六五六年八月），李义府对他十分怨恨，把他贬出当青州（山东省青州市）州长。正巧遇上东征军讨伐百济王国，刘仁轨负责海上粮运工作，因风向不对，不能开航，李义府严厉督促，刘仁轨不得不出发，果然遭受狂风袭击，船只沉没，水手淹死很多；中央派行政监察官（监察御史，正八品下）袁异式前去调查，李义府告诉袁异式说："你只要能办成这件事，不必担心没有官做。"袁异式抵达青州（山东省青州市）后，警告刘仁轨说："你难道不知道跟中央什么人结仇？最好是早做打算。"刘仁轨说："我当官没有尽到职责，政府自有正常裁判，你依照法律把我处死，我绝不逃避。如果要我自杀而使仇人称心快意，我不甘愿。"就把事情始末，奏报中央。袁异式临回京（首都长安）复命时，亲自用铁链把刘仁轨锁住，把调查结果呈报，李义府对李治说："不杀刘仁轨，不能向人民赎罪。"立法官（舍人）源直心说："海上大风突起，不是人力所能控制。"李治命把刘仁轨开除官籍，而以平民身份从军（参考六六〇年十二月）。李义府又暗示刘仁愿秘下毒手，刘仁愿不忍行动。

后来，刘仁轨当总监察官（大司宪），袁异式大为恐惧，内心不安，刘仁轨把酒浇到地上，告诉他说：“我如果把过去的事记在心上不忘，就好像这杯酒。”现在，刘仁轨更升任宰相（右相〔最高立法长〕），袁异式不久也升任太子宫总管府主任秘书（詹事丞，正六品上），一时之间，大家议论纷纷，刘仁轨听到消息，索性推荐袁异式当国务院（中台）财政部税务司长（司元大夫，从五品上）。行政监察官（监察御史）杜易简对人说：“这可正应验了古人所说的：虚情假意过了头！”

公报私仇，固然人品卑劣；但以德报怨，也必然心怀奸诈，连孔丘对这种行为，都深恶痛绝。

6 八月八日，国务院财政部长（司元太常伯）兼摄理最高监督长（兼检校左相）窦德玄逝世。

7 最初，皇后武曌的老爹武士彟（音yuē〔约〕），娶妻相里女士（相里，复姓），生两个儿子：武元庆、武元爽。后来又娶杨女士，生三个女儿：长女嫁越王府司法官（法曹）贺兰越石，次女就是武曌，三女嫁郭孝慎。

武士彟逝世，儿子武元庆、武元爽，及侄儿武惟良、武怀运，对庶母杨女士态度傲慢，杨女士怀恨至深。长婿贺兰越石、三婿郭孝慎，以及幼女，都很早过世，而长女（贺兰越石正妻）在生下一个男孩贺兰敏之和一个女孩后，夫亡守寡。武曌既当皇后，娘亲杨女士被封荣国夫人，大姐（贺兰越石正妻）被封韩国夫人（国夫人，正一品）。武惟良也从始州（四川省剑阁县）政务秘书长（长史，从五品下）越级高升军械供应部副部长（司卫少卿，从四品上），武怀运自瀛州（河北省河间市）政务秘书长（长史）高升淄州（山东省淄博市）州长（正四品上），武元庆自右卫（卫军第二军）贵族征兵府副司令（右卫郎将，正五品下）高升皇族事务部副部长（宗正少卿，从四品上），武元爽自安州（湖北省安陆市）户籍官（户曹，从七品下）一连高升宫廷供应署副总监（少府少监，从四品下）。身为庶母的荣国夫人杨女士，曾经摆设酒席，对武惟良等说："你们是不是还想到过去那些事，今天的荣华富贵怎么样？"武惟良回答说："我们幸运的是功臣子弟，很早就进入政府做官，自知才干有限，并不追求荣华富贵，怎么会盼望因皇后（武瞾）的缘故，承受政府宠爱？日夜忧愁恐惧，不觉得有什么光荣！"杨女士大不高兴。武瞾遂采取行动，上疏给皇帝丈夫，请外放武惟良等到边远地区当州长，表面上表示谦卑谨慎，实际上是发泄对他们的痛恨。政府遂命武惟良摄理始州（四川省剑阁县）州长，武元庆当龙州（四川省平武县东南）州长，武元爽当濠州（安徽省凤阳县东北临淮关镇）州长。武元庆抵达任所，知道难逃复仇之剑，忧虑过度而死。而武元爽也因受到其他控告，再贬振州（海南省三亚市西崖州区），死在贬所。

韩国夫人（武瞾的大姐）和女儿贺兰女士，因武瞾的缘故，经常出入皇宫，都受李治的宠爱。韩国夫人不久逝世，李治遂封贺兰女士当魏国夫人，打算留贺兰女士在宫内任职，却担心武瞾会不高兴，犹豫不敢决定，武瞾得到消息，十分厌恶（她不得不对这个年轻貌美的甥女严加提防）。正巧，武惟良、武怀运，随同各州州长前往泰山（东岳，山东省泰安市北）朝见李治，并跟从到京师（首都长安）。武惟良等呈献祭品，武瞾把毒药秘密加到肉酱中，送给贺兰女士，贺兰女士把它吃掉，毒发身死。武瞾几乎是立刻就查出武惟良、武怀运是这项谋杀案的凶手。

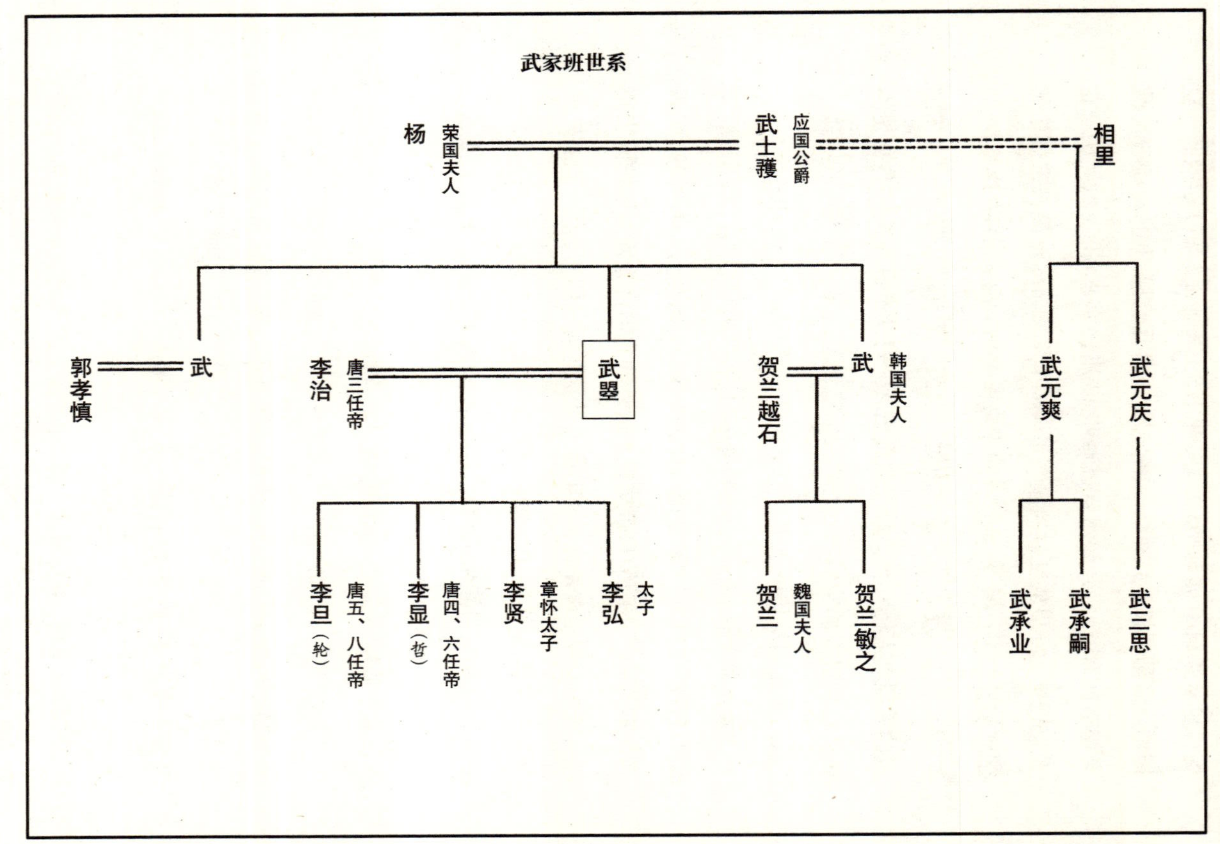
武家班世系
杨 荣国夫人
武士彟 应国公爵
相里
郭孝慎
武
李治 唐三任帝
武曌
贺兰越石
武 韩国夫人
武元爽
武元庆
李旦（轮） 唐五、八任帝
李显（哲） 唐四、六任帝
李贤 章怀太子
李弘 太子
贺兰
魏国夫人
贺兰敏之
武承业
武承嗣
武三思

八月十四日，斩武惟良、武怀运；改他们家人姓蝮（音fù〔付〕）。武怀运的老哥武怀亮很早过世，妻子善女士平常对武曌的娘亲杨女士，态度尤其恶劣，受武惟良等谋杀案的牵连，善女士被没收到宫廷当婢女，杨女士命武曌随便找一个借口，把有刺的荆条束成鞭子，抽打善女士，直打到肌肉片片脱落，露出白骨，断气身死。

8 九月，东方远征军右金吾（卫军第十二军）将军庞同善，大破高句骊王国军，渊盖男生率他的部众，跟庞同善会师。

李治下诏，任命泉男生（渊盖男生）当"特进"（文散官二级，正二品）、辽东军区（总部设辽宁省辽阳市）总司令官（大都督），兼平壤道（朝鲜半岛北部）安抚特使，封玄菟郡公爵（渊盖，是复姓，渊盖苏文，在中国民间通俗小说中，如《薛仁贵征东》，为了顺应中原习惯，抹去"渊"字，改称"盖苏文"，而政府史书，则抹去"盖"字，改称"渊苏文"；渊盖男生也改称"渊男生"，不料唐王朝开国皇帝名李渊，"渊"字成了毒牙，不能乱碰，遂作"泉男生"，既入中国，就只好一误再误）。

9 九月二十五日，以金紫光禄大夫（文散官四级，正三品）身份退休的广平公爵（宣公）刘祥道逝世（年七十一岁），儿子刘齐贤继承爵位。

刘齐贤为人刚直方正，李治对他很是器重，刘齐贤当晋州（山西省临汾市）军务秘书长（司马）。将军史兴宗，曾经随从李治到上林苑中打猎，顺口提到晋州（山西省临汾市）特产优良鹰鹞，建议说："刘齐贤现在正是晋州军务秘书长（司马），请陛下命他猎捕。"李治说："刘齐贤难道是捉鹰鹞的人？你怎么会如此看待他！"

10 冬季，十二月十八日，加派李世勣（徐世勣）当辽东兵团总司令官（辽东道行军大总管），国务院文官部副部长（司列少常伯）安陆（湖北省安陆市）人郝处俊当副总司令官，攻击高句骊王国（首都平壤〔朝鲜半岛平壤市〕）。庞同善、契苾何力同时担任副总司令，仍兼安抚特使原职。其他陆海各军司令，连同后勤运输司令（运粮使）窦义积、独孤卿云、郭待封等，都受李世勣（徐世勣）指挥。河北（黄河以北）各州田赋捐税，全部运往辽东（辽东半岛），供应远征大军。郭待封，是郭孝恪的儿子（郭孝恪战死龟兹，参考六四八年十二月）。

李世勣（徐世勣）要他的女婿京兆（首都长安）人杜怀恭从军同行，希望建立军功。杜怀恭推辞说他家太穷，无法供应，李世勣送给他钱财；杜怀恭又推辞说没有奴仆、马匹，李世勣再送给他奴仆、马匹。杜怀恭张口结舌，再说不出理由，索性逃亡，藏身在岐阳山中（陕西省岐山县东北），对人说：“老人家不过是想杀了我，建立军威！”李世勣（徐世勣）听到，伤感流泪，说：“杜郎性格放荡不羁，才会有这种想法。”不再相劝。

六六七年 丁卯

唐　乾封　二年

1 春季，正月，唐王朝（首都长安〔陕西省西安市〕）皇帝（三任高宗）李治（本年四十岁），主持亲自耕田典礼。主管官员呈递耕犁，犁柄上刻有图案。李治说：“犁是农夫耕田的工具，怎么可以如此华丽！”下令更换。典礼开始后，李治推犁九下，礼成。

2 自从发行新钱“乾封泉宝”（参考去年〔六六六〕五月），物价飞涨，粮食布匹昂贵，商业贸易完全停顿。

正月二十二日，李治下诏废除新钱。

3 二月六日，涪陵王（悼王）李愔（李治的老弟）逝世。

4 二月十日，恢复万年宫本名九成宫（九成宫改万年宫，参考六五一年九月）。

5 生羌部落（四川省西北部及青海省东南部）所在地设置的十二个羁縻州（已汉化了的羌族称熟羌，未汉化的羌族称生羌），被吐蕃王国（首都逻些城〔西藏拉萨市〕）击破。

三月十八日，唐政府下令全部撤销。

6 李治屡次责备左右官员没有推荐贤才，文武官员没有一个人敢于回答。国务院文官部副部长（司列少常伯）李安期启奏说："不是天下没有贤才，也不是文武百官隐瞒贤才。最近三公部长级官员曾经作过推荐，却立即被鲨鱼分子指控说'广结朋党'；被埋没在低层的贤才还没有伸展，而身居高位推荐他的人已先有罪，因此，陛下左右，各自封口。陛下如果能用至诚相待，谁不肯荐举他所知道的贤才？问题症结在陛下，不在臣属！"李治深为同意。李安期，是李百药的儿子（李百药是李德林的儿子，参考六一八年八月）。

7 夏季，四月二十五日，立法院（西台）副立法长（西台侍郎）杨弘武、戴至德，监督院（东台）高级顾问官（正谏大夫）兼副监督长（兼东台侍郎）李安期，御前监督官（东台舍人）昌乐（河南省南乐县）人张文瓘，国务院文官部副部长（司列少常伯）兼监督院高级顾问官（兼正谏大夫）河北（山西省平陆县）人赵仁本，同时加授一级实质宰相（同东西台三品）。杨弘武，是杨素的侄儿（杨素，参考六〇六年七月）。戴至德，是戴胄的侄儿（戴胄事，参考六一九年正月）。

当时，正兴建蓬莱、上阳、合璧等宫，而又不断派军出征四方蛮夷，皇家马厩拥有御马一万匹，可是仓库已渐空虚。张文瓘警告说："隋王朝那面镜子就在眼前，千万不要使人民生出怨恨。"李治采纳他的建议，命马厩的御马减少数千匹。

8 秋季，八月一日，日蚀。

9 八月二十三日，副监督长（东台侍郎）、一级实质宰相（同东西台三品）李安期，出任荆州（湖北省江陵县）州政府政务秘书长（长史）。

10 九月三日，李治因长期患病，命太子李弘监督国政。

11 九月十四日，东方远征军李世勣（徐世勣），攻克高句骊王国的新城（辽宁省抚顺市北），命契苾何力镇守。李世勣（徐世勣）渡过辽河后，对各将领说："新城（抚顺市北），是高句骊西部边疆重要关口，如果不先夺取，其他城池就更不容易攻克。"遂发动攻击，居民师夫仇等起事，生擒城防司令，开门出降。李世勣（徐世勣）乘胜前进，十六座城池，全部占领。

东方远征军辽东兵团副总司令官（辽东道行军副大总管）庞同善、高侃，尚留在新城（辽宁省抚顺市北）；高句骊王国代理留守长官（知留后事）泉男建（渊盖男建），派军袭击中国军营，左武卫（卫军第三军）将军薛仁贵，把他们击退。高侃推进到金山（辽宁省康平县东），跟高句骊军会战，失利；高句骊军乘胜追击，而薛仁贵适时的向高句骊军拦腰横击，大破高句骊军，杀五万余人，一连攻陷南苏（辽宁省西丰县南）、木底（辽宁省新宾县西木奇镇）、苍岩（辽宁省清原县东）三城，跟新近归降中国、被任命当辽东军区总司令官（辽东大都督）的泉男生（渊盖男生）会师。

后勤粮运司令（运粮使）郭待封，率海军舰队，从海上直接驶向平壤（高句骊首都）。李世勣（徐世勣）派机动部队司令冯师本，运送粮秣武器供应，而运输船队在海上遇险，船只破碎，指定期间内不能抵达。郭待封军士卒饥饿窘困，打算写信向李世勣（徐世勣）求救，又怕中途落到敌人之手，发觉自己的危机，于是作了一首“离合诗”，派人送给李世勣（徐世勣），李世勣大怒说：“军情紧急，竟然还作诗，非斩首不可。”总部机要秘书（行军管记）助理立法官（通事舍人）元万顷，重新组织离合诗字句，李世勣（徐世勣）遂再运粮秣武器接济（“离合诗”，类似十九世纪间谍使用的秘密通讯。好比，事先约定，将一封恋爱信的每句第二个字取出，即是情报。“离合诗”只是事先没有约定，幸赖元万顷慧眼得解）。

元万顷曾为中国东征军撰写讨伐高句骊文告，讥诮说：“你们竟不知道防守鸭绿江天险！”泉男建（渊盖男建）回答说：“我恭敬的接受教导！”立刻调动大军，加强鸭绿江防务。中国东征军受阻，无法南渡。李治得到报告，把元万顷流放到岭南（南岭以南）。

郝处俊推进到高句骊王国某城城下，还没有列阵，高句骊军突然袭击，军中大为惊恐，郝处俊独自坐在小板凳上，安静的吃着干粮，暗中派出精锐部队反击，把高句骊军击败；将士佩服他的胆量和谋略。

12 冬季，十二月八日，李治下诏说：“从今以后，祭祀昊天上帝、五帝、皇地神灵、神州地神时，都由高祖皇帝（一任帝李渊）、太宗皇帝（二任帝李世民）配享香火；皇家大会堂（明堂）昊天上帝和五帝的祭祀，合并举行（原本由李渊正妻窦女士、及李世民正妻长孙女士配享地神，参考六五九年六月）。”

13 本年（六六七），海南獠（海南省獠部落），攻陷琼州（海南省定安县）。

六六八年

戊辰

唐 乾封 三年
总章 元年

1 春季，正月二十七日，唐王朝（首都长安〔陕西省西安市〕）皇帝（三任高宗）李治（本年四十一岁）任命最高立法长（右相）刘仁轨，当辽东兵团副总司令官（辽东道副大总管）。

2 二月六日（原文误置于三月，据两《唐书》改），李治前往九成宫（陕西省麟游县境）。

3 二月二十八日，东方远征军、辽东兵团总司令官（辽东道行军大总管）李世勣（徐世勣）等，攻陷高句骊王国（首都平壤〔朝鲜半岛平壤市〕）扶余城（吉林省四平市）。左武卫（卫军第三军）将军薛仁贵，既在金山（辽宁省康平县东）击破高句骊军（参考去年〔六六七〕九月），率三千人乘胜攻击扶余城（吉林省四平市），各将军认为军队太少，一致向他劝阻。薛仁贵说："军队不在多少，只看如何运用！"担任前锋挺进，跟高句骊军会战，大破敌阵，杀戮俘虏一万余人，遂夺取扶余城（吉林省四平市），扶余平原四十余城池，都望风投降。

监察官（侍御史）洛阳（河南省洛阳市）人贾言忠，奉命出使辽东（辽宁省），回京（首都长安）后，李治询问他军事情形，贾言忠回答说："高句骊一定覆亡。"李治说："你怎么知道？"贾言忠回答说："杨广（隋王朝二任帝）东征失败，因为民心怀仇生怨；先帝（二任帝李世民）东征失败，因为高句骊内部精诚团结。现在，高藏（高句骊二十八任宝藏王）懦弱，有权的高官专断独行；盖苏文（渊盖苏文）逝世，泉男建（渊盖男建）兄弟发动对内争斗，泉男生（渊盖男生）又诚心归降中国，当我们的向导。高句骊国内情形，我们大小全知。依靠陛下的英明圣哲，帝国的富有强大，将士的尽心竭力，乘高句骊内乱，大势所趋，我们一定胜利，不需第二次出兵。而且，高句骊饥馑连年，怪事不断发生，人心震骇恐惧，站在这里就可等到它的消灭。"李治又问："辽东（辽宁省）前线的将领，哪一个最能干？"贾言忠回答说："薛仁贵的勇敢，超过三军其他将士；庞同善虽然不会猛烈战斗，但军纪严厉整齐；高侃勤劳节俭，忠勇果敢而有谋略；契苾何力沉着稳重，判断正确，虽然总是嫉妒别人，但有统帅的才能。不过，日以继夜，小心翼翼，忘记自己，只为国事忧心，都赶不上李世勣（徐世勣）。"李治非常同意他的分析。

泉男建（渊盖男建）再派五万人增援扶余城（吉林省四平市），在薛贺水（流经辽宁省凤城市境）跟中国东方远征军相遇，会战，东方远征军大破高句骊军，杀戮及俘虏三万余人，再进攻大行城（辽宁省丹东市），攻克。

4 唐政府讨论皇家大会堂（明堂）制度，获得初步结论。

三月六日，李治下诏赦免天下，改年号（之前是乾封三年，之后是总章元年）。

5 夏季，四月二日，彗星在五车星群出现（不懂）。李治主持朝会时，避开正殿，使用侧殿；减少日常进餐时菜肴的数目，并撤除乐队。太子少师（太子三少之一）许敬宗等，上疏请求恢复正常，说：“彗星穿过东北天际，是高句骊将要灭亡的征兆。”李治说：“我因为品德有亏，受到上天警告，怎么可以把责任推给小小部落（指高句骊王国）。而且，高句骊人民，也是大唐人民！”不准。

四月十四日，彗星消失。

6 四月二十七日，副立法长（西台侍郎）、一级实质宰相（同东西台三品）杨弘武逝世。

7 秋季，八月九日，卑列兵团总司令（卑列道行军总管）、右威卫（卫军第十军）将军刘仁愿，被指控在讨伐高句骊王国的战役中，逗留不肯前进，贬逐姚州（云南省姚安县）。

8 八月二十一日，李治返回京师（首都长安）。

9 九月十二日，远征军统帅李世勣（徐世勣）攻陷高句骊首都平壤（朝鲜半岛平壤市）。

李世勣（徐世勣）既夺取大行城（辽宁省丹东市），分道并进的各路兵马，纷纷抵达，跟李世勣（徐世勣）会师，推进到鸭绿江高句骊营寨之前，发动攻击，高句骊江防军抵抗，李世勣（徐世勣）等奋勇战斗，大破高句骊江防军，追击二百余华里，攻陷辱夷城（应在平壤城西北），其他各城守将弃城逃走，或献城投降，前后相继不断。契苾何力率军首先进到平壤城下，李世勣（徐世勣）率军随后抵达，把平壤团团围住，历时一月有余，高句骊国王（末任）高藏，派泉男产（渊盖男产）率政府各单位首长九十八人，手举白旗，前往中国远征军营帐，向李世勣（徐世勣）投降，李世勣（徐世勣）很礼貌的接待，但泉男建（渊盖男建）仍紧闭城门，坚决反抗，不断出兵攻击，可是每次都战败。泉男建（渊盖男建）把武装部队全交给佛教和尚信诚，而信诚发现大势已去，阴谋叛变，暗中派人晋见李世勣（徐世勣），表示愿当内应。五天后（九月十二日），信诚大开城门迎接中国远征军，李世勣（徐世勣）命士卒登上城墙，擂起战鼓，大声呐喊，并焚烧城上四角碉堡。泉男建（渊盖男建）自杀，又被救活，中国远征军把他生擒，高句骊王国到此灭亡。

自纪元前三七年，高朱蒙先生建立高句骊王国，历时七百零五年，历经二十八任君王，而于纪元后六六八年亡于中国。激烈的窝里斗是亡国的主要原因，但高句骊王国特有的地缘位置和国家领导人的错误决策，当是更主要的原因。

高句骊王国的国土，先天注定的，会不断受到邻国威胁。它的

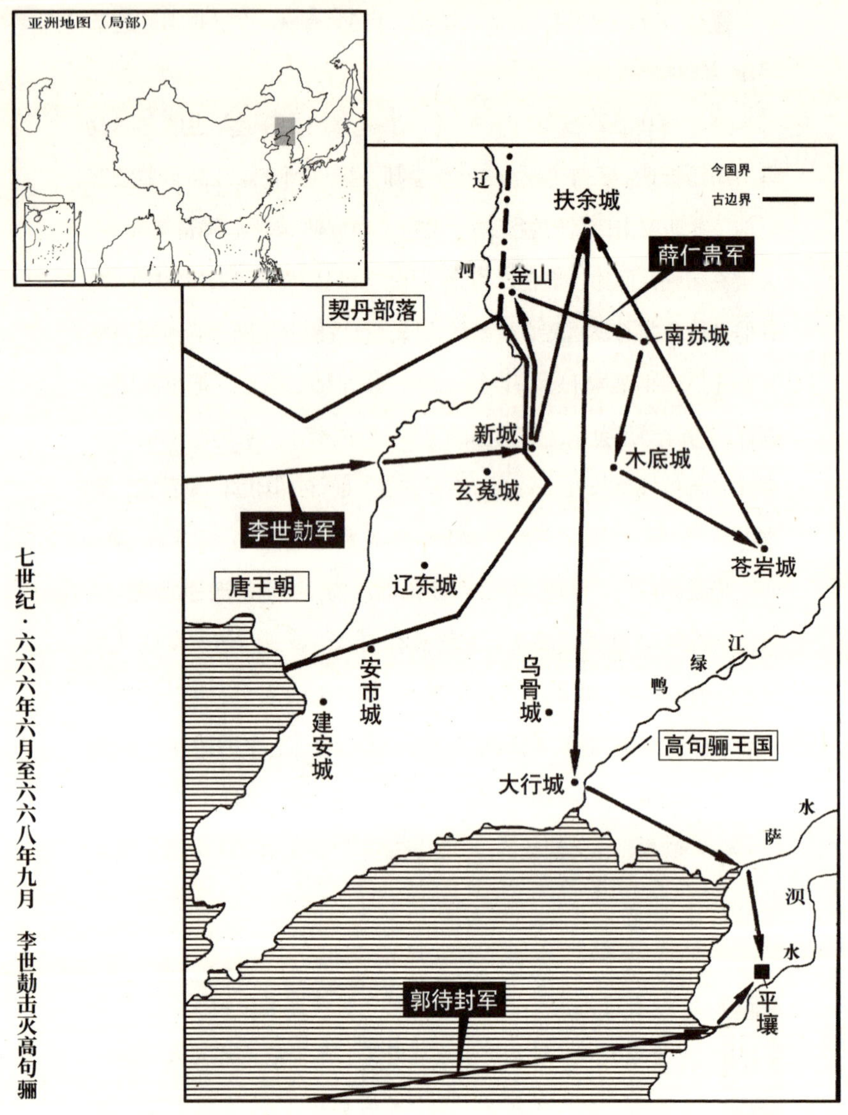

七世纪·六六六年六月至六六八年九月　李世勣击灭高句骊

西邻是一个强大的中国，中国又一直想统一天下。稍后，它的东邻又是一个强大的日本，日本也一直想开疆拓土。这是客观事实，无力改变，可是，高句骊王国不但轻视这项事实，反而犯下不可饶恕的错误：它一直锲而不舍的横挑强邻。

因应强邻的唯一办法是，姿势必须放低，外交弹性，必须扩大。自从春秋战国时代，历史就留下这项定律：弱小的国家不断横挑强邻，一定招来承担不了的灾祸。用此衡量古今史迹，没有例外。

10 冬季，十月七日，唐政府任命乌茶国（印度半岛马拉纳底河下游）高僧（婆罗门）卢迦逸多（卢迦，复姓）当怀化大将军（武散官五级，正三品）。

卢迦逸多自称可以配制长生不死药，李治打算吞服。副监督长（东台侍郎）郝处俊劝阻说：“长寿或短命，都是上天注定，医药无法办到，四〇年代末期，先帝（二任帝李世民）服用那罗迩娑婆寐（那罗迩，三字姓）配制的药，竟然没有效果，临死的前几天，所有著名的医生，都不知道如何才好，有人追究那罗迩娑婆寐的责任，打算公布他的罪状，绑赴法场斩首，但又怕受蛮夷的嘲笑，没有执行（那罗迩娑婆寐事，参考六五七年七月），前人跌倒的地方不远，请求陛下深切考虑。”李治才停止。

11 东方远征军统帅李世勣（徐世勣）将返抵首都长安（陕西省西安市），李治命先把高句骊国王（末任〔二十八任〕宝藏王）高藏等，呈献二任帝李世民墓——昭陵（陕西省礼泉县北九嵕山），然后举行盛大凯旋仪式，演奏胜利军歌，进入京师（首都长安），再呈献皇家祖先祭庙（太庙）。

十二月七日，李治登含元殿，接受李世勣（徐世勣）献俘，因高藏虽名为国王，但并没有实权，李治对他特别赦免，命他当国务院编制外工程部长（司平太常伯），但支领全薪，跟编制内部长一样（参考六五五年八月）；命泉男产（渊盖男产）当宫廷膳食部副部长（司宰少卿），佛教和尚信诚当银青光禄大夫（文散官五级，从三品），泉男生（渊盖男生）当右卫（卫军第一军）大将军。李世勣（徐世勣）以下远征官员，依照功劳，分别封爵奖赏。把泉男建（渊盖男建）流放到黔中（湖南省西部及贵州省），扶余丰（故百济国王〔三十二任〕）放逐到岭南（南岭以南）。将高句骊王国故土，分为五部，计一百七十六城、六十九万余户，设置九军区（都督府）、四十二州（中原史书上可查考的，仅十四州）、一百县。在平壤（高句骊故都，朝鲜半岛平壤市）设安东总督府（安东都护府），作为最高军政机关，统御所有军区及州县。擢升故高句骊王国立过功的官员或首领，分别担任军区总司令（都督）、州长、县长，配合中国人，共同治理。唐政府任命右威卫（卫军第十军）大将军薛仁贵，摄理安东总督（检校安东都护），率领武装部队二万人镇守。

十二月十七日，李治前往首都长安南郊，祭祀天神，向天神禀告已经征服高句骊王国，命李世勣（徐世勣）继皇帝之后献祭（在儒家系统中，这是一项殊荣）。

十二月十九日，李治前往皇家祖庙（太庙）祭祀禀告。

12 渭南（陕西省渭南市）县政府保卫员（尉）刘延祐，不到二十岁就“进士及第”（中央最高考试及格），从政成绩在京畿（雍州）所有县中，列为第一（首都长安城内有二县：长安县及万年县，称“赤县”或“京县”，首都长安城外京畿〔雍州〕各县，称“畿县”）。李世勣（徐世勣）警告他说：“你年纪很轻，却获得盛名，最好对自己加强克制，不要总是想超过别人。”

七世纪·六〇年代 唐王朝疆域扩张

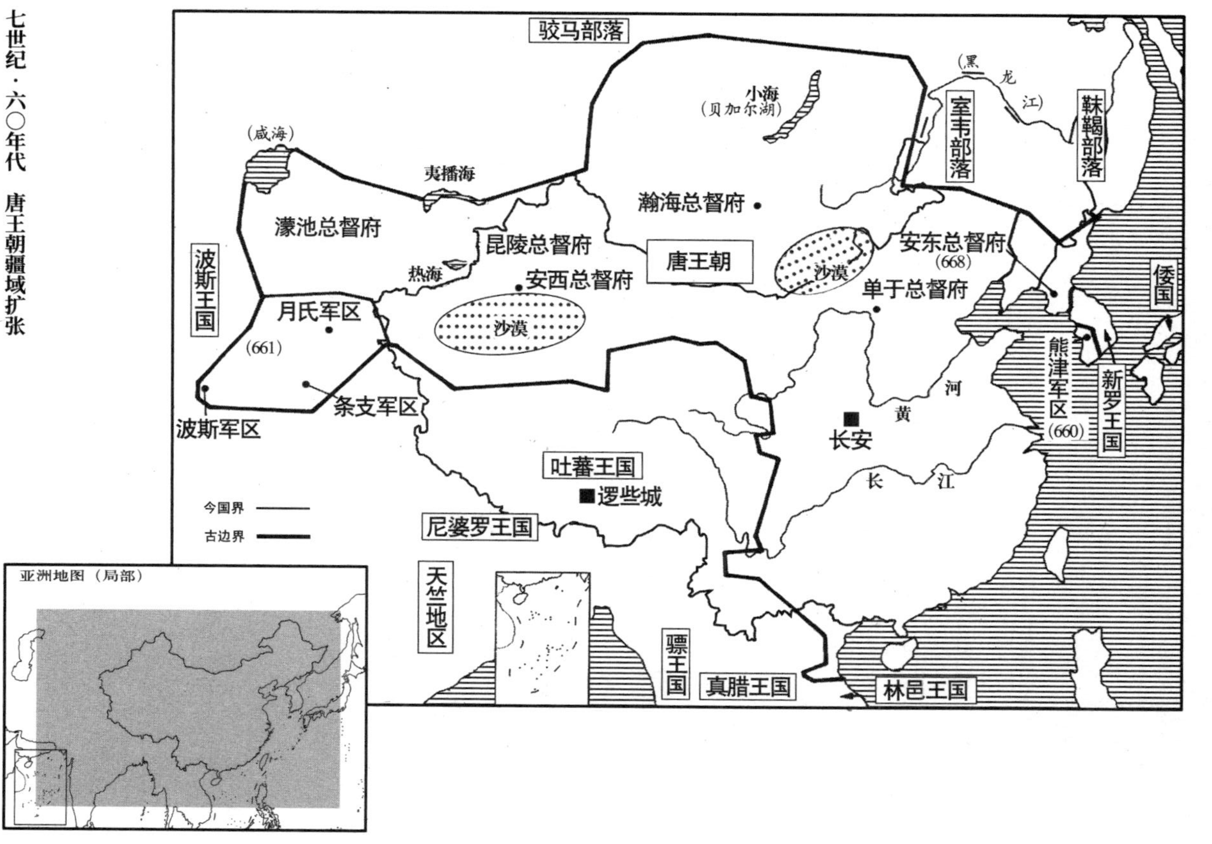

柏杨曰

李世勣（徐世勣）提示刘延祐的话，是忠厚长者爱人以德，所作的苦心教诲。中国是一个“勇于敢则杀，勇于懦弱则活”的静止而寂如长夜的社会，不允许别人跟大家不一样。一旦发现有人跟大家不一样，大家就立刻恐惧不安，必须把冒出来的新事物铲平，晚上才能入睡。

李世勣（徐世勣）说的话是真实的，没有骗刘延祐，李世勣就是在这种戒慎恐惧、战战兢兢的心情下，保持活命和富贵。但是，中国社会之所以僵固成性，中原人之所以缺少想象空间，不能破茧而出，也由于有这些古老的混世哲学。

13 当时，李治曾颁发训令：远征军逃兵，在政府指定期限内，如果拒绝投案自首，或自首后再度逃亡的，一律斩首，妻子儿女被没收，男当奴、女当婢。

皇太子李弘上疏，指出：“这样的人，为数至多。有的是因为恰巧有病，无法入伍，病愈后恐惧而逃；有的是因为出营砍柴割草，被盗贼（高句骊军）俘虏；有的是在渡海时船沉人死；有的是深入盗贼（高句骊王国）心脏地带，受到杀伤。军法严厉，同一单位的士卒，恐怕受到连坐处分，于是集体逃亡，行军途中，没有时间详细调查，就认定他们全是临阵脱逃。政府根据这种报告，发出通缉命令，于是，士卒的妻子儿女，遂被没收，事实上情节可哀。《尚书》说：'与其杀一个没有罪的人，宁放一个有罪的人。'（"与其杀不辜，宁失不经。"）请求对于逃亡士卒的家属，免除他们被没收发配的刑责。"李治批准。

14 十二月二十四日，唐政府任命国务院国防部长（司戎太常伯）姜恪，兼摄理最高监督长（兼检校左相）；国务院工程部长（司平太常伯）阎立本，暂任最高立法长（守右相）。

15 本年（六六八），京师（首都长安）及山东（崤山以东）、江淮（华东地区），大旱成灾，人民饥馑。

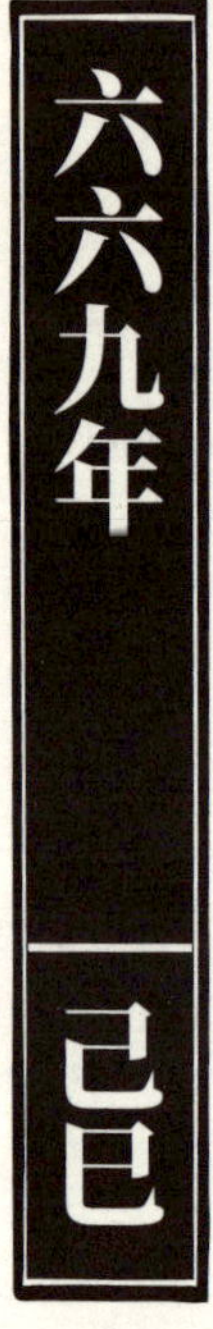

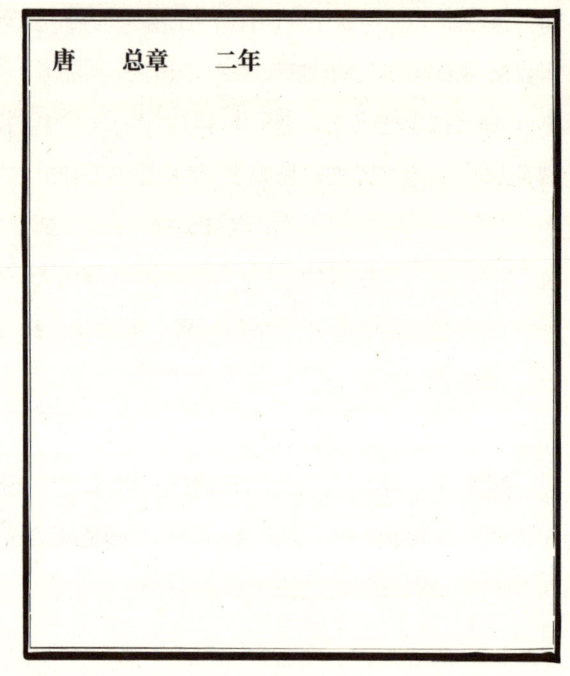

1 春季，二月十二日，唐政府（首都长安〔陕西省西安市〕）擢升立法官（西台舍人）张文瓘，当副监督长（东台侍郎）；擢升国务院右秘书长（右肃机）摄理太子宫政务署长（检校太子中护）谯县（安徽省亳州市）人李敬玄，当副立法长（西台侍郎）；二人同时当一级实质宰相（同东西台三品）。从前，“实质宰相”（同三品）不算一个官衔，现在才成为正式官衔。

2 二月十四日，擢升京畿总卫戍司令部政务秘书长（雍州长史）卢承庆，当国务院司法部长（司刑太常伯）。

卢承庆经常负责考核中央及地方官员，有一次，一位官员督运粮食，途中遇到大风，船舶翻覆，粮食沉没漂失，卢承庆下评语说："督运途中，损失粮食，考核中下。"那位官员面色不变，行动如常，没有说一句话即行告退。卢承庆敬佩他的度量，更改评语说："不是他的能力所能避免，考核中中。"那位官员既没有喜悦的表情，也没有自责的说几句话。卢承庆再更改评语说："对羞辱或荣耀，都不震惊，考核中上。"（中下要降一阶并罚俸三月，中中则升一阶薪俸不变，中上则升二阶加俸三月；二者相差很大。）

3 三月八日，任命副监督长（东台侍郎）郝处俊，为一级实质宰相（同东西台三品）。

4 三月九日，唐帝（三任高宗）李治（本年四十二岁）下诏，明令规定皇家大会堂（明堂）制度：地基采八角形，圆形屋顶，上面盖绿色翡翠瓦；其他所有门户、墙垣、台阶、窗棂、门楣、梁柱、飞檐、柱头垫木，都遵循天地阴阳历法等天文学法则。

李治诏书颁布之后，官员们议论纷纷，很久仍不能决定，正巧又遇上旱灾饥馑，竟没有兴工。

5 夏季，四月一日，李治前往九成宫（陕西省麟游县境）。

6 高句骊王国（辽东半岛及朝鲜半岛北部）遗民，很多人武装反抗，李治下令把高句骊人三万八千二百户，迁到长江、淮河以南，以及山南（秦岭以南）、京西（首都长安以西）各州空旷地区，只把贫穷老弱的高句骊人留在故土，命他们充实安东总督府（设朝鲜半岛平壤市）辖区。

7 六月一日，日蚀。

8 秋季，八月一日，李治下诏说，将于十月前往凉州（甘肃省武威市）。

当时，陇右（陇山以西）各州，政府贫困，人民穷苦（此时中国仍处黄金时代，国势鼎盛，东部人民饥馑，西部人民也饥馑），关心国事的人议论纷纷，多数认为皇帝不应西上巡视。李治听到消息。

八月五日，登延福殿（九成宫里的延福殿），召集五品以上官员，责备说："自从上古有帝王以来，从没有不往四方巡视的，所以我打算西去，亲自观察民间习俗。你们如果认为不可以，为什么不当面奏报，却在退出之后，暗中批评，这是什么缘故？"自宰相以下，没有人敢回答，只最高法院副院长（详刑大夫）来公敏说："皇帝出京巡查虽然是件平常的事，可是，高句骊（首都平壤〔朝鲜半岛平壤市〕）新近才被征服，反抗力量仍然很大；西部开疆拓土，还没有停战复员。陇右（陇山以西）户口稀少，人民穷苦，皇驾所到之处，地方政府的供应，十分沉重，实在不易负担。官员之间确实有过议论，只因陛下命令已正式公布，文武官员不敢向陛下陈述劝阻。"李治对他的回答满意，遂撤销前往西部巡视计划。

不久，擢升来公敏当副监督长（黄门侍郎）。

9 八月二十八日，把瀚海总督府（设蒙古国哈拉和林市）改称安北总督府（瀚海总督府事，参考六六三年二月）。

10 九月一日，李治命把故吐谷浑汗国残余部落，安置凉州（甘肃省武威市）南山（祁连山）。但有人恐怕吐蕃王国（首都逻些城〔西藏拉萨市〕）暴力侵犯，吐谷浑人民势不能生存，因此大家主张必须先出军攻击吐蕃。

最高立法长（右相）阎立本反对，认为去年（六六八）人民饥馑，庄稼歉收，不可再出动武装部队。讨论很久，得不到一致同意的结论，吐谷浑部落终于不能迁移。

11 九月十四日，大风，海水倒灌，永嘉（浙江省温州市）、安固（浙江省瑞安市）等地六千余户，被海水淹没冲走。

12 冬季，十月十二日，李治返京师（自九成宫回首都长安）。

13 十一月十二日，豫王李旭轮（李治的儿子）改封冀王，改名李轮。

14 司空（三公之三）、太子太师（太子三师之一）、英公爵（贞武公）李世勣（徐世勣）患病。李治把李世勣（徐世勣）所有在外地的兄弟子女，都召回京师（首都长安），使他们能在床前侍候。李治和太子李弘赏赐的药，李世勣（徐世勣）就吞服，但家人子弟请医生前来诊疗，李世勣（徐世勣）都不准进屋，说："我本是山东（崤山以东）一个种田的庄稼汉，因为遇到圣明的君王，以至做官做到三公高位，年龄将要八十岁，岂不是上天保佑！寿命长短，都是命中注定，怎么可以向医生乞求活命！"一天，忽然吩咐他的老弟、军械供应部副部长（司卫少卿）李世弼（徐世弼）说："我今天病势稍轻，大家可以聚在一起，饮酒取乐。"于是子孙全都集合，筵席将散的时候，对李世弼（徐世弼）说："我知道我的病绝不会痊愈，今天宴会，就是向你们道别。你们不要悲哭，要静心听我所说的话。我亲眼看到房玄龄、杜如晦，一生勤劳辛苦，不过仅只能在社会上建立门户，却偏偏遇到不肖子孙

（指房遗爱、杜荷），把家族从根颠覆，没有留下一线生机。我所有的子孙都在这里，今天全部交付给你。我死了之后，安葬已毕，你就迁住到我的书房，抚养年幼孤儿，仔细观察，如果发现谁的思想有危险性，在外结交品行不端的人，一律先行打死，然后奏报皇上。”从此不再发言（李世勣〔徐世勣〕如此戒慎恐惧，严密防范，最后仍全族屠灭〔参考六八四年十一月〕，可哀）。

十二月三日，李世勣（徐世勣）逝世（年七十六岁）。李治得到报告，悲伤哭泣。入土安葬的那天，李治亲到未央宫（西汉王朝长安城），登上阁楼，眺望载着灵柩的灵车，恸哭失声。把李世勣（徐世勣）的坟墓兴筑得跟阴山、铁山（阴山北）、乌德鞬山（即郁督军山，蒙古国杭爱山）一样，用以表扬他击破东突厥汗国（参考六三〇年正月）、乙失延陀汗国（参考六四六年六月）的功勋。

李世勣（徐世勣）身为大军统帅，深有谋略，而又能作最正确的判断；跟别人讨论问题，对正确的建议，接受之快，好像流水。战争胜利，就把功劳归给部属，所得到的金银绸缎，全部分散给将领士卒。人们愿意为他牺牲生命，所以只要发动攻击，一定攻克。每次任用将领时，总要遴选相貌端正、气度忠厚稳重的人派遣，有人问他什么缘故，他说：“命薄的人，不容易成功扬名！”

家庭之中，感情和睦，家规严格。李世勣（徐世勣）的姐姐曾经害病，当时，李世勣（徐世勣）已是国务院最高执行长（仆射），却亲自给她煮稀粥，忽然吹过一阵急风，火焰烧到他的胡须，姐姐说：“仆人婢女多得很，何必自己这般辛苦！”李世勣（徐世勣）说：“并不是因为没有人可以差使，只是姐姐年老，我也年老，就是打算长期给姐姐煮稀粥，又怎么能够！”

李世勣（徐世勣）常对人说：“我十二三岁时当‘无赖贼’，见人就杀。十四五岁时当‘无敌贼’(难当贼)，不高兴时就杀人。十七八岁时当‘上流贼’(佳贼)，到战场上才杀人。二十岁时已不当贼，而当大将，指挥军队，救人性命。”

李世勣(徐世勣)的长子李震(徐震)，很早逝世，李震(徐震)的儿子李敬业(徐敬业)继承祖父的爵位(英公爵)。

15 当时，太平已久(自二任帝李世民于六二六年登极，国内无事，迄今四十四年)，参加候选官员的人数，越来越多。本年(六六九)，国务院文官部副部长(司列少常伯)裴行俭，跟文官部考选司副司长(员外郎)张仁祎(音yī〔衣〕)公布所有候选人考核成绩等级(长名姓历榜)，并注明所根据的条款。又公布州县政府官员升降规则，和官阶及薪俸标准。这项开创性措施，以后遂成为永久定案，没有人能够废除。

唐王朝遴选官员程序，大致上是：先观察他的气质(身)、言辞(言)、书法(书)、文章(判)，再根据他的“年资”和“劳绩”，然后决定他担任什么官职。开始时，把候选官员集合在一起，举行考试，评判他的书法和文章，分别等级，然后察看他的气质和言辞，及格之后，即成为候补官员，登记在公文书上。等到任职时，主管单位还要询问当事人的意愿。官职确定之后，集合所有候补官员，公开宣告。然后依照累积的考核成绩，分门别类，定出甲乙丙丁次序；把全部名单先送国务院(仆射)，再送监督院(门下省)，由御前监督官(给事中)签注意见，呈报副监督长(侍郎)复查，由最高监督长(侍中)裁决；如果认为不恰当，则予以驳回。如果定案，就奏报皇帝，主管单位于接到皇帝批准指示后，即开始依照法令规章作业，每个新任官员都发给一份皇家任命状，称为“告身”。

国务院国防部（兵部）遴选武官，程序一样，只是考试的项目不同，而是骑马、射箭、举重（木棍长一丈七尺，直径三寸半，举起十次，两手距离不超过一尺）、负重（背米五斛走二十步）。

一些还没有资格参加遴选的知识分子，也可以采用别的方法，在主管单位同意下，写出三篇文章，称“宏词”；再对三项案件写下裁决文书，称“拔萃”；这两项如果都能及格，就可以不受正常规定的限制，被授予官职。黔中（湖南省西部及贵州省）、岭南（广东省、广西、海南省及越南北部）、闽中（福建省）州县官员，都不由国务院文官部（吏部）派遣，而由国务院委托军区总司令（都督）在当地土著中物色人才充任。

考绩每年一次，六品以下官员，经过四次考绩，才算期满（才可升迁）。

唐王朝

- 吐蕃王国大举攻唐王朝，连陷西域十八州，中国远征军薛仁贵败还。
- 武曌毒死亲子李弘。
- 攻击东西突厥，大胜。

- 日本天智天皇卒，皇弟大海人起兵夺取政权，史称“壬申之乱”。
- 阿拉伯帝国攻君士坦丁堡，东罗马帝国用“希腊火”反击，历时七年，阿军退走。
- 阿拉伯“哈利发”选举制废除，改为父子继承。
- 保加利亚建国。

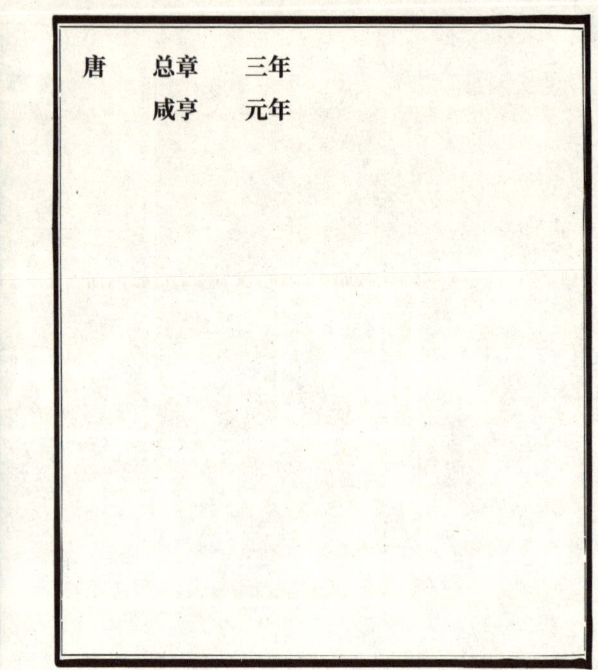

1 春季，正月三日，唐王朝（首都长安〔陕西省西安市〕）最高立法长（右相）刘仁轨，请求退休；唐帝（三任高宗）李治（本年四十三岁）批准。

2 三月一日，因天下大旱（旱象迄今不除，可悲），唐政府赦免天下；改年号（之前是总章三年，之后是咸亨元年）。

3 三月四日，把蓬莱宫改称含元宫。

4 三月十九日，太子少师（太子三少之一）许敬宗，请求退休，李治批准。

5 李治下令突厥贵族子弟，应到东宫侍奉太子。立法官（西台舍人）徐齐聃上疏劝阻说："皇太子（李弘）的左右侍从官员，应该全是具有文学素养的端正人士，怎么可以使蛮夷丑类，进入宫廷？"又奏说："齐（献）公爵（长孙皇后的老爹长孙晟）是陛下的外祖父，虽然子孙犯法，怎么可以把灾祸延到祖先？而今，周（忠孝）公爵（皇后武瞾的老爹武士彟）的祭庙整齐堂皇，而齐（献）公爵（长孙晟）的庙，却被摧毁，不知道陛下用什么昭示全国，表达孝道！"李治全都照他的话去做。

徐齐聃，是徐充容的老弟（徐齐聃的姐姐入宫当充容〔小老婆群第十二级〕）。

6 夏季，四月，吐蕃王国（首都逻些城〔西藏拉萨市〕）攻陷西域十八州，又联合于阗王国（新疆和田市），袭击龟兹（新疆库车市）拨换城（新疆阿克苏市），攻陷。

李治下诏撤销龟兹军区（总部设新疆库车市）、于阗军区（总部设新疆和田市）、焉耆军区（总部设新疆焉耆县）、疏勒军区（总部设新疆喀什市）。

四月九日，李治任命右卫（卫军第二军）大将军薛仁贵，当西方远征军、逻娑兵团总司令官（逻娑道行军大总管），左卫（卫军第一军）编制外大将军阿史那道真、左卫（卫军第一军）将军郭待封，当副总司令官，向吐蕃王国（首都逻些城〔西藏拉萨市〕）发动总攻，并护送吐谷浑各部落返回故地。

7 四月二十八日，李治前往九成宫（陕西省麟游县境）。

8 高句骊王国残余部落首领剑牟岑，聚众起兵，反抗中国占领军，拥护高句骊末任王（二十八任宝藏王）高藏的外孙安舜当领袖。

唐政府任命左监门（卫军第十三军）大将军高侃，当东方远征军、东州兵团总司令（东州道行军总管），征调各地军队，发动攻击。安舜诛杀剑牟岑，逃奔新罗王国（首都金城〔朝鲜半岛庆州市〕）。

9 六月一日，日蚀。

10 秋季，八月十七日，李治返京师（首都长安）。

11 郭待封本来跟薛仁贵的地位相等，在西方远征军中，却居薛仁贵之下，认为是一种耻辱。薛仁贵所作的决定，郭待封多不肯接受。西征军抵达大非川（青海湖南），准备直向乌海（青海省玛多县东北苦海），薛仁贵说："乌海距我们路程既远，沿途地势又险，行军十分困难，如果再携带粮秣及军用物资，难以取得胜利。最好是留下二万人，在大非岭（青海湖南）上，兴筑两个堡寨，粮秣及军用物资，全存在堡寨之内；我们则率领轻装备精兵，加倍速度挺进，乘吐蕃军（西藏）没有防备，发动突袭，一定可以成功。"薛仁贵率领他的部队首先出发，在河口（今地不详）攻击吐蕃，大破吐蕃军，杀戮及俘虏很多，于是进抵乌海（青海省玛多县东北苦海），等候郭待封会师。郭待封偏不听薛仁贵的指示，而携带全部粮秣与军用物资，缓缓前进。还没有到乌海（青海省玛多县东北苦海），跟吐蕃二十余万人的庞大兵团突然相遇，郭待封军大败，逃回，粮秣及军用物资全部丧失。薛仁贵孤军不能支持，只好撤退，回到大非川（青海

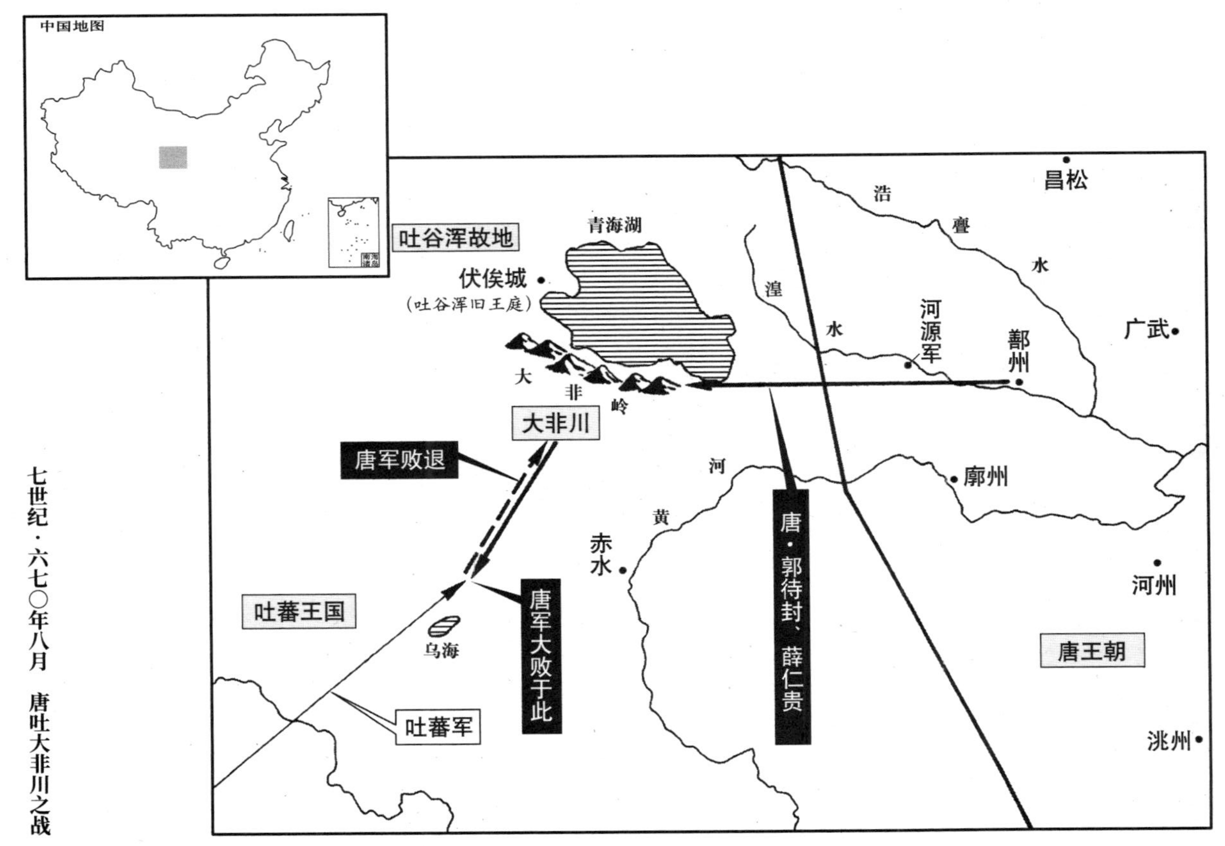

七世纪・六七〇年八月　唐吐大非川之战

湖南）驻扎，吐蕃宰相论钦陵率四十万余人大军，追到大非川攻击，西征军大败，死亡及受伤，几乎全军覆没。薛仁贵、郭待封、阿史那道真，幸而逃出一命，跟论钦陵谈判和解，狼狈回军。李治训令总监察官（大司宪）乐彦玮前往军营，对战败情形作实地调查，把三位将领戴上脚镣手铐，押送京师（首都长安）。李治赦免三人死罪，只开除官籍。

论钦陵，是禄东赞的儿子（禄东赞事，参考六四〇年闰十月），跟老弟赞婆、悉多、于勃论，都有才干谋略。禄东赞逝世后，论钦陵继承老爹官位，三位老弟率军驻扎外地，邻国深感威胁。

12 关中（陕西省中部）大旱，饥馑。

九月七日，李治下诏宣布明年（六七一）正月前往东都（洛阳，河南省洛阳市）。

13 九月十四日，皇后武曌的娘亲鲁国夫人（忠烈）杨女士逝世，李治命九品以上的文武官员，以及外命妇（太子妃、亲王公爵夫人、公主），全都前往武宅哭悼。

14 闰九月三日，皇后武曌因天气长久大旱，请求退位；李治不准。

15 闰九月十二日，追尊武曌的老爹、赠司徒（三公之二）周公爵（忠孝公）武士彟当太尉（三公之一），晋封太原王，继妻鲁国夫人杨女士当太原王妃。

16 闰九月十四日，任命最高监督长（左相）姜恪，当凉州兵团总司令官（凉州道行军大总管），抵御吐蕃军（西藏）。

17 冬季，十月二十六日，任命太子宫事务署长（右中护）、一级实质宰相（同东西台三品）赵仁本，当国务院左秘书长（左肃机），免除实质宰相职务。

18 十二月二十一日（原文误置于十月，据《旧唐书·职官志》改），李治下诏，命所有官员，全部恢复从前官称（改官名事，参考六六二年二月，历时九年）。

六七一年　辛未

1 春季，正月二十六日，唐王朝（首都长安〔陕西省西安市〕）皇帝（三任高宗）李治（本年四十四岁），前往东都（洛阳，河南省洛阳市）。

2 夏季，四月十八日，任命西突厥汗国（新疆东北部及中亚东部）酋长阿史那都支，当左骁卫（卫军第五军）大将军兼匐延军区（总部设新疆和布克赛尔县）总司令（匐延都督），用以安抚东部防区五个部落（五咄陆）。

3 最初，皇后武曌的异母老哥武元庆等，既然逝世（参考六六六年八月），武曌上疏请求命她姐姐的儿子贺兰敏之当武士彟的后嗣，并改姓武，继承周公爵的爵位。武敏之（贺兰敏之）被一连串擢升到皇家研究院（门下省弘文馆）研究官（学士）学士、监督院最高顾问官（左散骑常侍）。他妹妹魏国夫人贺兰女士被毒死时（参考六六六年八月），李治见到他，悲痛哭泣说：“刚才我出去主持朝会时，她还好好的，退朝后已不能挽救，怎么死得这么快！”武敏之（贺兰敏之）悲哭号叫，没有回答。武曌接到报告，说：“这孩子疑心是我！”因此对他开始厌恶。武敏之（贺兰敏之）年轻力壮，丰姿优美，武曌的娘亲杨女士跟他通奸（外祖母跟外孙上床，也只有皇家才有这种奇闻）。去年（六七〇），杨女士逝世，武敏之（贺兰敏之）理应哀悼，可是他却脱掉丧服，召唤歌女，演奏音乐。军械供应部副部长（司卫少卿）杨思俭的女儿，貌美如花，李治与武曌亲自指定要娶她当太子妃，婚期已经确定，武敏之（贺兰敏之）却用暴力把她奸淫。武曌不能忍受，上疏指控武敏之（贺兰敏之）前后所有罪状，请求贬窜。

六月十一日，李治下令把武敏之（贺兰敏之）放逐到雷州（广东省雷州市），恢复“贺兰”本姓。贺兰敏之经过韶州（广东省韶关市）时，州政府官员用马缰把他绞死。政府中跟贺兰敏之有交往的官员，很多被流放岭南（南岭以南）。

4 秋季，七月一日，东方远征军、东州兵团总司令（东州道行军总管）高侃，在安市城（辽宁省海城市）击破高句骊反抗军。

5 九月二日，潞州（山西省长治市）州长、徐王李元礼（李治的叔父）逝世。

6 冬季，十一月一日，日蚀。

7 李治从东都（洛阳）出发，前往许州（河南省许昌市）、汝州（河南省汝州市）。

十二月十日，李治在叶县（河南省叶县）举行检阅及狩猎。

十二月二十三日，李治返东都（洛阳）。

六七二年 壬申

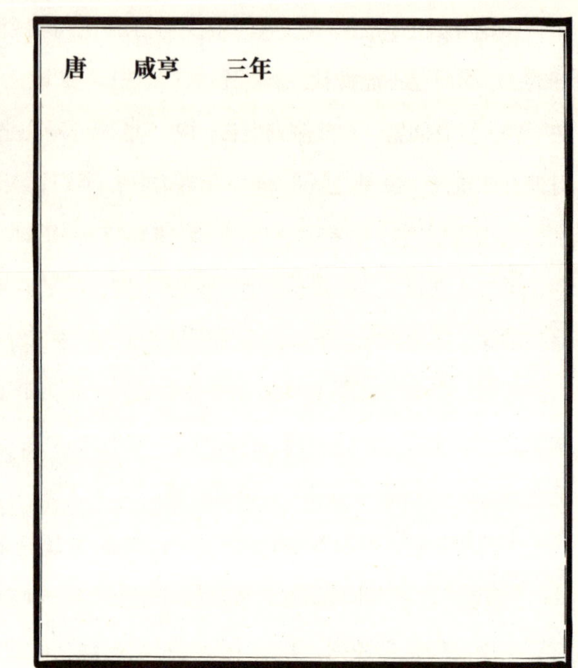

1 春季，正月八日，唐王朝政府（首都长安〔陕西省西安市〕）任命太子宫左翼侍卫军副司令（太子左卫副率）梁积寿，当姚州兵团总司令（姚州道行军总管），率军攻击姚州（云南省姚安县）州境聚众起兵的蛮夷部落。

2 正月十七日，昆明蛮（云南省东部蛮夷）十四姓、二万三千户人家，归附唐王朝。唐政府设殷州（四川省沐川县）、敦州（云南省盐津县东南）、总州（云南省盐津县）三州（都是羁縻州）。

3 二月八日，将吐谷浑各部落，迁到鄯州（青海省海东市乐都区）浩亹水（大通河）之南。各部落畏惧吐蕃王国（首都逻些城〔西藏拉萨市〕）的强悍，不敢安居，而且鄯州（青海省海东市乐都区）牧地又少，所以，不久，唐政府再把他们迁到灵州（宁夏灵武市），另设安乐州（羁縻州，宁夏中宁县）管理，命末任（十九）可汗慕容诺曷金钵当州长。吐谷浑故国疆土，遂全部并入吐蕃王国（首都逻些城）版图。

4 二月十七日，最高监督长（侍中）、永安郡公爵姜恪逝世。

5 夏季，四月九日，李治前往合璧宫（洛阳境）。

6 吐蕃王国（首都逻些城）派高级官员论仲琮（曾出使唐帝国，参考六六三年六月），前来唐帝国朝贡。李治询问他有关吐蕃的风土人情，论仲琮回答说："吐蕃土地贫瘠，气候寒冷，风俗纯朴粗鲁。但是法令严厉，执行彻底，上下一心，讨论事情的时候，由地位最低、年纪最轻的人先行发言，一定满足大众的诉求，所以我们的强大才能长久不衰。"李治质问他吞并吐谷浑汗国（参考六六三年六月），及击败薛仁贵（参考前年〔六七〇〕八月），进逼凉州（甘肃省武威市）的原因，论仲琮回答说："我奉命前来朝贡，至于军事行动，并没有另接指示。"李治厚厚的赏赐他，送他回国。

四月二十二日，李治派水利部长（都水使者）黄仁素，担任使节，前往吐蕃王国报聘。

7 秋季，八月二十四日，特进（文散官二级，正二品）高阳郡公爵许敬宗逝世（年八十一岁），祭祀部礼仪官（太常博士，从七品上）袁思古

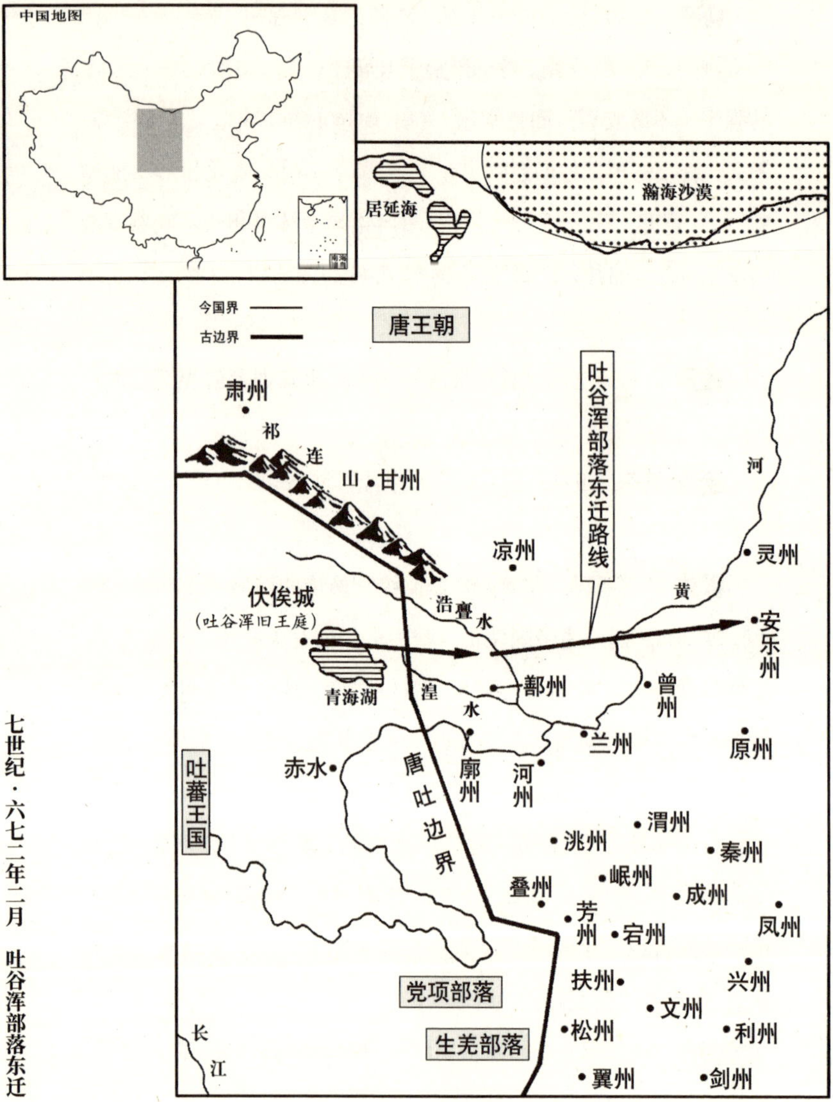

七世纪·六七二年二月　吐谷浑部落东迁

中国地图

今国界
古边界

唐王朝
居延海
瀚海沙漠
吐谷浑部落东迁路线
肃州
祁连山
甘州
凉州
河
灵州
黄
伏俟城
（吐谷浑旧王庭）
青海湖
浩亹水
鄯州
湟水
安乐州
曾州
兰州
原州
吐蕃王国
赤水
廓州
河州
唐吐边界
渭州
洮州
秦州
岷州
叠州
成州
芳州
宕州
凤州
扶州
兴州
党项部落
文州
松州
利州
生羌部落
长江
翼州
剑州

建议说："许敬宗把长子抛弃到荒远边疆，把幼女出嫁到蛮夷部落，依照《谥法》：'名实不符称"缪"'，请准予用这个'缪'字，作为许敬宗的绰号（缪，音miù〔谬〕；荒唐之意）。"许敬宗的孙儿、太子宫事务管理官（太子舍人）许彦伯，指控袁思古跟许家结有仇怨，请求更改绰号。祭祀部礼仪官（太常博士）王福畤建议，认为："恩怨得失，时间至为短暂，而荣耀羞辱，是千年之久的大事。如果袁思古确跟许家有怨，而公报私仇，自当依法制裁，如果不是这样，正义不容侵犯，定案不可取消。"国务院财政部长（户部尚书）戴至德问王福畤说："许敬宗受到皇上如此信任依赖，怎么可以给他'缪'的绰号？"王福畤回答说："从前，晋王朝太宰（上三公之一）何曾，忠孝双全，只因每天饮食费用，高达万钱，秦秀就给他'缪'字绰号（参考二七八年十二月）。许敬宗的忠孝不如何曾，可是对于饮食和女人的需求，却比何曾更为严重，给他'缪'字绰号，并不亏待许家。"

李治下诏，集合五品以上官员，重新讨论，国务院教育部长（礼部尚书）阳思敬主张："依照《谥法》，有过能改，称'恭'，请用'恭'字作许敬宗的绰号。"李治批准。

许敬宗曾经指控他的长子许昂有罪，流放岭南（许敬宗的正妻裴女士很早逝世，裴女士身边一位婢女，姿容艳丽，许敬宗爱她，擢升她当继妻，命她姓虞；可是长子许昂一向跟她通奸，虽然当了庶母，而仍然继续，许敬宗大怒，罢黜虞女士，声称许昂不孝，奏请皇帝，把许昂放逐岭南〔南岭以南〕；五〇年代末期，才上疏请释放许昂回京〔首都长安〕），又把女儿嫁给岭南（南岭以南）蛮夷酋长冯盎的儿子（冯盎，参考六二二年七月），收取大量聘金，所以袁思古在这两件事上，直揭疮疤。王福畤，是王勃的老爹（王勃，唐王朝名作家，参考六六一年九月）。

8 九月十五日，改封沛王李贤（李治的儿子）当雍王。

9 冬季，十月二日，李治下诏命太子李弘监督国政。

10 十月五日，李治自东都（洛阳）出发。

11 十一月一日，日蚀。

12 十一月十七日，李治抵达京师（首都长安）。

13 十二月，东方远征军、东州兵团总司令（东州道行军总管）高侃（参考前年〔六七〇〕四月），跟高句骊反抗军，在白水山（应在朝鲜半岛）会战，击破反抗军。

新罗王国（首都金城〔朝鲜半岛庆州市〕）派军支援高句骊反抗军，高侃把新罗军击退（新罗王国因不断受高句骊王国及百济王国攻击，向中国苦苦求救，中国才有历次远征，解除危机，迄今不过十年，新罗王国就向救主寻仇。国际之间，无永远不变的感恩，也无永远不变的仇恨，一向如此）。

14 十二月癸卯日（十二月戊午朔，没有癸卯），任命太子宫政务署长（左庶子）刘仁轨，当一级实质宰相（同中书门下三品）。

15 太子李弘很少接见太子宫的官员，饮食局主任秘书（典膳丞，正八品上）全椒（安徽省全椒县）人邢文伟，经常减少太子的饮食，作为提醒，并上书规劝。李弘在回信中解释说，因为常生病，又因为常进宫侍奉皇帝，无法分出时间，但对他的意见，十分高兴接受。不久，皇家言行记录官（右史，从六品上）出缺，李治说："邢文伟侍奉我的儿子，竟然用拒绝供应饮食的办法规劝，是一个正直人士。"擢升他当皇家言行记录官（右史）。

太子李弘在一次宴会上，命太子宫官员"掷倒"（头下脚上，用双手前行），轮到左翼内寝保卫军司令（左奉裕率）王及善，王及善说："'掷倒'应由戏剧演员表演，我如果接受命令，恐怕不是辅佐殿下的正轨。"李弘向他道歉。李治得到报告，赏赐王及善绸缎一百匹，不久，擢升王及善当左千牛卫（卫军第十五军）将军。

1 春季，正月二十九日，唐王朝（首都长安〔陕西省西安市〕）绛州（山西省新绛县）州长、郑王（惠王）李元懿（李治的叔父）逝世。

2 三月十日，唐帝（三任高宗）李治（本年四十六岁），下诏命太子宫政务署长（左庶子）刘仁轨等，修改国史；因为许敬宗等所作记载，很多并不真实，所以才有此项命令（许敬宗编撰《实录》，参考六四三年七月）。

3 夏季，四月二十一日，李治前往九成宫（陕西省麟游县境）。

4 闰五月，东方远征军、燕山兵团总司令（燕山道总管）、右领军（卫军第八军）大将军李谨行，在瓠芦河（应在朝鲜半岛中部）之西，大破高句骊反抗军，俘虏数千人，高句骊残余部众投奔新罗王国（首都金城〔朝鲜半岛庆州市〕）。

当时，李谨行的正妻刘女士留在根据地伐奴城（朝鲜半岛平壤市西北），高句骊反抗军会同靺鞨部落军（黑龙江下游）围攻，刘女士身披铠甲，率领留守部队登城抵抗，很久之后，反抗军才解围撤退。李治嘉勉刘女士的功劳，封她为燕国夫人。李谨行，是靺鞨部落酋长突地稽的儿子（参考六二一年三月），勇力超过一般人，各蛮夷部落对他都很畏惧。

5 秋季，七月，婺州（浙江省金华市）大水成灾，淹死五千人。

6 八月十九日，李治因身染疟疾，命太子李弘登延福殿，接受政府各单位奏事。

7 冬季，十月一日，最高立法长（中书令）阎立本逝世。

8 十月二十四日，李治返抵京师（首都长安）。

9 十二月二十五日，弓月部落（新疆霍城县）酋长，及疏勒王（新疆喀什市），先后向唐帝国归降。 640

西突厥汗国（新疆东北部及中亚东部）兴昔亡可汗（十二任大可汗）阿史那弥射在位时（六五七年十二月至六六二年十二月），各部落纷纷叛离，包括弓月部落（新疆霍城县）及阿悉结部落（西部防区〔弩失毕〕五司令官〔俟斤〕之一）。唐帝国伊丽兵团总司令（伊丽道行军总管）苏定方西征时（参考六五七年十二月），生擒阿悉结酋长凯旋。弓月部落（新疆霍城县）遂跟南方的吐蕃王国（首都逻些城〔西藏拉萨市〕）、北方的咽面部落（巴尔喀什湖东）结盟，联合攻击疏勒王国（新疆喀什市），胁迫疏勒投降。

李治派藩属事务部长（鸿胪卿）萧嗣业，动员武装部队增援。萧嗣业的西征军还没有到达，弓月部落（新疆霍城县）酋长恐惧，就跟疏勒王（新疆喀什市）一同入朝。李治赦免他们的罪状，遣送回国。

六七四年 甲戌

唐 咸亨 五年
上元 元年

1 春季，二月二日（原文误置于正月，据两《唐书》改），唐王朝（首都长安〔陕西省西安市〕）皇帝（三任高宗）李治（本年四十七岁），任命太子宫政务署长（左庶子）、一级实质宰相（同中书门下三品）刘仁轨，当东方远征军统帅、鸡林兵团总司令官（鸡林道大总管）；军械供应部长（卫尉卿）李世弼（徐世弼）、右领军（卫军第八军）大将军李谨行当副总司令官，调发各路人马，讨伐新罗王国（首都金城〔朝鲜半岛庆州市〕）。

之前，新罗国王（三十任文武王）金法敏，既收容高句骊反抗军，又侵入百济王国（朝鲜半岛西南部）故土，派军驻守。李治大怒，决心东征，下诏削去金法敏所有官职爵位；现在，金法敏的老弟金仁问，正在京师（首都长安）当右骁卫（卫军第六军）编制外大将军，封临海郡公爵，李治遂改封金仁问当新罗国王，命东征军护送他回国。

2 三月一日，日蚀。

3 贺兰敏之被处死后（参考六七一年六月），皇后武曌奏请征召武元爽（武曌的异母老哥）的儿子武承嗣，从流放地岭南（南岭以南）返回京师（武元爽流放事，参考六六六年八月），继承祖父武士彟（武曌的老爹）周公爵的爵位，担任宫廷总管府（殿中省）服饰官（尚衣奉御，正五品下）。

夏季，四月十二日，擢升武承嗣当皇族事务部长（宗正卿，从三品）。

4 秋季，八月十五日，李治追尊宣公爵（简公）李熙（一任帝李渊的高祖父）为宣皇帝，正妻张女士为宣庄皇后；懿王李天赐（一任帝李渊的曾祖父）为光皇帝，正妻贾女士为光懿皇后；太武皇帝（一任帝）李渊改称神尧皇帝，太穆皇后（李渊的正妻）窦女士改称为太穆神皇后；文皇帝（二任帝）李世民改称太宗文武圣皇帝，文德皇后（李世民的正妻）长孙女士改称文德圣皇后。现任皇帝（三任高宗）李治称天皇，皇后武曌称天后，理由是为了避免将来称“先帝”“先后”时，发生混淆。

李治命改年号（之前是咸亨五年，之后是上元元年），赦免天下。

5 八月二十一日，李治下令：“文武官员三品以上穿紫色官服，金玉腰带；四品穿深红色官服，金腰带；五品穿浅红色官服，金腰带；六品穿深绿色官服，银腰带；七品穿浅绿色官服，银腰带；八品穿深蓝色官服，黄铜腰带；九品穿浅蓝色官服，黄铜腰带（八、九品官员，原穿浅绿色官服，参考六六二年九月）；平民穿黄色平民服，铁腰带。平民以下工商杂户，不准穿黄色平民服。”

6 九月七日，李治下诏，恢复长孙晟、长孙无忌的官职爵位。命长孙无忌的曾孙长孙翼，继承赵公爵，准予把长孙无忌灵柩运回昭陵（二任帝李世民墓，陕西省礼泉县北九嵕山）陪葬（长孙无忌贬死事，参考六五九年七月，迄今已十六年）。

7 九月八日，李治前往翔鸾阁（含元殿左侧翔鸾阁，右侧栖凤阁），视察饮酒大典，把乐队分为东西两队，命雍王李贤领导东队，周王李显领导西队（李贤、李显，都是武曌生的儿子），比赛胜负。宰相郝处俊规劝说：“两位亲王的年纪还小，志向及兴趣，还没有稳定，应教育他们学习谦让，相亲相爱。而今，分成两队，互相夸耀竞争；乐队演员都是市井小人物，说话不知道轻重，恐怕在比赛激烈之时，互相讥笑谩骂；这不是一项崇尚礼义、追求和睦的办法。”李治吃了一惊，说：“你有远见，别的人跟不上。”马上停止。

当天（九月八日），军械供应部长（卫尉卿）李世弼（徐世弼），在宴会上忽然急病暴死（李世勣〔徐世勣〕把后事托给老弟李世弼事，参考六六九年十一月）。李治哀悼，为此停止饮酒大典一天。

8 冬季，十一月一日，李治从京师（首都长安）出发。

十一月四日，李治在华山的曲武原（陕西省华阴市南）围猎。

十一月二十三日，李治抵达东都（洛阳，河南省洛阳市）。

9 箕州（山西省左权县）州政府总务官（录事参军）张君澈等，诬告州长、蒋王李恽（李治的老弟），跟他的儿子汝南郡王李炜，阴谋叛变。李治派助理立法官（通事舍人）薛思贞，乘驿马车前往调查。李恽惊惶恐惧。

十二月八日，李恽上吊身亡。李治知道他没有罪，深为痛苦惋惜，斩张君澈等四人。

10 十二月十三日，于阗王（新疆和田市）尉迟伏阇雄（尉迟，复姓），前来中原朝见。

11 十二月十六日，波斯王（伊朗高原）卑路斯前来中国朝见。

12 十二月二十七日，皇后武曌上疏，说："李姓皇家祖先，来自玄元皇帝（唐王朝正式承认是哲学家李耳的后裔，追尊李耳为玄元皇帝；参考六六六年正月），因此请令亲王公爵以下，都要学习他的著作《老子》，每年'明经科'考试时，《老子》和《孝经》《论语》，并列为主要课程。"又请求："从现在开始，即令老爹存在，而娘亲去世，儿子也应给娘亲穿齐边丧服三年。"又请求："京师（首都长安）八品以上官员，应酌量增加俸禄。”以及其他建议共十二条。李治下诏褒扬赞美，一律核准实施。

13 本年（六七四），一位名刘晓的平民，上疏讨论铨叙工作，说：“现在负责铨叙工作的官员，都认为辨识功过，查明真象，就已尽到责任；只要对方书法优美，文章流畅，就算得到人才；而不知道考察对方的品德和行政才能。更何况，书法和文章，大多数都由别人代笔。”又说：“国务院教育部（礼部）录用官员，只看文章甲乙等第，所以天下知识分子，都不追求品德，而去追求文字技巧，甚至有些人早上才头名高中，晚上就犯法坐牢，即令他每天可以滚瓜烂熟的背诵一万字，对治理国家有什么裨益？七步之内，可以出口成诗，并不能保证有感化人民的能力（曹魏帝国陈王曹植，能七步成诗）。何况他们又全心游逛花草林木之间，竭力描绘烟霞山水之际，竟成为一时风俗，岂不是十分荒唐！人民羡慕声名官位，好像水往下流；在上位的人所喜欢的，在下位的人一定更喜欢。陛下遴选官员时，如果能把品德放在第一位，而把文字技巧放在最末位，则知识分子追求的脚步，势将发出雷一样的声音，自然会引起四方向往的旋风！”

六七五年 乙亥

唐　上元　二年

1 春季，正月二十一日，唐政府（首都长安〔陕西省西安市〕）在于阗王国（新疆和田市）设置毗沙军区总司令部（毗沙都督府），把于阗国土分作十州（羁縻州），任命于阗王尉迟伏阇雄当军区总司令。

2 正月二十六日，吐蕃王国（首都逻些城〔西藏拉萨市〕）派高级官员论吐浑弥，前来唐帝国请求和解，并愿跟吐谷浑部落（甘肃省中部）恢复和睦；李治拒绝。

3 二月，东方远征军、鸡林兵团总司令官（鸡林道大总管）刘仁轨（派东征军事，参考去年〔六七四〕正月），在七重城（朝鲜半岛积城）大破新罗王国（首都金城〔朝鲜半岛庆州市〕）军；又命靺鞨部落军（黑龙江下游）乘船舰渡日本海南下，攻击新罗南部国土，斩杀及俘虏很多。

刘仁轨撤退，李治命副总司令官李谨行当安东地区镇守安抚特使，驻扎新罗王国的买肖城（应在朝鲜半岛东南部），准备长期战斗，三次攻击，三次传出捷报。新罗王国遂派使节到唐帝国朝贡，正式道歉，李治接受，赦免他们的罪行，恢复国王金法敏的官职爵位。

金仁问走到半途，唐政府把他召回，改封临海郡公爵。

4 三月十三日，皇后武曌在邙山（洛阳城北）南麓，祭祀蚕神，文武百官及地方政府进京朝贡特使（朝集使），都出席陪祭。

5 李治有一种头痛病，深感苦楚（参考六六〇年十月），有意让武曌摄政。副立法长（中书侍郎）一级实质宰相（同三品）郝处俊说："皇帝治理国家，皇后治理宫廷，是自然之理。从前，曹丕（曹魏帝国一任帝）曾经明令公布：即令皇帝年幼，也不准皇太后主持国政（参考二二二年九月），目的在于堵塞祸乱的源泉。陛下为什么把高祖（一任帝李渊）、太宗（二任帝李世民）的天下，不传给子孙，却传给皇后（武曌）！"另一副立法长（中书侍郎）昌乐（河南省南乐县）人李义琰说："郝处俊的话出自一片忠心，陛下最好接受。"李治才停止。

6 皇后武曌大量结构文化界人士，包括皇家图书院编撰官（著作郎）元万顷、皇家生活记录官（左史）刘祎之等。武曌命他们撰写

《列女传》《臣轨》《百僚新戒》《乐书》，共一千余卷。政府法令规章草案和各官员各单位的奏章，武曌都密令他们参与裁决，用以分散宰相的权力；时人称他们为"北门学士"（皇宫南门内是政府所在，北门内就是皇宫。二任帝李世民还是亲王时，也曾设"文学馆"，招揽全国一流知识分子，但目的只在讨论文学，并未涉及政治，参考六二一年十月）。刘祎之，是刘子翼的儿子（刘子翼事，参考六二七年十二月）。

7 夏季，四月六日，擢升农林部副部长（司农少卿）韦弘机当农林部长（司农卿）。

韦弘机兼任东都（洛阳，河南省洛阳市）屯垦区主任（营田），奉命整修宫苑，有宦官在宫苑犯法，韦弘机当时就用棍杖责打，然后奏报李治。李治认为他有才干，赏赐绸缎数十匹，说："再有人犯法，你只管责打，不必再奏。"

8 最初，左千牛（卫军第十五军）将军、长安（首都长安西半城）人赵瓌，娶一任帝李渊的女儿常乐公主，生下女儿，嫁给周王李显。李治对姑妈常乐公主，十分厚待，武曌大不高兴。

四月七日，周王妃赵女士被认为有罪（不知道什么罪，传统史学家对涉及人权案件，常语焉不详），剥夺王妃权利，囚禁宦官总管府（内侍省），只送给她生菜生肉，由她自己烹饪；武曌派人观察囚室的烟筒。后来，几天之久看不到炊烟，武曌命打开门进去，赵女士已饿死很久，尸体也已腐烂。赵瓌自定州（河北省定州市）州长，贬作括州（浙江省丽水市）州长，武曌命常乐公主随丈夫前往任所，下令断绝他们入宫朝见。

9 太子李弘为人仁慈孝顺、谦让谨慎，李治对他非常喜爱。李弘对高级知识分子都以礼相待，全国人民对李弘也倾心拥戴。可是娘亲武曌心怀大志，正猛烈夺权，李弘时常提出规劝，以致不断冒犯，武曌对这个亲生之子遂逐渐冷淡。义阳公主及宣城公主，是萧淑妃的女儿，因为娘亲有罪的缘故，被软禁在皇宫监狱（掖庭），年龄已超过三十岁，还没有出嫁。偶尔一个机会，李弘看到这两位异母姐姐，惊骇悲恻，立即向老爹李治奏请送她们出嫁，李治批准。武曌得到消息，大怒若狂，当天就把她们许配给正在值班的翊卫（贵族征兵府）卫士权毅、王遂古。

四月二十五日，李弘在合璧宫（洛阳境）逝世（年二十四岁），世人认为是武曌把他毒死（《新唐书·高宗本纪》明确记载：四月二十五日，天后〔武曌〕杀皇太子〔李弘〕）。

四月二十八日，李治回洛阳宫。

五月五日，李治下诏："我正要传位给皇太子（李弘），而皇太子（李弘）竟然一病不起，应该贯彻我以前的旨意，加授皇太子（李弘）尊贵的名衔，称孝敬皇帝。"（皇子加绰号称皇帝，自此开始。）

六月五日，李治封雍王李贤（也是武曌亲子）当皇太子，赦免天下。

10 皇后武曌对慈州（山西省吉县）州长、杞王李上金（李治小老婆所生），十分厌恶，有关官员迎合武曌的意思，上疏检举李上金的罪行（不知是什么罪行）。

秋季，七月，李上金因此被免除官职，放逐澧州（湖南省澧县），交由地方政府安置看管。

11 八月十九日，前太子李弘安葬恭陵（河南省洛阳市偃师区境）。

12 八月二十七日，擢升国务院财政部长（户部尚书）戴至德当国务院右最高执行长（右仆射）。

八月二十九日，擢升太子宫政务署长（左庶子）刘仁轨当国务院左最高执行长（左仆射），都依然保持一级实质宰相（同中书门下三品）。擢升副监督长（门下侍郎）张文瓘当最高监督长（侍中），副立法长（中书侍郎）郝处俊当最高立法长（中书令）；副立法长（中书侍郎）李敬玄当国务院文官部长（吏部尚书）兼太子宫政务署长（兼左庶子），也依然保持一级实质宰相（同中书门下三品）。

刘仁轨、戴至德，每隔一天轮流接受人民申诉，刘仁轨对当事人总是好言好语作出承诺，可是戴至德却详细调查，据理盘问，当面不作裁决，遇到确实受冤被害的，一定秘密上疏奏报解救。因此，美好的声誉都落到刘仁轨身上，天下人对刘仁轨赞不绝口。有人问戴至德为什么那样做，戴至德说：“刑罚和赏赐，是最高领袖特有的权柄，我们当部属的怎么可以偷用！”李治听到，对戴至德十分器重。有位老太婆打算向刘仁轨投诉，错走到戴至德面前，戴至德还没有把申诉状看完，老太婆已发现这个错误，说：“本来认为是能办事的最高执行长（仆射），却原是不能办事的最高执行长（仆射），把诉状还给我！”戴至德笑着把诉状还给她。世人称道他是一个忠厚长者。

张文瓘当时兼任最高法院院长（兼大理卿），囚犯们听说他调升最高监督长（侍中），都忍不住恸哭。张文瓘性情严肃方正，各单位所上奏章及建议，他大多加以纠正批驳，李治对他很是依赖信任。

六七六年
丙子

唐	上元	三年
	仪凤	元年

1 春季，正月二十三日，唐王朝（首都长安〔陕西省西安市〕）皇帝（三任高宗）李治（本年四十九岁），把冀王李轮（李治的儿子）改封相王。

2 纳州獠（四川省叙永县獠部落）聚众起兵，反抗政府，李治训令黔州军区（总部设重庆市彭水县）总司令（黔州都督）出兵攻击。

3 二月六日，把设于平壤（朝鲜半岛平壤市）的安东总督府，迁到辽东故城（辽宁省辽阳市）。在此之前，中国派到朝鲜半岛的所有官员，已全部撤回。同时把熊津军区（总部设朝鲜半岛公州市）总司令部（熊津都督府），迁到建安故城（辽宁省盖州市）。原迁到徐州（江苏省徐州市）、兖州（山东省济宁市兖州区）等州的百济王国遗民，一律再迁到建安（辽宁省盖州市）。

4 皇后武曌劝李治举行中岳（嵩山，河南省登封市北）大祭（中岳封禅，在嵩山上添土祭祀天神、嵩山下辟场祭祀地神）。

二月十五日，李治下诏宣布：本年（六七六）冬季前往嵩山（河南省登封市北）举行大祭。

5 二月十九日，李治前往汝州（河南省汝州市）温泉。

6 三月五日，李治命副监督长（黄门侍郎）来恒、副立法长（中书侍郎）薛元超，一同担任一级实质宰相（同中书门下三品）。来恒，是来济的老哥（来济事，参考六六二年十二月）。薛元超，是薛收的儿子（薛收事，参考六二一年三月二十四日）。

7 三月六日，李治返东都（洛阳，河南省洛阳市）。

8 闰三月，吐蕃王国（首都逻些城〔西藏拉萨市〕）攻击鄯州（青海省海东市乐都区）、廓州（青海省化隆县）、河州（甘肃省临夏市）、芳州（甘肃省迭部县东南）等州。李治命左监门军（卫军第十三军）贵族征兵府司令（中郎将）令狐智通（令狐，复姓），征调兴州（陕西省略阳县）、凤州（陕西省凤县）等州民兵抵抗。

闰三月十一日，李治下诏说：因吐蕃王国（首都逻些城〔西藏拉萨市〕）侵略边塞，停止中岳大祭。

闰三月十七日，任命东都总卫戍司令（洛州牧）周王李显，当洮河兵团（甘肃省临潭县）大军元帅（洮州道行军元帅），率国务院工程部长（工部尚书）刘审礼等十二个兵团司令；又任命并州军区（总部设山西省太原市）总司令官（大都督）相王李轮，当凉州兵团（甘肃省武威市）大军元帅（凉州道行军元帅），率左卫（卫军第一军）大将军契苾何力等，讨伐吐蕃王国（首都逻些城〔西藏拉萨市〕），但两位亲王不过只空有虚衔，并没有就职。

9 闰三月二十二日，李治返首都长安。

10 夏季，四月十七日（原文误置于闰三月，据两《唐书》改），任命副立法长（中书侍郎）李义琰，当一级实质宰相（同中书门下三品）。

11 四月二十一日，李治抵达九成宫（陕西省麟游县境）。

12 六月二十七日，任命副监督长（黄门侍郎）晋陵（江苏省常州市）人高智周，当一级实质宰相（同中书门下三品）。

13 秋季，七月二十九日（原文误置于八月，据《新唐书》改），吐蕃王国（首都逻些城〔西藏拉萨市〕）攻击叠州（甘肃省迭部县）。

14 八月七日，李治训令："桂州（广西桂林市）、广州（广东省广州市）、交州（越南河内市）、黔州（重庆市彭水县）等军区总司令部（都督府），对遴选当地人士担任官职这项工作，没有尽责。自今以后，每隔四年，中央都要派五品以上官员，到各州主持遴选，监察官（御史）随同前往，充当助理。”当时称为“南选”（帝国南部边疆的地方官员，不由中央派遣，而由军区总司令物色当地人才并任命，参考六六九年十二月）。

15 九月七日，最高法院院长（大理）弹劾：左威卫（卫军第九军）大将军权善才、左监门军（卫军第十三军）贵族征兵府司令（中郎将）范怀义，误砍昭陵（二任帝李世民墓，陕西省礼泉县北九嵕山）上的柏树，依照法律，应该开除官籍；李治却下令诛杀。最高法院主任秘书（大理丞）太原（山西省太原市）人狄仁杰奏称：“二人不应处死。”李治说：“权善才等砍昭陵（二任帝李世民墓）上的柏树，不杀他们，我就是不孝。”狄仁杰坚持自己的见解，李治脸色大变，命狄仁杰退下。狄仁杰说：“冒犯君王满面怒容，直率的陈述反对意见，自古迄今，都是一件难事。我的看法却不一样：如果遇到的君王像姒履癸（桀帝）、子受辛（纣帝），当然很难；如果遇到的君王像伊祁放勋（尧帝）、姚重华（舜帝），就很容易。现在，法律明文规定，不至于处死，陛下却下令处死，法律已丧失公信力，人民连手脚都没有地方放！张释之曾经说过：‘没有知识的愚民，掘了长陵（西汉王朝一任帝刘邦墓）一捧土，陛下将用什么更重的刑罚惩处？’（参考前一七七年。）现在，因一棵柏树，竟诛杀两位将军，后代对陛下有什么评价？我不敢接受命令的原因，就是恐怕使陛下陷于不仁不义，而且，九泉之下，也没有脸见张释之！”李治的忿怒稍稍平息。最后，把权善才、范怀义开除官籍，流放岭南（南岭以南）。过了几天，李治擢升狄仁杰当监察官（侍御史）。

最初，狄仁杰当并州（山西省太原市）州政府军法官（法曹），同僚郑崇质被派前往绝远地方出差，而郑崇质的娘亲年纪既老，又身弱多病，狄仁杰说："他的娘亲是那个样子，怎么可以使他在万里之外，不忧心忡忡！"遂晋见政务秘书长（长史）蔺仁基，请求代替郑崇质。蔺仁基跟军务秘书长（司马）李孝廉，素不和睦，为这件事互相告诉对方，说："我们岂不惭愧！"遂恢复和好。

16 冬季，十月，李治返回京师（首都长安）。

17 十月三日，举行皇家祖先总祭（祫祭。祫，音xiá〔霞〕），李治采用国立中央大学教授（太学博士）史璨的建议：皇家祖庙大祭（禘祭）后三年，举行皇家祖先总祭（祫祭），皇家祖先总祭（祫祭）后二年，举行皇家祖庙大祭（禘祭）。

18 郇王李素节，是萧淑妃的儿子，机警敏捷，喜爱求学，皇后武曌对他十分厌恶，本来当岐州（陕西省宝鸡市凤翔区）州长，贬作申州（河南省信阳市）州长（此时州分三等：三万户以上为"上州"，二万户以上为"中州"，不满二万户为"下州"。上州州长从三品，中州州长正四品上，下州州长正四品下，相差很大。岐州是上州，申州是中州，所以李素节等于被贬）。六六六年时，李治下令说："素节既然长久患病，以后不必进京（首都长安）朝见。"事实上，李素节根本没有患病。李素节因长期被禁进京（首都长安）朝见，乃作《忠孝论》。王府出纳官（王府仓曹参军）张柬之把这篇文章秘密奏报。武曌看见，更激起她的忿怒，遂诬陷李素节贪赃枉法。

十月十二日，把李素节降封鄱阳王，贬放袁州（江西省宜春市）安置看管。

19 十一月八日，改年号（之前是上元三年，之后是仪凤元年），赦免天下。

20 十一月二十六日，擢升国务院文官部长（吏部尚书）李敬玄为最高立法长（中书令）。

21 十二月二十五日，命副监督长（黄门侍郎）来恒当河南地区（黄河以南）钦差大臣（河南道大使），副立法长（中书侍郎）薛元超当河北地区（黄河以北）钦差大臣（河北道大使），国务院左秘书长（尚书左丞）鄜陵（河南省鄜陵县）人崔知悌、国立贵族大学副校长（国子司业）郑祖玄，当江南地区（长江以南）钦差大臣（江南道大使）；分别前往各地方视察安抚慰问。

1 春季，正月十二日，唐王朝（首都长安〔陕西省西安市〕）皇帝（三任高宗）李治（本年五十岁），主持亲自耕田典礼。

2 最初，刘仁轨率东方远征军从熊津（朝鲜半岛公州市）撤退（参考六六五年八月），留在那里的熊津军区（总部侨设建安城〔辽宁省盖州市〕）民兵司令（熊津都尉）扶余隆，恐惧新罗王国（首都金城〔朝鲜半岛庆州市〕）的逼迫，不敢驻守，不久也返回京师（首都长安）。

二月二十五日，唐政府任命国务院工程部长（工部尚书）高藏（高句骊王国末任〔二十八〕王），当辽东州军区（总部设辽宁省辽阳市）总司令（辽东州都督），封朝鲜王，送他返回辽东（辽宁省辽阳市），招集安抚故高句骊王国的残余部众；被强行迁移到中国各州的高句骊王国遗民，全部让他们随高藏返回故国。唐政府再任命农林部长（司农卿）扶余隆，当熊津军区（总部设建安城〔辽宁省盖州市〕）总司令（熊津都督），封带方王，也命他返回故土，招集安抚故百济王国的遗民。而把安东总督府自辽东故城（参考去年〔六七六〕二月）再迁到新城（辽宁省抚顺市北），统筹指挥。当时，百济王国故土（朝鲜半岛西南部）荒凉残破，人迹稀少，唐政府命扶余隆暂时留在高句骊故土。

高藏抵达辽东（辽宁省辽阳市），暗中跟靺鞨部落（黑龙江下游）结合，阴谋聚众起兵，脱离中国。唐政府发觉，把他召回京师（首都长安），贬放邛州（四川省邛崃市），死在贬所；唐政府再把高句骊遗民强迫迁移河南（黄河以南）、陇右（陇山以西）各州，贫苦无力迁移的，才留在安东（安东总督府所在，辽宁省抚顺市北）城外，依靠城墙居住。

高句骊王国故都平壤（朝鲜半岛平壤市），被新罗王国占领，残余部落分别逃到靺鞨部落（黑龙江下游）及突厥部落（瀚海沙漠南）。扶余隆始终不敢返回故国，高句骊高姓皇族及百济扶余皇族，于是覆亡。

3 三月一日，任命最高立法长（中书令）郝处俊、副监督长（黄门侍郎）高智周，一同当太子宫政务署长（左庶子）；副立法长（中书侍郎）李义琰，当太子宫事务署长（右庶子）。

夏季，四月，太子宫政务署长（左庶子）张大安（唐王朝官制，太子宫政务、事务署长各二人，参考本条，似达三人），被任命当一级实质宰相（同中书门下三品）。张大安，是张公谨的儿子（张公谨事，参考六三二年四月）。

4 李治下诏，因河南（黄河以南）、河北（黄河以北）大旱成灾，特派副总监察官（御史中丞）崔谧等，分别前往灾区慰问，并发放粮食赈济。

监察官（侍御史）宁陵（河南省宁陵县）人刘思立上疏指出：“现在，麦子正在结穗，蚕也将要吐丝，农家十分忙碌。陛下派特使前往各地安抚巡视，官民人等，一定大为兴奋，甚至放下日常工作，希望得到赈济大恩，大家聚集在一起参见，恭迎恭送，将严重妨碍农事。而且，既然办理赈济，势必要列出名册，动用公文，本来要安抚人民，反而造成更大的骚扰。我建议把这项赈济工作，完全交给州县政府办理，等到秋季过后，农家稍闲，再派特使前往考核成绩。”

奏章呈上去后，崔谧等遂中止出发。

5 五月，吐蕃王国（首都逻些城〔西藏拉萨市〕）攻击扶州（四川省九寨沟县南坪镇）临河镇（甘肃省文县境），生擒指挥官（镇将）杜孝升，命杜孝升写信给松州军区（总部设四川省松潘县）总司令（松州都督）武居寂，劝武居寂投降，杜孝升坚决拒绝。

吐蕃军撤退时，抛下杜孝升而去，杜孝升再率残余的部众登城固守。李治下诏加授杜孝升游击将军（武散官十五级，从五品下）。

6 秋季，八月，改封周王李显（李治第七子）为英王，并改名李哲。

7 李治命国务院左最高执行长（左仆射）刘仁轨，出镇洮河军基地（鄯州城内〔青海省海东市乐都区〕）。

冬季，十二月二十七日，李治派出西方远征军，讨伐吐蕃王国（首都逻些城〔西藏拉萨市〕）。

8 李治下诏说：“六五八年颁布的新礼仪（《显庆礼》，参考该年〔六五八〕正月），很多地方没有遵照古人的规定；现在开始，所有礼仪都依照《周礼》实施。”从此，负责礼仪的官员更没有具体的条文可作依据标准，每有大典，都要临时议定。

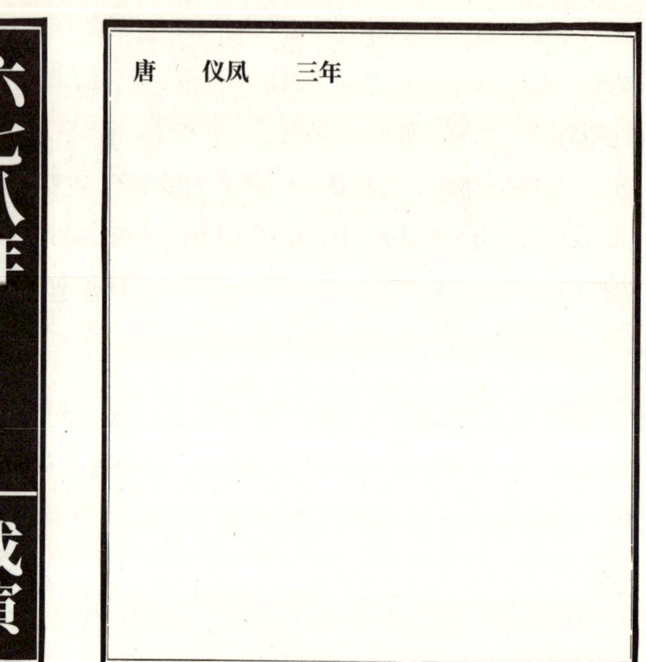

1 春季，正月四日，唐政府（首都长安〔陕西省西安市〕）文武百官及各蛮夷酋长，集合长安宫光顺门，朝见皇后武曌。

2 刘仁轨坐镇洮河兵团基地（鄯州城内〔青海省海东市乐都区〕），每次上疏提出的建议事项，多被最高立法长（中书令）李敬玄搁置，因此对李敬玄深为怨恨。刘仁轨明知道李敬玄不是将帅之才，但为了报复，上疏说：“西部边疆的防御，非李敬玄不可。”李敬玄坚决推辞，唐帝（三任高宗）李治（本年五十一岁）说：“刘仁轨如果让我去，我也要去，你怎么能够不去！”

正月十九日，下诏命李敬玄接替刘仁轨，当洮河兵团总司令官（洮河道大总管）兼安抚特使（安抚大使），仍摄理鄯州军区（总部设青海省海东市乐都区）总司令（都督）。李治又命益州军区（总部设四川省成都市）总部政务秘书长（益州大都督府长史）李孝逸等，征调剑南道（四川省中南部及云南省）、山南道（湖北省、四川省东北部及陕西省南部）军队，前往支援。李孝逸，是李神通的儿子（李神通是一任帝李渊的堂弟，参考六一七年九月十八日）。

正月二十六日，派金吾（卫军第十一、十二军）将军曹怀舜等，分别前往河南（黄河以南）、河北（黄河以北）招募勇士，不管他出身平民或官宦世家。

3 夏季，四月二十二日，李治下诏赦免天下，预定明年（六七九）年号改为通乾。

4 五月七日，李治前往九成宫（陕西省麟游县境）。

五月十一日，山上大雨倾盆，西伯利亚寒流来袭，护驾的禁卫军士卒有的竟被冻死。

5 秋季，七月，西方远征军、洮河兵团总司令官（洮河道大总管）李敬玄，奏称在龙支（青海省海东市乐都区南）击破吐蕃军（西藏）。

6 李治刚登极时，不忍心听《破阵乐》（参考六三三年正月），曾下令停止演奏。

七月七日，祭祀部副部长（太常少卿）韦万石上疏说：“如果长期停止，恐怕荒废残缺，请求今后大宴会时，仍继续演奏。”李治批准。

7 九月七日，李治自九成宫返京师（首都长安）。

8 李治打算动员大军讨伐新罗王国（首都金城〔朝鲜半岛庆州市〕），最高监察长（侍中）张文瓘在家养病，听到消息，乘坐软轿进宫晋见李治，劝阻说：“而今，吐蕃（首都逻些城〔西藏拉萨市〕）入侵，我们正出军讨伐。新罗（首都金城）虽然不够恭顺，但并没有侵犯我们边疆，如果再分出兵力东征，恐怕政府和人民都无法承担它的后果。”李治才停止。

九月九日，张文瓘逝世（年七十三岁）。

9 九月十二日，西方远征军统帅李敬玄，率军十八万人，在青海湖畔，跟吐蕃王国（首都逻些城〔西藏拉萨市〕）大将论钦陵指挥的主力会战，大败，国务院工程部长（工部尚书）、右卫（卫军第二军）大将军、彭城公爵（僖公）刘审礼，被吐蕃军俘虏。当时，刘审礼率前锋部队，深入敌境，扎营濠所（今地不详），受到吐蕃猛烈攻击；李敬玄胆小懦弱，紧守营垒，不敢援救。听到刘审礼被俘，心胆俱裂，立即狼狈撤退，在承风岭（青海省海东市乐都区西南一百五十公里）扎营，挖掘泥沟，企图阻挡追兵，吐蕃军进驻高冈，势如泰山压顶。左领军（卫军第七军）编制外将军黑齿常之，在夜色掩护下，率敢死队五百人，袭击吐蕃军营，吐蕃军惊恐溃乱，将领跋地设率军逃走，李敬玄才集结残兵败将，返回鄯州（青海省海东市乐都区）。

刘审礼的儿子们自己用绳索捆绑，到宫门请愿，要求前去吐蕃王国（首都逻些城〔西藏拉萨市〕）赎回老爹，李治准许次子刘易从到吐蕃探望。刘易从抵达吐蕃，刘审礼已经病死（《旧唐书》载，刘审礼于六八一年病死，此时只是作一完整记录），刘易从日夜悲号，哭声不断，吐蕃人也为之哀伤，把刘审礼尸体交还给他，刘易从赤着双脚，把老爹背回。

李治嘉勉黑齿常之的功劳，擢升他当左武卫（卫军第三军）将军（从三品），担任河源军事基地（青海省西宁市）副司令（河源军副使）。

李敬玄西征时，行政监察官（监察御史，正八品下）原武（河南省原阳县西南原武镇）人娄师德，响应招募勇士的号召，投笔从军；后来大军溃败，李治命娄师德集结失散的残兵败将，重新振作士气，李治遂派他出使吐蕃王国，吐蕃大将论赞婆，亲到赤岭（青海省共和县东）迎接。娄师德传达唐帝国皇帝的旨意，向论赞婆分析祸福利害，论赞婆十分高兴，因此数年之久，不再侵犯唐帝国边疆。李治擢升娄师德当宫廷监察官（殿中侍御史，从七品下），出任河源军事基地（青海省西宁市）军政官（司马），兼垦屯区管理官（知营田事）。

李治对吐蕃王国深感忧虑，举行御前会议，命政府官员全部出席；有的建议跟吐蕃和解，使人民获得安息；有的建议严加戒备防卫，等到政府与民间财力充足时，再出兵讨伐；有的则主张马上出军讨伐。议论纷纷，无法决定，李治赏赐他们酒席后，命他们退出。

国立中央大学学生（太学生）宋城（河南省商丘市）人魏元忠，呈递“亲启密奏”，条陈抵抗吐蕃王国策略，认为：

“治理国家的纲领，在于政治与军事。而今，讨论政治，只注意言辞激昂和文章华丽，从不注意前瞻性的规划；讨论军事，只看到骑马射箭，从看不到战略和谋略；这种情形，对于帝国的治理，有什么裨益！陆机撰写《辨亡论》，不能使他在河桥不被击败（陆机分析东吴帝国灭亡的原因，著《辨亡论》，见解深刻。河桥之败，参考三〇三年十月），养由基一箭射穿七层铠甲，也不能拯救鄢陵（河南省鄢陵县）战场上楚王国大军（《左传》前五七五年：晋国与楚王国在鄢陵会战，楚王国大将养由基、潘党，竖起七层铠甲，一箭射穿，拿给国王〔七任共王〕芈审看，说："大王有这样的两个部将，不必担心战场！"芈审大怒说："你们足会给国家带来羞辱，明天会战，你们就要死在自己的手艺之下。"会战开始，楚王国军大败），这是历史上最明显的例证。

"古人说：'民间没有永远不变的风俗，有时候正常，有时候混乱；军队没有不变的强弱，有些将领智慧，有些将领拙劣。'所以，遴选将领元帅，应考察他的战略和谋略，个人的勇敢，并不太重要。而今，政府遴选将领，大多数专找将门子弟，或殉国烈士的子孙，偏偏这些人都是庸才，怎有能力担当京师（首都长安）以外的责任！李左车（参考前二〇四年十月）、陈汤（参考前三六年）、吕蒙（参考二一〇年十二月）、孟观（参考二九九年正月），他们全都是贫贱家庭出身，却建立奇功，没有听说他们之所以建立奇功是由于他们是将门之后。

"奖赏与惩罚，是国家政治军事上最重要的大事。对有功的人不奖赏，对有罪的人不惩罚，即令是伊祁放勋（尧帝）、姚重华（舜帝）当君王，国家都不能不陷于混乱。民间一致抨击说：'最近所有战役，只有奖赏的空话，没有奖赏的事实。'（参考六六四年十月刘仁轨之疏）只因一些小有才气的官员，眼光短浅，没有见识，只知道珍惜奖赏所用的金钱，唯恐怕国库空虚；却不知道战士在战场上不热心作战，国家的损失将严重到什么程度。平民虽然卑微，不可欺骗！天下哪有高悬虚伪的奖赏承诺，而盼望仍有人去流血流汗建立功勋。

"自从苏定方讨伐辽东（参考六六一年四月）、李世勣（徐世勣）攻破平壤（参考六六八年九月），物质奖赏已经停止，官爵升迁到今天仍没有定案，如此荒谬措施，却没有听到斩一个国务院司长（台郎），杀一个国务院管理员（令史），向有功勋的战士道歉赎罪。大非川（青海湖南）之败，薛仁贵、郭待封等，竟不能用重刑立即处决（参考六七〇年八月），假使当时就把薛仁贵等处决，则其他各将领，怎么敢继续打败仗？我恐怕平定吐蕃的大业，短期内不可能成功。

"武装部队出击，全靠战马。我请求解除民间不可养马的禁令，使人民都可以养马。如果政府动员大军出征，就命州县政府用比市价稍高的价格收购，届时，民间的马，全部成为政府的马。蛮夷依靠马匹的力量，日益强大，我们如果准许民间养马，乃有害蛮夷，有利大唐。"

从前，唐政府禁止民间养马，所以魏元忠特别提及，李治认为他的建议有积极价值，召见魏元忠，命他到立法院（中书省）上班，朝会时随同文武百官入宫朝见。

10 冬季，十月二十三日，徐州（江苏省徐州市）州长、密王（贞王）李元晓（李治的叔父）逝世。

11 闰十一月三十日（原文误置于十一月，据《新唐书》改），副监督长（黄门侍郎）、一级实质宰相（同中书门下三品）来恒逝世。

12 十二月，李治下诏说：明年（六七九）改年号"通乾"（参考本年〔六七八〕四月），因反语读起来不吉祥之故，就此撤销（胡三省注："'通乾'，反语读成'天穷'。"反语，盛行于中世纪，有些人甚至以能作"反语"闻名于世。根据记载，似乎跟英文游戏中的倒过来拼音一样，把中文字母倒转拼音，即是反语。因发音有变，各地发音又有不同，所以古人所有关于反语的故事，多不易解）。

六七九年 己卯

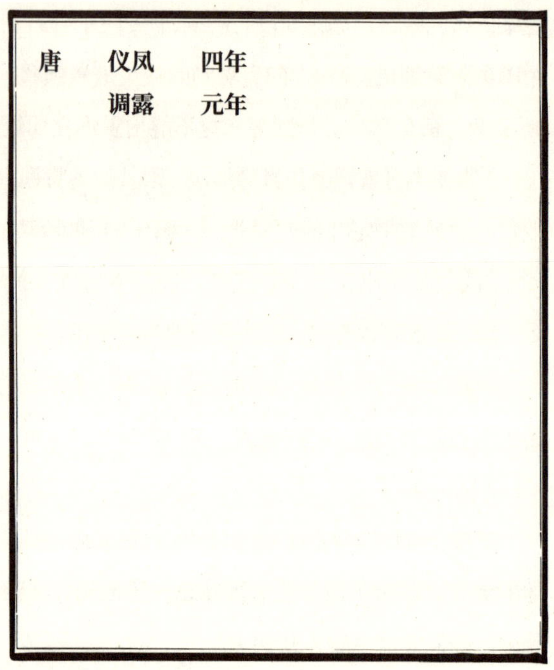
唐　仪凤　四年
　　调露　元年

1 春季，正月二十八日，唐王朝（首都长安〔陕西省西安市〕）皇帝（三任高宗）李治（本年五十二岁），前往东都（洛阳，河南省洛阳市）。

农林部长（司农卿）韦弘机，兴筑宿羽、高山、上阳等宫（三宫都在洛阳），规模雄伟华丽。上阳宫紧邻洛水，仅长廊就达一华里；落成后，李治移入居住。监察官（侍御史）狄仁杰上疏弹劾韦弘机，指控他引导皇帝骄傲奢侈，韦弘机因此被免除官职。国务院左主任秘书（左司郎中）王本立，仗恃受到皇帝宠爱，横行霸道，政府官员都对他畏惧。狄仁杰上疏揭发他作奸犯法的罪行，请求交付司法审理，李治却特别对他原谅。狄仁杰说："帝国虽然缺乏英才，难道会没有王本立这种人！陛下为什么如此爱惜一个罪犯，宁愿破坏法律？陛下一定要扭曲事实赦免王本立，请把我流放到没有人迹的蛮荒，作为忠贞人士的警惕！"王本立因此也被判刑。于是政府一片肃穆。

2 正月二十九日，国务院右最高执行长（右仆射）、太子宾客（正三品）道公爵（恭公）戴至德逝世。

3 二月十一日，吐蕃王国（首都逻些城〔西藏拉萨市〕）国王（三十三任）芒松芒赞逝世，儿子器弩悉弄继位（三十四任），本年八岁。

芒松芒赞逝世时，器弩悉弄同他的舅父麴萨若，正去羊同国（西藏西北部）征调军队。器弩悉弄有个弟弟，本年六岁，正在论钦陵军营；贵族们敬畏论钦陵的强大，打算拥护论钦陵登极，论钦陵坚决拒绝，而与麴萨若共同拥护器弩悉弄。

李治听到吐蕃国王逝世消息，命国务院文官部副部长（吏部侍郎）裴行俭利用机会，进行破坏，裴行俭说："论钦陵主持政府，高级官员十分和睦，无法下手。"这才停止。

4 夏季，四月十二日，擢升郝处俊当最高监察长（侍中）。

5 偃师（河南省洛阳市偃师区）人明崇俨（明，姓），精通画符、念咒，以及其他法术，深受唐帝李治、皇后武曌敬重，擢升他当监督院（门下省）中级顾问官（正谏大夫，正四品下）。

五月三日，明崇俨被强盗刺死，缉拿凶手，竟追捕不到；追赠明崇俨当最高监督长（侍中）。

6 五月七日，李治命太子李贤监督国政。李贤处理政府事务，明确谨慎，官民一致称赞。

7 五月十九日，在渑池（河南省渑池县）西郊兴筑紫桂宫。

8 六月三日，赦免天下，改年号（之前是仪凤四年，之后是调露元年）。

9 当初，西突厥汗国（新疆东北部及中亚东部）十姓可汗（十四任大可汗）阿史那都支，跟另一支派部落酋长李遮匐，与吐蕃王国（首都逻些城〔西藏拉萨市〕）和解，联合侵逼安西（总督府设碎叶城〔中亚托克马克城〕），唐政府打算出军讨伐，国务院文官部副部长（吏部侍郎）裴行俭说："吐蕃向我们攻击，刘审礼兵败人亡，战乱还没有平息，怎么可以再向西北出动大军？而今，波斯王（伊朗高原）卑路斯（参考六七四年十二月）逝世，他的儿子泥洹师（洹，音huán〔还〕），在唐帝国充当人质，最好是派钦差大臣护送他回国登极，途中经过两个蛮夷部落（西突厥及吐蕃），乘机发动，可以不流一滴血，而把他们制服。"李治同意，于是命裴行俭担任使节，封泥洹师当波斯王兼安抚大食帝国（阿拉伯帝国）特使（安抚大食使）。裴行俭推荐肃州（甘肃省酒泉市）州长王方翼当副特使，仍摄理安西总督（设碎叶城〔中亚托克马克城〕）。

10 秋季，七月一日，李治下诏宣布：本年（六七九）冬至，将举行嵩山（中岳，河南省登封市北）大祭（即“中岳封禅”，到嵩山顶添土祭祀天神、嵩山下辟场祭祀地神）。

11 当初，裴行俭曾当过西州军区（总部设高昌〔新疆吐鲁番市东〕）政务秘书长（参考六五五年八月）。现在裴行俭身为钦差大臣，经过西州，西州军区官员都到郊外迎接，裴行俭把西州的英雄豪杰和他们的子弟，有一千余人，集结在自己左右，宣称：天气炎热，不可以上路远行，要等到进入秋季，天气凉爽，再继续西上。阿史那都支得到情报，不再严密戒备。裴行俭不动声色，慢慢的召见四个军区内的洋人部落酋长（四军区：龟兹军区〔新疆库车市〕、毗沙军区〔新疆和田市〕、焉耆军区〔新疆焉耆县〕、疏勒军区〔新疆喀什市〕），对他们说：“从前，我们在西州军区，纵情任性的饮酒打猎，真是人生最大的快乐，而今，打算重温往昔的盛事，有谁还能一块出去奔逐？”洋人子弟争着要求加入，于是集结将近一万人。裴行俭表面上为了打猎，特别加强训练，几天之后，突然加倍速度向西挺进，距阿史那都支御帐十余华里，先派阿史那都支亲信的人，前去问候平安，表面上显示安闲暇逸，好像只是过路客人普通拜访，而不是对叛将讨伐袭击，接着派使节催请阿史那都支，前来大营相见。阿史那都支原来跟李遮匐秘密约定，要到中秋节（八月十五日）才开始拒绝接待唐帝国使节，突然听说唐帝国大军逼近，仓猝之间，不知道怎么反应，只好率领子弟，到大营晋见欢迎，裴行俭遂生擒阿史那都支。又用阿史那都支的令箭（突厥没有文字，所以用首领用的箭作为符信，由执这个符信的人，口述命令），把所属的部落酋长，召集在一起，押送到碎叶城（中亚托克马克城）。然后遴选一支精锐骑兵部队，减轻装备，日夜不停挺进，袭击李遮匐，中途，捕获阿史那都支回国的使节和李遮匐派出陪同前来的使节。裴行俭把李遮匐的使节释放，命他先行回去传话给李遮匐，告诉他阿史那都支已经被俘；李遮匐走投无路，只好归降。裴行俭于是押解阿史那都支、李遮匐，返首都长安（陕西省西安市），而命波斯王泥洹师自行返回他的祖国；把王方翼留在安西（总督府设碎叶城〔中亚托克马克城〕），命他督促修筑碎叶城（中亚托克马克城）。 670

12 冬季，十月，单于大总督府（设内蒙古和林格尔县）所属突厥部落首领阿史德温傅、阿史德奉职（阿史德，三字姓），分别率部众叛变，拥护具有皇家血统的部落酋长阿史那泥熟匐当可汗（东突厥汗国时存时亡，阿史那泥熟匐乃十六任大可汗），二十四个羁縻州州长，全部脱离唐帝国，向阿史那泥熟匐效忠，拥有部众数十万人（东突厥汗国故土设二十四个羁縻州事，参考六五〇年九月）。

唐政府反应强烈，下令藩属事务部长（鸿胪卿）兼单于大总督府政务秘书长（单于大都护府长史）萧嗣业、右领军卫（卫军第八军）将军花大智（花，姓）、右千牛卫（卫军第十六军）将军李景嘉等，率军北征。萧嗣业等起初连战连捷，因而心骄气傲，不再戒备，正巧大雪纷飞，东突厥汗国军乘夜袭击中原军营，萧嗣业放弃军营，狼狈逃走，部众立刻崩溃，秩序大乱，再受东突厥军的追杀，于是大败，北征军死亡之多，无法数清。花大智、李景嘉率领步兵，一面撤退一面作战，勉强回到单于大总督府（设内蒙古和林格尔县）。萧嗣业被判死刑，减一等定罪，流放桂州（广西桂林市）；花大智、李景嘉，都被免除官职。

13 东突厥汗国军攻击定州（河北省定州市），州长、霍王李元轨（李治的叔父）下令大开城门，把旗帜全部收藏；东突厥疑心设有埋伏，心怀恐惧，于半夜撤退。州民李嘉运跟东突厥军勾结，阴谋泄漏，李治命李元轨穷追猛查党羽，李元轨说："强大的敌人还在境内，人心不安，如果大肆逮捕，牵连太多，是逼迫他们非叛变不可。"遂只诛杀李嘉运一人，其他党羽一概不问；上疏弹劾自己违抗诏书。李治阅读奏章，大为高兴，对使节说："上次诏书颁发后，我也后悔，假设不是你家大王，我们就失去了定州（河北省定州市）。"自此以后，中央有什么大事，李治常秘密问李元轨的意见。

十月五日，派左金吾卫（卫军第十一军）将军曹怀舜，进驻井陉（太行八陉之五，河北省石家庄市鹿泉区西）；右武卫（卫军第二军）将军崔献，进驻龙门（山西省河津市），防备东突厥威胁京师（首都长安）。

东突厥汗国煽动奚部落（滦河上游）、契丹部落（辽河上游），侵入营州（辽宁省朝阳市），大肆烧杀抢掠。营州军区（总部设辽宁省朝阳市）总司令（都督）周道务，派户籍官（户曹参军）始平（陕西省兴平市）人唐休璟，率兵把他们击退。

14 十月十三日，李治下诏说，因东突厥汗国叛乱之故，取消嵩山大祭（中岳封禅）。

15 十月十六日，嫁到吐蕃王国（首都逻些城〔西藏拉萨市〕）的文成公主（参考六四一年正月），派高级官员论塞调傍，到唐帝国报告国王（三十三任）芒松芒赞死讯，并请求两国继续结亲和好。李治派卫军贵族征兵府副司令（郎将）宋令文，到吐蕃（首都逻些城）参加芒松芒赞的葬礼。

16 十一月一日，任命太子宫政务署长（太子左庶子）、一级实质宰相（同中书门下三品）高智周，当总监察官（御史大夫），不再兼实质宰相。

17 十一月六日，李治摆设酒席，款待裴行俭，对他说："你文武全才，今天就授给你文武两个官职。"命裴行俭当国务院教育部长（礼部尚书）兼摄理右卫（卫军第二军）大将军（兼检校右卫大将军）。

十一月二十七日，命裴行俭当北方远征军统帅、定襄兵团总司令官（定襄道行军大总管），率军十八万人，会同西面军、摄理丰州军区（总部设内蒙古五原县）总司令程务挺，东面军、幽州军区（总部设北京市）总司令李文暕，共出动三十余万人，向东突厥汗国发动总攻，各军都受裴行俭指挥。程务挺，是程名振的儿子（程名振事，参考六六〇年十二月）。

七世纪八〇年代

六八〇—六八八年

唐王朝

- 裴行俭击灭东突厥。
- 王方翼“热海之战”。
- 唐高宗李治逝世。
- 武曌临朝。
- 李敬业起兵失败。

- 东罗马皇帝君士坦丁四世逝世，子查士丁尼二世继位。

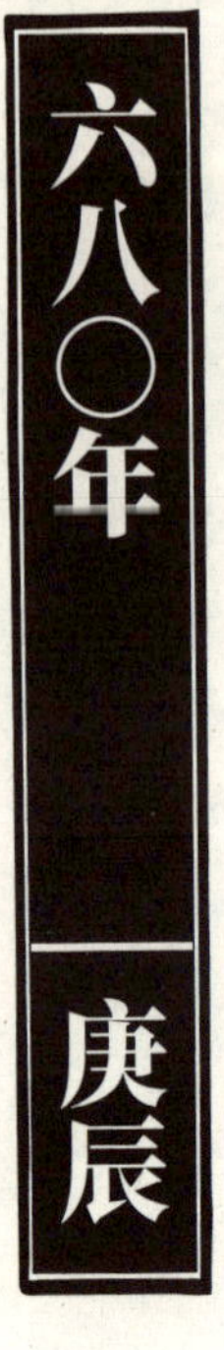

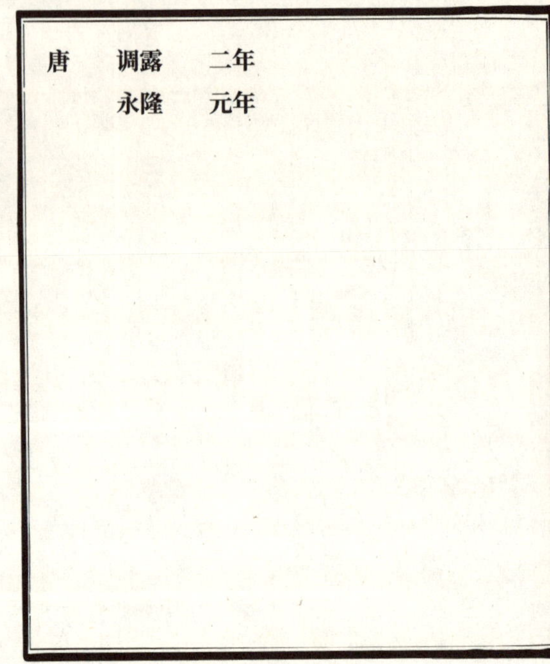

1 春季，二月八日，唐王朝（首都长安〔陕西省西安市〕）皇帝（三任高宗）李治（本年五十三岁）前往汝州（河南省汝州市）温泉。

二月十三日，前往嵩山（中岳，河南省登封市北）隐士、三原（陕西省三原县东北）人田游岩住所。

二月十四日，前往道士、宗城（河北省威县东）人潘师正住所，李治及皇后武曌、太子李贤，都向潘师正叩头。

二月二十日，返东都（洛阳，河南省洛阳市）。

2 三月，北方远征军统帅裴行俭，在黑山（内蒙古包头市西北）大破东突厥汗国军，生擒酋长阿史德奉职；大可汗（十六任）阿史那泥熟匐，被部下诛杀，提着他的人头向北征军投降（东突厥汗国再度昙花一现）。

最初，裴行俭前进到朔川（山西省朔州市境），对部属说："带兵作战的关键是：对自己将士，一定出自真诚，但对敌人，一定要用诈欺手段。前些时萧嗣业的粮秣被突厥抢去，士卒挨饿受冻，所以失败。现在，突厥必定再使用这个方法，我们不妨将计就计。"于是集结粮车三百辆，每辆车中埋伏勇士五人，各拿长柄大刀、强力弓箭，命老弱残兵数百人押运，而把精锐部队埋伏险要之处等待。东突厥军果然出现，老弱残兵抛弃粮车，四散逃命。东突厥军把粮车赶到有水草的地方，解下马鞍，让马饮水吃草，一面准备卸下粮食；车中勇士适时跳出，凶猛攻击，东突厥军大为惊骇，纷纷逃走，又被伏兵迎头痛击，死亡、俘虏，几乎全军覆没。从此，粮食运输，来往自如，东突厥军再不敢靠近。

北征军前进到单于总督府（设内蒙古和林格尔县）之北，天已黄昏，安营扎寨，四周护营壕沟已经挖好，裴行俭忽然下令迁向高冈，各将领一致抗议说：士卒已经安定，不应移动。裴行俭坚持，并下令立刻开拔。当天夜晚，暴风雨突然来袭，原先的营地积水深达一丈有余，各将领惊骇敬佩，询问裴行俭怎么看出这种危险，裴行俭笑说："从今天起，你们只须听我的命令，不必问我怎么知道。"

阿史德奉职被擒获后，残余部众撤退到狼山（阴山）固守。李治派国务院财政部长（户部尚书）崔知悌，乘驿马车前往定襄（单于总督府所

七世纪·六七九年十一月至六八〇年三月

裴行俭平定东突厥叛乱

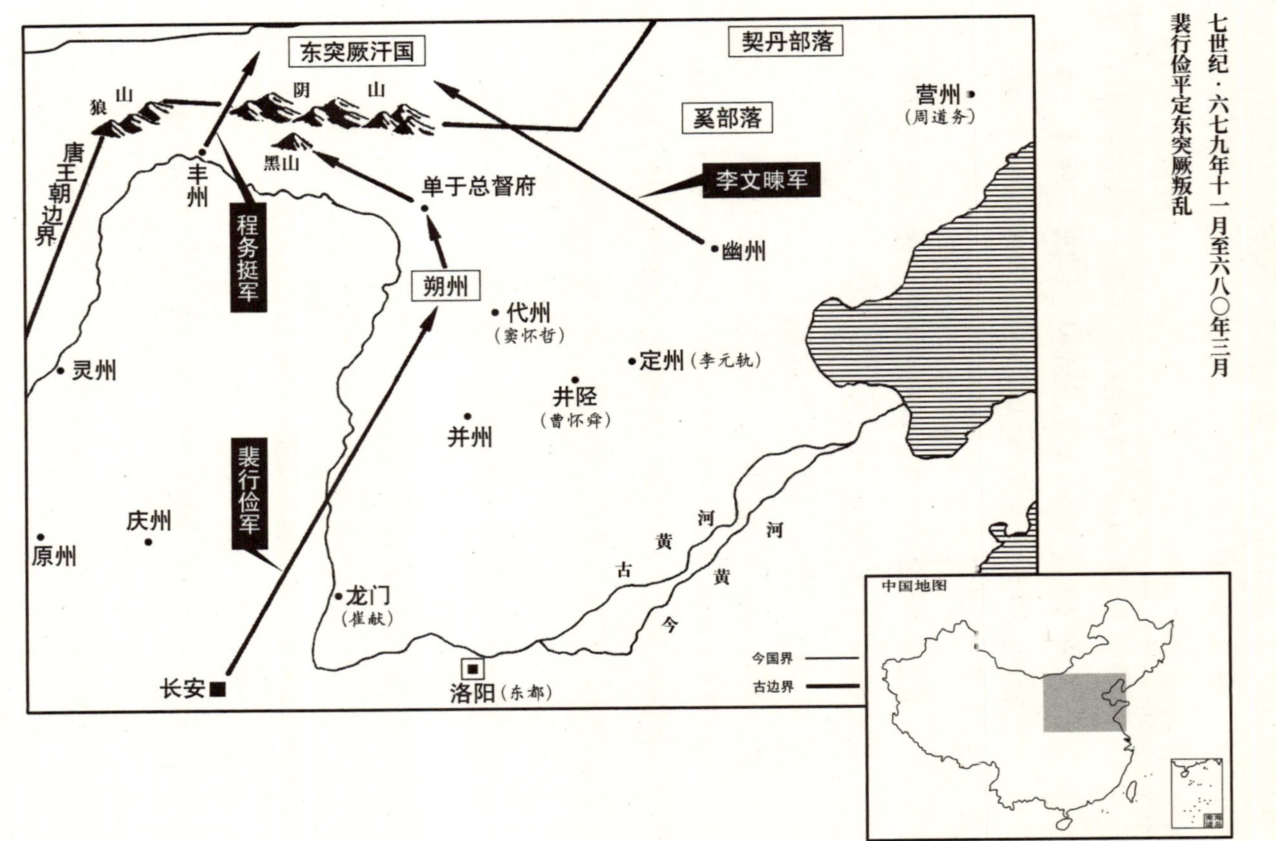

在县，内蒙古和林格尔县）慰劳将士，并处理善后事宜。裴行俭先行班师。

3 夏季，四月二十一日，李治前往紫桂宫（河南省渑池县境）。

4 四月二十四日，副监督长（黄门侍郎）闻喜（山西省闻喜县）人裴炎、崔知温，副立法长（中书侍郎）京兆（首都长安）人王德真，一同当一级实质宰相（同中书门下三品）。崔知温，是崔知悌的老弟（崔知悌，参考六七六年十二月）。

5 秋季，七月，吐蕃王国（首都逻些城〔西藏拉萨市〕）攻击河源基地（青海省西宁市），左武卫（卫军第三军）将军黑齿常之把他们击退。李治擢升黑齿常之当河源（青海省西宁市）方面军总指挥官（河源军经略大使）。黑齿常之因河源基地（青海省西宁市）位据要冲，打算扩充边防部队，鉴于道途艰险，路程又远，于是设立烽火前哨站七十余所，开垦荒田五千余顷，每年收获五百余万石，从此，无论出击或防守，粮秣及军用物资，都准备十分充足。

最初，剑南道（四川省中南部及云南省）派人到茂州（四川省茂县）招募士兵，在西南方兴筑安戎城（四川省理县西），切断吐蕃王国（首都逻些城〔西藏拉萨市〕）跟唐帝国西南边疆蛮夷部落的交通。吐蕃利用生羌部落（没有汉化的羌人）当向导，攻陷安戎城（四川省理县西），派军据守，于是西洱（云南省大理市东洱海）地区各唐帝国部落，都归降吐蕃，吐蕃王国遂完全控制羊同（西藏西北部）、党项（四川省西北部）及各羌族部落；东方跟凉州（甘肃省武威市）、松州（四川省松潘县）、茂州（四川省茂县）、嶲州（四川省西昌市）等州接壤；南方跟天竺（印度）接壤；西方攻陷龟兹（新疆库车市）、疏勒（新疆喀什市）等四个军区（参考六七〇年四月）；北方直抵西突

七世纪·六八〇年七月　吐蕃王国疆域

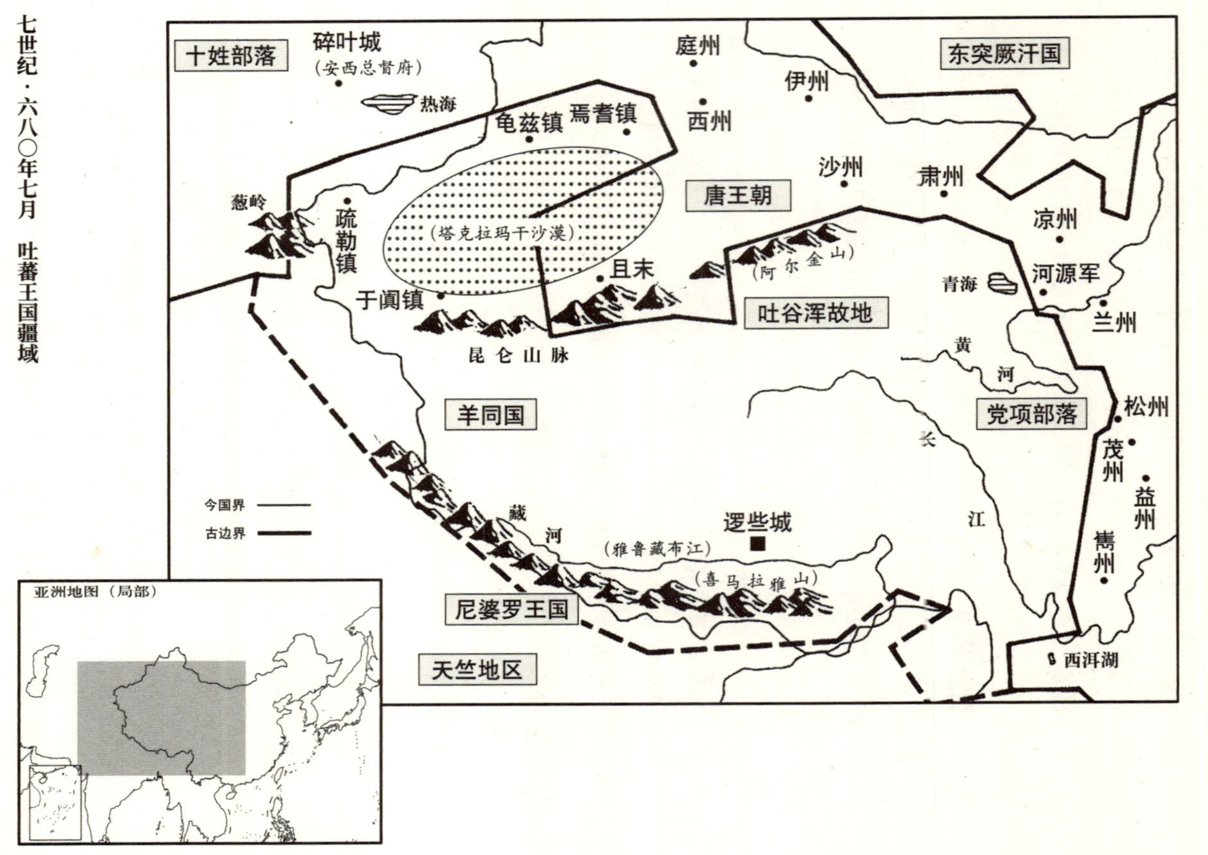

厥汗国边界（西突厥与吐蕃以天山山脉西段为界），土地面积有一万余方华里，在所有洋人建立的国家中，最为强盛，没有一国能跟它相比。

6 七月二十四日，郑州（河南省郑州市）州长、江王李元祥（李治的叔父）逝世。

7 东突厥汗国残余部众包围云州（山西省大同市），代州军区（总部设山西省代县）总司令（都督）窦怀哲、右领军（卫军第八军）贵族征兵府司令（中郎将）程务挺，率军把他们击破。

8 八月五日，李治返东都（洛阳）。

9 最高立法长（中书令）、摄理鄯州军区（总部设青海省海东市乐都区）总司令（都督）李敬玄，被吐蕃王国击败后（参考前年〔六七八〕九月），不断上疏强调自己患病，请求调还，李治批准。李敬玄既回京师（首都长安），不但没有病，反而精神焕发，马上就去立法院（中书）办公；李治大怒。

八月十五日，把他贬出当衡州（湖南省衡阳市）州长。

10 皇太子李贤听到宫中秘密议论，认为他不是皇后武曌所生，而是武曌的姐姐韩国夫人所生，心里惊疑恐惧。法术师明崇俨，以化解灾难的能力，深得武曌信任，时常暗中警告武曌说："太子（李贤）承担不了大业，英王（李哲〔李显〕）面貌很像太宗（二任帝李世民）。"又强调说："相王（李轮〔李旭轮〕）相貌最是尊贵。"武曌曾命"北门学士"（武曌御用的文化人摇尾分子，参考六七五年三月）撰写《少阳正范》

《孝子传》，赐给李贤（“少阳”，指太子宫），武曌又不断写信讽刺责备李 680
贤，李贤心情更不能安定。

等到明崇俨被暗杀（参考去年〔六七九〕五月），一直搜捕不到凶手，武曌疑心是李贤干的事。李贤非常喜爱音乐及女色，跟家奴赵道生等亲近，不拘形迹，赏赐给他们很多金银绸缎，太子宫管理官（司议郎）韦承庆上书规劝，李贤拒不接受。武曌得到消息，命人向李治正式检举这件事。李治派薛元超、副监督长（黄门侍郎）裴炎，会同总监察官（御史大夫）高智周等，联合调查，在太子宫马厩中搜出黑色铠甲数百件，遂认为就是企图叛变的证物；赵道生又招认奉太子（李贤）之命，刺死明崇俨。

李治一向喜爱李贤这个儿子，一直拖延不做决定，打算原谅，武曌不肯，说：“儿子谋杀老爹，天地不容，大义灭亲，怎么可以赦免！”

八月二十二日，李治下诏剥夺李贤太子身份，贬作平民，派右监门（卫军第十四军）贵族征兵府司令（中郎将）令狐智通等，把李贤由东都（洛阳）押送京师（首都长安），囚禁在一个特别地方；同案党羽全部诛杀，并且在洛阳天津桥（洛水桥）南端，公开焚烧被查获的黑色铠甲，用以向人民显示：叛变可是真的。韦承庆，是韦思谦的儿子（韦思谦弹劾褚遂良强买土地，参考六五〇年十月）。

八月二十三日，李治封左卫（卫军第一军）大将军、京畿总卫戍司令（雍州牧）英王李哲（李治第七子，原名李显）当皇太子，改年号（之前是调露二年，之后是永隆元年），赦免天下。

太子宫图书馆长（太子洗马）刘讷言，时常撰写一些幽默故事——称《俳谐集》，呈献李贤，李贤被罢黜后，在太子宫把它搜出来，李治大怒说：“用《六经》教导人，还恐怕教导不好，刘讷言竟呈献这些不入流的邪说，岂是命他辅佐太子的本意！”把刘讷言流放振州（海南省三亚市西崖州区）。

左卫（卫军第一军）将军高真行的儿子高政，在太子宫当饮食局主任秘书（典膳丞，正八品上），牵连到李贤谋反案之中，李治把高政交给他老爹高真行，命高真行自行责罚。高政一进家门，高真行首先用佩刀刺中他的喉管，高真行的老哥、国务院财政部副部长（户部侍郎）高审行，又把佩刀刺入他的腹部，肝肠流出，高政哀号，他的侄儿高璇再用佩刀砍下他的人头，然后把尸首抛到路上。李治得到报告，大不高兴，贬逐高真行当睦州（浙江省淳安县）州长，高审行当渝州（重庆市）州长。高真行，是高士廉的儿子（高士廉是李治的娘亲长孙皇后的舅父，参考六四七年正月）。

高真行这个家，可谓一窝畜牲。

太子宫政务署长（左庶子）、一级实质宰相（同中书门下三品）张大安，被控谄媚太子李贤，逐出当普州（四川省安岳县）州长。太子宫其他官员，李治一律赦免，官复原位，太子宫政务署长（左庶子）薛元超等，都三跪九叩谢恩，只有太子宫事务署长（右庶子）李义琰，引咎自责，哭泣流涕，舆论对他至为赞扬。

11 九月十三日，命副立法长（中书侍郎）、一级实质宰相（同中书门下三品）王德真，当相王府（李旦）政务秘书长（长史）；解除实质宰相职务。

12 冬季，十月一日，苏州（江苏省苏州市）州长、曹王李明（李治的老弟），沂州（山东省临沂市）州长、嗣蒋王李炜（音wěi〔伟〕。李炜是李治的侄儿），被控是故太子李贤的党羽（李炜的老爹“一世蒋王”李恽自杀事，参考六七四年十二月）。李治贬李明当零陵郡王，押送黔州（重庆市彭水县）看管；开除李炜官籍，押送道州（湖南省道县）看管。

13 十月五日，文成公主在吐蕃王国（首都逻些城〔西藏拉萨市〕）逝世（文成公主于六四一年出嫁吐蕃〔参考该年正月〕，当时十八岁的话，本年应五十七岁）。

14 十月八日，李治返首都长安。

15 十一月一日，日蚀。

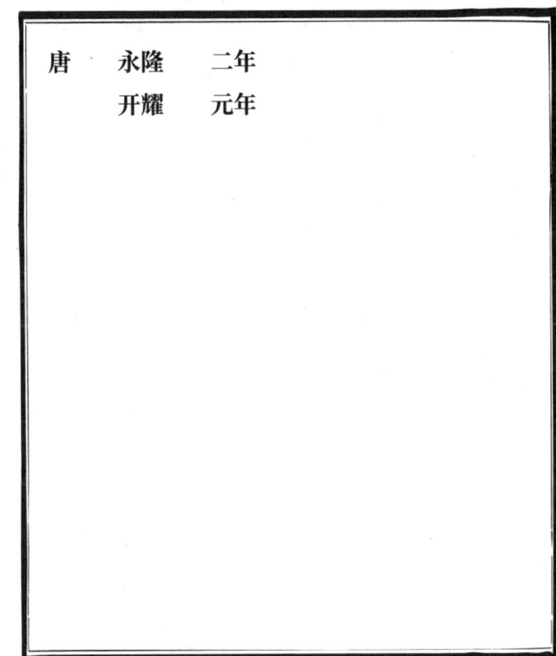

1 春季，正月，东突厥汗国残余部落，攻击原州（宁夏固原市）、庆州（甘肃省庆阳市）等州。

正月五日，唐王朝政府（首都长安〔陕西省西安市〕）派右卫（卫军第二军）将军李知十等，驻军泾州（甘肃省泾川县）、庆州（甘肃省庆阳市），严加防御。

2 正月十日，唐帝（三任高宗）李治（本年五十四岁）及皇后武曌，为了庆祝新封太子（封李哲当太子，参考去年〔六八〇〕八月），在首都长安宫宣政殿摆设酒席，款待文武百官和命妇（受过封号的妇女），命九部乐队及特技演员，从宣政门进入。祭祀部礼仪官（太常博士）袁利贞上疏，认为：“皇上的寝殿（宣政殿在正殿含元殿之后）不是命妇（受过封号的妇女）宴会的地方，寝殿正门更不是戏子应走的道路，请在其他殿堂宴请命妇（受过封号的妇女），九部乐队应自东西侧门进入，并请取消特技杂耍献艺。”李治遂命把宴请命妇的筵席摆到麟德殿。宴会的当天，赏赐给袁利贞绸缎一百段。袁利贞，是袁昂的曾孙。

袁利贞的族孙袁谊，当苏州（江苏省苏州市）州长，认为自从他的祖先——南宋帝国全国武装部队总司令（太尉）袁淑以下，代代尽忠君王（袁淑死难，参考四五二年二月；袁顗死难，参考四六六年八月；袁粲维护南宋帝国政权而被诛杀，参考四七七年十二月；袁昂守城不降，参考五〇一年十二月；袁宪最后陪伴陈叔宝，参考五八九年正月），而琅邪（山东省诸城市）王家，虽然累世烜赫，历代都居宰相辅佐高位，却不足以跟袁家相比（王导首先辅佐晋帝国〔参考三〇七年九月〕，可是子孙中，王弘帮助刘裕篡夺晋帝国政权，参考四一六年十一月；王俭帮助萧道成篡夺南宋帝国政权，参考四七八年九月；王亮帮助萧衍篡夺南齐帝国政权，参考五〇二年四月；王克帮助侯景篡夺南梁帝国政权，参考五五二年三月），袁谊曾经说：“名门世家之所以尊贵，主要的是世代忠贞，有才能的人和有品德的人，接连出现。他们那种把婚姻当作商品，换取金银财宝，和高官厚禄的人，有什么可尊贵的！”世人肯定他的见解。

柏杨曰

袁谊揭开了乌衣巷王姓家族身上的膏药，教人瞧瞧所谓名门世家膏药下面的烂疮——靠出卖儿女的婚姻敛财，对名门世家，是一项严正的评估。可是，袁谊所称袁家祖先全都有才能和有品德，却与事实不符，袁淑对刘劭（南宋帝国四任帝）之准备弑父，依违之间，刘劭大不耐烦，才把他诛杀；袁顗更是临阵脱逃，千古蒙羞；袁昂虽最初拒不投降，但最后仍是投降；袁宪也不过在陈帝国亡国时，陪陈叔宝坐了一会台子而已，贪婪的政客只看到对方的烂疮，就奋不顾身急急吼叫，却看不到自己身上也有同样更大的烂疮。

3 北方远征军统帅裴行俭班师后（参考去年〔六八〇〕三月），东突厥汗国部落酋长阿史那伏念（颉利可汗〔十三任大可汗〕阿史那咄苾的堂侄）自称大可汗（十七任），跟阿史德温傅（参考前年〔六七九〕十月）联合，继续侵犯唐王朝边疆。

正月二十三日，唐政府命裴行俭当定襄兵团总司令官（定襄道大总管）；命右武卫（卫军第四军）将军曹怀舜、幽州军区（总部设北京市）总司令（都督）李文暕，作他的副总司令官，率军北伐。

4 二月，皇后武曌上疏，请求赦免杞王李上金（参考六七五年七月）、鄱阳王李素节（参考六七六年十二月）的罪行；李治遂再任命李上金当沔州（湖北省武汉市汉水南岸）州长，李素节当岳州（湖南省岳阳市）州长。但仍不准到京师（首都长安）朝见。

5 三月二十二日，命国务院左最高执行长（左仆射）刘仁轨兼太子少傅（太子三少之二），仍任一级实质宰相（同中书门下三品）；命最高监督长（侍中）郝处俊当太子少保（太子三少之三），免除宰相职务。

宫廷供应署总监（少府监）裴匪舒，喜爱精打细算，上疏请把御花园中的马粪出售，每年可收入钱币二十万串。李治问刘仁轨的意见，刘仁轨说："这诚是一笔巨款，只是恐怕后人称唐王朝皇家贩卖马粪，不是美好名声。"李治遂命停止。裴匪舒又给李治兴建镜殿，落成后，李治带刘仁轨一同参观，刘仁轨惊慌的退出殿外，李治问他怎么回事，刘仁轨回答："天上没有两个太阳，人民没有两个君王（《孟子》："天无二日，士无二王！"），刚才我发现四周有很多皇帝，没有比这个更不祥的事。"李治下令拆除所有铜镜。

6 北方远征军副统帅曹怀舜，跟部将窦义昭，率前锋部队向东突厥汗国攻击，有人告诉他：“阿史那伏念与阿史德温傅，逗留黑沙（阴山北），左右侍从不到二十个骑兵，可以放心前往捕获。”曹怀舜等深信不疑，把老弱官兵留在瓠芦泊（桑干河支流壶流河，流经河北省蔚县北），亲率精锐轻装骑兵，加速前进，抵达黑沙（阴山北），却什么都看不到，而曹怀舜等已人困马乏，只好撤退。

正巧，乙失延陀部落（住祁连州〔山西省大同市北〕，参考六五二年六月）打算西上晋见阿史那伏念，碰上曹怀舜军，遂向曹怀舜投降，曹怀舜等慢慢行军，到了长城北，遇见阿史德温傅，发生小小会战，各自离开。曹怀舜进到横水（流经山西省大同市西北），和阿史那伏念军遭遇，曹怀舜、窦义昭和另一位副总司令官李文暕，以及部将刘敬同，四路兵马集合，结成方阵，一面战斗，一面撤退，跋涉一天，阿史那伏念利用顺风攻击，远征军惊恐混乱，曹怀舜等抛弃部队，自行逃走，军无主帅，霎时溃败，被杀的士卒不计其数。曹怀舜等收拾残兵败将，搜刮金银绸缎，呈献阿史那伏念，请求和解，并宰牛盟誓。阿史那伏念遂向北而去，曹怀舜等才得回国。

夏季，五月十八日，李治赦免曹怀舜的死刑，流放岭南（南岭以南）。

7 五月二十一日，河源方面军总指挥官（河源道经略大使）黑齿常之（参考去年〔六八〇〕七月），率军在良非川（地望应在青海湖南）攻击吐蕃王国（首都逻些城〔西藏拉萨市〕）大将论赞婆，大破吐蕃军，俘获粮食牲口，班师。

黑齿常之在边防军七年，吐蕃对他十分畏惧，不敢入侵。

8 最初，皇后武曌的娘亲、太原王妃杨女士逝世（参考六七〇年九月），武曌请求李治同意，命太平公主（武曌的独生女）当女道士，为杨女士在幽冥中积福。后来，吐蕃王国（首都逻些城）请求和亲，指名要太平公主下嫁，李治遂给太平公主兴筑一座道观，名太平观，命太平公主当住持，用来向吐蕃拒婚。现在，终于选定宫廷膳食部长（光禄卿）汾阴（山西省万荣县西南荣河镇）人薛曜的儿子薛绍，当太平公主的夫婿。薛绍的娘亲，是二任帝（太宗）李世民的女儿城阳公主（城阳公主先嫁杜荷〔参考六四三年三月〕，杜荷诛死，再嫁薛曜）。

秋季，七月，太平公主举行结婚大典，出嫁薛绍，从皇宫兴安门南，直到薛家所住的宣阳坊西，火炬一个接一个，密密相连，路两旁的槐树，很多都被烤死。薛绍的老哥薛顗，因太平公主所受的宠爱太深，权力太大，深怀忧虑，向本族祖父级长辈、国务院财政部会计司长（户部郎中）薛克构，请教如何因应，薛克构说："皇上的外甥，娶皇上的女儿，本很平常，只要立身处事能恭敬谨慎，又有什么关系！俗话说：'娶妻娶到公主，动不动就会麻烦官府。'不得不感到恐惧。"

武曌认为薛顗的正妻萧女士及薛顗的老弟薛绪的正妻成女士，都不是贵族出身，打算下令把她们逐出家门，说："怎么可以让我的女儿跟庄稼汉的女儿当妯娌！"有人说："萧女士，是萧瑀的侄孙女，也是皇家的老亲戚（萧瑀的儿子萧锐，娶二任帝李世民的女儿襄城公主，参考六四八年六月）。"武曌才停止。

9 夏州（陕西省靖边县北白城则村）牧马总管（群牧使）安元寿奏报说："自从前年（六七九）九月迄今，丧失战马一十八万余匹，负责牧马的官员士卒，被蛮虏部落杀戮俘虏的八百余人。"

10 薛延陀汗国故地（蒙古国西南部）达浑军区所属五州（羁縻州）

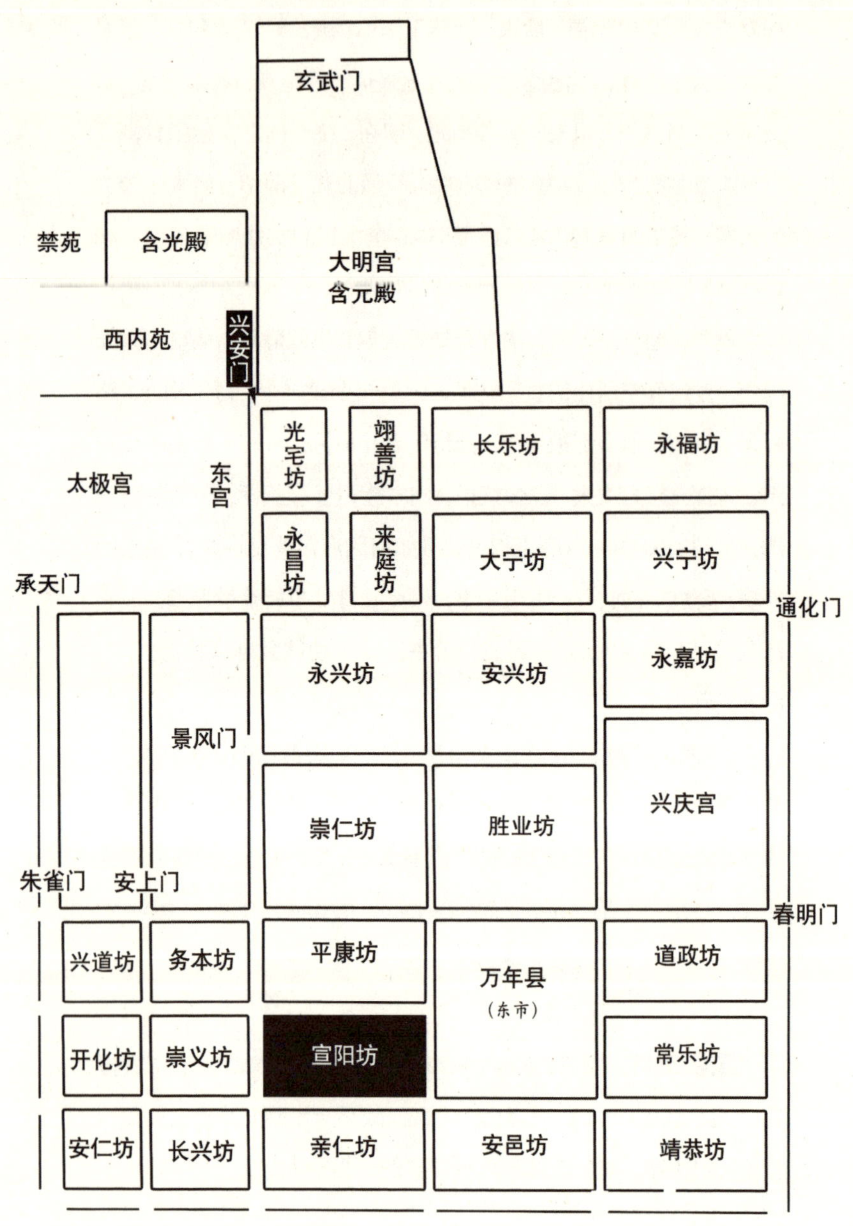

七世纪·六八一年　太平公主出嫁

四万余篷帐，向唐政府归降。

11 七月二十七日，国务院左最高执行长（左仆射）兼太子少傅（太子三少之二）、一级实质宰相（同中书门下三品）刘仁轨，坚决请求解除国务院左最高执行长（左仆射）职务，李治准许。

12 闰七月十一日，擢升副监督长（黄门侍郎）裴炎当最高监督长（侍中），另擢升副监督长（黄门侍郎）崔知温、太子宫政务署长（左庶子）薛元超，一起暂任最高立法长（守中书令）。

13 李治征召隐士田游岩当太子宫图书馆长（太子洗马），田游岩到职以后，并没有任何规劝建议，太子宫右翼侍卫军副司令（右卫副率）蒋俨，写信责备他说："你身有巢父、许由般的节操（巢父、许由，参考一一年注），又有傲然立于伊祁放勋（尧帝）和姚重华（舜帝）圣主之世的才能，声誉传播全国，名望震动海内。君王委屈他至高的尊严，赐给你三顾茅庐的荣耀（李治亲访田游岩事，参考去年〔六八〇〕二月），把你当作商山客人一样的敬重（"商山四皓"，参考前一九六年七月），不把你当作普通臣属，就是为了请你辅佐太子，使太子能受到芝兰芳香的熏陶。皇太子（李哲〔李显〕）正是盛年（本年李哲二十六岁），圣德规范，还没有完全建立，像我这样没有才干的人，都会当面提出反对意见，你受到皇上交付的是保护太子的责任，正是应该发言的时候。可是你自到职以来，唯唯诺诺，没有讲一句规劝的话，晕晕乎乎的过了一年。假如你根本拒绝这项俸禄，我怎敢要求你？而你接受这项足可奉养娘亲的俸禄，不知将用什么回报？我无法想通，谨写出我的困惑。"

田游岩竟不能答复。

14 闰七月二十四日，李治因服用长生不死药，命太子李哲（李显）监理帝国。

15 北征军裴行俭，驻军代州（山西省代县）陉口（代县西北句注山口），派出大量间谍，渗透东突厥汗国，于是阿史那伏念跟阿史德温傅，开始互相猜疑。阿史那伏念把妻子儿女及军用物资留在金牙山（王庭〔汗国大可汗御帐所在地〕），率轻装备骑兵袭击曹怀舜。裴行俭派部将何迦密从通漠道（山西省大同市南）、右领军（卫军第八军）贵族征兵府司令（中郎将）程务挺从石地道（大同市北）分别袭击，攻陷金牙山（王庭），把阿史那伏念的妻子儿女及军用物资，全部俘虏而去，阿史那伏念跟曹怀舜和解盟誓后，回军（以上乃追述本年〔六八一〕四月事），等抵达金牙山（王庭），发现妻子儿女以及军用物资已经失踪，而士卒又很多染上瘟疫，只好向北继续撤退，进入沙漠地带，裴行俭又派副总司令（副总管）刘敬同、程务挺等，率单于总督府（设内蒙古和林格尔县）直属部队尾追。阿史那伏念请求生擒阿史德温傅，立功赎罪；但又犹豫不决，不早下手，同时认为道路遥远，唐王朝远征军决不可能抵达，因此不再戒备。

刘敬同等军突然在营前出现，阿史那伏念大为狼狈，无法集结部众，遂生擒盟友阿史德温傅，从小路投奔裴行俭归降。远征军斥候骑兵报告裴行俭说：尘土滚滚，遮蔽天日，直扑大营，将士全都震恐，裴行俭说：“一定是阿史那伏念生擒阿史德温傅，前来投降，不应是别的盗匪！然而，接受投降如同接受挑战，不可以不严加戒备。”下令全军进入战斗状态，而只派一个人充当使节，迎上去慰劳。稍停一会，阿史那伏念果然率所有酋长，捆绑阿史德温傅，到达大营军门，请求处罚。

裴行俭肃清东突厥汗国的残余部众，押解阿史那伏念、阿史德温傅，班师回京（首都长安）。

九月二十七日（原文误置于十月，据《新唐书》改），裴行俭等呈献定襄（单于总督府所在，内蒙古和林格尔县）战役生擒的俘虏。

九月三十日，唐政府更改年号（之前是永隆二年，之后是开耀元年）。

16 冬季，十月一日，日蚀。

同日（十月一日），在首都长安市场，斩阿史那伏念，及阿史德温傅等五十四人。

最初，裴行俭承诺宽恕阿史那伏念的罪行，阿史那伏念才投降唐王朝。可是最高监督长（侍中）裴炎，嫉妒裴行俭的功劳，上疏说："阿史那伏念受远征军副将张虔勖、程务挺的紧逼，又受回纥部落（蒙古国西南部）等从沙漠南下压迫，走投无路才降。"李治遂斩阿史那伏念。裴行俭叹息说："王浑、王濬争功（参考二八〇年五月），从古到今，都认为可耻。但是，诛杀归降的人，以后就没有人敢再归降。"遂声称有病，不再走出家门。

17 十月二十二日，新罗王国（首都金城〔朝鲜半岛庆州市〕）国王（三十任文武王）金法敏逝世；李治派使节封他的儿子金政明继承王位（三十一任神文王）。

18 十一月八日，把故太子李贤押解到巴州（四川省巴中市）安置看管。

六八二年 壬午

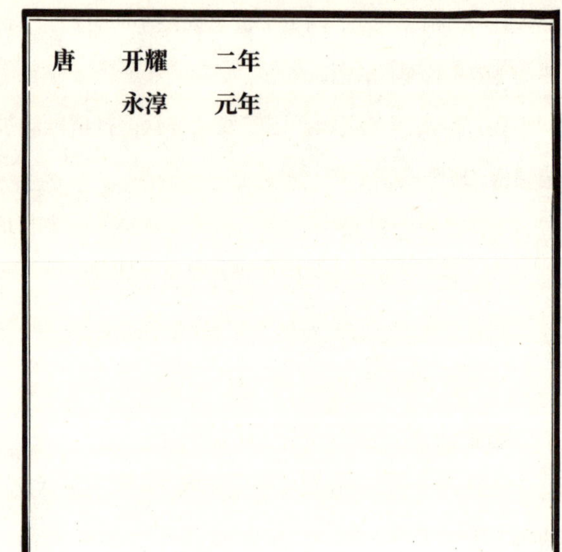
唐　开耀　二年
　　永淳　元年

1 春季，二月，唐政府（首都长安〔陕西省西安市〕）在蓝田（陕西省蓝田县）兴筑万泉宫。

2 二月十九日，改年号（之前是开耀二年，之后是永淳元年），赦免天下。

3 三月二十五日（原文误置于二月，据《新唐书》改），唐帝（三任高宗）

李治（本年五十五岁）封皇孙李重照（太子李哲的儿子）当皇太孙。李治打算命皇太孙也设总部，任用官属，询问国务院文官部考选司长（吏部郎中）王方庆，王方庆说："晋王朝及南齐帝国都封过皇太孙（晋王朝二任帝司马衷封太孙司马臧、司马尚，参考三〇〇年五月、三〇一年五月；南齐帝国二任帝萧赜封太孙萧昭业，参考四九三年四月），太子的官属自动成为太孙的官属，但从没有听说皇太子健在而又封皇太孙的。"李治说："由我开创先例，可不可以？"王方庆说："三代帝王（夏商周）不沿用上代礼仪，开创先例，为什么不可以！"遂上疏请求为皇太孙设置"太孙太师""太孙太傅"等官，然而，不久，李治怀疑不合古义，并没有命人担任。王方庆，是王裒的曾孙（南梁帝国江陵陷落，王裒被裹挟北上，参考五五四年十二月），原名王綝，以别名王方庆通行于世。

4 西突厥（新疆东北部及中亚东部）残余部落酋长阿史那车薄，率十姓部落叛离唐帝国。

5 夏季，四月一日，日蚀。

6 李治因关中（陕西省中部）饥馑，粟米每斗卖三百钱，打算前往东都（洛阳）。

四月三日，李治从京师（首都长安）出发，留下太子李哲（李显）监督国政，命刘仁轨、裴炎、薛元超当他的辅佐。当时仓猝上路，护驾的禁卫军士卒，有的竟在中途饿死（唐王朝征兵制度，士卒自带粮饷，可能是准备不及之故）。李治担心沿途盗匪充斥，命行政监察官（监察御史）魏元忠，负责巡察皇家车辆前后。魏元忠受命，立即到赤县监狱（首都长安城分两县，西城是长安县，东城是万年县；称"赤县"或"京县"），检阅囚犯，发现一个强盗，神色言谈，跟一般囚犯不同，于是命脱除他的脚镣手铐，穿上整齐衣帽，跟自己一起乘坐政府驿马车，同吃同宿，请求协助防御盗匪；那人一笑承诺。等到抵达东都，文武官员及武装部队士卒人马数万人，没有失窃一文钱。

7 四月八日，唐政府派遣西方远征军，命国务院教育部长（礼部尚书）闻喜公爵（宪公）裴行俭，当金牙兵团总司令官（金牙道行军大总管），率右金吾（卫军第十二军）将军阎怀旦等三个兵团司令官，分军三路，讨伐西突厥汗国。大军还没有出发，裴行俭逝世（年六十四岁）。

裴行俭有发掘人才的智慧，最初，当国务院文官部副部长（吏部侍郎，参考六六九年十二月），前进士王剧、咸阳（陕西省咸阳市）县政府防卫员（县尉）栾城（河北省石家庄市栾城区）人苏味道，都还不被世人所知，裴行俭有一次看到他们，就告诉说："二位将来会先后负责全国官员的升迁调补工作，我的儿子还小，托付给二位！"当时，王剧的老弟王勃与华阴（陕西省华阴市）人杨炯、范阳（河北省涿州市）人卢照邻、义乌（浙江省义乌市）人骆宾王都以能写作文章，享有盛名，国务院文官部副部长（司列少常伯）李敬玄，对他们尤其敬重，认为将来必然做到高官。裴行俭说："知识分子所以能担负重任，应该先具备开阔的胸襟和前瞻性的见识，然后才可以谈到文章造诣。王勃等虽然文采四射，可是轻浮、急躁、浅薄、炫耀，怎么会是块稳坐爵位官职的材料？杨炯比较沉默安静，有可能做到大县县长，其他的人当一个小县县长，就很走运了。"不久，王勃渡海时堕水（王勃的老爹王福畤当交趾〔越南河内市西北〕县长，六七五年，王勃前去省亲，在南海溺死，年二十八岁），杨炯在盈川（浙江省衢州市东北）县长任内逝世，卢照邻身患恶疾，无法痊愈，投水自杀（卢照邻体弱多病，服食法术师玄明的药，病转沉重，本来就生活贫穷，至此更衣食不继，双脚抽筋变形，一只手也残废，终于投颍水而死），骆宾王因反抗政府受到诛杀（参考后年〔六八四〕十一月）。王剧、苏味道，果然后来都高升到负责选拔官员的高位，跟裴行俭所预言的一样。裴行俭无论当将领或统帅，所推荐的将领，像程务挺、张虔勖、王方翼、刘敬同、李多祚、黑齿常之，以后很多都成名将。

杨炯、王勃、卢照邻、骆宾王等四位，在文坛上居重要地位，被尊称为“唐初四杰”。可是在裴行俭心目中，却因为他们没有当上官，或没有当上大官，就嗤之以鼻。自纪元前二十七世纪黄帝王朝，迄今二十一世纪行将开始，四千七百年之久，中国社会是一个超稳定的结构，做官成为知识分子唯一追求的目标，裴行俭用能不能做官升官，衡量人的价值，文学家、画家、音乐家，在官场文化中，自然不值一屁。

司马光在同一理念之下，态度比裴行俭还要激烈，甚至不惜曲解史实，以证明裴行俭官场理论的正确。王勃渡海落水，杨炯病死盈川，岂因他们是作家之故？卢照邻患的只是重病，司马光却一口咬定患的竟是恶疾，“重病”“恶疾”，相差太远，为什么对一个穷困的文化人如此丑化？骆宾王只不过起义失败，竟被斥为一个叛徒，充分露出不分是非、只问官运，“想官狂”的错乱心态。

裴行俭曾经派左右侍从去拿犀牛角、麝香，那人一不小心，把它们遗失。唐帝李治曾赏赐给裴行俭一匹御马和一副马鞍，总部一位管理员（令史）试着骑上去，扬鞭飞奔，想不到御马忽然栽倒，马鞍跟着断裂；这两个闯下滔天大祸的人，惊恐逃亡，裴行俭派人召唤回来，告诉说：“你们全都错了，为什么这般小看我！”待他们跟过去一样。后来，击破阿史那都支（参考六七九年七月），得到玛瑙做的盘子，直径二尺有余，拿出来让将士参观，文书员（军吏）王休烈捧着玛瑙盘，战战兢兢登上台阶，突然间脚下一滑，栽倒在地，玛瑙盘跌得粉碎，王休烈震恐，跪下叩头，猛烈撞地，血流满面。裴行俭笑说："你不是故意的，何至于这样！"不再追究，也没有一点懊恼脸色。李治下诏把阿史那都支等的家产金银器物等三千余件，以及数目相等的牛羊牲畜，赏赐给裴行俭，裴行俭全都分送给亲戚、朋友及部将，几天工夫送光。

8 西突厥汗国首领阿史那车薄，包围弓月城（新疆霍城县），安西总督王方翼率军增援（安西总督府设碎叶城〔中亚托克马克城〕），在伊丽水（伊犁河）击破西突厥部众，杀一千余人。然而霎时之间，三姓部落（今地不详）、咽面部落（中亚巴尔喀什湖东），与阿史那车薄，并肩抵抗王方翼，在热海（中亚伊赛克湖）湖畔会战，一支流箭射穿王方翼的手臂，王方翼用佩刀砍断箭杆，左右官员都不知道主帅受伤。

王方翼所率外籍兵团将士，阴谋叛变，打算生擒王方翼，响应阿史那车薄，王方翼接到密报，于是召集他们出席军事会议，拿出军中物资，宣称要颁发赏赐，依照顺序，把他们带领出帐，砍下人头，正巧狂风怒吼，王方翼又叫擂动战鼓军锣，声振四野，用以掩盖诛杀时挣扎惨叫的声音，连杀七十余人，参与叛变的部众，竟然毫不察觉。内部既然肃清，王方翼派出将领，分道袭击阿史那车薄、咽面部落，大破西突厥联军，生擒首领三百人，西突厥动乱遂全部平息；而西征军阎怀旦还没有出发。

王方翼不久调任夏州军区（总部设陕西省靖边县北白城则村）总司令（都督），征召到首都长安朝见，会商边疆事务。唐帝李治看见王方翼衣服上血染的痕迹，问他原因，王方翼报告热海（中亚伊赛克湖）之役苦战经过，李治察看他手臂上的箭伤，叹息不已。但因为王方翼是前任王皇后的近亲（参考六五九年五月），受武曌嫉恨，不能留京（首都长安）重用，命他仍回夏州。

9 四月二十二日，李治抵达东都（洛阳）。

10 四月二十四日，副监督长（黄门侍郎）颍川（河南省许昌市）人郭待举、国务院国防部副部长（兵部侍郎）岑长倩、皇家图书院编制外副院长（秘书员外少监）兼摄理副立法长（检校中书侍郎）鼓城（河北省晋州市）人郭正一、国务院文官部副部长（吏部侍郎）鼓城（河北省晋州市）人魏玄同，同被加授二级实质宰相（中书门下同承受进止平章事）。李治打算擢升郭待举等，对暂任最高立法长（守中书令）崔知温说：“郭待举等人的资历还浅，官位不高，暂且使他们参与中央决策，但尊贵名号不可以跟你们一样！”自此以后，政府四品以下的官员当实质宰相时，开始用“二级”（平章事）官称。岑长倩，是岑文本的侄儿（岑文本事，参考六四五年四月）。

最初，魏玄同当国务院文官部副部长（吏部侍郎），上疏指出现行选拔人才办法的流弊，认为：“政治领袖做事的基本法则，就是必须授权给干部，再考核他工作的成果。如果委任的人才恰当，所录用的官员，自然优秀。所以姬满（周王朝五任王穆王）任命姬同当交通部长（太仆正），吩咐说：‘物色你的部属，要特别谨慎。’是让各单位首长决定属于他的干部，政治领袖只要遴选各单位首长就行。到了西汉王朝，高官都由州县低级职员擢升，五府征召他们前来中央（五府：太傅府、太尉府、司徒府、司空府、大将军府），然后推荐给天子（参

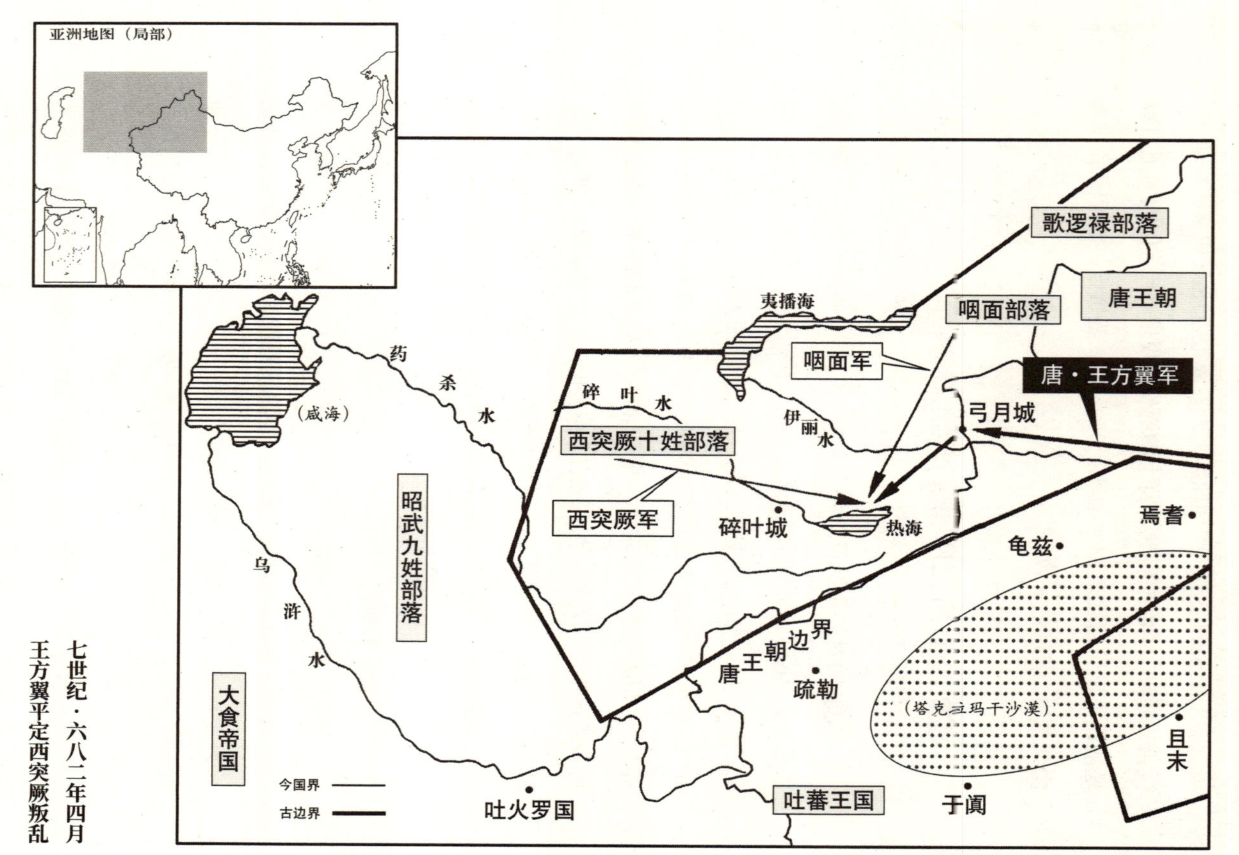

七世纪·六八二年四月
王方翼平定西突厥叛乱

考前六八年四月）。自曹魏帝国、晋王朝以来，才由国务院考选司（选部）一个机构负责（指“九品任官条例”，参考二二〇年二月）。天下这么大，知识分子这么多，如此繁重的工作，集中在少数人之手，用几句话的评语去衡量一个人的才干，靠几个字的记载去评估一个人的德行，即令主持人公正得像天平、清明得像一盆水或一面镜子，也会感觉力量不足，无法遍照，何况一旦所托非人，立刻就会发生愚昧包庇的弊端。我建议恢复周、汉王朝的规则，补救魏、晋的缺失。”奏章呈上后，李治不采纳。

11 五月十四日，东都（洛阳）大雨。

五月二十三日，洛水（流经洛阳城）泛滥成灾，淹没居民一千余家。

关中（陕西省中部）先是水灾，接着是旱灾、蝗灾，后来更瘟疫流行，粟米每斗卖四百钱，两京（京师长安、东都洛阳）死在路上的人，一个接连一个，人民互相吞食（人间惨事）。

12 李治既举行泰山大祭（封禅），打算再举行五岳大祭（五岳：中岳嵩山〔河南省登封市北〕、北岳恒山〔河北省曲阳县北〕、南岳衡山〔湖南省衡山县西〕、西岳华山〔陕西省华阴市南〕、东岳泰山〔山东省泰安市北〕）。

秋季，七月，在嵩山（河南省登封市北）南麓，兴筑奉天宫，见习监察官（监察御史里行）李善感劝阻说：“陛下举行泰山大祭（封禅），禀告上苍天下太平，引起很多祥瑞，已跟三皇、五帝媲美（三皇：天皇、地皇、人皇。五帝：黄帝姬轩辕、玄帝姬颛顼、喾帝姬夋、尧帝伊祁放勋、舜帝姚重华）。最近几年，庄稼收成不好，人民饿死的尸体前后相连，四方邻国交互侵略，兵马每年都要出动，陛下理应虔敬沉默，思考治理帝国的道理，致力于消除灾祸。现在，不但没有这样做，反而扩大宫殿的规模，劳役也从没有停止，天下人民，没有一个不深感失望。我身为天子的耳目，暗中为这种现象忧虑。”李治虽不采纳，但也大度包容。自从褚遂良、韩瑗去世（参考六五八年十一月、六五九年七月），政府和民间，没有人敢违背皇帝的意思，直言冒犯，为时将近二十年。直到李善感上疏规劝，天下兴奋，形容为“凤鸣朝阳”（《诗经·大雅·卷阿》：凤凰鸣叫，在那个高冈上；梧桐结了，在那个朝向太阳的树枝上〔凤凰鸣矣，于彼高冈；梧桐生矣，于彼朝阳〕）。

13 李治派宦官沿着长江搜集奇异的竹子，打算移植到上林苑。宦官到处征调船舶运送，行为凶暴；经过荆州（湖北省江陵县），州政府政务秘书长（长史）苏良嗣，把宦官逮捕入狱，上疏恳切劝告说：“收集远方的奇异物品，给沿途人民带来灾难，恐怕不是陛下爱护人民的本意。而卑劣小人借机弄权逞威，伤害陛下英明。”李治对皇后武曌说：“我管理的不严格，果然被苏良嗣抱怨！”亲自写诏书慰劳勉励，命苏良嗣把竹子抛到长江中。苏良嗣，是苏世长的儿子（苏世长事，参考六二一年七月五日）。

14 黔州军区（总部设重庆市彭水县）总司令（都督）谢祐，逢迎皇后武曌的意旨，强逼零陵王李明自杀（李明被贬，参考前年〔六八〇〕十月），李治深为怜惜，黔州军区总部官员，全被免职。

谢祐的卧室在平台小楼，跟婢女和小老婆等十余人共住，一天夜晚，他的尸体躺在血泊之中，人头却不知被谁砍去。六八九年，李明的儿子零陵王李俊、黎国公李杰，被武曌害死，主管官员查抄没收他们的家产，搜出谢祐的人头，上面涂一层油漆，当作尿壶，题字“谢祐”，才知道李明的儿子派刺客行事。

生子当如李俊、李杰，为冤死的老爹，作出恰如其分的报复。我们一向反对私下报复，但必须有其他管道可以获得公平。在一个无法无天的社会中，报复是一种应受赞扬的勇气和美德，只要这报复不超过恶徒应该得到的。

15 太子李哲（李显）留守京师（首都长安），相当喜爱游逛狩猎，太子宫政务署长（太子左庶子）薛元超上书劝阻。

李治听到消息，派使节慰劳薛元超，命他到东都（洛阳）晋见。

16 吐蕃王国（首都逻些城〔西藏拉萨市〕）大将论钦陵，攻击柘州（四川省黑水县南）、松州（四川省松潘县）、翼州（四川省茂县西北）等州。

李治诏命左骁卫（卫军第五军）贵族征兵府副司令（郎将）李孝逸、右卫（卫军第二军）贵族征兵府副司令（郎将）卫蒲山，调秦州（甘肃省天水市）、渭州（甘肃省陇西县）等州兵马分道抵抗。

17 冬季，十月七日，命副监督长（黄门侍郎）刘景先，当二级实质宰相（同中书门下平章事）。

18 本年（六八二），东突厥汗国（瀚海沙漠群）残余部落酋长（十八任大可汗）阿史那骨笃禄、阿史德元珍等，集结逃亡的部众，在黑沙城（阴山北麓）起兵反抗唐王朝，攻击并州（山西省太原市）及单于总督府（设内蒙古和林格尔县）北境，斩岚州（山西省岚县）州长王德茂。

右领军卫（卫军第八军）将军、摄理代州军区（总部设山西省代县）总司令（都督）薛仁贵，率军抵达云州（山西省大同市），攻击阿史德元珍。

东突厥战士问中原大将是谁，回答说："薛仁贵。"东突厥战士说："听说他被贬放到象州（广西象州县。薛仁贵因大非川之败开除官籍，后来重获任用，当鸡林兵团总司令〔鸡林道总管〕，因案再被贬象州），已死了很久，为什么骗我！"薛仁贵脱下头盔，让他们看到脸部，东突厥战士互相观望，脸色大变，下马行礼，向后缓缓撤退，薛仁贵趁势攻击，大破东突厥军，杀一万余人，俘虏二万余人。

19 吐蕃王国（首都逻些城〔西藏拉萨市〕）出兵攻击河源方面军基地（青海省西宁市），中央派到基地的使节（军使）娄师德，率军在白水涧（青海省大通县）迎击，八次会战，八次大捷。

李治任命娄师德当国务院司法部审计司副司长（比部员外郎）、左骁卫（卫军第五军）贵族征兵府副司令（郎将）、河源方面军副指挥官（河源军经略副使），说："你有文武两方面的才能，不要辞让。"

唐　永淳　二年
　　弘道　元年
（光明圣皇帝白铁余元年）

1 春季，正月六日，唐王朝（首都长安〔陕西省西安市〕）皇帝（三任高宗）李治（本年五十六岁），前往奉天宫（河南省登封市境）。

2 二月十二日，东突厥汗国（瀚海沙漠群）部众攻击定州（河北省定州市），州长霍王李元轨把他们击退。

二月十七日，再攻击妫州（河北省怀来县）。

三月二日，东突厥大可汗（十八任）阿史那骨笃禄，及酋长阿史德元珍，包围单于总督府（设内蒙古和林格尔县），俘虏军务秘书长（司马）张行师，斩首。

唐政府派胜州军区（总部设内蒙古托克托县）总司令（都督）王本立、夏州军区（总部设陕西省靖边县北白城则村）总司令（都督）李崇义，率军分别增援。

3 太子宫事务署长（太子右庶子）、一级实质宰相（同中书门下三品）李义琰，改葬父母，要他舅父家把旧墓地迁走，李治听到消息，大怒说：“李义琰仗恃自己官大势大，欺负舅父家，这种人不可以再管理政府的事。”李义琰听到消息，恐慌不安，遂声称脚部有病，请求退休。

4 三月二十五日，暂任最高立法长（守中书令）崔知温逝世（年五十七岁）。

5 夏季，四月二日，李治返东都（洛阳，河南省洛阳市）。

6 绥州（陕西省绥德县）步落稽部落（即稽胡部落）酋长白铁余，把铜佛像埋到地下，过了很久，地上生草，白铁余告诉他的乡亲说：“我好几次在这里看见佛光。”然后择定一个日子，把大家聚集在一起，当面挖掘，果然挖出那个铜佛像，遂宣称：“凡是看到圣佛的，百病一扫而光。”于是，人们不分远近，争来叩拜。白铁余用数十个不同颜色的口袋，把铜佛像层层套住，对大量捐献的信徒，就脱下一个口袋赐给他。几年之间，信服他的人越来越多，遂阴谋叛变。最后，他率领武装信徒进据城平县（陕西省清涧县东），自称光明圣皇帝，设立文武百官，攻击绥德（陕西省清涧县东北）、大斌（陕西省子洲县）二县，杀戮官员，焚烧民宅。

唐政府派右武卫（卫军第四军）将军程务挺，与夏州军区（总部设陕西省靖边县北白城则村）总司令（都督）王方翼，出军讨伐。

四月二十七日，攻克城平县（陕西省清涧县东），生擒白铁余，残余的党羽全部被平定。

7 五月三日，李治前往芳桂宫（河南省渑池县境），走到合璧宫（洛阳市境）时，大雨倾盆，返回洛阳（河南省洛阳市）。

8 五月十八日，东突厥汗国可汗（十八任大可汗）阿史那骨笃禄等，进攻蔚州（山西省灵丘县），斩州长李思俭。丰州军区（总部设内蒙古五原县）总司令（都督）崔智辩，在朝那山（内蒙古固阳县东）北，拦腰截击，大败，被东突厥军俘虏。

唐政府讨论撤销丰州，准备把居民迁到灵州（宁夏灵武市）、夏州（陕西省靖边县北白城则村）一带安置。丰州军区总司令部军务秘书长（司马）唐休璟反对，上疏说："丰州（内蒙古五原县）背靠黄河，防御工事，十分坚固，恰好掐住盗匪（指北方蛮夷）出没的咽喉，自秦、两汉王朝以来，该地都设郡县（参考前二一四年、前一二七年）。土地肥沃，不但适合畜牧，也适合耕种。隋王朝末年，政府衰败，人民流离，曾把居民迁到宁州（甘肃省宁县）、庆州（甘肃省庆阳市），以致蛮虏深入国土，灵州、夏州反而成为边疆（隋王朝末年，五原郡〔内蒙古五原县〕副郡长〔通守〕张长逊，连同郡土投降东突厥，参考六一八年四月四日）。四〇年

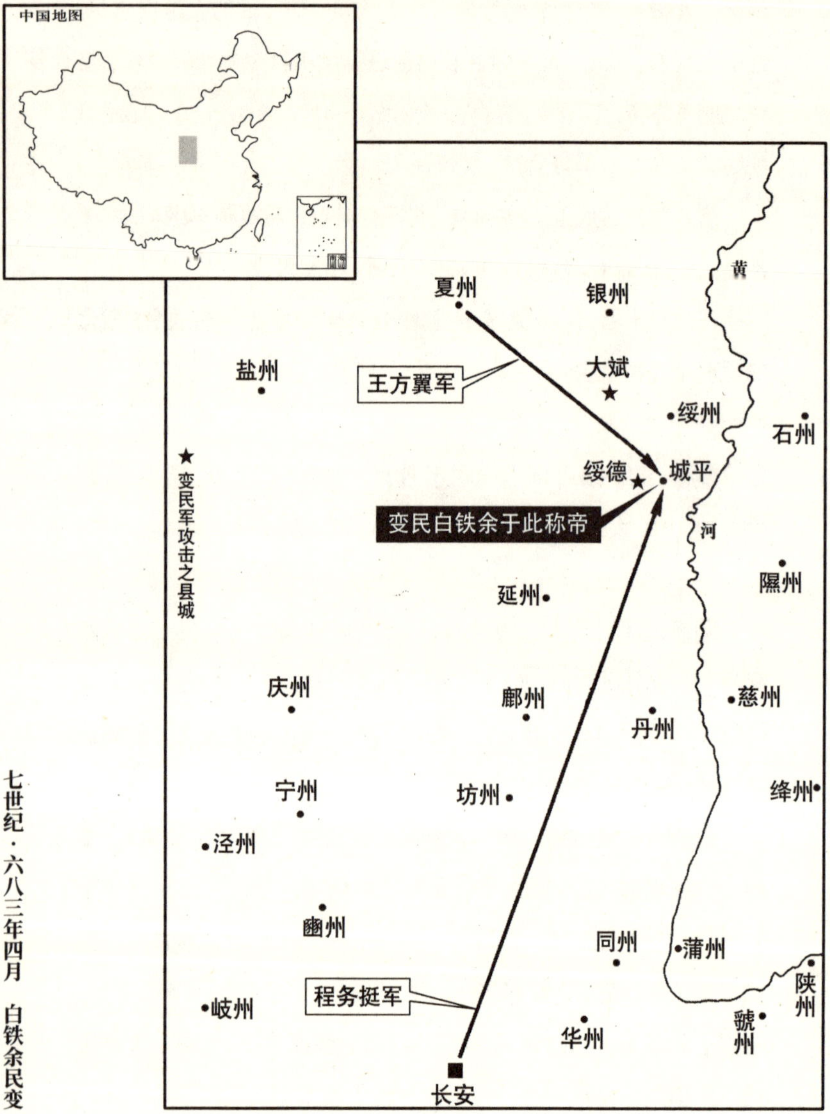

中国地图

夏州
银州
盐州
王方翼军
大斌
绥州
石州
黄
绥德
城平
变民白铁余于此称帝
河
隰州
延州
★ 变民军攻击之县城
庆州
鄜州
丹州
慈州
宁州
坊州
绛州
泾州
豳州
同州
蒲州
陕州
程务挺军
岐州
虢州
华州
长安

七世纪·六八三年四月　白铁余民变

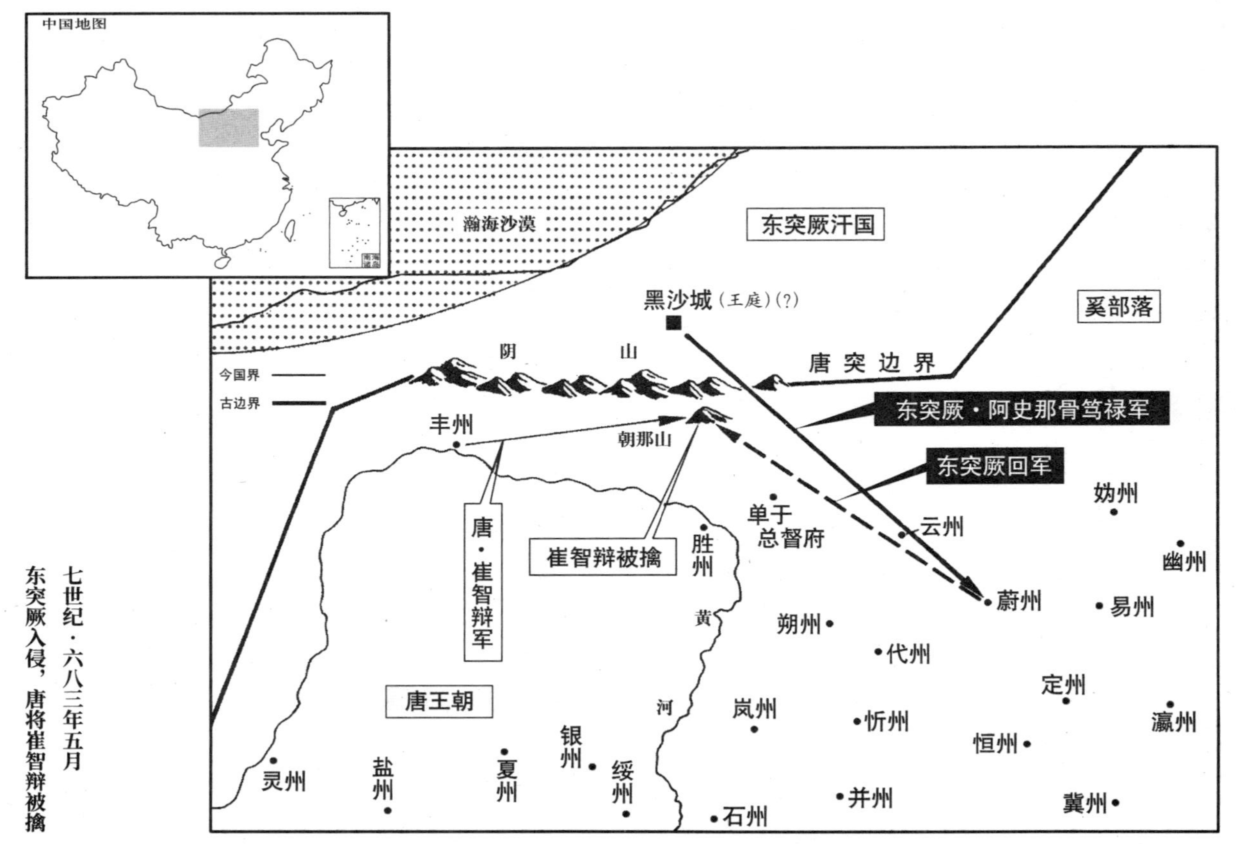

七世纪·六八三年五月
东突厥入侵，唐将崔智辩被擒

代（二任帝李世民在位末期），政府招募人民前往耕田畜牧，人口逐渐稠密，西北边界，才保平安（恢复设置丰州，参考六三〇年五月）。如果把黄河北岸放弃，势将落入盗匪（指东突厥汗国）之手；灵州（宁夏灵武市）、夏州（陕西省靖边县北白城则村）等州居民，就不可能安心工作，不是帝国之福。”议论才停止。

9 六月，东突厥一个支派部落，抢掠岚州（山西省岚县），州政府副将领杨玄基把他击退。

10 秋季，七月四日，李治封皇孙李重福（太子李哲〔李显〕的儿子）当唐昌王。

11 七月七日，李治下诏预告：将于本年十月，举行嵩山（中岳，河南省登封市北）大祭（中岳封禅）。

但不久因李治患病，时间改到明年（六八四）正月。

12 七月十九日，改封相王李轮（李旭轮）当豫王，并改名李旦。

13 最高立法长（中书令）兼太子宫政务署长（兼太子左庶子）薛元超患喉病，不能说话，上疏请求退休，李治批准。

14 八月十日（原文“己丑”，据《新唐书》改。《旧唐书》则载于七月四日），李治因将要举行嵩山大祭（中岳封禅），命太子李哲（李显）前来东都（洛阳），改派皇孙唐昌王李重福留守京师（首都长安），由刘仁轨辅佐。

冬季，十月二十六日，李哲（李显）抵达东都（洛阳）。

15 十月十日，李治前往奉天宫（河南省登封市境）。

16 十一月三日，李治病势沉重，下诏取消明年（六八四）嵩山大祭（中岳封禅）。

李治因头部一直昏眩沉重，长久以来，深受痛苦，而且眼睛失明，命御医秦鸣鹤诊疗，秦鸣鹤认为如果在头上刺出鲜血，就可以痊愈。皇后武曌根本不要李治痊愈，在珠帘后面义愤填膺，咆哮说："这个人应该斩首，竟然敢在天子头上刺出鲜血！"秦鸣鹤叩头乞求饶命。李治说："不妨刺刺看，不见得有害处。"秦鸣鹤遂用针刺"百会"（头顶前部半寸）、"脑户"（枕骨后半寸）两个穴道，李治说："我似乎看得见了！"（《旧唐书·高宗本纪》说："秦鸣鹤刺，微出血，头疼立刻停止。"）武曌举手放到前额上，说："这是上天的恩赐！"亲自背彩色绸缎一百匹，赏赐给秦鸣鹤。

柏杨曰

武曌本年（六八三）六十一岁，早已迫不及待的要李治送命，李治不仅挡了她的夺权之路，而且，对这个脓包，武曌也根本瞧他不起。当时的宫廷以及政府，武曌已完全掌握，她如果想谋害李治，跟谋害一条蛆一样的易如反掌，但她宁可使他自然死亡，不肯急吼吼一刀两断，这是她最聪明的谋略。谋杀帝王，事体太大，阴谋非常容易泄漏，她不能冒这个险。但李治的病似乎相当离奇，我们怀疑是一种慢性中毒，检查武曌用毒的前例，一定印象深刻。她对亲生之女都下得了手，丈夫又算老几？李治不死，她不会鲁莽的操刀一割，但李治慢性中毒，全世界都无可奈何。

17 十一月十五日，任命右武卫（卫军第四军）将军程务挺，当单于道（内蒙古阴山以北）安抚特使，招抚及讨伐东突厥可汗（十八任大可汗）阿史那骨笃禄等。

18 李治下诏命太子李哲（李显）监督国政，裴炎、刘景先、郭正一，同时主持太子宫政事（东宫平章事）。

19 李治抵达奉天宫（河南省登封市境）后，病危，所有宰相都看不到他。

十一月二十四日，李治返东都（洛阳），文武百官在天津桥（洛水桥）南端迎接晋见。

20 十二月四日，改年号（之前是永淳二年，之后是弘道元年），赦免天下。李治打算登则天门楼，亲自宣布赦令，可是剧烈的气喘使他无法骑马，就命平民进到殿前，向大家宣告（"平民"原文"百姓"，他们是谁？如指全国人民，简直荒唐；如指长安城居民，同样不可思议；如指居民代表，则此代表怎么产生？如指临时敲锣召集的群众，更是离谱）。当天（十二月四日）夜晚，召唤裴炎入宫接受遗诏，辅佐下任皇帝，遂在贞观殿逝世（年五十六岁）。遗诏命太子李哲（李显）在老爹灵柩前登极，帝国军政大事不能裁定时，一并听取皇后武曌的指示处理。撤除万泉宫（陕西省蓝田县境）、芳桂宫（河南省渑池县境）、奉天宫（河南省登封市境）等宫。

十二月七日，裴炎奏称：太子李哲（李显）还未即位，还没有资

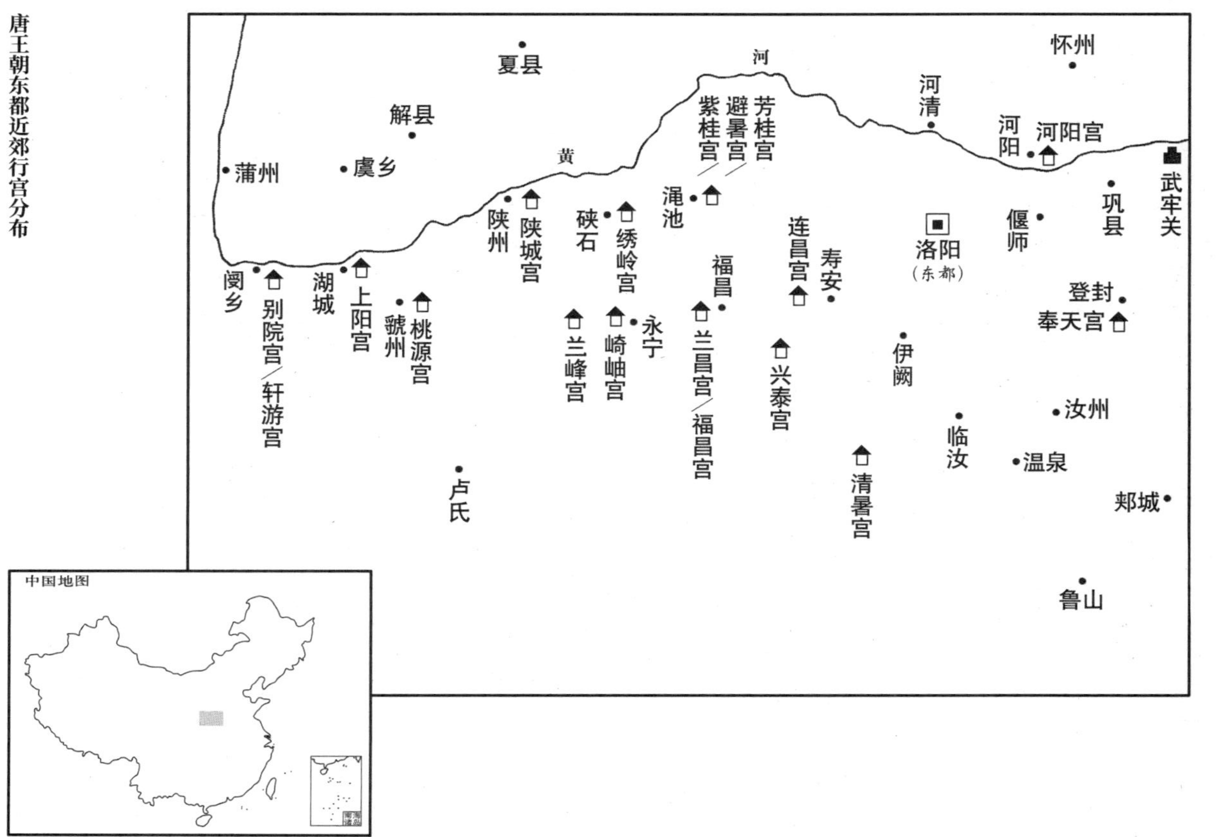

唐王朝东都近郊行宫分布

格颁发诏书，有紧急情况，希望用皇后武曌的名义，下令给立法院(中书)、监督院(门下)实施。

十二月十一日，李哲(本年二十八岁)正式登极(四任帝中宗)，尊武曌为皇太后，一切政事，全由武曌做主。武曌因泽州(山西省晋城市)州长、韩王李元嘉(李哲的叔祖父)等，在皇族中地位尊贵，声望崇高，恐怕有什么变化，于是加授他们三公等高位，作为安抚。

21 十二月二十一日，任命刘仁轨当国务院左最高执行长(左仆射)，裴炎当立法院最高立法长(中书令)。

十二月二十五日，任命刘景先当监督院最高监督长(侍中)。

依照惯例，各宰相在监督院(门下省)讨论公务的地方，称“宰相联合办公厅”(政事堂)。所以，长孙无忌当司空(三公之三)，房玄龄当国务院最高执行长(仆射)，魏徵当太子太师(太子三师之一)时，都代理监督院长官(知门下省事)。现在，裴炎当最高立法长(中书令)，将宰相联合办公厅(政事堂)迁到立法院(中书省)。

22 十二月二十九日，派左威卫(卫军第九军)将军王果、左监门(卫军第十三军)将军令狐智通、右金吾(卫军第十二军)将军杨玄俭、右千牛(卫军第十六军)将军郭齐宗，分别前往并州军区(总部设山西省太原市)、益州军区(总部设四川省成都市)、荆州军区(总部设湖北省江陵县)、扬州军区(总部设江苏省扬州市)协防，会同地方政府官员，加强戒备(因应李治死亡措施)。

23 命副立法长(中书侍郎)二级实质宰相(同平章事)郭正一，当国立贵族大学校长(国子祭酒)，免除宰相职务。

唐 嗣圣 元年
文明 元年
光宅 元年

1 春季，正月一日，唐王朝政府（首都长安〔陕西省西安市〕）改年号嗣圣；赦免天下。

2 唐帝（四任中宗）李哲（李显，本年二十九岁）封正妻韦女士当皇后，擢升韦皇后的老爹、普州（四川省安岳县）州政府参谋官（参军，中州正九品下）韦玄贞，当豫州（河南省汝南县）州长（上州从三品）。

3 正月十日，任命监督院（门下省）最高顾问官（左散骑常侍）杜陵（陕西省西安市东南）人韦弘敏，当库藏部长（太府卿）、一级实质宰相（同中书门下三品）。

4 李哲（李显）打算任命韦玄贞当最高监督长（侍中），又打算任命乳母的儿子当五品官员，裴炎坚决反对，李哲冒火说："我就是把帝国送给韦玄贞，有什么不可以，何况不过一个小小的最高监督长（侍中）！"裴炎恐惧，报告皇太后武曌，密谋罢黜李哲。

二月六日，武曌在洛阳宫乾元殿，召集文武百官，裴炎、副立法长（中书侍郎）刘祎之、左羽林（禁军第一军）将军程务挺、右羽林（禁军第二军）将军张虔勖，率军入宫就战斗位置，然后裴炎宣读武曌训令：罢黜李哲，贬作庐陵王，命人把李哲从宝座上强扶下殿。李哲挣扎说："我有什么罪？"武曌说："你打算把帝国送给韦玄贞，怎么说没有罪！"把李哲囚禁在另一个地方。

二月七日，武曌封京畿总卫戍司令官（雍州牧）豫王李旦（李轮，本年二十三岁）当皇帝（五任睿宗）；国家大事一切由武曌决定。李旦住另一宫殿，对政府不准过问；封李旦正妻刘女士当皇后。刘皇后，是刘德威的孙女（刘德威，参考六三七年正月）。

羽林军（禁军第一、二军）飞骑战士十余人，在小巷子里饮酒，其中一个人说："早知道没有封爵升官的赏赐，还不如拥护庐陵王（李哲）！"另一个人立刻离座，前往皇宫北门（玄武门）检举，酒席还没有散，大家就全部被捕，囚禁禁军监狱（羽林监狱）。发言的人斩首，其他人的罪名是"知情不报"，一律绞死；检举的人被任命当五品官。

告密的风气，从此兴起。

5 二月七日（原文"壬子"，据《新唐书》改），封永平郡王李成器当皇太子，李成器是李旦的长子；赦免天下，改年号文明（之前是嗣圣元年，之后是文明元年）。

二月八日，罢黜皇太孙李重照，贬作平民，命刘仁轨全权负责西京（首都长安）留守政府。把韦玄贞流放到钦州（广西钦州市）。

皇太后武曌写信给刘仁轨，说："从前，刘邦（西汉王朝一任帝）把关中（陕西省中部）的事托付给萧何（参考前二〇一年正月），而今，我也把关中（陕西省中部）的事托付给你，两者完全一样。"刘仁轨上疏，陈述自己年纪衰老，不能承担留守长官的重大责任，并乘机提及吕雉皇后当权及惨败的往事（参考前一八〇年），向武曌劝告。武曌派皇家图书院院长（秘书监）武承嗣（武曌的侄儿），携带诏书，前去安慰沟通，说："现在皇上（李旦）正是为老爹居丧期间，不能处理国事，我才出面代理。劳动你这么远对我规劝，又因年老患病，辞让官职，警告我说：'吕雉被后代嗤笑，吕禄、吕产给西汉王朝带来灾难。'用意至深，惭愧与安慰交集。你忠贞的节操，始终如一，坚强正直的气质，古今都很难有人跟你相比。突然间听到你所说的话，怎能不备感迷惘！但等到心情平静时思考，你的见解确实使我警惕。何况你是先帝（三任李治）的旧部，远近的人都仰望你的行止。希望你只想到保护辅佐的责任，而不再提及年老。"

6 二月九日，皇太后武曌命左金吾（卫军第十一军）将军丘神勣前往巴州（四川省巴中市）："检查故太子李贤住宅，防备外来侵犯。"其实是暗示诛杀李贤。丘神勣，是丘行恭的儿子（丘行恭事，参考六一七年九月二十四日)。

7 二月十二日，武曌登洛阳宫武成殿，唐帝李旦率亲王、公爵以下文武官员，向武曌奉上尊号。

二月十五日，武曌登上平台，派国务院教育部长（礼部尚书）武承嗣，册封李旦当继任皇帝（给武曌一个尊号，还可以解释，而由武曌册封早已登极当皇帝的人当皇帝，就十分古怪，武曌所以古怪，大概只因为她要显示她当家做主）。

自此之后，武曌常常登紫宸殿（洛阳宫没有紫宸殿，但如此重要地方，史书不应有误），用淡紫色疏薄的幔帐在御座前张开，武曌就在幔帐后处理政事。

8 二月二十五日，武曌任命祭祀部长（太常卿）摄理豫王府政务秘书长（检校豫王府长史）王德真，当最高监督长（侍中）；副立法长（中书侍郎）摄理豫王府军务秘书长（检校豫王府司马）刘祎之，当一级实质宰相（同中书门下三品）。

9 三月五日，改封杞王李上金（李治第三子）当毕王，鄱阳王李素节（李治第四子）当葛王。

10 丘神勣抵达巴州（四川省巴中市），把前太子李贤（参考六八〇年八月）囚入一个房间，逼他自杀。李贤死亡消息传出后，武曌把责任推到丘神勣身上。

三月十六日，在洛阳宫显福门，为李贤举行哀悼，贬丘神勣当叠州（甘肃省迭部县）州长。

三月十七日，追封李贤封爵雍王。

丘神勣不久就被召回洛阳，复任左金吾（卫军第十一军）将军。

11 夏季，四月，开府仪同三司（文散官一级，从一品）、梁州军区（总部设陕西省汉中市）总司令（都督）滕王李元婴（一任帝李渊第二十三子）逝世。

12 四月十日，改封毕王李上金当泽王，出任苏州（江苏省苏州市）州长；改封葛王李素节当许王，出任绛州（山西省新绛县）州长。

13 四月二十二日，押解庐陵王李哲（李显）到房州（湖北省房县）看管。

四月二十六日，再押解李哲到均州（湖北省丹江口市西北）故濮王李泰住宅看管（李泰事，参考六四三年九月）。

14 五月十五日，前任帝（三任高宗）李治的灵柩，由洛阳（河南省洛阳市）出发，西返首都长安（陕西省西安市）。

15 闰五月，命国务院教育部长（礼部尚书）武承嗣，当祭祀部长（太常卿），加授一级实质宰相（同中书门下三品）。

16 秋季，七月九日，广州军区（总部设广东省广州市）总司令（都督）路元叡，被黑人（昆仑）刺死。

路元叡懦弱昏庸，所属官吏，更肆意凶恶残暴。有外国商船抵达，官吏贪婪勒索，没有止境，外国商人晋见路元叡控告，路元叡不问案情，就命人去取长枷，打算给外国商人戴上拷打。外国商人怒不可遏，一个黑人（昆仑）宽袖中暗藏短剑，直登台阶，诛杀路元叡和他左右侍从十余人，扬长而去。没有人敢向他接近，外国商人走到码头，乘船入海，中国军警得到报告追捕，已追不到。

17 温州（浙江省温州市）大水成灾，漂流淹死四千余家。

18 东突厥汗国（瀚海沙漠群）可汗（十八任大可汗）阿史那骨笃禄等，攻击朔州（山西省朔州市）。

19 八月十一日，唐政府把前任皇帝（三任高宗）李治安葬乾陵（陕西省乾县西北），祭庙称高宗。

20 最初，国务院左秘书长（尚书左丞）冯元常，深受李治信任，李治晚年不断患病，文武官员奏报请示时，李治常告诉他们："我精神不足，你可以跟冯元常商议，再报告我。"冯元常曾经秘密警告李治："皇后（武曌）的权力太大，应该稍加压制！"李治虽然办不到，但深认为他的话很对。

武曌主持政府以来，四方的摇尾分子，纷纷传出祥瑞。嵩阳（河南省登封市）县长樊文，呈献一块吉祥石头，武曌命拿到金銮宝殿，让文武百官观看，冯元常奏说："这种事简直是谄媚和诈欺，不可以认为天下人都是瞎子。"武曌大不高兴，派他出任陇州（陕西省陇县）州长。冯元常，是冯子琮的曾孙（冯子琮之死，参考五七一年八月）。

21 八月二十七日，祭祀部长（太常卿）、一级实质宰相（同中书门下三品）武承嗣，被免去官职，复任国务院教育部长（礼部尚书）。

22 栝州（浙江省丽水市）大水成灾，漂流淹死二千余家。

23 九月六日，赦免天下，改年号（之前是文明元年，之后是光宅元年），旗帜全改成金黄色。八品以下官员，原来规定应穿青色衣服的，改穿深蓝色衣服。把东都（洛阳）改称神都，洛阳宫改称太初宫。又改政府机关名称：尚书省（国务院）称"文昌台"，左右仆射（国务院左右最高执行长）称"左右相"，国务院六部（吏、户、礼、兵、刑、工）称"天官""地官""春官""夏官""秋官""冬官"。门下省（监督院）称"鸾台"，中书省（立法院）称"凤阁"，侍中（最高监督长）称"纳言"，中书令（最高立法长）称"内史"；御史台（总监察署）称"左肃政台"（中央总监察署），另增设"右肃政台"（地方总监察署）。其他"省""寺""监""率"，都依照工作性质更改。

24 任命左武卫（卫军第三军）大将军程务挺，当单于道（内蒙古阴山以北）安抚特使，防备东突厥汗国南侵。

25 武承嗣请皇太后武曌追封祖先王爵，并立武姓七座祭庙（只有皇帝才可以立七座祭庙，这在以祭祀为主的儒家系统看来，至为严重），武曌采纳。最高立法长（中书令）裴炎劝阻说："太后作天下所有母亲的表率，应大公无私，不可对自己的亲人太过偏心，难道看不见吕雉的结局？"武曌说："吕雉把大权交给活着的人，所以招来失败，我今天只是追尊已经去世的人，有什么关系！"裴炎说："凡事应从细小的地方先行克制，才能使它不致扩大。"武曌不理。

九月二十一日，唐帝李旦下诏：追尊皇太后武曌的五世祖武克己为鲁靖公爵、正妻称夫人；高祖父武居常赠官太尉（三公之一），封北平恭肃王、曾祖父武俭赠官太尉（三公之一），封金城义康王、祖父武华赠官太尉（三公之一），封太原安成王、老爹武士彟赠官太师（三师之一），封魏定王，他们的正妻都称王妃。裴炎因此触怒武曌。武曌又在故里文水（山西省文水县）兴建五世祠堂。

当时，武家班掌握政府，李姓皇族人人自危，人民悲愤。正巧，眉州（四川省眉山市）州长（上州州长从三品）、英公爵李敬业（徐敬业），及老弟盩厔（陕西省周至县）县长（畿县县长正六品上）李敬猷（徐敬猷）、御前监督官（给事中，正五品上）唐之奇、长安（首都长安西半城）县政府秘书官（主簿，京县从八品上）骆宾王、太子宫总管府纠察官（詹事司直，正七品上）杜求仁，大家都受到指控，李敬业（徐敬业）贬作柳州（广西柳州市）军务秘书长（司马，下州从六品上），李敬猷（徐敬猷）免除官职，唐之奇贬作栝苍（浙江省丽水市）县长（上县县长从六品上），骆宾王贬作临海（浙江省临海市）县政府主任秘书（县丞，上县从八品下），杜求仁贬作黟县（安徽省黟县）县长（上县县长从六品上）。杜求仁，是杜正伦的侄儿（杜正伦被贬，参考六五八年十一月）。盩厔（陕西省周至县）县政府保卫员（县尉）魏思温，曾当过监察官（御史），现在第二次被罢黜。这些人在扬州（江苏省扬州市）会面，各人都因受到惩罚，怨恨不平，乃阴谋发动兵变，以维护庐陵王李哲（李显）复位作为号召。

魏思温成为大家的智囊，由他们的同党、宫廷监察官（监察御史）薛仲璋，要求派到江都（扬州州政府所在县，江苏省扬州市）查案，而由雍州（首都长安）人韦超，晋见薛仲璋，报告紧急事变，说："扬州（江苏省扬州市）政务秘书长（长史）陈敬之阴谋叛变。"薛仲璋遂逮捕陈敬之下狱。几天之后，李敬业（徐敬业）乘坐政府驿马车抵达，声称是新任扬州军务秘书长（司马），前来到差，说："奉皇太后（武曌）密旨，因高州（广东省高州市东北）蛮夷酋长冯子猷谋反，调兵讨伐。"于是大开仓库，命工务官（士曹参军）李宗臣，前往铸钱场驱使囚犯、工匠，发给他们铠甲；就在狱中斩陈敬之。总务官（录事参军）孙处行拒绝参加，又斩孙处行示众，其他官员没有人敢动一动，遂动员扬州（江苏省扬州市）一州兵马，复称嗣圣元年（李哲使用的年号）。设立三个总部：一、匡复府（应是类似“天策府”〔参考六二一年十月〕的机构），二、英公爵府，三、扬州军区总司令部（大都督府）。李敬业（徐敬业）自称匡复府上将，兼扬州军区总司令官（领扬州大都督）；任命唐之奇、杜求仁当左、右政务秘书长（左右长史），李宗臣、薛仲璋当左、右军务秘书长（左右司马），魏思温当军师，骆宾王当机要秘书（记室），十天之间，集结战士十余万人。

起兵文告分送到各州县，大略说：“现在硬坐在宝座上垂帘听政的武曌女士，性情乖戾，出身贫寒微贱。最初不过是太宗（二任帝李世民）后宫小老婆群的一员（参考六三七年十一月），利用去厕所的机会，跟太宗（二任帝李世民）上床，后来，淫荡肮脏的行为，污染东宫（指跟当时仍是太子的李治通奸），故意隐瞒陪先帝（二任帝李世民）上床这件事，倾全力图谋取得最大的宠爱，终于穿上皇后衣服，登上皇后宝座，把我们的君王（三任帝李治）陷于奸淫庶母的乱伦之境。”又说：“武曌杀她的胞姐（此指武曌杀死姐姐韩国夫人的女儿贺兰女士）、屠她的老哥（武元庆、武元爽）、谋害她的君王（谓李治不是善终）、毒死她的娘亲（指杨女士也不是善终），人民与神灵，一同痛恨，天地不容。”又说：“武曌胸中包藏着一颗邪恶的心，暗中垂涎帝国政权。我们君王（三任帝李治）最心爱的儿子（现任皇帝李旦），囚禁在别处宫殿，而盗贼（指武曌）的同族和党羽（指武家班），却掌握大权。”又说：“新坟上的泥土还没有全干，六尺高的孤儿已不知道应托付给谁！”又说：“不妨环顾今天帝国，究竟是谁家的天下！”皇太后武曌见到这份文告，问左右官员说："谁的手笔？"有人回答说："骆宾王。"武曌说："这是宰相的过失，一个人有如此才华，怎么使他不能升迁！"

李敬业（徐敬业）找到一个容貌跟故太子李贤很像的人，对大家宣称："李贤并没有死，逃亡扬州（江苏省扬州市），命我们发动反抗。"遂拥护他高坐上位，号令天下。

楚州（江苏省淮安市）军务秘书长（司马）李崇福，率所属三个县，响应反抗军。只盱眙（江苏省盱眙县）人刘行举控制县城，拒绝反抗军，李敬业（徐敬业）派他的部将尉迟昭，攻击盱眙。武曌任命刘行举当游击将军（武散官十五级，从五品下），再任命他的老弟刘行实当楚州（江苏省淮安市）州长。

冬季，十月六日（原文误置于九月，据两《唐书》改），武曌命左玉钤卫（卫军第七军）大将军李孝逸，当扬州兵团总司令官（扬州道大总管），率军三十万；另命右卫（卫军第二军）将军李知十、马敬臣当副总司令官，讨伐李敬业（徐敬业）。

26 国务院教育部长（礼部尚书）武承嗣，跟他的堂弟、右卫（卫军第二军）将军武三思，认为韩王李元嘉（一任帝李渊第十一子）、鲁王李灵夔（一任帝李渊第十九子），在皇族中辈分最高（现任帝李旦的叔祖父），地位最尊，屡次建议武曌找一个借口把他们诛杀。武曌和宰相们商议，副立法长（中书侍郎）刘祎之、副监督长（黄门侍郎）韦思谦，都不表示意见，只最高立法长（内史）裴炎反对，武曌对裴炎更不高兴。武三思，是武元庆的儿子（武元庆是武曌的异母老哥，忧死；参考六六六年八月）。

等到李敬业（徐敬业）聚众起兵，而薛仲璋又恰恰是裴炎的外甥。战乱既已爆发，裴炎为了表示胸有成竹，心情闲暇，所以并没有紧急商议讨伐。武曌询问裴炎的意见，裴炎回答说："皇上（李旦）年纪已大，不能亲自处理国事，所以那群小子才当作借口。如果太后把政权交回，用不着动武，叛变就可平息。”宫廷监察官（监察御史）蓝田（陕西省蓝田县）人崔詧（音chá〔察〕）听到这个消息，上疏说：“裴炎受先帝（三任李治）临死托孤的重任，手握帝国大权，如果没有阴谋，为什么要太后（武曌）交出国政？”武曌命中央总监察官（左肃政大夫）金城（甘肃省兰州市）人骞味道（骞，音qiān〔铅〕）、监察官（侍御史）栎阳（陕西省西安市临潼区北栎阳街道）人鱼承晔（鱼，姓），调查审问，遂逮捕裴炎，囚入监狱。裴炎既被逮捕，言辞面色，毫不卑屈。有人劝他态度应该谦逊一点，以求免祸，裴炎说：“宰相一旦下狱，怎么有活命可能！”

立法官（凤阁舍人）李景谌在金銮宝殿向太后武曌作证，肯定裴炎确实谋反。最高监督长（侍中）刘景先，及副立法长（凤阁侍郎）义阳（河南省信阳市）人胡元范，都说：“裴炎是帝国元老，对唐王朝有很大贡献，一心一意侍奉皇上，天下人所共知，我们敢保证他绝不会谋反。”武曌说：“裴炎谋反，证据确凿，只是你们不知道而已。”二人回答：“如果裴炎谋反，我们也是谋反的了。”武曌说：“我知道裴炎谋反，也知道你们没有谋反。”文武百官保证裴炎绝不会谋反的人很多，武曌全不接受。不久，更逮捕刘景先、胡元范，一并下狱。

十月九日，擢升骞味道摄理最高立法长（检校内史），当一级实质宰相（同凤阁鸾台三品）；李景谌当二级实质宰相（同凤阁鸾台平章事）。

27 反抗军军师魏思温，建议匡复府上将李敬业（徐敬业）说：“你用拥护皇帝复位作号召，应该率领大军，擂动战鼓，直扑洛阳（河南省洛阳市），使天下人明确知道你的志向在于拯救皇家灾难，四面八方一定响应。”军务秘书长（司马）薛仲璋说：“金陵（江苏省南京市）有王气（史书上常出现“王气”二字，难以具体翻译，好像是“从地下冒出将有人当帝王的一股气”），而且长江又是天险，可以保护我们安全，不如先夺取常州（江苏省常州市）、润州（江苏省镇江市），奠定霸王事业的基础，然后北上，再图谋中原。则前进没有不顺利，即令后退，也有地方可退，这是上等策略。”魏思温说：“山东（崤山以东）英雄豪杰，因武家班控制政府，全愤愤不平，听到你起义消息，都自蒸馒头，备作干粮，拿起锄头，当作武器，在那里等候反抗军到达。不趁这种形势建立大功，反而躲藏畏缩，自己先找个巢穴，预作退路，远近志士们听到这个消息，谁不灰心！”李敬业（徐敬业）不采纳，于是命左政务秘书长（左长史）唐之奇，留守江都（扬州州政府所在县，江苏省扬州市），而自己率军南渡长江，攻击润州（江苏省镇江市）。魏思温对右政务秘书长（右长史）杜求仁说：“军事力量，集中时强，分开时弱，李敬业（徐敬业）不知道集中全力渡淮河北上，集结山东（崤山以东）英雄豪杰，夺取洛阳，失败就在眼前。”

十月十四日，李敬业（徐敬业）攻陷润州（江苏省镇江市），生擒州长李思文（徐思文），遂命李宗臣接任州长。李思文（徐思文），是李敬业（徐敬业）的叔父，知道李敬业（徐敬业）的阴谋，先派使节去洛阳报告紧急事变，后来受李敬业（徐敬业）的攻击，李思文（徐思文）坚守，抵抗很久，直到力量枯竭，城池才被攻破。魏思温主张斩李思文（徐思文）示众，李敬业（徐敬业）不许，对李思文（徐思文）说：“叔父当武家班的狐群狗党，应改姓‘武’。”润州（江苏省镇江市）军务秘书长（司马）刘延嗣不肯投降，李敬业（徐敬业）打算把他斩首，魏思温出面说情，才免一死，和李思文（徐思文）一同囚进监狱。刘延嗣，是刘审礼的堂弟（刘审礼死于吐蕃，参考六七八年九月）。

曲阿（江苏省丹阳市）县长、河间（河北省河间市）人尹元贞，率军增援润州（江苏省镇江市），战败，被李敬业（徐敬业）俘虏，反抗军把利刀架到他脖子上，他仍拒绝投降，始终不屈服，最后终于被处死。

28 十月十八日，把裴炎绑到洛阳驿马车总站（都亭），斩首。裴炎将死时，环顾因他而被判刑的兄弟，叹息说："各位兄弟做官，都靠自己奋斗，我没有尽一分之力，而今因我的缘故，流放边荒，岂不可悲！"查抄没收裴炎的家产，发现一贫如洗，没有一石粮食储存。刘景先贬作普州（四川省安岳县）州长，胡元范流放琼州（海南省定安县），死在贬所。裴炎的侄儿、畜牧部主任秘书（太仆寺丞）裴伷先，本年十七岁（年十七岁，就当中央部会的主任秘书，官位从六品上，自是官宦世家特权），呈递"亲启密奏"，请求晋见皇太后武曌，禀报急事。武曌召见他，责问他说："你伯父背叛帝国，你还有什么话说！"裴伷先说："我只是为陛下设想而已，怎么敢说冤枉！陛下身为李家的媳妇，先帝（三任帝李治）逝世之后，立刻掌握大权，变更继位人选，排斥李姓皇族，大量任命武家子弟当官。我的伯父忠君爱国，反而诬告他有罪，连子孙都难逃一死。陛下所作所为是这个样子，我实在感到可惜。陛下应早早把政权还给李家，回到深宫，过无忧无虑的日子，则武姓家族，就可以保全。不然的话，一旦天下有变，无法挽救。"武曌大怒说："胡说八道，一个小娃竟敢讲出这种话。"命人带他出去，裴伷先回头喊叫说："今天采纳我的建议，还不太晚。"一连三次。武曌命人把他送到中央机关办公处所（朝堂）打一百棍，永远流放瀼州（广西上思县）。

裴炎囚禁监狱时，卫军（卫军第一、二军）贵族征兵府副司令（郎将）姜嗣宗，由洛阳奉派到长安（陕西省西安市），西京（首都长安）留守长官刘仁轨，问他东都（洛阳）消息，姜嗣宗说：“很久以来，我就觉得裴炎跟平常大不一样。”刘仁轨说：“你自己认为如此？”姜嗣宗说：“是的。”刘仁轨说：“我正巧有事上奏，盼望你能顺便带去。”姜嗣宗说：“当然可以。”明天，姜嗣宗拿着刘仁轨的奏章，回到洛阳，奏章上说：“姜嗣宗知道裴炎阴谋叛变，却不检举。”武曌看到，就在金銮宝殿上，命人拉断姜嗣宗的四肢，然后拖到驿马车总站（都亭）绞死。

29 十月十九日，唐政府下令追削李敬业（徐敬业）祖父（李世勣〔徐世勣〕）及老爹（李震）的爵位和官职，并挖掘李世勣（徐世勣）等的坟墓，捣毁棺木尸体；撤销李姓，恢复原姓——徐（徐世勣改姓李，参考六一八年十二月）。

30 二级实质宰相（同凤阁鸾台平章事）李景谌，被免除官职，改任藩属事务部副部长（司宾少卿）。武曌另任命皇家言行记录官（右史）武康（浙江省德清县西武康镇）人沈君谅、皇家图书院编撰官（著作郎），崔詧当监督院高级顾问官（正谏大夫）、二级实质宰相（同平章事）。

31 徐敬业（徐家终于摆脱政治姓）得到政府军李孝逸将要抵达消息，即自润州（江苏省镇江市）回军抵抗，进驻高邮（江苏省高邮市）下阿溪（高邮湖支流白塔河），派徐敬猷进逼淮阴（江苏省淮安市淮阴区），再派将领韦超、尉迟昭，进驻都梁山（江苏省盱眙县南）。

李孝逸率军抵达临淮（盱眙县淮河北岸），偏将雷仁智向反抗军挑战，失败，李孝逸恐惧，下令坚守营垒，不敢前进；宫廷监察官（殿中侍御史）魏元忠警告李孝逸说：“帝国安危，就看这一战。人民太平的日子过得太久，忽然听到有人发疯，大家都侧着耳朵，等待传来叛徒伏诛的消息。而今，大军一直逗留，不肯前进，远近势将失望，万一中央另派一个将领接替你的统帅职务，你有什么办法逃避畏惧逗留、阻挠作战的罪名？”李孝逸这才率军前进。

十月二十四日，副总指挥官马敬臣，在都梁山（江苏省盱眙县南）斩反抗军将领尉迟昭。

十一月四日，唐政府再任命左鹰扬（卫军第三军）大将军黑齿常之，当江南兵团总司令官（江南道大总管），讨伐徐敬业。

反抗军将领韦超，率军据守都梁山（江苏省盱眙县南），政府军各将领一致说：“韦超据守险要，只求自保，政府军步兵无法显示他们的勇敢，骑兵无法施展战马的奔驰。而困在一起、穷途末路的盗匪，一定死战到底。我们如果进攻，将有很多士卒丧命，不如分出一部分军队，把他们包围在这里，主力直扑江都（扬州州政府所在县，江苏省扬州市），先清除他们的巢穴！”国务院财政部特遣官（支度使）薛克构说：“韦超虽然据守险要，但他的军队不多，我们多留军队，主力就会减弱，少留军队，恐怕发生后患，不如全面攻击，一定胜利，只要攻克都梁山（江苏省盱眙县南），淮阴（江苏省淮安市淮阴区）、高邮（江苏省高邮市），听到风声，就会瓦解。”魏元忠建议先攻淮阴（江苏省淮安市淮阴区）徐敬猷，各将领说：“不如先攻徐敬业，徐敬业失败，用不着再战，徐敬猷就会投降。如果先攻徐敬猷，则徐敬业率军增援，我们就陷于腹背受敌的苦境。”魏元忠说：“恰恰相反，盗贼（指勤王军）的精锐部队，全在下阿溪（高邮湖支流白塔河），他们像乌鸦一样临时聚在一起，追求一次决定性的会战；如果我们失败，大势就难挽回。徐敬猷是一个赌徒，不懂军事，而且兵力单薄，军心容易动摇，我们用大军逼迫，不必下马就可看到战果。徐敬业即令援救，计算路程，已来不及。攻克徐敬猷后，乘胜追击，纵然韩信、白起复活，也无法抵挡。不先攻弱而贸然先攻强，不是上策。”李孝逸接受，率军进击韦超，韦超乘夜晚逃走；再进击徐敬猷，徐敬猷抛弃他的军队，也只身逃走。

十一月十三日，徐敬业在下阿溪（高邮湖支流白塔河）南岸，严阵以待，政府军后军总司令（后军总管）苏孝祥，率军五千人，于夜晚分乘小船，渡溪攻击，失败，苏孝祥阵亡，士卒被逼到溪水中淹死的，超过一半，左豹韬卫（卫军第九军）平民征兵府副司令（果毅）渔阳（天津市蓟州区）人成三朗，被反抗军生擒，左政务秘书长（左长史）唐之奇宣称：“他就是李孝逸！”打算斩首，成三朗大叫说：“我是平民征兵府副司令（果毅）成三朗，不是李将军。政府军今天大量开到，你们失败就在眼前。我死，妻子儿女享受荣华富贵，你们死，妻子儿女被没收当奴隶，你们永远不如我！”遂被斩首。

李孝逸等待各路兵马到齐后，发动几次攻击，都被击败。李孝逸恐惧，打算撤退，魏元忠和作战机要秘书（行军管记）刘知柔，建议李孝逸说：“现在猛刮顺风，野草干枯，正是火攻的有利时机。”他坚决主张决战。反抗军日夜戒备，为时已久，士卒体力不继，军心不稳，队伍凌乱；李孝逸发动攻击，顺风放火，反抗军大败，被杀七千人，淹死的不计其数。徐敬业等骑快马逃回江都（扬州州政府所在城，江苏省扬州市），携带妻子儿女，南下投奔润州（江苏省镇江市），打算横渡东海，前往朝鲜半岛。李孝逸进驻江都，派军分头追捕。

十一月十八日，徐敬业逃到海陵（江苏省泰州市）境，遇到顶头风，他的部将王那相改变主意，击斩徐敬业、徐敬猷，及骆宾王，提着他们的人头，向政府军投降。党羽唐之奇、魏思温，都被政府军逮捕，把他们的人头，送到神都（洛阳）；扬州（江苏省扬州市）、润州

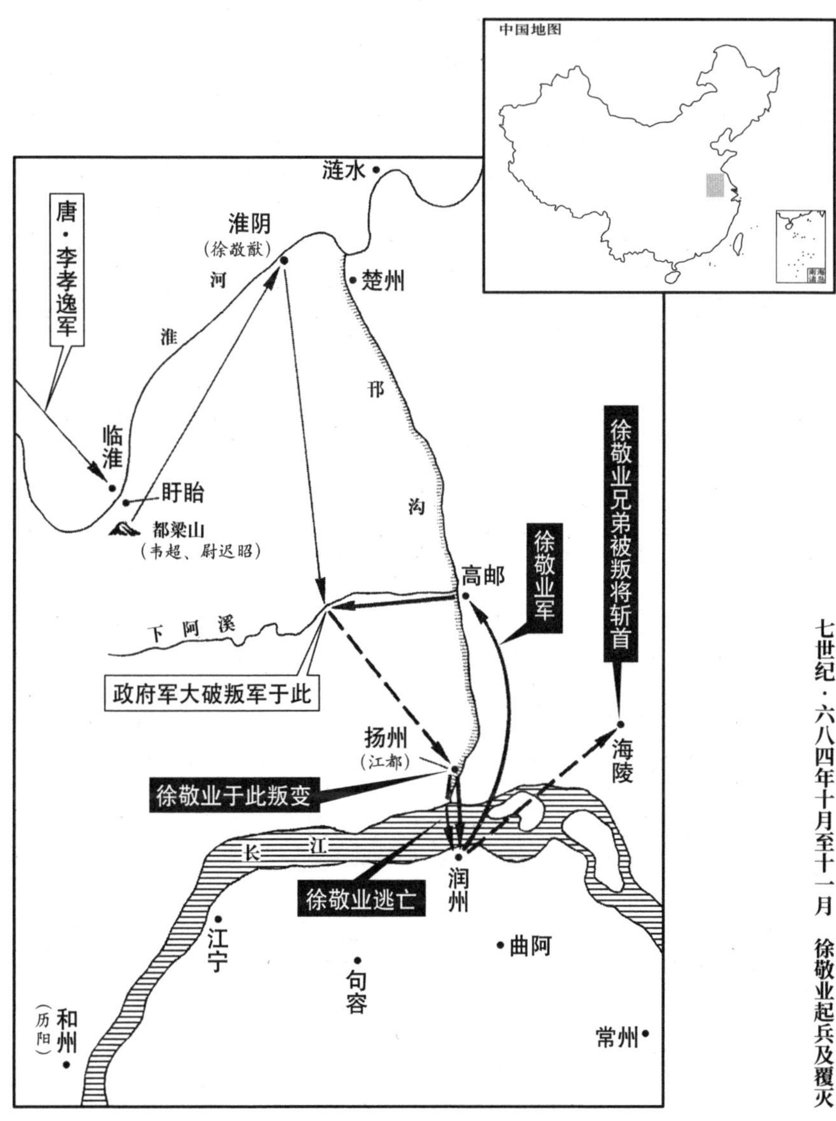

七世纪·六八四年十月至十一月 徐敬业起兵及覆灭

(江苏省镇江市)、楚州(江苏省淮安市)三州，社会秩序，完全恢复。

徐敬业假如能用魏思温的战略，大军直指洛阳，专心专意，以拥护皇帝(李哲〔李显〕)复位，为唯一要务，即令作战失败，身被诛杀，仍留忠义于人世。可是他却愚妄的希望应验金陵(江苏省南京市)的帝王之气，成为真正的叛徒，不失败难道还有别的结局(陈岳，参考六一八年十二月注)!

徐敬业反抗军的失败，在于他还没有进攻，就想找一个失败后的安乐窝。竟然相信薛仲璋说的“长江天险”，使人惋惜，任何天险顶多只能保护有长期基础的国家，诸如东吴帝国、晋帝国、南宋帝国等，不能保护一个突然爆出来的叛乱集团，即以唐王朝而论，李渊如果不能势如破竹，攻陷长安，而退回太原，怎么能够支持。

革命也好，谋反也好，都是闭着眼睛往黑暗里一跳，无论信心如何充足，都是前途莫测。新兴力量假设不能滚雪球般越滚越大，则一次战场失败，就会全盘皆输。

徐敬业起兵时，命徐敬猷率军五千人，沿长江西上，前往和州(安徽省和县)夺取土地。皇家研究院(弘文馆)离职研究官(学士)历阳(和州州政府所在县)人高子贡，率家乡子弟数百人抵抗，徐敬猷无法前进。高子贡因这项功劳，被任命当朝散大夫(文散官十三级，从五品下)、国立贵族大学副教授（成均助教）。

32 十一月二十日，武曌免除副监督长（鸾台侍郎）郭待举官职，改当太子宫政务署长（左庶子）；命另一副监督长（鸾台侍郎）韦方质，改当副立法长（凤阁侍郎）、二级实质宰相（同平章事）。韦方质，是韦云起的孙儿（韦云起事，参考六〇二年三月）。

33 十二月，武曌再贬刘景先当吉州（江西省吉安市）编制外政务秘书长（员外长史），贬郭待举当岳州（湖南省岳阳市）州长。

最初，裴炎被捕下狱，单于道（内蒙古阴山以北）安抚特使、左武卫（卫军第三军）大将军程务挺，秘密上疏为裴炎辩护，因此严重冒犯武曌，而程务挺又跟唐之奇、杜求仁友善，有人向武曌打小报告说："程务挺跟裴炎、徐敬业暗中勾结。"

十二月二十六日，武曌派左鹰扬（卫军第三军）将军裴绍业，前往大营，就在大营斩程务挺，没收他的家产。东突厥汗国听到程务挺的死讯，各地纷纷举行宴会，大肆庆祝，又给程务挺兴建庙院，每次出军征战，都向他祈祷。

武曌认为夏州军区（总部设陕西省靖边县北白城则村）总司令（都督）王方翼，跟程务挺工作上的关系至为密切，平时又很亲善，而且又是王皇后最近亲属（王方翼是王皇后的堂兄，参考六五九年五月），于是征召王方翼到洛阳，逮捕下狱，流放崖州（海南省海口市琼山区），死在贬所。

1 春季，正月一日，唐王朝政府（首都长安〔陕西省西安市〕）赦免天下，改年号（垂拱）。

2 唐王朝皇太后武曌，认为徐思文对她忠心耿耿（徐思文〔李思文〕事，参考去年〔六八四〕十月），特别免除他连坐处分，更任命他当畜牧部副部长（司仆少卿），告诉他说：“徐敬业教你改姓武，我不劝你再改回来。”

3 正月四日，武曌命中央总监察官（左肃政大夫）骞味道，暂任最高立法长（守内史）。

4 正月二十二日，国务院左最高执行长（文昌左相）、一级实质宰相（同凤阁鸾台三品）、乐城公爵（文献公）刘仁轨逝世（年八十四岁）。

刘仁轨是一员战将，更是一个狡狯的政客，以致美好的声誉传播人间。然而，六八四年时，刘仁轨已八十三岁，贪图富贵的欲火，仍然烧心，把姜嗣宗陷害到一个申诉无门的惨境，我们有理由怀疑他的美好声誉，到底是不是真？

5 二月七日，武曌下诏，说："中央机关办公处所（朝堂）设置的伸冤鼓（登闻鼓）及伸冤石（肺石），不必派人防守，有人擂击伸冤鼓（登闻鼓）或站到伸冤石（肺石）上时，监察官（御史）应接受他的诉状，代为转奏（登闻鼓，参考五〇三年十一月注；肺石，参考一六四年十二月注）。"

6 二月二十九日，武曌任命国务院教育部长（春官尚书）武承嗣、国务院司法部长（秋官尚书）裴居道、地方总监察官（右肃政大夫）韦思谦，同时担任一级实质宰相（同凤阁鸾台三品）。

7 东突厥汗国（瀚海沙漠群）可汗（十八任）阿史那骨笃禄等，不断侵扰唐帝国边界，唐政府命左玉钤卫（卫军第七军）贵族征兵府司令（中郎将）淳于处平，当阳曲兵团总司令（阳曲道行军总管），出军反击。

8 监督院（鸾台）中级顾问官（正谏大夫）、二级实质宰相（同平章事）沈君谅免职。

三月，监督院（鸾台）中级顾问官（正谏大夫）、二级实质宰相（同平章事）崔詧免职。

9 三月十一日，把庐陵王李哲（李显）押解房州（湖北省房县）看管。

10 三月十六日，国务院教育部长（春官尚书）、一级实质宰相（同凤阁鸾台三品）武承嗣免职。

11 三月二十六日，唐政府颁布《垂拱行政法规》（《垂拱格》。取代《永徽令》〔参考六五一年闰九月〕）。

12 政府官员有受到贬降，向各宰相陈诉辩解的，最高立法长（内史）骞味道说："这是皇太后（武曌）的决定。"一级实质宰相（同凤阁鸾台三品）刘祎之说："你受别人牵连，由有关官员奏报。"武曌听到消息。

夏季，四月一日，贬逐骞味道当青州（山东省青州市）州长，加授刘祎之为太中大夫（文散官八级，从四品上），对左右侍从说："君王和臣属像一个身体，臣属怎么可以把坏事推给君王，好事归给自己！"

13 四月八日，东突厥军攻击代州（山西省代县），淳于处平率军增援，前进到忻州（山西省忻州市），被东突厥军击败，五千余人阵亡。

14 五月一日，武曌任命裴居道当最高立法长（内史）；最高监督长（纳言）王德真被流放象州（广西象州县）。

五月四日，任命国务院工程部长（冬官尚书）苏良嗣，当最高监督长（纳言）。

15 五月十七日，武曌下诏：无论中央或地方九品以上官员，以及普通平民，都可以自我推荐，向政府陈述自己的才干，要求当官或擢升。

16 五月二十七日，擢升二级实质宰相（同平章事）韦方质，当一级实质宰相（同凤阁鸾台三品）。

17 六月，武曌命国务院文官部长（天官尚书）韦待价兼一级实质宰相（同凤阁鸾台三品）。韦待价，是韦万石的老哥（韦万石事，参考六七八年七月）。

18 同罗部落（原住蒙古国乌兰巴托市北）、仆固部落（原住蒙古国东部）等叛离唐王朝。

唐政府派左豹韬卫（卫军第九军）将军刘敬同，征调河西（甘肃省中部西部）各州骑兵，从居延海（内蒙古额济纳旗嘎顺诺尔海）出发，向北讨伐，同罗部落及仆固部落等全都溃散。唐政府把安北总督府侨设在同城（额济纳旗），用来收容归降的部众（自东突厥汗国复兴，瀚海沙漠及以北地区，脱离唐帝国，参考六七九年十月；原设于漠北的安北总督府〔蒙古国哈拉和林市〕，亦不再存在。直至本年〔六八五〕，才重置安北总督府）。

19 秋季，七月五日，武曌任命国务院左秘书长（文昌左丞）魏玄同当副监督长（鸾台侍郎）、一级实质宰相（同凤阁鸾台三品）。

20 武曌下诏：从现在开始，祭祀天地神灵时，一任帝李渊、二任帝李世民、三任帝李治的牌位，都陪在一旁，同时接受香火；

这是采纳立法官（凤阁舍人）元万顷等的建议。

21 九月二十四日，广州军区（总部设广东省广州市）总司令（都督）王果，讨伐反抗政府的獠部落变民军，把变民军击败。

22 冬季，十一月一日，武曌任命国务院文官部长（天官尚书）韦待价，当燕然兵团总司令官（燕然道行军大总管），讨伐吐蕃王国（首都逻些城〔西藏拉萨市〕）。

最初，西突厥汗国兴昔亡可汗（十二任大可汗）阿史那弥射、继往绝可汗（十三任大可汗）阿史那步真，先后逝世（参考六六二年十二月），十姓部落没有领袖，各部落纷向四方散开，武曌于是擢升阿史那弥射的儿子、左豹韬卫（卫军第九军）贵族翊卫征兵府司令（翊府中郎将）阿史那元庆，当左玉钤卫（卫军第七军）将军，兼昆陵都护（总督府设中亚巴尔喀什湖东南），仍称兴昔亡可汗（十六任大可汗），管辖东部五个防区（咄陆）所有部落。

23 皇家图书院（麟台）图书抄写员（正字，正九品下）射洪（四川省射洪市）人陈子昂，上疏指出："政府派遣使节巡察全国各地，不可不特别慎重人选；州长县长的任用，更不可不特别严格考核。最近几年以来，人民受征兵捐税的影响，疲惫困乏，不可不使他们休息恢复。"大意说："派遣使节，如不是适当的人选，则无论擢升或贬黜，一定不会公平；刑罚一旦不公平，结党营私的一定擢升，忠贞正直的一定被排斥。白白让人民洒扫道路，迎接新使节来，恭送旧使节去！即令再忙碌，对国家都没有裨益。俗话说：'如果要了解他这个人，先观察他所派的使节。'不可不谨慎。"又说："宰相，是陛下的心腹；州长县长，是陛下的手足，从来没有缺少心腹、手足仍可以行动之理。”又说：“天下发生危机，祸福因此而生，危机发生是祸，危机消除是福，是发生或是消除，掌握在人民之手。民心稳定，则乐意活下去，民心骚动，则轻视死亡。一旦轻视死亡，什么事都做得出来，妖孽、叛逆，随之而起，天下就会大乱。”又说：“杨广（隋王朝二任帝）不知道天下有危机，而信任贪婪摇尾之辈，希望在蛮夷那里，得到好处，以至于灭亡。这一个警戒，不可说不大。”

24 武曌修建洛阳白马寺（白马寺，参考六五年十月），任命佛教和尚怀义当住持。怀义，鄠县（陕西省西安市鄠邑区）人，本姓冯，名小宝，在洛阳街头卖药，千金公主（一任帝李渊的女儿）把他推荐给武曌，武曌对他十分宠爱。武曌为了方便他随时出入后宫，遂命他出家为僧，法号怀义。武曌因冯小宝出身贫贱，让他跟驸马薛绍认作同族（一姓冯，一姓薛，不知怎么能合成一族。薛绍，是太平公主〔武曌的女儿〕的丈夫），而要薛绍把冯小宝当成叔父辈尊重。冯小宝出入禁宫，骑坐御马，十余个宦官伺候左右，无论官员平民，遇见他都远远逃避，有走近他的，常被打得满头流血，抛到路边，冯小宝则扬长而去，不管对方死活。遇见道士，更故意殴打，最后竟把对方头发剃光才走。政府最尊贵的官员，遇见他都匍匐在地，用手脚爬到他面前晋谒。连武承嗣、武三思都像家奴一样奉承他，亲自给他牵马拉缰，可是冯小宝根本没有把他们看在眼里。冯小宝聚集一群年轻力壮的地痞流氓，命他们全部出家当和尚，到处惹事犯法，没有人敢说一句话。地方监察官（右台御史）冯思勖，当这些歹徒闯祸时，好几次都依法办理。有一天，冯小宝在路上碰到冯思勖，立刻命随从抓住冯思勖殴打，几乎打死。

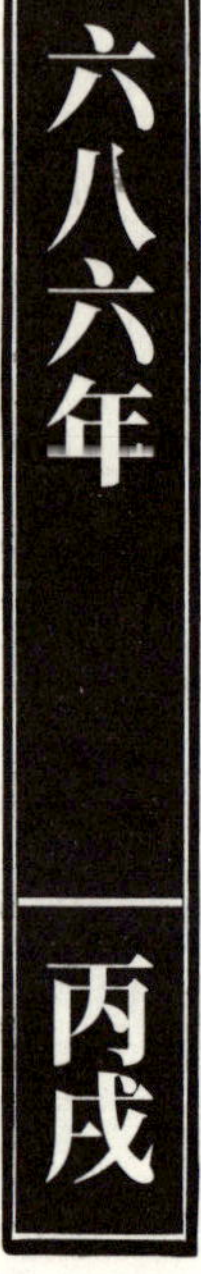

1 春季，正月，唐王朝（首都长安〔陕西省西安市〕）皇太后武曌（本年六十三岁），下诏把政权交还皇帝（五任睿宗）李旦（本年二十五岁）。李旦知道娘亲不是真心，于是上疏坚决辞让，武曌再度临朝，代行皇帝职权。

正月二十日，赦免天下。

2 二月一日，日蚀。

3 右卫（卫军第二军）大将军李孝逸，自攻克反抗军徐敬业后，声望日隆，武家班武承嗣等感到是一种威胁，十分厌恶，不断在武曌面前诬告陷害，武曌遂把李孝逸贬作施州（湖北省恩施市）州长。

4 三月八日，武曌下令铸造告密铜柜，放在政府所在地（朝堂），铜柜东面名“延恩箱”（绿色），专收歌功颂德的文章及请求当官的申请书；南面名“招谏箱”（红色），专收批评政府缺失的奏疏；西面名“伸冤箱”（白色），专收请求伸冤的诉状；北面名“通玄箱”（黑色），专收分析天象灾变的论述及呈献奇计密谋的条陈。指定监督院（鸾台）高级顾问官（正谏大夫）、初级监督官（左补阙）、初级立法官（右补阙）、见习监督官（左拾遗）、见习立法官（右拾遗），轮流管理。遇到有人投诉时，先盘问他对铜柜各箱性质的了解，再随他们的意把文件投入。

最初，徐敬业聚众起兵时，监察官（侍御史）鱼承晔的儿子鱼保家，在反抗军中教导制造兵器，诸如刀剑、战车、弓箭。徐敬业失败后，鱼保家逃出一命。武曌对世上所有事物，都打算了解，鱼保家上疏，建议铸造告密铜柜，用来接受全国人民秘密奏章。铜柜的构造是：内部分隔成四个小箱，小箱上各有一个开口，文件可以投进去，却无法取出。武曌大为称赞，可是，不久，鱼保家的仇家把一份告密函投进铜柜，检举鱼保家曾给徐敬业制造武器，杀伤很多政府军士卒，武曌遂诛杀鱼保家。

武曌自从徐敬业叛变以来，疑心天下所有的人都阴谋对她不利；又因为自己长期独裁专权，而且私生活荒淫靡烂，知道李姓皇族和高阶层官员都对她十分不满，心存反感；武曌决定使用血腥手段镇压，首先公开鼓励告密。对告密的人，任何官员都不准询问告密内容，而一律让他乘政府驿马车，依照五品官待遇供给饮食，送到神都（洛阳，河南省洛阳市），告密人即令是贫贱的农夫或砍柴的樵夫，武曌都会亲自召见，命他们住在藩属事务部（鸿胪寺）所属宾馆。告密者的应对，武曌如果很是满意时，就超越正常轨道，任命他当官；告密者所言如果是假的，也不处罚。于是，四面八方的告密者，像蜂群一样拥出，帝国成为恐怖世界，人们不敢随便移动脚步，甚至不敢用力呼吸。 740

有一个胡人知识分子，名索元礼，知道武曌的心意，立刻向铜柜告密，武曌在召见时，印象深刻，擢升他当游击将军（武散官十五级，从五品下），命他专门调查皇太后交办的叛乱案。索元礼性情残暴恶毒，审问一个人，一定要他牵连数十人甚至数百人；武曌好几次特别召见索元礼，用以增强他的权势。于是，国务院总务官（尚书都事，从七品上）长安（首都长安西半城）人周兴、万年（首都长安东半城）人来俊臣之流，纷纷效法。周兴被擢升到国务院司法部副部长（秋官侍郎，正四品下），来俊臣被擢升到副总监察官（御史中丞），彼此私人都蓄养地痞流氓数百人，唯一的任务就是告密。如果决定陷害某一个人，就命这些地痞流氓在各处同时动手，内容完全一样。来俊臣和最高法院助理审判官（司刑评事，从八品下）洛阳（河南省洛阳市）人万国俊，共同撰写《罗织经》数千字，教导他们属下的特务，如何陷害清白无罪的人，以及如何编造一件谋反故事，结构严谨，布局精密，情节复杂曲折。武曌接到这些告密状，通常情形是先交给索元礼等调查。这些特务像参加酷刑比赛一样，竞争着发明逼供新法：制造长枷，依照长枷的重量，分别定名为“定百脉”“突地吼”“死猪愁”“求破家”“反是实”等。有的把短木绑到被告手足上，像扭绞毛巾一样，扭绞双臂双腿，名“凤凰展翅”；有的把被告腰部绑到柱子上，往前猛拉套在囚犯颈上的长枷，称“驴驹拔撅”；有的命被告跪下，双手捧枷，另把砖头堆到枷上，称“仙人献果”；有的命被告爬上高梯，用绳子拴住枷尾，慢慢向后拉，称“玉女登梯”；有的把被告头下脚上倒着悬挂，在颈上吊一个大石头；有的用醋灌被告的鼻孔；有的用铁环套到被告头上，而在空隙处打入木楔，使脑浆迸裂。每次审问，先把这些刑具陈列出来，让被告观看，没有不恐慌颤抖，汗流浃背，仰望法官颜色，自己竭力诬陷自己，承认有罪的。每次，政府颁布大赦令，来俊臣就命监狱官先把重要囚犯诛杀，然后才正式宣布赦令；武曌认为他真是忠心，对他越发宠爱信任。无论中央或地方，对这几个人都十分畏惧，超过畏惧虎狼。

美国训练间谍手册中，有一段话说：“当敌人对你用刑的时候，你要高兴，那说明他们对你一无所知。”这正是一个幸福家庭长大的公子哥儿口吻，不知道人生艰难。专制政治下的苦刑拷打，岂仅是要你招供你隐瞒的事？而是，他还要你供出你从没有做过的事！你必须不断揣摸审问官的心理，察言观色，一步一步编出置自己于死地的罪行。揣摸试探之际，也就是苦刑拷打之时，审问官发现你的口供不能称他的心，如他的意，一定怒不可遏，只有苦刑拷打才能帮助你充分发挥罗织自己罪状的想象力。

告密是一种绝对的恶，即令在充满罪恶的社会，有这种恶的人，也被唾弃。武曌对中国最大的伤害，在于把这一种恶，用强大的政治压力，竟使它变成深受赞扬和应获奖赏的善，人类特有的价值观，完全倒错。

历史上有好几个大魔头是采取法律手段消灭异己的，第一是武曌，第二是朱元璋，他们扩大冤狱功能，任用特务，在合法的外貌掩护下，作大规模屠杀。

酷刑以及告密，是衡量一个国家文明程度的指标，希望这两项恶，都能彻底绝迹。

皇家图书院图书抄写员（麟台正字）陈子昂，上疏武曌，认为：“当权人士（武家班）痛恨徐敬业领头闯祸，为了堵塞奸邪的泉源，穷追细查他的党羽，以致使陛下大兴政治监狱，重新制定严厉法令，只要有一点点沾边的嫌疑，或口供上有一点点牵连，则凡所涉及的，没有一个人不缉捕归案。于是，有些恶徒迷惑政府，利用陛下的危机感，辗转诬陷，对稍有可疑的言谈行止，立即检举，希望换取荣华富贵。这恐怕不是陛下讨伐有罪、怜悯平民的本意。我暗中观察，当今天下大势，人民追求安定生活的意愿，为时已久，所以扬州（江苏省扬州市）叛乱（参考前年〔六八四〕九月），前后虽长达五十日，而四海之内，却一派升平，尘土不惊。陛下不用安静沉默的策略，去拯救疲惫的人民，反而任意使用酷刑，使大家失望。我愚昧不明，深感困惑。我亲眼看到各地方告密行动，一个案件，开始时逮捕囚禁数百数千人之多，等到审问结果，一百人中没有一人真的犯罪。然而陛下慈爱宽恕，竟不惜扭曲法律，而对那些特务，特别包容，使恶徒党羽，称心快意，对人更加仇视，甚至小小的不愉快，有人瞪了他一眼，他就立刻告密对方谋反。一个人一旦被人告密，就会有一百人塞进监狱，特务出发各地，审问缉拿，高官贵爵来来往往，好像市场。有人认为陛下为了爱一个人而谋害一百个人，全国议论纷纷，不知什么地方才是安全之所。我听说隋王朝末年，天下尚称太平，杨玄感兵变，没有超过一个月，就被击败，说明政府虽然已经腐烂，但还没有到崩溃地步，人民心意，仍然盼望安居乐业。无奈杨广无法醒悟，放纵国务院国防部长（兵部尚书）樊子盖，肆意杀人，穷追不舍的搜捕叛党，四海之内的英雄豪杰，没有人不受到波及，到了最后，杀人如麻，血流成河（参考六一三年十一月），天下怨恨，人民才想到聚众起兵，反抗政府，于是群雄并举，隋王朝遂告覆亡。谋反大狱一旦兴起，不可能避免牵连无罪的人，受冤的囚犯悲苦叹息，伤害天地间的祥和，引起瘟疫流行，大水大旱成灾，人民既失去工作，闯祸生乱之心，就会接着产生。古代圣明君王，对使用刑法，至为慎重，就是心中有这种恐惧。刘彻（西汉王朝七任帝）时代，发生巫蛊事件，迫使太子刘据呼号奔走，皇宫之前，刀兵相交，无辜被杀的以千人、万人为单位计算，西汉王朝几乎覆灭，幸而刘彻接到壶关（山西省壶关县）教育官（三老）令狐茂的上书，感动醒悟，屠灭江充三族（参考前九一年七月），不再追究刘据的余党，天下因此才归于安定。古人说：'不要忘记以前发生的事，它可是以后人的教师。'（司马迁：前事不忘，后事之师。）但愿陛下考虑。"武曌不接受。

5 夏季，四月，武曌铸造大型佛像，放在皇宫北门（玄武门）外。

6 武曌任命国务院国防部副部长（兵部侍郎）岑长倩当最高立法长（内史）。

六月三日，任命最高监督长（纳言）苏良嗣当国务院左最高执行长（左相）；一级实质宰相（同凤阁鸾台三品）韦待价当国务院右最高执行长（右相）。

六月十一日，任命地方总监察官（右肃政大夫）韦思谦当最高监督长（纳言）。

苏良嗣在政府办公处所（朝堂），遇到冯小宝，冯小宝态度傲慢，神情显露轻视，苏良嗣大怒，命左右侍从抓住他，痛打他数十个耳光。冯小宝向武曌告状，武曌安慰他说："小宝，明天起你改走北门（玄武门）好了，南宫是苏良嗣那批宰相出入的地方，不要去招惹他们。"（皇宫分南北二城，北城也称"后宫""后庭""禁中"，是皇帝、皇后、小老婆群、宦官居住的地方。南城也称"南牙""朝堂"，是中央政府各院〔省〕部〔寺〕办公处所。）

武曌对外宣称：冯小宝心思灵巧，所以命他到后宫负责工程设计。初级监督官（左补阙）长社（河南省许昌市）人王求礼上疏说："太宗（二任帝李世民）时，有罗黑黑这个人，琵琶弹得很好，太宗（李世民）割掉他的生殖器，让他到后宫教小老婆群。陛下如果认为冯小宝心思灵巧，打算唤进后宫差遣，我请求先把他的生殖器割掉，才不至于污染宫廷。"奏章呈上后，没有回答。

7 秋季，九月十日，武曌任命西突厥汗国（新疆东北部及中亚东部）继往绝可汗（十三任大可汗）阿史那步真（六六六年逝世）的儿子阿史那斛瑟罗，当右玉钤卫（卫军第八军）将军，继位继往绝可汗（十七任大可汗），管辖西部防区五个部落。

8 冬季，十月二日（原文误置于九月，据《新唐书》改），京畿总卫戍司令部（雍州）上疏说："新丰（陕西省西安市临潼区东北新丰街道）东南，从地面冒出一座小山。"（《两京道里志》："当山初出地面时，约高六、七尺，渐渐升高到三百尺，并不是一天之间，就高三百尺，而是每天增高，日积月累才高三百尺，逐渐形成，不是一夜雷雨造成的奇迹。"）武曌下诏把新丰县改名庆山县，四方人士拥到洛阳，向武曌祝贺。

江陵（湖北省江陵县）人俞文俊上疏说："天气不和谐，冬寒夏热就不分明；身体不和谐，肉瘤赘肉就容易发生；地理不和谐，高大的土丘，就会出现。陛下以一个女主人的阴柔身份，坐在男主人阳刚位置上，使阴柔和阳刚，颠倒翻转，地气受到强力压制，土丘就有变化，引起灾难。陛下命名'庆山'，我认为无'庆'可言。我愚昧的看法是，陛下应该虔诚的提升自己的品德，用以回应上天的谴责，不然，大祸就要来到。"武曌冒火，把俞文俊流放到岭外（南岭以南），后来，被六道特使诛杀（"六道特使"事，参考六九三年二月）。

9 东突厥汗国（瀚海沙漠群）侵入边境，左鹰扬卫（卫军第三军）大将军黑齿常之迎战，前进到两井（阴山以东），跟东突厥三千余人相遇，东突厥军发现唐王朝军队，立刻下马，披上铠甲，黑齿常之率骑兵二百余人冲锋，东突厥军都抛下铠甲逃走。傍晚，东突厥主力反攻，黑齿常之命营中燃起火炬，不久，东南方也出现火炬，东突厥疑心增援部队赶到，乘夜撤退。

10 狄仁杰当宁州（甘肃省宁县）州长。地方监察总署（右台）行政监察官（监察御史）晋陵（江苏省常州市）人郭翰，巡察陇右（陇山以西）地区，所到之处，对地方政府首长，差不多都弹劾纠正。可是，进入宁州（甘肃省宁县）境内，赞美州长的人，到处都是。郭翰特别向中央推荐狄仁杰，中央征召狄仁杰到洛阳当国务院工程部副部长（冬官侍郎）。

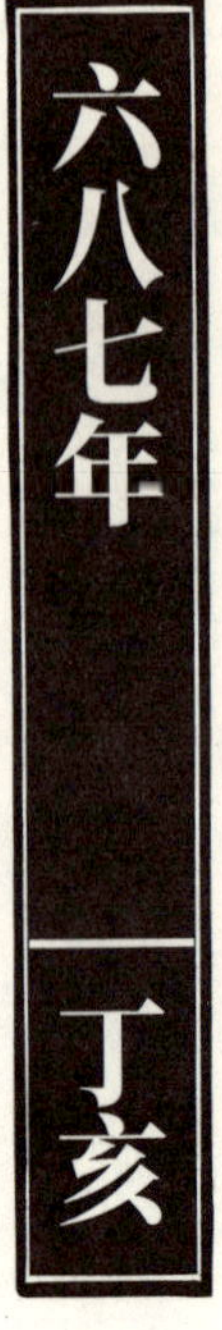

1 春季，闰正月二日，唐王朝（首都长安〔陕西省西安市〕）皇帝（五任睿宗）李旦（本年二十六岁），封皇子李成美当恒王、李隆基当楚王、李隆范当卫王、李隆业当赵王。

2 二月二十二日，东突厥汗国（瀚海沙漠群）可汗（十八任）阿史那骨笃禄等，攻击昌平（北京市昌平区）。皇太后武曌派左鹰扬卫（卫军第三军）大将军黑齿常之，率各军进讨。

3 三月一日，最高监督长（纳言）韦思谦，以太中大夫（文散官八级，从四品上）名义退休。

4 夏季，四月，任命国务院左最高执行长（左相）苏良嗣，当西京（首都长安）留守长官。

当时，宫廷供应总监（尚方监）裴匪躬，调查西京（首都长安）皇家苑林，打算把苑林中种植的蔬菜水果卖掉，用收入补足公款的不足。苏良嗣反对，说：“从前，公仪休当鲁国宰相，还能够拔除蒲葵、禁止家人织布（参考前一四〇年十月注），从来没有听说过天下之主做生意、贩卖蔬菜水果！”武曌才停止。

5 四月二十九日，最高立法长（内史）裴居道，转任最高监督长（纳言）。

五月三日，国务院国防部副部长（夏官侍郎）京兆（首都长安）人张光辅，当立法院副立法长（凤阁侍郎）、二级实质宰相（同平章事）。

6 立法院副立法长（凤阁侍郎）、一级实质宰相（同凤阁鸾台三品）刘祎之（祎，音yī〔衣〕），私下告诉立法官（凤阁舍人）永年（河北省邯郸市永年区东南广府镇）人贾大隐说：“皇太后（武曌）既然把昏君罢黜（指四任帝李哲），选立明君（五任帝李旦），为什么还要临朝行使皇帝职权！不如回归正常体制，安抚民心！”贾大隐秘密奏报，武曌大不高兴，对左右侍从说：“是我让刘祎之当宰相的，竟然对我背叛！”遂有人诬告刘祎之接受归诚州军区（总部应在辽河上游契丹部落所在地）总司令（都督）孙万荣贿赂，又跟许敬宗的小老婆通奸（许敬宗，参考六七二年八月）；武曌命肃州（甘肃省酒泉市）州长王本立调查。王本立宣读政府训令，刘祎之说：“不经过立法院（凤阁）监督院（鸾台），怎么能叫皇家训令？”武曌大怒，指控刘祎之拒抗钦差大臣。

五月七日，武曌命刘祎之在家自杀（年五十七岁）。

刘祎之最初下狱时，唐帝李旦上疏给娘亲武曌营救，刘祎之的亲戚朋友都向他祝贺，刘祎之说：“这样做，是加速我的死亡！”临服毒时，全身沐浴，神色跟平常一样，亲自撰写感谢赐死的奏章，一会工夫写了好几张纸。皇家图书院图书管理官（麟台郎，从六品上）郭翰、太子宫教育官（太子文学，正六品下）周思钧，都赞叹文情并茂，武曌听到消息，把郭翰贬作巫州（湖南省洪江市西北黔城镇）军法官（司法，下州从八品下），周思钧贬作播州（贵州省遵义市）出纳官（司仓，下州从八品下）。

7 秋季，八月一日（原文误置于七月，据《旧唐书》改。《新唐书》则记载于八月二十一日），任命副监督长（鸾台侍郎）魏玄同，摄理最高监督长（检校纳言）。

8 岭南（南岭以南）俚族部落一向只缴一半田赋捐税，交趾（安南）总督（总督府设越南河内市）刘延祐命他们缴纳全部，俚部落拒绝，刘延祐诛杀他们的首领，俚部落豪杰李思慎等，武装反抗，攻陷安南（六七九年，交州军区〔都督府〕改称安南总督府，因辖区古称交趾〔越南北部〕，也称交趾总督府。安南总督府，即交州〔河内市〕），诛杀刘延祐。桂州（广西桂林市）军务秘书长（司马）曹玄静，率军讨伐，斩李思慎等。

9 东突厥可汗（十八任大可汗）阿史那骨笃禄，及支派酋长阿史德元珍，攻击朔州（山西省朔州市）。唐政府派燕然兵团总司令官（燕然道大总管）黑齿常之迎击，命左鹰扬（卫军第三军）大将军李多祚当副指挥官，在黄花堆（山西省山阴县东北）会战，大破东突厥军，黑齿常之追击四十余华里，突厥士卒溃散，向沙漠北部逃命。

李多祚世代是靺鞨部落（黑龙江下游）酋长，因作战有功，一直擢升到皇家禁卫军高级将领。黑齿常之每得到赏赐，都分散给将士；有一次，他的一匹骏马被一个士卒伤害，官员们要求鞭打那个士卒，黑齿常之说："怎么可以为了一匹私人的马，去鞭打国家的战士！"终于没有查办。

10 九月十八日，虢州（河南省灵宝市）人杨初成，宣称他是贵族征兵府副司令（郎将），假传圣旨（不知假传的是什么人的圣旨），在街头招兵买马，声言前往房州（湖北省房县）迎接庐陵王李哲（李显）；事情被发觉，处斩。

11 冬季，十月九日，右监门卫（卫军第十四军）贵族征兵府司令（中郎将）爨（音cuàn〔篡〕）宝璧，与东突厥可汗（十八任大可汗）阿史那骨笃禄、阿史德元珍会战，全军覆没，只有爨宝璧狼狈骑马逃回。

爨宝璧看到黑齿常之总是建立功劳，因此上疏请求穷追正向后撤退的东突厥军，武曌命他和黑齿常之会商，要黑齿常之出军遥遥支援。爨宝璧企图一个人完成这项歼灭战，为了防止别人分享功劳，不等黑齿常之抵达，就率精锐部队一万三千人，先行前进，北出边塞二千余华里，袭击东突厥部落；既发现目标，却派人前去通知，使对方严密戒备，然后攻击，于是大败。武曌下令斩爨宝璧，把阿史那骨笃禄改名阿史那不卒禄。

12 武曌命摄理最高监督长（检校纳言）魏玄同，当西京（首都长安）留守长官。

13 武家班武承嗣（武曌的侄儿）派人诬告施州（湖北省恩施市）州

长李孝逸，曾经自己说过："我姓名中有个'兔'字，而'兔'，是月亮中的宝物，命中注定要当天子。"武曌因李孝逸身有大功，十一月十八日，判决：李孝逸死刑减一等，开除官籍，贬窜儋州（海南省儋州市）；李孝逸就死在贬所。

14 皇太后武曌打算派宰相韦待价，率军攻击吐蕃王国（首都逻些城〔西藏拉萨市〕），副立法长（凤阁侍郎）韦方质上疏请依照惯例派遣监察官（御史）监军。武曌说："自古以来，圣明的君王命将出征，京师以外的事情，全交付给他。最近，听说监察官（御史）监军，军中事情，无论大小，都要向他请示办理，这是用部属控制上级的策略，不是好的制度，而且，有了监军，怎么要求将领立功？"遂不派遣。

15 本年（六八七），全国严重饥馑，山东（崤山以东）、关内（陕西省中部）更为悲惨。

六八八年 戊子

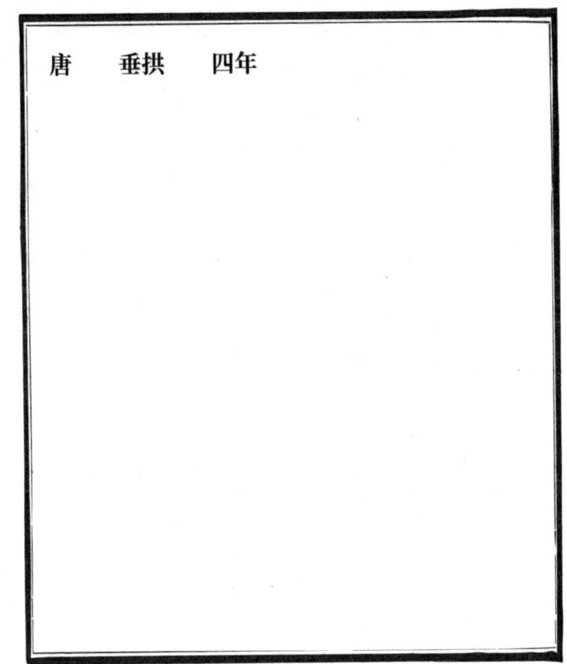

1 春季，正月五日，唐王朝政府（首都长安〔陕西省西安市）在神都（洛阳，河南省洛阳市）兴建李渊（一任帝）、李世民（二任帝）、李治（三任帝）三座皇家祖庙，每年四季祭祀，跟西京（首都长安）皇家祖庙的仪式一样（自李治死，武曌即不再回长安，本年兴建李姓皇家祖庙，更具体表示洛阳已成首都，永不西返。长安皇宫中王皇后、萧淑妃的冤魂，给武曌的威胁太大。参考六五五年十一月），又兴筑崇先庙，祭祀武曌的列祖列宗。

武曌命主管官员讨论崇先庙应设立几个祭祀室，祭祀部礼仪官（司礼博士）周悰，请设立七个祭祀室，而把唐王朝的皇家祖庙，减作五个祭祀室（唐王朝建立之初，皇家祖庙只设四个祭室，参考六一八年六月六日。一任帝李渊逝世，遂增至六个祭室，而始祖庙保留不建，参考六三五年七月。直至本年〔六八八〕，仍是六个祭室。迟至李显复辟，追认老哥李弘为义宗，把其牌位送进皇家祭庙，才满七室。参考七〇五年六月）。国务院教育部副部长（春官侍郎）贾大隐反对，上奏说："依照古礼，天子有七座祖庙，封国国君（诸侯）有五座祖庙，这是百代不变的规矩。周悰引用一些肤浅的理由，大量转述一些奇异的言论，只崇拜宝座上当权者的权威，不依照国家的正常制度。皇太后（武曌）亲自接受托孤重任，发扬光大，崇先庙祭祀室的数目，应跟封国国君一样，皇家祖庙更不应有什么改变。"武曌这才停止。

2 二任帝李世民、三任帝李治在位时，屡次想兴建皇家大会堂（明堂），各儒家学派学者就形式和格局问题一再讨论，很久得不到一致的结论，遂中途停止（参考六六九年三月）。后来，皇太后武曌主持政府，代替皇帝行使职权，仅单独和北门学士（参考六七五年三月）商议，不再征询其他儒家学者的意见。儒家学者认为皇家大会堂应位于首都南方稍微偏东位置：首都三华里之外，七华里之内地带；但武曌仍认为距皇宫太远。

正月十一日（原文误置于二月，据《新唐书》改），武曌下令拆除乾元殿（于六六五年三月落成），就在原址兴筑皇家大会堂，任命情夫冯小宝当总监督，征调数万人充当工匠。

3 夏季，四月十一日，诛杀太子宫事务管理官（太子通事舍人，正七品下）郝象贤。郝象贤，是郝处俊的孙儿（郝处俊事，参考六七五年三月）。

最初，武曌对郝处俊至为痛恨（李治打算命武曌摄政，郝处俊劝阻，使武曌夺权时间延后九年之久，参考六七五年三月），一直在找机会报仇，正巧，郝象贤的家奴诬告郝象贤叛变，武曌命国务院司法部副部长（秋官侍郎）周兴调查，判决郝象贤全族屠灭。郝象贤的家人前往政府办公处所（朝堂，皇宫南城），向行政监察官（监察御史）乐安（山东省惠民县）人任玄殖诉冤。任玄殖上疏指出郝象贤被控叛变，没有证据，武曌把任玄殖免职。郝象贤在绑赴刑场途中，用尽所有脏话，诟骂武曌，揭发武曌的淫行隐私，又闯到路边夺取驻足观众挑卖的木柴，用来攻击刽子手，负责维持街市秩序的金吾卫（卫军第十一、十二军）士卒一拥而上，把郝象贤乱刀砍死。武曌下令将郝象贤的尸体割裂分解，再挖掘他的老爹及祖父（郝处俊）的坟墓，捣毁棺木，焚烧骨骸。从此，一直到武曌逝世，司法单位每次处决囚犯，都先用一块圆木球塞住囚犯嘴巴。

郝处俊不过阻挠一次武曌摄政而已，事隔十三年，武曌终于用屠灭全族的酷刑作为报复，胸襟之狭窄，心灵之恶毒，使人生厌，然而也因此之故，郝象贤没有后顾之忧，得以把武曌的丑事，全盘抖出来，留传人世，武曌泄愤的结果徒使自己更为羞辱。人事难料，往往如此。

4 武家班武承嗣派人在一块白色石头上，凿出下列文字：“圣母临人，永昌帝业。”然后把紫色石块磨成粉末，再羼杂草药，将它填平。

四月庚午日（四月戊子朔，没有庚午。《旧唐书》仍载于四月，《新唐书》载于五月三日），武承嗣命京畿卫戍区（雍州）居民唐同泰，把那块石头呈献给武曌，声称从洛水中捞起。武曌大为欢喜，命名为“宝图”，擢升唐同泰当游击将军（武散官十五级，从五品下）。

五月十一日，武曌下诏说：她打算择定日期，前去洛水，向洛水神叩谢，并亲自接受“宝图”。于是到神都（洛阳）南郊祭祀天神，禀告她对昊天大帝的感激之情；典礼完毕后，前往皇家大会堂（明堂），接受文武官员朝见。武曌训令各军区总司令（都督）、各州州长，以及皇亲国戚，在祭拜洛水神十天之前，齐集神都（洛阳）。

五月十八日，武曌自加尊贵绰号：圣母神皇。

5 六月一日，日蚀。

6 六月十六日，武曌铸造“圣母神皇”三颗玉玺。

7 武曌削除东阳大长公主（二任帝李世民的女儿）的采邑，连同她的两个儿子，一起贬窜到巫州（湖南省洪江市西北黔城镇）。

东阳大长公主嫁高履行，武曌因高履行是长孙无忌的舅兄，所以心里至为痛恨。

8 江南道（长江以南）巡察安抚特使（巡抚大使）、国务院工程部副部长（冬官侍郎）狄仁杰，认为吴楚地区（长江中游下游）各式各样的奇寺怪庙太多，上疏请求中央核准焚烧其中一千七百余座，只保留：姒文命庙（夏禹庙）、姬太伯庙（吴太伯庙）、吴季札庙、伍子胥庙等四种寺庙（早在南北朝时代，江东地区人民便一直供奉不同名目的神祇，参考四二一年四月）。

9 秋季，七月一日，武曌赦免天下。把“宝图”改称“天授圣图”，把洛水改称永昌洛水，封洛水神当显圣侯，加授显圣侯官位：特进（文散官二级，正二品），禁止人民捕鱼；祭祀的仪式，比照祭祀四岳；把捞出“天授圣图”的地方，命名圣图泉；在圣图泉岸上，设置永昌县（洛阳城西南）。把中岳嵩山（河南省登封市北）改称神岳，封嵩山神当天中王，加授：太师（三师之一）、使持节（皇帝全权代表）、神岳军区总司令官（神岳大都督），禁止在山上牧羊砍柴。又因为先前汜水县（河南省荥阳市西北汜水镇）也发现过类似的祥瑞石头，乃把汜水县改称广武县。

10 武曌的夺权斗争升级，密谋推翻由她当皇太后的李姓王朝，而另建由她当皇帝的武姓王朝，于是逐渐屠灭李姓皇族。绛州（山西省新绛县）州长、韩王李元嘉，青州（山东省青州市）州长、霍王李元轨，邢州（河北省邢台市）州长、鲁王李灵夔（以上三亲王都是一任帝李渊的儿子）；豫州（河南省汝南县）州长、越王李贞（二任帝李世民的儿子），以及李元嘉的儿子、通州（四川省达州市达川区）州长、黄公爵李撰，李元轨的儿子、金州（陕西省安康市）州长、江都王李绪，虢王李凤（一任帝李渊的儿子）的儿子、申州（河南省信阳市）州长、东莞公爵李融，李灵夔的儿子、范阳王李蔼，李贞的儿子、博州（山东省聊城市）州长、琅邪王李冲；在李姓皇族中都因才干和品德，享有盛名，武曌对他们十分猜忌。李元嘉等恐惧不安，暗中准备解除武曌的权力，恢复皇权。

李撰写一封暗示信给李贞，说：“我妻子的病势日渐沉重，应该火速诊疗，如果拖到今年冬季，恐怕无药可治。”后来，接到武曌召集全国高官及皇亲国戚，在她祭拜洛水神前十天，齐集神都（洛阳）的诏书，各亲王大为惊恐，互相通知说：“皇太后（武曌）计划在大宴群臣的时候，派人向她告密，然后把皇族一网打尽，全部屠杀，一个活口都不留。”李撰伪造唐帝（五任睿宗）李旦下达给琅邪王李冲的诏书，说：“我被软禁，各亲王快出军营救！”李冲也伪造一份李旦下达给自己的诏书，说：“皇太后（武曌）打算把李姓皇族的政府，转移到武姓之手！”

八月十七日，李冲召见政务秘书长（长史）萧德琮等，命他们招兵买马，分别通知韩王李元嘉、霍王李元轨、鲁王李灵夔、越王李贞，以及贝州（河北省清河县）州长纪王李慎（二任帝李世民的儿子），命他们各自起兵，在神都（洛阳）会师。皇太后武曌接到报告，任命左金吾（卫军第十一军）将军丘神勣，当清平兵团总司令官（清平道行军大总管），率军讨伐。

李冲募集到五千余人，准备南渡黄河，夺取济州（山东省聊城市在平区西南），于是先攻击武水（山东省聊城市西南），武水县长郭务悌奔往魏州（河北省大名县）求救；莘县（山东省莘县）县长马玄素，率一千七百人准备对李冲拦击，恐怕力量不够，遂进入武水县城，闭门坚守。李冲用装满了稻草麦秸的车辆，塞住南门，顺风纵火，打算乘火势冲到城中；想不到大火刚起，风势却忽然反转，不能前进，士气沮丧。反抗军将领堂邑（山东省聊城市西堂邑镇）人董玄寂，率军参与对武水（山东省聊城市西南）的攻击，对人说：“琅邪王（李冲）跟政府军作战，就是叛变！”李冲得到消息，斩董玄寂示众，那些临时集结的士卒大为恐惧，纷纷逃往沼泽地带，李冲无法禁止，最后，左右只剩下奴仆侍卫数十人，只好急行折返博州（山东省聊城市）。

八月二十三日，李冲抵达博州（山东省聊城市）城下，被把守城门的士卒格杀，距起兵之日，仅只七天，即归失败。丘神勣抵达博州，博州政府官员，身穿白色服装，出城迎接，丘神勣把他们全部斩首，一千余户家破人亡。

越王李贞听到李冲起兵消息，也在豫州（河南省汝南县）发动，派军攻陷上蔡（河南省上蔡县）。

九月一日，武曌命左豹韬（卫军第九军）大将军麹崇裕当中军总司令官（中军大总管），最高立法长（内史）岑长倩当后军总司令官（后军大总管），率军十万讨伐，又命副立法长（凤阁侍郎）张光辅当总司令官（总管）。武曌下令剥夺李冲的皇族身份，改姓虺（音huǐ〔悔〕）。李冲失败的消息传到豫州（河南省汝南县），李贞恐惧，打算自己戴上刑具，前往神都（洛阳）皇宫门前自首。正巧，他所任命的新蔡（河南省新蔡县）县长傅延庆，新招募到士卒二千余人，李贞遂改变主意，对部众宣称："琅邪王（李冲）已攻破魏州（河北省大名县）、相州（河南省安阳市）等数州，大军二十万人，很快就可来到。"征调所属各县民兵共五千人，分成五营，命汝南（应是汝阳，豫州州政府所在县，河南省汝南县）县政府主任秘书（县丞）裴守德等率领；任命九品以上官员五百余人，这些被任命的官员，身受胁迫，不敢反抗，但没有作战的意念，只有裴守德跟李贞一条心，李贞把女儿嫁给裴守德为妻，任命他当最高统帅（大将军），当作心腹。李贞请道士及和尚分别念经，祈祷反抗成功，左右侍从及士卒，都身带"避刀符"。麹崇裕等大军抵达豫州（河南省汝南县）城东四十华里，李贞派幼子李规及裴守德迎击，想不到所率军队一哄而散，李规及裴守德逃回。李贞大为恐惧，紧闭王府内院阁楼，坚守不出。麹崇裕等抵达城下。李贞左右侍从警告他说："大王，你怎么可以坐在这里挨刀！"于是，李贞、李规、裴守德，及他们的妻子，一起自杀（自起兵至自杀，共十七日），他们的人头和李冲的人头，都被挂在神都（洛阳）皇宫城门。

最初，范阳王李蔼（一任帝李渊的孙儿、李灵夔的儿子），派使节告诉李贞、李冲说："如果全国所有亲王同时起义，事情定会成功。"各亲王们使节来往，秘密结盟，还没有讨论出结果，李冲已先行发难，只有李贞仓猝间狼狈响应，其他所有亲王都不敢有所行动，所以失败。

李贞将要起事的时候，派使节通知寿州（安徽省寿县）州长赵瓌，赵瓌的妻子常乐长公主（参考六七五年四月）对使节说："替我告诉越王（李贞），从前，杨坚（隋王朝一任帝）将要篡夺北周帝国政权时，尉迟迥是宇文皇族的外甥，还能武装反抗，拯救舅家灾难（参考五八〇年八月），虽然没有成功，声威震动四海，足可称为忠烈。何况你们这些亲王，都是先帝（李渊及李世民）的儿子，怎么能不为帝国担心！现在，李姓皇族正临危境，好像早上的露水，随时会被蒸干（以露水比喻脆弱，参考一四一年三月注），你们这些亲王如果不能抛弃生命，实践大义，还能做什么？竟然在那里犹豫，不立即动手，难道还有别的盼望，灾祸就要临头，大丈夫应该当一个忠义鬼，不要死得毫无意义。"

等到李贞失败，皇太后武曌打算借机把韩王李元嘉、鲁王李灵夔等各亲王，一起诛杀；遂命行政监察官（监察御史）蓝田（陕西省蓝田县）人苏珦，秘密调查。苏珦调查的结果，找不到两位亲王叛乱的证据；于是，有人告密说："苏珦跟韩王李元嘉、鲁王李灵夔勾结。"武曌召见苏珦质问，苏珦据理力争，不肯屈服，武曌说："你是个高雅的知识分子，我会交给你别的工作，这件官司，不需要你办。"遂派苏珦到河西（甘肃省中部西部）充任监军，另行任命国务院司法部副部长（秋官侍郎）周兴等调查。周兴等于是逮捕韩王李元嘉、鲁王李灵夔、黄公爵李撰、常乐公主，由各地分别押解神都（洛阳），胁迫他们自杀；改姓虺（音huǐ〔悔〕），各人的亲戚朋友，全部屠灭。

武曌任命国务院左秘书长（文昌左丞）狄仁杰当豫州（河南省汝南县）州长。当时，正镇压越王李贞的同党，受控告的官民高达六七百家，被政府没收当奴婢的有五千人，最高法院（司刑寺）下令迅速执行。狄仁杰呈递密奏，说："他们都被牵连，我本打算公开上疏，可是那样做好像替叛乱犯伸冤；但知道而不说话，又恐怕辜负陛下仁慈怜悯的本意！"武曌下诏特别宽恕，只把他们流放丰州（内蒙古五原县）。这些人前往贬所，中途经过宁州（甘肃省宁县），宁州当地父老迎接慰劳，说："是不是我们狄州长救你们的命（狄仁杰曾任宁州州长，参考前年〔六八六〕十二月）？"当地人及流刑犯一同到德政碑下，哭泣流泪，供奉素食三天，然后启程。

当时，副立法长（凤阁侍郎）、政府军总司令官张光辅，仍留在豫州（河南省汝南县），将领士卒仗恃战功，向州政府大肆索取，狄仁杰都不答应，张光辅大怒说："你这个州长轻视元帅，是也不是？"狄仁杰说："扰乱汝南（豫州，河南省汝南县），一个越王李贞而已，现在，一个李贞死，变出一万个李贞！"张光辅问他这话什么意思，狄仁杰说："阁下率大军三十万，所诛杀的只限越王李贞。城里官民听到政府军抵达，跳出城墙归降，大营四面，都踏成道路。可是你却放纵你的将士凶暴抢劫，把已归降的人杀掉，作为自己的功劳，人民的血染红了原野，不是一万个李贞，又是什么？我恨不得有一把尚方宝剑，砍断你的脖子，即令被处死，也跟送我回家一样愉快！"张光辅张口结舌，回洛阳后，控告狄仁杰傲慢无礼，武曌把狄仁杰贬作复州（湖北省仙桃市）州长（自近地州贬远地州）。

11 九月十二日，中央总监察官（左肃政大夫）骞味道、国务院国

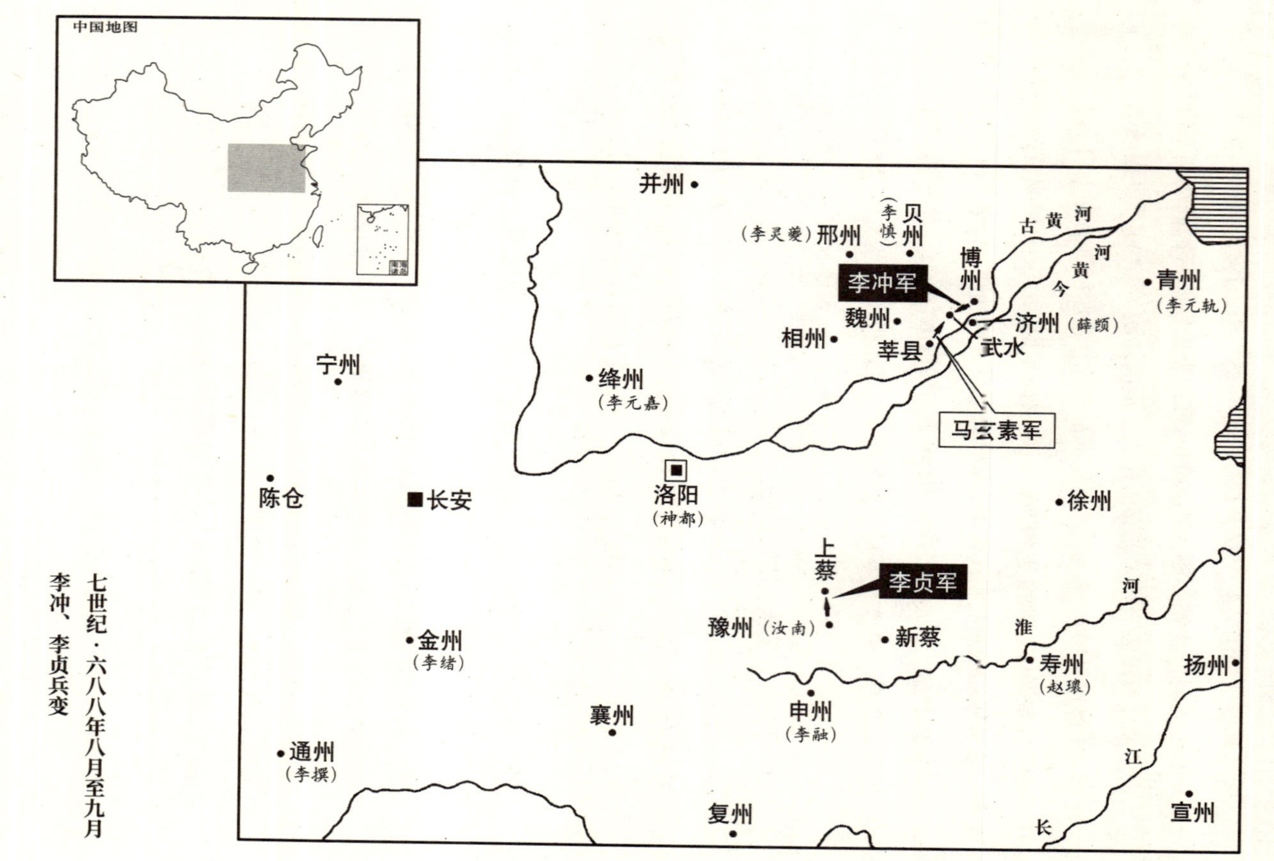

七世纪·六八八年八月至九月
李冲、李贞兵变

防部副部长（夏官侍郎）王本立，同时被任命当二级实质宰相（同平章事）。

12 皇太后武曌于五月下令召集皇亲国戚到皇家大会堂（明堂）朝见时，东莞公爵李融（一任帝李渊孙，李凤子，时任申州〔河南省信阳市〕州长），秘密派人询问国立贵族大学副教授（成均助教）高子贡，高子贡警告说："来，一定死！"李融遂声称有病，表示不能前来。越王李贞起事，派使节要李融响应，李融急迫之间，无法发动，受部属的压迫，只好把使节逮捕，奏报武曌，武曌擢升他当太子宫事务参议官（右赞善大夫，正五品上）；不久，同党的口供泄漏内情。

冬季，十月十四日，李融被绑到洛阳街市斩首，家产没收；高子贡也被诛杀。

济州（山东省聊城市茌平区西南）州长薛顗（音yǐ〔乙〕）、薛顗的老弟薛绪、薛绪的老弟驸马薛绍（太平公主的丈夫），都参与琅邪王李冲的反抗阴谋。薛顗听到李冲起事消息，立刻制造武器，招兵买马；李冲失败后，薛顗诛杀总务官（录事参军）高纂灭口。

十一月六日，武曌斩薛顗、薛绪，薛绍因是太平公主之夫（参考六八一年五月）的缘故，免除砍头，改为打他一百棍，囚禁监狱，不供给饮食，活活饿死（这比斩首更痛苦）。

十二月一日，司徒（三公之二）、青州（山东省青州市）州长、霍王李元轨，被控跟越王李贞勾结，剥夺他所有官爵，流放黔州（重庆市彭水县）看管；押解人员把他装上囚车，走到陈仓（陕西省宝鸡市东陈仓镇），李元轨即行死亡。江都王李绪、宫廷总管（殿中监）郕（音chéng〔成〕）公爵裴承先，都绑到市场斩首。裴承先，是裴寂的孙儿（裴寂事，参考六一七年四月）。

13 武曌命最高监督长（纳言）裴居道，当京师（首都长安）留守长官。

14 中央总监察官（左肃政大夫，正三品）、二级实质宰相（同平章事）骞味道，对他的部属、宫廷监察官（殿中侍御史，从七品下）周矩，一向不看在眼里，时常责备他不会办事。正巧有人罗织罪状，告密骞味道犯罪，武曌命周矩调查。周矩对骞味道说："你经常责备我不会办事，今天办点事给你看看。"

十二月十五日（原文"乙亥"，据《新唐书》改），斩骞味道和他的儿子骞辞玉。

15 十二月二十五日，皇太后武曌前往洛水叩拜，接受"宝图"（就是武承嗣所制，唐同泰所献的石头），唐帝（五任睿宗）李旦（本年二十七岁）及皇太子李成器，都充任随从，中央及地方文武百官，以及蛮夷酋长，都各照方位序列站立，珍贵的飞鸟、奇异的野兽，及各种宝物，陈列祭坛之前，仪仗的盛大，场面之隆重，唐王朝建国以来，从来没有过。

16 十二月二十七日，皇家大会堂（明堂）落成，高二百九十四尺，方三百尺。共三层：下层象征一年四季（春夏秋冬），每季有每季的方位，每方位有每方位的颜色。中层象征每天十二个时辰（子丑寅卯辰巳午未申酉戌亥）；上层是个圆形屋顶，象征二十四节气（立春、雨水、惊蛰、春分、清明、谷雨、立夏、小满、芒种、夏至、小暑、大暑、立秋、处暑、白露、秋分、寒露、霜降、立冬、小雪、大雪、冬至、小寒、大寒），有九条龙在下面撑住；上面耸立一只铁铸的凤凰，高一丈，外贴金叶；皇家大会堂（明堂）中央有一根十个人才抱得住的巨大木柱，从地下直伸屋顶；像树枝一样，由巨柱向四方伸出横梁，横梁上再竖短柱（栭）；短柱旁有辅助柱（栌）、有斜柱（欂），以及门上横木（檐〔门楣〕），都靠中央巨柱支撑（看起来，皇家大会堂似是雨伞形状），四面环绕用铁铸成的河床，清水潺潺流过，仿效周王朝的国立大学（辟雍。明堂、辟雍、灵台〔御用天文台〕，合称“三雍宫”，参考前一三〇年十月）。

武曌又给皇家大会堂（明堂）一个绰号：万象神宫；在里面大摆酒席，招待文武百官；赦免天下；准许平民入内参观。改河南县（洛阳）为合宫县。又在皇家大会堂（明堂）北兴建天堂台，共计五层，用来安置巨大佛像；人们登上第三级，皇家大会堂（明堂）就在眼底。武曌情夫冯小宝因这项功劳，被任命当左威卫（卫军第九军）大将军，封梁国公爵。

监察官（侍御史）王求礼上疏说：“古代的皇家大会堂（明堂），屋顶都用茅草，不加修剪，椽柱都保持初砍下来的原状，不再凿、锯、刨、削。而今，珍珠宝玉作为装饰，颜色华丽缤纷，铁铸的凤凰高插九霄，金饰的蛟龙隐藏云雾之中。从前，子受辛（商王朝末任帝）兴建的琼台、姒履癸（夏王朝末任帝）修筑的瑶台，都超不过。”武曌不批答。

17 武曌打算征召梁州（陕西省汉中市）、凤州（陕西省凤县）、巴州（四川省巴中市）蜑民族部落（蜑，音dàn〔旦〕），从雅州（四川省雅安市）向西，开山凿道，攻击生羌（没有汉化的原始羌部落），并乘机前进，攻击吐蕃王国（首都逻些城〔西藏拉萨市〕），皇家图书院图书抄写员（正字，正九品下）陈子昂上疏劝阻，说：

“雅州（四川省雅安市）边界的羌族部落，自唐王朝建立，迄今没有冒犯过中原，现在忽然间无缘无故受到杀戮，对我们一定恨入骨髓（巴蜀〔四川省〕各羌部落归降李渊，参考六一八年正月，迄今七十一年）。又因为恐惧被屠灭之故，更一定纷纷抵抗。西山（指四川盆地西部）反抗力量投入战场之后，巴蜀（四川省）所有沿边的城池关口，不得不联合戒备，长期之内，将缠斗不休。我愚昧的认为：西蜀（四川盆地西部）的灾难，恐怕从此开始。我曾经听说吐蕃（西藏）羡慕巴蜀（四川省）的富饶，长久以来就想吞并，只因山川险恶，关塞重重，不能相通，无法发动。

“而今，大唐竟然先引起边疆地区羌部落的骚动，把窄狭的山路拓宽，吐蕃势将收留逃亡的羌人，用作向导，反过来攻击大唐边疆，这正是借盗贼（生羌部落）的力量，给匪徒（吐蕃王国）清除路上的障碍，双手捧起巴蜀（四川省），呈献蛮夷。巴蜀（四川省）是大唐的宝库，不但维持当地繁荣，还进一步支援大唐。现在，当权官员贪图不一定可以获得的一点利益，而去向西羌（生羌）挑衅，占领他们的土地，不能种植庄稼；夺取他们的财产，不能使帝国富有；白白浪费消耗我们的国力，对陛下（武曌）的神圣品德，没有裨益。何况，成败胜负，又无法预知。

“巴蜀（四川省）所仗恃的是关山险要，生羌部落所以一直跟大唐相处和睦，平安无事，因为他们没有差役。今天，政府主动的铲平险要，征调他们去做苦工；铲平险要，将使盗寇的军事行动，通行无阻；驱使他们做苦工，则使财产流失，我恐怕眼睛还没有看见生羌部落，奸人匪徒已在我们国境内出现。而且，巴蜀（四川省）人民体力一向衰弱，又不熟悉作战，山川隔绝，距离中原遥远，如今，无事生非，挑起生羌部落和吐蕃的大祸，我认为，用不了一百年，巴蜀（四川省）将成为蛮夷领土。

“帝国最近撤销安北总督府（设内蒙古额济纳旗）及单于总督府（设内蒙古和林格尔县），放弃龟兹（新疆库车市）及疏勒（新疆喀什市），天下一致认为是明智的决定（撤销安北、单于，由于东突厥有大可汗出现，脱离大唐；放弃龟兹、疏勒，由于吐蕃王国北侵。由此奏章可看出大唐土地大幅丧失，版图急剧缩小），因为陛下目的在保护人民，不在开疆拓土。现在，山东（崤山以东）人民正陷饥饿，关中（陕西省中部）、陇右（陇山以西）人民穷苦疲惫，为了满足野心家贪婪的欲望，准备发动战争，下令庞大的动员。自古以来，国亡家破，几乎全由于好战，请陛下深思。”

不久，讨伐生羌部落及吐蕃王国的议论，归于平息。

七世纪·六〇年代至八〇年代　唐王朝疆域萎缩

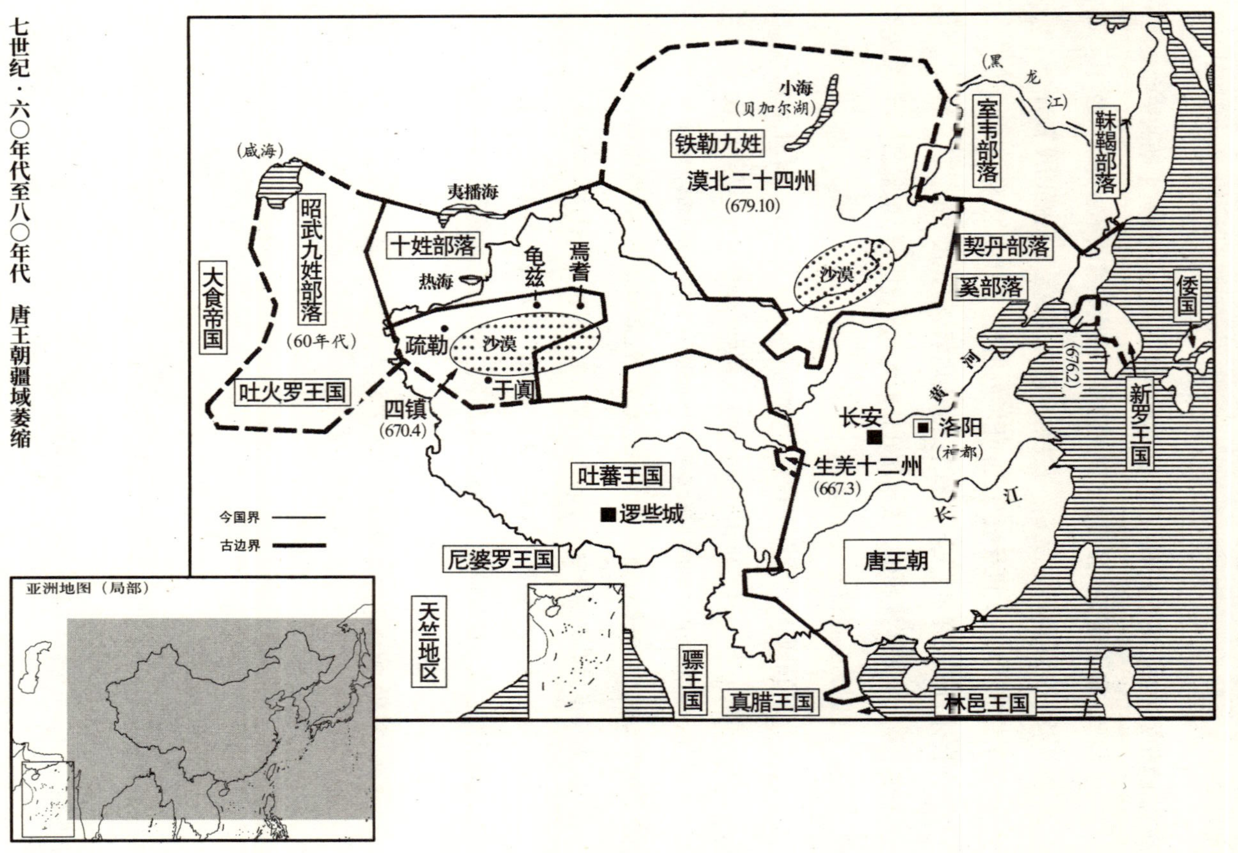